LE LÉOPARD CHASSE LA NUIT

DU MÊME AUTEUR
CHEZ LE MÊME ÉDITEUR

Dans la série Ballantyne

L'Œil du faucon
À la conquête du royaume
La Troisième prophétie

Wilbur Smith

LE LÉOPARD CHASSE LA NUIT

Données de catalogage avant publication (Canada)

Smith, Wilbur, 1933-

Le léopard chasse la nuit

Traduction de : The leopard hunts in darkness.
Suite de : La Troisième prophétie.

ISBN 2-89111-876-6

I. Decourt, Martine. II. Estèbe, Jean-Luc. III. Titre.

PR9405.9.S6L414 2000 823 C99-941778-9

Titre original
THE LEOPARD HUNTS IN DARKNESS
publié par William Heinemann, Ltd, London

Traduit de l'anglais par
MARTINE DECOURT ET JEAN-LUC ESTÈBE

Éditions Libre Expression
2016, rue Saint-Hubert
Montréal (Québec) H2L 3Z5

Dépôt légal :
1er trimestre 2000

ISBN 2-89111-876-6

Cette petite brise avait voyagé des milliers de miles, plus même, depuis les grandes étendues du désert que les petits Bochimans jaunes appellent le « Grand Sec » : le désert du Kalahari. En atteignant la faille du Zambèze, le vent se fragmentait, refluait dans les collines et se heurtait aux escarpements de la vallée.

Trop malin pour se silhouetter contre le ciel, l'éléphant se tenait à l'abri d'une crête. Les frondaisons nouvelles des msasas masquaient son énorme masse, et il se fondait dans le gris des rocailles.

Il s'étira, aspira goulûment par ses larges narines ourlées de poils et roula sa trompe pour souffler délicatement dans sa bouche béante. Nichées au creux de sa lèvre supérieure, les narines s'épanouirent comme des bourgeons de rose, et il goûta l'air.

Il reconnut le parfum épicé des poussières du désert, le pollen douceâtre d'une multitude de plantes sauvages, et la puanteur chaude, bovine, de la harde de buffles dans la vallée en contrebas, mêlée à la saveur acide du trou d'eau où ils pataugeaient. Tout cela il l'identifiait, avec bien d'autres choses encore, et il localisait très précisément la source de chaque odeur.

Mais ce qu'il guettait dans ce mélange d'effluves, c'était ce goût âcre et agressif qui perçait à travers tous les autres. L'odeur d'un tabac noir, associée au fumet très particulier du mangeur de viande, sueur rance et laine mal lavée, paraffine, savon phéniqué et cuir tanné — l'odeur de l'homme. Elle était là, aussi forte, aussi proche qu'au premier jour de la poursuite.

Depuis des générations, cette odeur traquait ceux de sa race. Il avait appris à la haïr, à la craindre, et toute sa vie il l'avait fuie.

Récemment pourtant, il avait connu un long répit. Onze ans de trêve, onze ans de paix pour les hardes des rives du Zambèze. Le mâle, bien sûr, ne pouvait pas en connaître la raison, cette guerre civile sans merci qui divisait alors ses bourreaux. Une guerre qui avait transformé la rive sud du fleuve en zone tampon dépeuplée, trop dangereuse pour les chasseurs d'ivoire. Pendant toutes ces années les troupeaux avaient prospéré. Mais voilà que la traque reprenait avec la même férocité.

Le vieux mâle leva sa trompe de nouveau et aspira l'odeur maudite dans les sinus de son crâne osseux. Puis il se tourna et, silencieux, franchit la crête, tache grise insignifiante qui se découpa un instant sur le bleu du ciel africain. L'odeur l'obsédait toujours quand il descendit vers les siens.

Près de trois cents éléphants s'éparpillaient parmi les arbres. La plupart des femelles étaient flanquées d'éléphanteaux, si jeunes qu'ils ressemblaient à des cochonnets bien dodus, si petits qu'ils tenaient sous le ventre de leur mère. Ils roulaient une trompe minuscule sur leur front et la braquaient vers les mamelles gonflées, entre les pattes des matrones.

Les plus grands folâtraient, cavalcadaient, chahutaient bruyamment jusqu'à ce qu'un de leurs aînés, exaspéré, cueille une branche du bout de la trompe et l'agite d'un air menaçant. Les garnements s'égaillaient alors en poussant des criailleries insolentes.

Femelles et jeunes mâles broutaient lentement, délibérément, plongeant la trompe dans l'épaisseur des épineux pour en sortir des grappes de baies qu'ils déposaient au fond de leur bouche, comme fait un vieil homme d'un cachet d'aspirine. Jouant de leurs défenses tachées de jaune, certains épluchaient l'écorce des msasas et l'enfournaient derrière le triangle de leur lèvre inférieure. Ou bien, leur masse pesante dressée sur les pattes arrière, ils attrapaient les feuilles les plus tendres à la cime des arbres comme des chiens qui mendient un sucre. D'autres, de toute la puissance de leur front, pesaient de leurs quatre tonnes sur les troncs et les ployaient, les secouaient jusqu'à ce qu'ils lâchent sur eux une pluie de gousses savoureuses. Plus bas, deux jeunes mâles combinaient leurs forces pour renverser un géant dont le feuillage les narguait. Au moment même où l'arbre cédait dans un grincement de fibres tordues, le chef de la harde se profila sur la crête. Le vacarme cessa brusquement.

Les éléphanteaux se blottirent craintivement contre leur mère et les adultes se figèrent, sur la défensive, les oreilles déployées.

Le grand mâle descendait vers eux de sa démarche rythmée, portant haut et fier ses lourdes défenses brunies, dressant ses oreilles déchiquetées d'un air inquiet. L'odeur de l'homme le hantait encore. Il atteignit les premières femelles du troupeau, déploya sa trompe et barrit longuement.

Elles pivotèrent instantanément, se tournant d'instinct dans la direction du vent. Le reste de la troupe comprit la manœuvre et rejoignit le cortège en courant, serrant les rangs autour des petits et des mères, les vieilles reines déplumées en escorte, les jeunes mâles en tête et les plus vieux, accompagnés de leurs ordonnances, flanquant leur retraite. Ils s'éloignèrent de leur pas cadencé, dévorant les miles à une allure qu'ils pouvaient soutenir un jour entier, une nuit et une autre journée sans faiblir.

Quelque chose troublait le vieux mâle. Jamais encore il n'avait connu de poursuite aussi âpre. Cela durait depuis huit jours maintenant, et pourtant les rabatteurs ne refermaient pas leur étau sur la harde. Ils se cantonnaient au sud, d'où lui parvenait leur odeur, mais restaient en retrait du faible rayon d'action de ses yeux.

Il les avait pourtant vus, une fois. Le cinquième jour. Incapable de supporter plus longtemps leur harcèlement, il avait lancé le troupeau en arrière dans l'espoir de percer leurs lignes. Ils étaient là, petites silhouettes dressées qui surgissaient des hautes herbes, qui leur barraient la route du Sud en agitant des couvertures et en tapant sur des bidons de paraffine. Le vieux mâle avait tourné les talons pour pousser une fois encore son troupeau dans les rocailles qui dégringolaient vers le grand fleuve.

Le paysage était sillonné de pistes que les éléphants utilisaient depuis des milliers d'années, de sentiers qui empruntaient les pentes les plus douces, trouvaient les couloirs et les cols à travers les grands remparts de pierre. La troupe s'étirait en file indienne dans les étranglements, et se déployait à nouveau plus loin.

Il les poussa toute la nuit. La lune se cachait, mais les grandes étoiles blanches pendaient au ras de la terre, et les pachydermes fuyaient en silence dans la forêt-galerie. Après minuit, le vieux mâle ralentit pour laisser passer son armée, et attendit. Une heure plus tard, le vent lui porta l'odeur empoisonnée de l'homme, faible, éloignée, mais présente — toujours présente.

A l'aube, ils pénétrèrent dans une région où il n'était pas venu depuis plus de dix ans : l'étroit ruban qui longeait le fleuve, théâtre d'une intense activité humaine pendant la guerre, et qu'il avait évité durant tout ce temps avant de se voir finalement contraint d'y chercher refuge.

La harde se déplaçait avec moins de hâte. Les chasseurs étaient distancés et les éléphants purent ralentir l'allure de façon à manger en marchant. La forêt devenait plus verte, plus épaisse que dans les plaines de la vallée. Les msasas cédaient la place aux mopanes et aux grands baobabs ventrus. Le vieux mâle sentait la proximité de l'eau et la soif faisait naître des grondements sourds dans ses entrailles. Pourtant l'instinct lui signalait un danger nouveau. Il s'arrêtait souvent, balançant sa grande tête grise, les oreilles tendues comme des pavillons, ses petits yeux myopes scrutant prudemment le paysage.

A la limite de son champ de vision quelque chose captait son attention. Quelque chose qui scintillait d'un éclat métallique dans le soleil oblique. Il se figea, alarmé, et derrière lui la troupe recula, gagnée par l'inquiétude.

L'animal observait l'étincelle de lumière. Progressivement sa peur s'estompa : rien ne bougeait, à part le souffle tiède de la brise ; aucun bruit, sinon le murmure des branches et un bourdonnement berceur, la rumeur des insectes et des oiseaux autour de lui. Il attendit encore, le regard fixe, et comme la lumière changeait il remarqua d'autres objets identiques, alignés devant lui. Il balança sa masse d'une patte sur l'autre. Un son flûté, indécis, roula dans sa gorge.

C'était une rangée de plaques de métal galvanisé qui éveillait la méfiance du vieux mâle, chacune coiffant un piquet d'acier qui avait été fiché en terre il y a tant d'années que l'odeur de l'homme s'était dissipée. Sur chaque plaque s'inscrivait un avertissement laconique en lettres écarlates que le soleil avait rosies. Un crâne stylisé, deux tibias entrecroisés, et les mots : DANGER. TERRAIN MINÉ.

Les forces de sécurité de l'ex-gouvernement blanc rhodésien avaient installé ce champ de mines, véritable « cordon sanitaire » sur les rives du Zambèze, pour tenter d'enrayer les infiltrations des guérilleros de la ZIPRA[1] et de la ZANU[2]. Des millions de mines antipersonnel et de Claymores, plus puissantes, formaient un champ continu si étendu, si profond, que jamais on ne pourrait nettoyer le terrain. D'ailleurs les difficultés économiques que rencontrait le nouveau gouvernement noir du pays lui interdisaient rigoureusement une opération si coûteuse.

Le vieux mâle hésitait encore. Un vrombissement pétaradant emplit l'air, comme le fracas sauvage d'un ouragan. Le bruit venait de derrière la harde — du sud, encore — et l'animal pivota pour faire face.

Au ras de la forêt filait une ombre grotesque, suspendue à un disque d'argent. Elle envahissait le ciel de son vacarme, fonçait droit sur le troupeau, descendait si bas que le souffle de ses rotors jetait la cime des arbres dans des tourbillons désordonnés et soulevait un brouillard de poussière rouge du sol desséché.

Acculé par cette nouvelle menace, le vieux chef s'ébranla vers la ligne de plaques métalliques. Frappée de terreur, la tribu fonça à sa suite dans le champ de mines.

Il avait parcouru cinquante mètres quand la première

1. ZIPRA : Zimbabwe People's Revolutionary Army *(N.d.T.)*.
2. ZANU : Zimbabwe African National Union *(N.d.T.)*.

d'entre elles explosa. Elle éclata dans l'épais bourrelet de cuir de sa patte arrière droite, tranchant net la chair, comme un coup de hache. Parmi les lambeaux de chair rouge, l'éclat blanc de l'os luisait au fond de la blessure. Le vieux patriarche continua sa route en chaloupant. La deuxième mine le frappa à la patte avant droite, et la réduisit jusqu'à la cheville en une bouillie sanglante. Epouvanté, l'animal poussa une plainte atroce et tomba sur la croupe, cloué au sol par ses membres déchiquetés. Autour de lui la harde poursuivait sa course folle.

Le fracas des détonations, tout d'abord intermittent, commença à s'égrener sur le bord du terrain, adoptant bientôt un rythme saccadé, heurté, comme le solo d'un percussionniste épileptique. De loin en loin, quatre ou cinq mines explosaient en même temps, éructation violente qui se répercutait sur les rochers et retombait en échos éparpillés.

Soutenant tout cela, telle la section de cordes d'un dantesque orchestre symphonique, le rotor de l'hélicoptère barattait son sifflement infernal, virant, plongeant, remontant à la périphérie du terrain, harcelant le troupeau, piquant ici pour détourner un groupe de pachydermes sur le point de s'échapper, fonçant là pour rattraper un jeune mâle ayant miraculeusement réussi à traverser le champ sans dommage, pour le forcer à tourner bride et le refouler dans le piège, où il s'écroulerait bientôt en barrissant, hurlant, les pattes pulvérisées.

Le tonnerre des déflagrations était maintenant ininterrompu, et chaque explosion lançait une colonne de poussière dans l'air de la vallée, jetant sur l'horreur de la scène un voile de brouillard rouge qui se tordait, refluait jusqu'à la cime des arbres et transformait les animaux effarés en ombres torturées, fantasmagoriques, illuminées par l'éclair des explosions.

Une vieille femelle gisait sur le flanc, et tentait de se relever en cognant violemment sa tête sur le sol. Une autre se traînait en remorquant son arrière-train déchiqueté, protégeant de sa trompe l'éléphanteau blotti contre elle jusqu'à ce qu'une Claymore éclate sous sa poitrine, ouvrant sa cage thoracique comme les douves d'une barrique et mettant en pièces le corps de son petit.

D'autres jeunes, séparés de leur mère, couraient en braillant dans la brume écarlate. Un claquement sourd, un éclair blanc, et ils boulaient sur le côté dans un amas de membres fracassés.

Cela dura un long moment, puis le feu nourri s'apaisa, se fit à nouveau intermittent, et cessa peu à peu. L'hélicoptère atterrit derrière la ligne des piquets métalliques. Le battement du moteur mourut et le rotor s'immobilisa. On n'entendait plus maintenant que les hurlements des bêtes à l'agonie. La bulle du cockpit s'ouvrit, et un homme bondit au sol. C'était un Noir, vêtu d'un blouson de toile dont il avait soigneusement relevé les manches, et d'un jean étroit teint à la diable. Pendant la guerre de Rhodésie, la toile de jean avait fait office d'uniforme chez les guérilleros. Une paire de bottes texanes chaussait ses pieds et il portait, juchées sur le haut du front, des lunettes d'aviateur à verres polarisés, cerclées d'or. Avec la rangée de stylos à bille qui cliquetaient sur sa poche de poitrine, ces lunettes étaient les galons d'un grade élevé chez les vétérans de la guérilla. Armé d'un fusil d'assaut AK 47, il s'avança jusqu'au champ de mines et resta planté, impassible, devant le carnage. Puis il revint à l'hélicoptère.

Derrière le plexiglas, ses écouteurs enfouis dans sa chevelure afro, le pilote ne le quittait pas des yeux. Ignorant son regard, l'officier se mit en devoir d'examiner le fuselage.

Insignes et numéro d'immatriculation avaient été soigneusement recouverts de bandes adhésives et masqués à la bombe de peinture émaillée noire. La bande s'était décollée à un endroit, révélant un coin de lettre. L'officier la recolla du plat de la main, inspecta son œuvre d'un coup d'œil critique et se retira à l'ombre d'un mopane.

Il posa son AK 47 contre le tronc, déplia un mouchoir sur le sol pour protéger son jean et s'adossa à l'écorce rugueuse. Il alluma une cigarette, inspira profondément et laissa lentement la fumée sourdre entre ses lèvres pleines.

Puis il sourit pour la première fois. D'un sourire pensif, détaché, en calculant le nombre d'hommes, d'années et de munitions qu'il aurait normalement fallu pour abattre trois cents éléphants.

«Depuis l'époque des combats de brousse, le camarade commissaire n'a rien perdu de sa ruse. Qui d'autre aurait pu concevoir un plan pareil?» Il secoua la tête, respectueux et admiratif.

Sa cigarette terminée, il réduisit le mégot en miettes entre le pouce et l'index — habitude qui lui restait des jours anciens — et ferma les yeux.

L'effroyable concert de grognements et de plaintes qui montait du champ de mines ne l'empêcha pas de dormir. Ce furent des voix d'hommes qui le réveillèrent. Il bondit brusquement et jeta un coup d'œil au soleil. Midi passé. Il courut vers l'hélicoptère et secoua le pilote.

— Les voilà.

Il déboucla le porte-voix de sa potence et attendit dans l'habitacle que le premier d'entre eux s'avance entre les arbres, fixant sur lui un regard méprisant.

— Babouins, grogna-t-il, avec la morgue de l'instruit pour le paysan, le dédain de l'Africain pour tous ceux qui n'appartiennent pas à sa tribu.

Ils marchaient en file indienne, suivant la piste des éléphants. Deux ou trois cents, vêtus de peaux de bêtes et de haillons, les hommes ouvrant la marche et les femmes à l'arrière-garde. Elles étaient torse nu pour la plupart, et certaines d'entre elles étaient jeunes, avec un port de tête provocant et un balancement exubérant de fesses rebondies sous des pagnes de queues d'animaux ultracourts. Le mépris de l'officier se transforma en convoitise. Peut-être trouverait-il le temps de s'occuper de l'une d'elles tout à l'heure, pensa-t-il en enfournant une main dans la poche de son jean. Le cortège longea le champ de mines, jacassant et pépiant, cabriolant et gloussant devant l'amoncellement des pachydermes estropiés.

L'officier les laissa faire. Ils avaient gagné le droit de se réjouir. Depuis huit jours ils ratissaient la brousse sans trêve, se relayant par équipes pour rabattre les éléphants sur la vallée. En attendant qu'ils se calment, il admira une fois encore le magnétisme, le charisme, qui avait pu faire une armée efficace de cette masse de primitifs illettrés. Un seul homme avait conçu cette opération.

«Et quel homme!» L'officier hocha la tête, se secoua de sa torpeur et porta le mégaphone à ses lèvres.

— Silence!

Puis il commença à distribuer les tâches.

Il recruta les équipes d'équarrisseurs parmi ceux qui arboraient des haches et des pangas. Il confia aux femmes l'élaboration des cadres pour le fumage de la viande, la confection de paniers en écorce de mopane et le ramassage du bois pour les feux. Puis il revint à ses bouchers.

Aucun des indigènes n'était monté dans un engin volant. L'officier dut user de la pointe de sa botte pour convaincre le premier d'entre eux de grimper dans l'habitacle. L'hélicoptère se propulsa vers le champ de mines et s'arrêta au-dessus du premier cadavre.

Penché au-dehors, l'officier examinait le vieux mâle. Il détailla les ivoires épais et, voyant que la bête était saignée à mort, fit signe au pilote de descendre.

Il approcha ses lèvres de l'oreille du plus ancien des indigènes :

— Ne pose pas le pied par terre si tu tiens à la vie! cria-t-il.

Le vieil homme hocha fébrilement la tête.

— D'abord les défenses, et après la viande.

L'homme acquiesça de nouveau.

L'officier lui administra une claque sur l'épaule et l'ancien sauta sur le ventre du pachyderme, déjà ballonné de gaz, et avança agilement sur le corps. Le reste de son équipe le suivit, hache en main.

Au signal de l'officier, l'hélicoptère s'envola et piqua comme une libellule sur la bête qui paraissait la mieux pourvue en ivoire. Elle vivait encore, et parvint à se hisser sur l'arrière-train pour brandir vers l'engin une trompe vengeresse, maculée de sang et de poussière.

Calé dans l'habitacle, l'officier saisit son AK 47 et tira un coup unique, à la base du cou. La femelle s'effondra et resta étendue, immobile. Il adressa alors un signe au chef de sa deuxième équipe.

Perchés sur les énormes têtes grises, les hommes dégageaient les défenses de leur gangue d'os blanc à coups de hache. Travail délicat : une entaille malheureuse pouvait diminuer substantiellement la valeur de l'ivoire. Ils avaient vu l'officier en jean briser d'un coup de crosse bien ajusté la mâchoire d'un des leurs, qui avait osé discuter un ordre. Dieu sait de quoi il serait capable s'ils abîmaient les défenses ! Ils procédaient précautionneusement. Au fur et à mesure, l'hélicoptère halait les défenses à bord, et transportait plus loin son équipe d'équarrisseurs.

Au crépuscule, la plupart des éléphants étaient morts. Le râle de ceux qui n'avaient pas encore reçu le coup de grâce se mêlait au vacarme des chacals et des hyènes, pour peupler la nuit d'un hideux tohu-bohu. Les bouchers travaillèrent à la lueur des torches, et à l'aube, la récolte d'ivoire se terminait.

Restait à débiter les cadavres. La chaleur travaillait plus vite que les hommes. La puanteur de la chair putréfiée et les gaz des entrailles éclatées poussaient la fringale carnassière de la tribu jusqu'à des sommets frisant la frénésie. Une fois découpé, chaque gigot était enlevé par l'hélicoptère jusqu'à la limite de la zone minée. Les femmes taillaient alors la viande en lanières étroites qu'elles pendaient en guirlandes au-dessus du bois vert qui brasillait.

L'officier évaluait les pertes. Ils n'allaient pas pouvoir récupérer les peaux. Dommage. On aurait pu en tirer mille dollars pièce, mais le transport posait trop de problèmes. Sans compter la conservation. Le processus de putréfaction, déjà entamé, leur ôtait toute valeur. Le zeste de décomposition de la viande, en revanche, ne la rendait que plus savoureuse encore aux palais africains — tout comme le gibier faisandé des Anglais.

Cinq cents tonnes de viande fraîche... Une fois séchée, son poids aurait diminué de moitié, mais les mines de cuivre de la Zambie, à quelques kilomètres de là, avec leurs dizaines de milliers d'ouvriers à nourrir, ne discuteraient pas les prix. Deux dollars la livre de viande grossièrement fumée, soit un million de dollars. Sans compter l'ivoire...

L'hélicoptère avait entreposé les défenses à un demi-mile

de là, dans un endroit isolé derrière les crêtes. Une équipe s'affairait à détacher la masse blanche, nerveuse et gélatineuse qui encombrait leurs extrémités. Il fallait nettoyer soigneusement l'ivoire, pour que les narines délicates des douaniers orientaux ne puissent rien soupçonner. Il y avait quatre cents défenses. Certaines ne pesaient guère plus de quelques livres, mais les attributs du vieux mâle dépassaient largement les quatre-vingts livres pièce. L'un dans l'autre, on pouvait escompter une moyenne de vingt livres par spécimen. A Hong-Kong, les cours tournaient autour de cent dollars la livre. On pouvait donc espérer un profit de huit cent mille dollars... Près de deux millions de dollars en tout, pour une journée de travail. Dans un pays où le revenu moyen par habitant n'atteignait pas six cents dollars par an.

Bien sûr, l'opération n'avait pas été tout à fait gratuite. Déséquilibré, l'un des équarrisseurs avait dégringolé de son perchoir pour atterrir sur une mine antipersonnel.

« Fils de vieux babouin ! » L'officier pestait encore de tant de bêtise. Il avait fallu interrompre le travail pendant près d'une heure, le temps d'enlever le corps et de le préparer pour l'enterrement.

Un coup de hache trop enthousiaste avait coûté son pied à un autre. Les pangas virevoltant avaient estropié une douzaine de maladroits et, pendant la nuit, un mari imbécile était mort d'une balle de AK 47 dans le ventre parce qu'il n'avait pas su se taire en voyant ce que l'officier faisait à sa plus jeune femme dans les fourrés. Pertes négligeables, par rapport au profit. Le camarade commissaire serait content.

Ce n'est qu'à l'aube du troisième jour que l'officier s'estima satisfait du travail accompli par l'équipe qui préparait l'ivoire. Il renvoya alors les indigènes dans la vallée pour aider au séchage de la viande. L'identité du visiteur de marque qui venait inspecter le butin devait rester secrète.

Il arriva en hélicoptère. L'officier était au garde-à-vous dans la clairière, près des alignements de défenses. Son blouson volait et son jean frémissait dans le souffle des rotors, mais il garda dignement la pose.

L'engin atterrit et une silhouette à l'allure autoritaire en descendit. Un homme bien bâti, droit, carré, avec des dents immaculées tranchant dans un visage d'ébène, sa toison crépue taillée ras sur un crâne de statue. Il portait un luxueux costume gris perle de coupe italienne sur une chemise blanche ornée d'une cravate bleu marine, et ses chaussures en vachette étaient faites sur mesure.

Il tendit la main. Le jeune officier abandonna immédiatement son garde-à-vous pour courir vers lui comme un enfant vers son père.

— Camarade commissaire !

— Non ! Non ! corrigea l'autre en souriant. Pas commissaire, ministre ! Non plus chef d'une bande de guérilleros en guenilles mais ministre d'un Etat souverain.

Sans se départir de son sourire, il inspecta les défenses qui luisaient de reflets mats.

— Et le plus heureux braconnier de tous les temps, dirait-on.

Craig Mellow serra les mâchoires. La voiture venait d'encaisser un autre nid-de-poule, dans la 5e Avenue. Comme tous les taxis new-yorkais, sa suspension aurait mieux convenu à un tank Sherman.

« J'étais moins secoué en Land-Rover dans la dépression de Mbabwe », pensa-t-il. Une bouffée de nostalgie l'envahit au souvenir de cette piste tortueuse, creusée d'ornières, qui traversait les étendues désolées au sud de la rivière Chobé, le grand affluent vert du géant Zambèze.

C'était si loin ! Il imposa silence à sa mémoire et se remit à méditer amèrement sur l'affront qu'on lui faisait en le forçant à se rendre en taxi — taxi qu'il allait devoir régler lui-même — à un déjeuner avec son éditeur. Il se souvenait d'une époque où on lui aurait envoyé une limousine avec chauffeur pour le conduire au *Four Seasons* ou à *La Grenouille,* et pas dans une gargote à pizzas de Greenwich Village ! Genre de vexation discrète qu'on peut attendre d'un éditeur quand son auteur ne lui a pas fourni un manuscrit depuis trois ans, qu'il passe son temps à courtiser son agent de change et qu'il transpire plus souvent au *Studio 54*[1] que sur le clavier de sa machine à écrire.

« Ma foi ! je l'ai bien cherché, après tout. » Craig fit la grimace, fouilla dans sa poche et s'arrêta en se rappelant brusquement qu'il ne fumait plus. Il repoussa la mèche sombre qui lui barrait le front et observa la foule encombrant les trottoirs. Autrefois, il avait trouvé ce fourmillement excitant, stimulant même, après le silence de la brousse africaine. Même les façades minables et les enseignes au néon lui paraissaient intéressantes alors, différentes. Maintenant il suffoquait, mendiait un peu d'horizon, au lieu de ce ruban de ciel étroit qui serpentait au sommet des buildings.

Le taxi freina brutalement, et le chauffeur grommela sans se retourner : « 16e Rue. »

Craig passa un billet de dix dollars par la vitre qui l'isolait du conducteur.

— Gardez tout, dit-il en prenant pied sur le trottoir.

Il localisa immédiatement le restaurant, avec son auvent d'un exotisme de pacotille et ses bouteilles de chianti dans la vitrine.

Ashe Levy se leva d'un box au fond de la salle pour l'accueillir.

— Ce vieux Craig !

Il lui passa un bras autour des épaules et tapota paternellement sa joue.

— Tu as l'air en pleine forme, vieux crabe.

Ashe cultivait un style d'un éclectisme très personnel. Cheveux coupés en brosse, lunettes cerclées d'or, il arborait une chemise à rayures avec col blanc, boutons de manchettes et épingle de cravate en platine, et des chaussures de golf en cuir brun ornées de motifs piquetés sur l'empeigne. Il ne fumait que le meilleur Tijuana Gold.

— Chouette endroit, Ashe. Comment as-tu déniché cette gargote ?

— Oui, hein ? Ça change du *Seasons,* pour une fois.

L'éditeur eut un sourire perfide, satisfait de voir que les sous-entendus de ce changement ne passaient pas inaperçus.

1. L'une des plus célèbres boîtes de nuit de New York.

— Craig, je voudrais te présenter une fille bourrée de talent.

Elle se tenait dans l'ombre, au plus profond du box, et se pencha pour le saluer. Le spot détacha sa main en pleine lumière. Ce fut le premier souvenir que Craig devait conserver d'elle.

Une main étroite avec des doigts d'artiste. Bien que les ongles fussent très soignés, ils étaient coupés très courts, sans vernis ; sous la peau dorée par le soleil on devinait un réseau de veines aristocratiques. L'ossature était fine mais la paume rugueuse — une main habituée au travail.

Craig la serra. Il en éprouva la force, et regarda enfin le visage de la jeune femme.

Elle avait d'épais sourcils noirs. Le vert de ses yeux, malgré la lumière parcimonieuse, était pailleté d'éclats couleur de miel. Elle posa sur lui un regard direct et candide.

Son nez était droit mais légèrement trop long, et sa bouche trop large pour être belle. Son épaisse chevelure noire, sévèrement tirée en arrière, découvrait des traits constellés de taches de rousseur.

— J'ai lu votre livre, dit-elle.

Sa voix était claire, posée, et elle parlait avec l'accent de la côte Est. C'est seulement en l'entendant que Craig se rendit compte de sa jeunesse.

— Je pense qu'il mérite le destin qu'il a eu.

— Compliment, ou peau de banane ?

Craig tâchait de paraître ironique, détaché, tout en priant qu'elle ne fasse pas partie de ces bonnes âmes qui affichent leur goût pour la littérature de salon en crachant au visage des auteurs populaires.

— Il a connu un réel succès, remarqua-t-elle.

Et Craig se sentit absurdement flatté, bien qu'avec cette phrase elle parût avoir définitivement épuisé le sujet.

Il avait retenu sa main un peu plus longtemps que nécessaire. Elle la lui retira fermement. Ainsi donc ce n'était pas une groupie, et elle n'allait pas lui sortir le grand jeu. Tant mieux. Les collectionneuses qui assiégeaient son lit l'ennuyaient prodigieusement, et « admiratrice », pour lui, rimait avec « triste » — ou presque.

— Voyons si ce vieil Ashe peut nous payer un verre, bougonna-t-il en se glissant dans le box.

Ashe fit son cinéma habituel devant la carte des vins, ce qui ne l'empêcha pas, finalement, de se rabattre sur un frascati à dix dollars.

— Très bon, ce vin, moelleux, fruité...

L'éditeur roulait la langue d'un air appréciateur.

— Il est frais, en tout cas. Et liquide, fit Craig.

Ashe sourit comme ils pensaient tous deux à ce corton-charlemagne 70 qu'ils avaient bu la dernière fois.

— Nous attendons quelqu'un pour tout à l'heure, annonça-t-il au garçon.

Puis, se tournant vers Craig :

— Je voudrais que Sally-Ann te montre ce qu'elle fait.

— Voyons voir, dit Craig, aussitôt sur la défensive.

Ils le guettaient tous comme au coin d'un bois, tous ceux qui lui réclamaient une préface pour leurs manuscrits, les experts financiers qui tenaient à veiller sur ses jolis petits droits d'auteur, ceux qui, généreusement, lui accordaient d'écrire l'histoire de leur vie et consentaient tout juste à partager les bénéfices, ceux qui voulaient lui caser une assurance, lui vendre une île déserte, lui commander un script pour un salaire de misère et un pourcentage plus ridicule encore, une foule de hyènes qui se pressaient, comme autour de la dépouille d'un lion.

Sally-Ann produisit un porte-documents et le posa sur la table devant lui. Pendant qu'Ashe orientait le spot, elle défit les rubans qui fermaient la couverture et se renversa sur le dossier de son siège.

Craig ouvrit le classeur, et se figea. Il sentit la chair de poule hérisser ses avant-bras, et ses cheveux se dresser sur sa nuque — sa réaction habituelle devant la beauté, devant tout ce qui approchait la perfection : un Gauguin au Metropolitan Museum à Central Park, cette madone polynésienne qui portait le Christ sur ses épaules, des passages entiers de T.S. Eliot et d'Ernest Hemingway, la première mesure de la *Cinquième Symphonie* de Beethoven, ces jetés invraisemblables de Rudolf Noureïev, la façon dont Nicklaus et Borg frappaient la balle dans leurs bons jours. Autant de choses qui lui hérissaient l'épiderme, comme maintenant.

C'était une photo. Un fini au rendu glacé, un piqué parfait. Les couleurs étaient limpides et criantes de vie.

C'était la photo d'un éléphant. Un vieux mâle. Il faisait face à l'objectif, les oreilles déployées comme des drapeaux noirs dans l'attitude caractéristique de l'inquiétude chez ceux de son espèce. On retrouvait là l'immensité, l'éternité de tout un continent, et, pourtant, l'animal était acculé et toute sa puissance s'avérait inutile. On le sentait dépassé par un danger devant lequel son expérience et la mémoire de ses ancêtres le laissaient désarmé. On sentait qu'il s'apprêtait à succomber au changement — tout comme l'Afrique.

La photo montrait aussi la terre ravagée par le vent, brûlée par le soleil, épuisée par la sécheresse. Craig en avait presque le goût de poussière sur la langue. Et puis, au-dessus de tout cela, le ciel infini, lourd de promesses, charriant des nuages argentés dressés comme des montagnes croulant sous la neige, et qu'un soleil invisible perçait d'un rayon unique qui tombait sur le vieux pachyderme, comme une bénédiction divine.

En un centième de seconde, le temps qu'il faut pour que l'œil du diaphragme s'ouvre et se referme, elle avait capturé toute l'essence, tout le mystère de sa terre natale, alors que lui-même s'était acharné durant des mois avant de reconnaître qu'il n'y parviendrait jamais. Constatation qui, en secret, lui faisait redouter de tenter un deuxième essai. Il sirota une gorgée de ce breuvage insipide par lequel on sanctionnait sa dérobade, et remarqua que le vin avait un relent de quinine, ce dont il ne s'était pas aperçu tout à l'heure.

— Vous venez d'où ? demanda-t-il à la fille, sans relever les yeux.

— Denver, Colorado. Mais mon père travaille à l'ambassade de Londres depuis des années. J'ai fait mes études en Angleterre. (Ce qui expliquait son accent.) A dix-huit ans, j'ai découvert l'Afrique, et j'en suis tombée amoureuse.

Craig dut faire un effort pour toucher la photo et la retourner doucement. Le cliché suivant représentait une jeune femme assise sur un roc de basalte noir, près d'un trou d'eau en plein désert. Elle portait la coiffure traditionnelle des Ovahimba, une sorte de bonnet d'âne en cuir jaune. Debout à côté d'elle, son enfant s'accrochait à un sein nu. La peau de la femme luisait de beurre et d'ocre. Ses yeux avaient la douceur des fresques égyptiennes. Elle était superbe.

— Denver, Colorado. Vraiment!

Craig ressentait une brûlure étrangement amère, une rancœur dont la vigueur l'étonnait. Comment! Une étrangère, une espèce de femme-enfant, qui osait résumer avec tant de justesse la complexité d'un peuple dans un seul portrait. Il avait passé toute sa vie au milieu des Africains et pourtant jamais il ne les avait si bien compris qu'aujourd'hui, dans ce restaurant italien de Greenwich Village.

Il tourna la photo avec une rage mal contenue. Suivait une image de la gorge évasée de l'admirable *Kigelia africana,* la fleur préférée de Craig, toute de bruns et d'ocres. Dans les profondeurs soyeuses du calice se nichait un scarabée minuscule d'un vert iridescent, brillant comme une émeraude. C'était un parfait mariage de lignes et de couleurs, et il lui en voulait presque.

Il y en eut bien d'autres encore. Un grand flandrin de maquisard, un AK 47 en bandoulière et un collier d'oreilles humaines autour du cou, souriait de toutes ses dents, caricature de barbarie et d'arrogance. Un sorcier ridé, affublé de cornes, de perles et d'autres attributs macabres, s'affairait à saigner une patiente sur le sol de terre poudreuse. C'était une femme dans la fleur de l'âge dont les seins, les joues et le front s'ornaient de tatouages rituels. Le sang s'écoulait sur sa peau en serpents noirs, luisants. Ses incisives étaient limées en pointe comme des dents de requin, vestiges du cannibalisme, et ses yeux, comme ceux d'un animal malade, contenaient toute la patience, tout le stoïcisme du continent africain.

Et puis il y avait une photo d'enfants noirs sous la toiture de chaume d'une salle de classe rudimentaire. Ils partageaient un abécédaire à trois mais leurs mains se levaient, enthousiastes, aux questions d'un jeune instituteur, et leurs visages s'illuminaient d'un désir brûlant de connaître — tout était là, un tour d'horizon complet : espoir, désolation, misère et richesse, cruauté, tendresse, douleur, humour. Craig tournait les photos lentement, retardant le moment où il lui faudrait lever les yeux vers leur auteur.

Il s'arrêta soudain, frappé par une vision horriblement poignante : un jardin d'ossements blanchis. La fille avait utilisé le noir et blanc pour souligner son intensité dramatique. Les os brillaient sous le soleil de l'Afrique, hectares de fémurs et de tibias délavés comme du bois flotté, cages thoraciques géantes, comme des charpentes de clippers échoués, crânes grands comme des barriques de bière troués d'orbites noires et profondes. Craig pensa au légendaire cimetière des éléphants.

— Braconniers, dit-elle. Deux cent quatre-vingt-six carcasses.

Craig la regarda enfin, impressionné par un tel chiffre.

— Ils les ont poussés dans un champ de mines, reprit-elle.

Craig frissonna, et baissa les yeux. Sous la table, sa main droite courut sur sa cuisse, cherchant la courroie qui maintenait sa jambe. Il éprouvait pour le sort tragique des grands pachydermes une compassion qui le suffoquait presque. Il se souvint d'un champ de mines qu'il avait lui-même traversé, sentit à nouveau le choc déchirant de la déflagration sous son pied, comme un coup de boutoir.

— Je suis désolée, murmura-t-elle. Pour votre jambe...

— Elle est au courant, Craig, murmura Ashe Levy. C'est une jeune fille bien documentée.

« Fermez-la ! pensa Craig. Bouclez-la, tous les deux. » Il avait horreur qu'on s'apitoie sur sa patte folle. Si vraiment elle s'était documentée, cela aussi elle aurait dû le savoir. Mais il ne s'agissait pas seulement de sa jambe. Il y avait aussi les éléphants. Craig avait travaillé comme garde-chasse à l'Office des parcs nationaux. Il les connaissait, il avait appris à les aimer, et un tel massacre l'écœurait, ajoutait encore à son aigreur. Cette fille lui imposait un spectacle abominable. Une envie puérile de vengeance le tenaillait, mais avant qu'il ne puisse la mettre en pratique, le dernier invité arriva, et Ashe se leva.

— Craig, voilà un type hors du commun. (L'éditeur

assortissait toujours ses présentations d'un boniment accrocheur.) Henry Pickering, l'un des vice-présidents de la Banque mondiale. Ecoute bien, et tu entendras le remue-ménage des chiffres qui cavalent dans sa tête. Henry, voici Craig Mellow, notre enfant prodige. Karen Blixen y compris, Craig est un des écrivains les plus importants que nous ait jamais donnés l'Afrique. Aucun doute là-dessus!

— J'ai lu son livre.

Pickering était très grand, très mince et arborait une calvitie précoce. Il portait un costume sombre d'homme d'affaires, une chemise immaculée où sa cravate jetait une touche de couleur, qui répondait à deux yeux d'un bleu étincelant. Il posa un baiser platonique sur la joue de Sally-Ann, goûta le vin qu'Ashe Levy lui servait, et repoussa son verre. Craig se surprit à admirer l'allure du bonhomme.

— Alors, qu'est-ce que vous en pensez? lui demanda Pickering en regardant les photos.

— Il les adore, Henry, s'interposa l'éditeur. Il en est fou. Vous auriez dû voir sa gueule quand il a ouvert le classeur. Mordu, je vous dis. Il est mordu!

— Parfait, dit l'autre d'une voix douce, sans quitter Craig des yeux. Vous lui avez expliqué l'idée?

— Je voulais la lui balancer au dernier moment. La lui servir toute chaude, sur un plateau.

Il se tourna vers l'auteur.

— Un bouquin. Un bouquin qui s'appellerait *L'Afrique de Craig Mellow*. Tu écris un truc sur l'Afrique de tes ancêtres, ce qu'elle était et ce qu'elle est devenue. Tu retournes là-bas et tu nous fais une étude en profondeur. Il faudra interviewer les gens...

— Excusez-moi, l'interrompit Pickering, je crois que vous parlez l'une des deux langues principales du Zimbabwe, n'est-ce pas? Le ndébélé, c'est bien ça?

L'éditeur répondit pour Craig.

— Couramment. Comme eux, ni plus ni moins.

— Parfait. On m'a dit que vous aviez beaucoup d'amis... et quelques-uns haut placés dans le gouvernement.

Cette fois encore Ashe lui vola la réplique.

— Il a des copains ministres! Difficile de faire mieux.

Craig baissa les yeux sur la photo du cimetière d'éléphants. « Zimbabwe. » Il n'arrivait toujours pas à se faire au nouveau nom que les vainqueurs noirs avaient choisi. Pour lui, c'était encore la Rhodésie. Le pays que ses ancêtres avaient arraché à la brousse, armés de pioches, de haches et de mitrailleuses Maxim. C'était leur pays, et quel que soit le nom qu'on choisisse de lui donner, c'était encore le sien.

— Un bouquin grand luxe, Craig, avec un budget phénoménal. Tu pourras aller où tu veux, dépenser tout ce que tu veux, la Banque mondiale réglera la note.

Ashe Levy continuait à déblatérer, et Craig lorgna Henry Pickering.

— La Banque mondiale se lance dans l'édition ? demanda-t-il, sardonique.

Et comme Ashe s'apprêtait à répondre, Pickering posa la main sur son bras.

— Laissez-moi prendre le relais.

Il avait deviné l'humeur de Craig. Sa voix se fit douce, apaisante.

— Notre mission consiste avant tout à prêter de l'argent aux pays du tiers-monde. Nous avons versé près d'un milliard au Zimbabwe. Nous tenons à protéger notre investissement. Il faut voir la chose comme une brochure publicitaire. Présenter au monde un petit Etat africain dont nous voudrions faire la vitrine du développement, la preuve qu'un gouvernement noir peut réussir. Nous pensons que votre livre pourrait nous aider.

— Et ça ?

Craig toucha la pile de photos.

— Le livre doit avoir également un impact visuel. Ce sera là la tâche de Sally-Ann.

Craig observa un long silence. La terreur s'infiltrait en lui, comme un reptile malfaisant. La peur de l'échec. Il lui faudrait se mesurer à ces photos, pondre un texte assez fort pour qu'il ne soit pas totalement occulté par les images extraordinaires qu'enregistrait l'objectif de cette fille. Il jouait sa réputation, lui, alors qu'elle n'avait rien à craindre. Ce n'était pas une alliée mais une adversaire, et son aigreur revint à la charge, plus forte que jamais, si forte que maintenant elle frôlait la haine.

La fille se pencha vers lui au-dessus de la table. La lumière du spot jouait dans ses longs cils et dans les paillettes de ses yeux verts. Le tremblement de sa bouche trahissait seul son agitation. Une minuscule bulle de salive, comme une perle miniature, brillait sur sa lèvre inférieure. Malgré sa colère, malgré sa peur, Craig se demandait à quoi ça pouvait ressembler d'embrasser cette bouche.

— Craig, dit-elle, je peux faire mieux que ça...

— Vous aimez les éléphants, hein? Je vais vous raconter une histoire d'éléphant. C'est un grand mâle, qui a une puce dans l'oreille. Un jour il traverse un pont branlant. Arrivé sur l'autre rive, la puce s'écrie : «Eh bien! mon vieux, on l'a drôlement secoué ce pont! Tu as vu ça?»

Les lèvres de Sally-Ann se fermèrent lentement, et pâlirent. Ses paupières papillotèrent, ses cils frémissaient comme des ailes, et les larmes commençaient à perler à ses yeux quand elle se recula dans l'ombre.

Il y eut un silence. Craig se sentit coupable. Sa propre cruauté, sa propre mesquinerie l'écœuraient. Il croyait cette fille dure, éprouvée et il s'était attendu qu'elle lui expédie une réplique acérée. Il n'avait pas prévu les larmes. Il voulut la réconforter, lui expliquer qu'il regrettait, exposer ses craintes, son anxiété, mais déjà elle se levait et ramassait ses photos.

— Il y avait tant de tendresse, tant de compréhension dans votre livre, et je voulais tant travailler avec vous! Quelle idiote, n'est-ce pas?

Elle se tourna vers Ashe.

— Désolée, mais je crois que je n'ai plus très faim.

L'éditeur se leva.

— Je vous reconduis en taxi.

Il jeta un coup d'œil vers Craig.

— Bien joué, grand chef. Appelle-moi quand tu auras tapé ton prochain best-seller!

Il se lança dans le sillage de Sally-Ann. Comme elle passait la porte le soleil l'illumina, et sa jupe drapa la forme de ses jambes. Elles étaient longues, superbes. Elle disparut.

Henry Pickering manipulait son verre, en étudiant pensivement le vin.

— De la pisse de chèvre italienne pasteurisée, dit Craig.

Sa voix tressautait. Il appela le garçon, et commanda un meursault.

— Voilà qui est mieux, apprécia Henry. On dirait que ce livre n'était pas une si bonne idée après tout. Si nous mangions ?

Ils parlèrent de choses et d'autres — le rééchelonnement de la dette mexicaine, le bilan de l'administration Reagan, le prix de l'or. Henry préférait l'argent et pensait que le marché du diamant ne tarderait pas à reprendre.

Une jeune blonde élancée se leva d'une table voisine pour venir les rejoindre, comme ils prenaient le café.

— Vous êtes Craig Mellow, fit-elle, accusatrice. Je vous ai vu à la télé. J'adore votre livre. Vous voulez bien signer ça pour moi ?

Pendant qu'il paraphait son menu elle se pencha sur lui et pressa un petit sein palpitant contre son épaule.

— Je travaille au comptoir des produits de beauté chez *Saks,* susurra-t-elle. Vous êtes toujours sûr de me trouver là.

Elle laissa derrière elle une odeur de parfum luxueux.

— Vous les envoyez toujours paître ? demanda Henry d'un air jaloux.

— Pas toujours. Je ne suis pas de bois.

Il rit, et Henry insista pour régler la note.

— J'ai une limousine, dit-il. Je vous dépose ?

— Une petite promenade m'aidera à faire passer les lasagnes.

— Vous savez, Craig, je pense que vous retournerez en Afrique. J'ai vu la façon dont vous regardiez ces photos...

— Possible.

— Notre proposition... Ashe n'a peut-être pas bien compris notre intérêt dans ce livre. Vous connaissez admirablement les Noirs. Cela nous intéresse. Et la vision des choses, dans votre roman, cadre exactement avec notre analyse. Si vous décidez de repartir, appelez-moi. Nous pourrions faire un échange de bons procédés.

Il se laissa tomber sur la banquette arrière de sa Cadillac noire et lança, par la portière ouverte :

— En fait, ces photos ne me paraissent pas si mauvaises.

Puis il ferma la portière, et le chauffeur démarra.

Bawu était ancré entre deux yachts de série flambant neufs — un Camper & Nicholson de quinze mètres, et un fifty Hatteras — et, malgré ses cinq ans d'âge, il soutenait encore la comparaison. Craig en avait serré toutes les vis de ses propres mains. Il s'arrêta à l'entrée des bassins pour l'admirer mais, curieusement, la silhouette de son bateau lui procura moins de plaisir que d'habitude. La réceptionniste de la marina l'appela.

— J'ai eu deux communications pour vous, Craig.

Il parcourut les papiers qu'elle lui tendait. Un avis d'appel de son agent de change, et un autre du supplément littéraire d'un quotidien du Middle West. Ce genre de coup de fil se faisait rare, ces temps-ci.

— Vous pouvez utiliser mon téléphone, si vous voulez.

Il commença par l'agent de change. Il venait de vendre à 502 dollars l'once les certificats Mocatta qu'il avait achetés à 320 dollars. Il lui demanda de mettre l'argent sur son compte courant.

Puis il composa le second numéro. Pendant qu'il attendait, la réceptionniste s'affairait derrière son comptoir et, sous des prétextes oiseux, se penchait sur le tiroir du bas pour offrir à Craig un aperçu du contenu de son soutien-gorge rose.

On lui passa la responsable de la rubrique littéraire. Elle voulait connaître la date de parution de son prochain roman. «Quel prochain roman?» pesta Craig, amer.

— Nous n'avons pas encore fixé la date, mais ça vient. Vous voulez une interview, en attendant?

— Merci, monsieur Mellow, nous patienterons jusqu'à la sortie du livre.

«Patiente donc, ma belle.» Quand il raccrocha, la fille se redressa d'un air fringant.

— Il y a une fête sur le *Firewater* ce soir. (Toutes les nuits il y avait une fête quelque part.) Vous y allez ?

Entre son bermuda blanc et son soutien-gorge rose, elle exhibait un ventre ultraplat. Sans ses lunettes, elle était peut-être jolie — et puis merde ! il venait de récolter un quart de million à la Bourse, et une douche froide au restaurant.

— Impossible. J'organise une fête sur le *Bawu*... Pour deux.

C'était une brave fille et elle avait été assez persévérante pour mériter sa récompense. Son visage s'illumina, et il vit qu'il ne s'était pas trompé : elle était ravissante.

— Je finis à 5 heures.

— Je sais. Je vous attends.

« J'en envoie promener une, pensa-t-il, et je fais une fleur à une autre. Ça devrait s'équilibrer. » Seulement, bien sûr, ça ne marchait pas.

Les mains derrière la nuque, allongé sur le dos dans sa couchette, Craig écoutait les petits bruits de la nuit ; le grincement du gouvernail contre ses courroies, le cliquetis d'une drisse sur le mât, le clapot des vagues contre la coque. De l'autre côté du bassin, la fête battait son plein sur le *Firewater*. On entendit un bruit d'éclaboussement puis un concert d'éclats de rire : ils venaient de balancer quelqu'un par-dessus bord. A côté de lui la fille endormie laissa échapper des chuintements moites entre ses lèvres.

Elle s'était montrée ardente et très expérimentée. Pourtant Craig se sentait insatisfait, fébrile. Il voulait monter sur le pont mais cela n'aurait fait que réveiller la fille et il ne tenait pas à remettre ça. Il resta donc immobile, et laissa les images de Sally-Ann défiler dans sa tête comme un spectacle de lanterne magique. Elles en déclenchèrent d'autres, depuis longtemps oubliées, accompagnées des odeurs, des goûts et des bruits de l'Afrique. Le bruit des agapes des plaisanciers éméchés disparut peu à peu, pour faire place au rythme sourd des tambours sur la rivière Chobé ; au lieu des eaux fétides de l'East River, il sentait les pluies tropicales sur la terre brûlée de soleil, et la mélancolie aigre-douce de la nostalgie commençait à le tarauder. Cette nuit encore, il n'allait pas dormir.

Il ne dormit pas. La fille insista pour préparer son petit déjeuner, mais elle manifesta nettement moins de virtuosité en cuisine qu'au lit, et après son départ il lui fallut près d'une heure pour nettoyer les dégâts. Après quoi il monta au carré.

Il tira les rideaux du hublot au-dessus de son bureau pour que les activités de la marina ne le dérangent pas, et se mit à l'œuvre. Il relut les dix pages de sa dernière fournée, et se rendit compte qu'il pourrait tout juste en sauver deux. Ses personnages ne tenaient pas debout, et débitaient des âneries à longueur de dialogue. Au bout d'une heure il chercha dans son dictionnaire analogique les mots qui s'obstinaient à le fuir.

— Bon Dieu! Mais même un crétin comme moi devrait savoir qu'on ne dit pas « pusillanime » dans une conversation normale, grommela-t-il en feuilletant le volume, et une fine liasse de papier à lettres s'échappa des pages en voletant.

Heureux de cette diversion, il la déplia. C'était une lettre d'une dénommée Janine — une fille qui avait partagé avec lui les blessures d'une guerre douloureuse, qui avait parcouru avec lui la longue route de la guérison, qui l'avait soutenu la première fois qu'il s'était remis à marcher, et l'avait relayé à la barre de *Bawu* pour essuyer leur premier grain sur l'Atlantique. Une fille qu'il avait aimée, qu'il avait presque épousée, et dont il arrivait à peine à évoquer les traits.

Janine avait écrit cette lettre de sa maison dans le Yorkshire, trois jours avant d'épouser le jeune associé de son père, médecin vétérinaire. Il la relut lentement, sans omettre une seule des dix pages, et comprit pourquoi il l'avait cachée si longtemps. Sous l'amertume, bien des passages touchaient terriblement juste.

« ... Tu étais un raté depuis si longtemps que ton succès t'a complètement dépassé... »

Qu'avait-il fait, à part ce livre? Ce seul et unique livre. Là encore, elle lui donnait la réponse.

« … Tu étais tellement innocent, Craig, tellement touchant dans ton personnage de grand gosse un peu godiche ! C'est avec lui que j'aurais aimé vivre, mais après notre départ d'Afrique tu t'es durci, tu es devenu cynique […] Tu te souviens de notre première rencontre, ou de la seconde, je ne sais plus. Je t'avais dit : "On t'a trop gâté, tu n'as jamais le courage de t'accrocher." C'est vrai, Craig, tu as tout laissé tomber. Nous deux, par exemple. Oh ! je ne parle pas de ces minettes, ces collectionneuses de coucheries littéraires qui n'ont pas d'élastique à leur culotte, je veux dire qu'à un moment, tu as tout simplement oublié d'être tendre. Laisse-moi te donner un conseil, quand même : ne laisse pas tomber la seule chose dont tu sois vraiment capable. N'arrête pas d'écrire, Craig, ce serait vraiment du gâchis… »

Il se souvenait d'avoir ricané en lisant ça la première fois. Il ne ricanait plus, non — il avait trop peur. Les prédictions de Janine se réalisaient.

« … J'avais appris à t'aimer, Craig, petit à petit. Il a fallu que tu m'en fasses voir, pour détruire cet amour. Je ne t'aime plus. Je n'aimerai sans doute jamais un autre homme, pas même celui que je dois épouser samedi, mais j'ai de l'affection pour toi. Porte-toi bien, et méfie-toi de ton ennemi le plus implacable — toi-même. »

Craig releva les yeux. Il lui fallait un verre. Il descendit à la cuisine et se servit un daiquiri — un grand, avec très peu de citron. Puis il le but en relisant la lettre, et cette fois il n'en retint qu'une seule phrase :

« … Après notre retour d'Afrique, c'est comme si tout s'était tari en toi. La compréhension, le génie… »

— Oui, murmura-t-il. Tari. Tout s'est tari.

Soudain sa nostalgie se métamorphosa, et la douloureuse blessure de l'exil se rouvrit.

Il déchira la lettre en menus morceaux, abandonna le tout

aux eaux crasseuses du bassin, laissa son verre vide sur le rouf et franchit la passerelle.

Pour éviter de revoir la réceptionniste, il utilisa la cabine téléphonique, à l'entrée de la marina.

C'était plus facile que prévu. La secrétaire lui passa Pickering presque immédiatement.

— Il y a un vieux proverbe matabélé qui dit : « Celui qui boit l'eau du Zambèze reviendra s'y désaltérer. »

— Et vous avez soif. Je m'en doutais. Passez donc me voir...

— Aujourd'hui ?

— Pressé, hein ? Laissez-moi consulter mon agenda... 6 heures du soir ? Je ne peux pas vous caser plus tôt.

Le bureau d'Henry se trouvait au vingt-sixième étage. De grandes fenêtres découvraient les crevasses vertigineuses des avenues jusqu'à l'étendue verdoyante des pelouses de Central Park, au loin.

Henry servit à Craig un whisky-soda. Ils burent en silence, debout, plongeant leurs regards dans les entrailles de la ville, pendant que la grande boule rouge du soleil jetait des ombres fantasmagoriques dans la brume bleutée.

— Je crois qu'il est temps de baisser les masques, Henry. Dites-moi ce que vous attendez vraiment de moi.

— Eh bien... Ce livre était un peu une couverture, c'est vrai. Pas très honnête, je suppose — bien que personnellement j'aurais aimé voir ce que vous auriez trouvé à écrire sur ces photos...

Craig eut un geste d'impatience. Henry continua :

— Je suis directeur du Département des programmes pour l'Afrique de l'Est.

— J'ai vu ça sur la porte.

— Malgré ce que prétendent certains, nous ne sommes pas une institution charitable, mais un des fers de lance du capitalisme. L'Afrique est une mosaïque d'Etats à l'économie fragile. A l'exception, bien sûr, de l'Afrique du Sud et des pays producteurs de pétrole, ils fonctionnent sur la base de cultures vivrières, sans véritable armature industrielle, et disposent de ressources minières réduites.

Craig hocha la tête.

— Ceux qui ont récemment acquis leur indépendance s'appuient encore en grande partie sur des infrastructures héritées des colons blancs, tandis que d'autres — la Zambie, la Tanzanie et le Maputo, par exemple — ont eu le temps de laisser crouler tout cela sous un flot d'extravagances idéologiques et d'inertie dévorante. Nous aurons bien du mal à les sauver du naufrage.

Henry ressemblait à une cigogne en deuil.

— Avec d'autres, en revanche, comme le Zimbabwe, le Kenya et le Malawi, il nous reste un espoir. Le système fonctionne encore, les domaines agricoles n'ont pas encore été totalement démantelés et livrés à des hordes de squatters, les chemins de fer marchent, le chrome, le cuivre et le tourisme font entrer quelques devises. Avec un peu de chance, nous pouvons les tirer du pétrin.

— Pourquoi ? Vous n'êtes pas une institution charitable, vous l'avez dit. Alors pourquoi ?

— Parce que si nous ne leur tendons pas la carotte on peut s'attendre à un douloureux retour de bâton, c'est aussi simple que ça. S'ils ont faim, devinez qui mettra sa grosse patte rouge dans l'engrenage.

— Je vois.

Craig sirota une gorgée de son whisky.

— Revenons au présent, continuait Henry. Ces pays-là ont encore une carte à jouer. Ils ont tous les atouts pour percer sur le marché du tourisme. Et si nous voulons rentrer un jour dans nos investissements, nous avons intérêt à faire en sorte qu'ils les gardent, ces atouts.

— Comment cela ?

— Prenons le Kenya. On y trouve du soleil, des plages : rien de plus en somme qu'en Grèce ou en Sardaigne. A cette différence près que la Méditerranée est bougrement plus proche de Paris ou de Berlin. En revanche, ce que la Méditerranée n'a pas, c'est la faune africaine. Et pour ça, les touristes sont prêts à faire le détour. Voilà notre garantie : ce sont les dollars des touristes qui assureront la rentabilité de nos prêts.

— D'accord, mais qu'est-ce que je viens foutre làdedans ?

— Laissez-moi pousser un peu plus loin mon analyse. Voyez-vous, malheureusement, la première chose qu'ont vue les Africains quand les Blancs sont partis, c'est l'ivoire, la corne de rhino, et des tonnes de viande qui courent sur quatre pattes. Un éléphant représente plus d'argent qu'ils ne pourraient en gagner en travaillant dix ans. Pendant cinquante ans, un garde-chasse blanc leur a interdit l'accès à ces fabuleuses richesses, mais maintenant les colons se sont envolés pour l'Australie ou Johannesburg, les guérilleros sont toujours armés d'AK 47 et il ne manque pas de cheiks arabes prêts à payer vingt-cinq mille dollars pour un poignard avec un manche en corne de rhinocéros. Tout cela est parfaitement logique.

— Je sais. Je ne m'étonne pas.

— La même chose est arrivée au Kenya. Le braconnage faisait des ravages, et les responsables occupaient des postes très haut placés. Je veux dire vraiment haut placés. Il nous a fallu quinze ans et la mort d'un président pour démanteler leur réseau. Maintenant le Kenya a les lois de protection de la faune les plus draconiennes de toute l'Afrique — et elles sont appliquées. Notre investissement est protégé.

Henry parut un moment satisfait, puis sombra à nouveau dans la mélancolie.

— Maintenant, nous revoilà à la case départ avec le Zimbabwe. Vous avez vu les photos de ce charnier d'éléphants... Ce n'est pas du travail d'amateur. Une fois encore, nous soupçonnons des personnalités en place.

— J'attends toujours de savoir en quoi cela me concerne.

— Il me faut un agent sur place. Un homme expérimenté qui aurait travaillé, par exemple, pour l'Office de la faune et des parcs nationaux, qui parlerait la langue du pays, et qui disposerait d'un prétexte crédible pour fureter partout et poser des questions. Un auteur en mal de documentation, pourquoi pas? Avec des contacts privilégiés au gouvernement...

— James Bond, quoi.

— Consultant pour la Banque mondiale. Votre salaire annuel serait de quarante mille dollars, tous frais payés. Si cette mission ne se termine pas par la publication d'un bouquin, je vous régale d'un repas à *la Grenouille* arrosé du vin de votre choix.

— Désolé de me répéter, mais je pense toujours qu'il serait temps de baisser les masques. Les vrais masques.

C'était la première fois que Craig entendait le rire de Pickering. Un rire de gorge chaleureux, profond et contagieux.

— Je vois que j'ai eu raison de vous choisir. D'accord, Craig, j'admets que l'affaire ne s'arrête pas là. Je ne tenais pas à tout embrouiller dès le départ — pas tant que vous n'étiez pas dans le bain. Laissez-moi remplir votre verre.

Il ouvrit le bar, copie d'un globe terrestre antique, et poursuivit son exposé dans le tintement des glaçons.

— Il est absolument vital pour nous d'avoir en permanence un panorama complet de tout ce qui se trame en coulisses dans les pays où nos intérêts sont en jeu. Un service de renseignements efficace, en d'autres termes. Et notre antenne au Zimbabwe est loin d'être efficace. Nous avons perdu un homme clé. Accident de voiture, du moins le croit-on. Avant de disparaître, il nous avait communiqué des rumeurs de coup d'Etat orchestré par les Russes.

Craig soupira.

— Pour nous autres Africains, les urnes n'ont pas grande valeur. Nous leur préférons le jeu des solidarités tribales et la force des armes. Un coup d'Etat vaudra toujours mieux qu'une majorité électorale.

— Alors ? Vous êtes des nôtres ?

— Tous frais payés, dites-vous ? Avec voyage en première classe ?

— Je suppose que chaque homme a son prix...

— Le mien est plus élevé que ça. Mais je ne tiens pas à voir un pantin du KGB diriger le pays où ma jambe est enterrée. J'accepte.

Henry lui tendit la main. Elle était fraîche, et étonnamment vigoureuse.

— J'envoie un coursier à votre yacht avec un dossier et une petite panoplie. Lisez le dossier, et remettez-le au coursier pour qu'il me le rapporte. Gardez le reste.

La « panoplie » de Pickering comprenait un assortiment de

cartes de presse, une carte du TWA Ambassadors Club, une carte universelle de crédit Visa sur la Banque mondiale, le tout accompagné d'une étoile d'émail et de métal protégée par un écrin de cuir où s'inscrivaient les mots : « Correspondant-Banque mondiale ».

Le dossier se révéla autrement plus utile. Craig le referma avec l'impression que le changement de nom de Rhodésie à Zimbabwe n'était qu'un moindre mal par rapport aux bouleversements qui secouaient son pays natal depuis l'arrivée au pouvoir des nationalistes.

Jouant de l'accélérateur d'un pied précautionneux, Craig menait sa Volkswagen de louage en douceur dans le moutonnement doré des collines. La fille matabélé du bureau Avis à l'aéroport de Bulawayo l'avait mis en garde :

— Le réservoir est plein, mais vous aurez du mal à trouver une pompe approvisionnée. L'essence est rare dans le Matabeleland.

C'était vrai. En ville, les voitures s'alignaient patiemment devant les stations-service. Le propriétaire du motel avait résumé la situation à Craig pendant qu'il signait le registre et prenait les clés d'un des bungalows.

— Les rebelles du Maputo s'obstinent à couper notre pipe-line. Et le plus drôle, c'est que de l'autre côté de la frontière les Sud-Africains ne demanderaient pas mieux que de nous vendre leur pétrole. Seulement voilà : notre génial gouvernement a décrété que le pétrole de l'apartheid n'entrerait pas chez nous. Du coup, le pays tout entier se retrouve paralysé. Au diable leurs salades politiques ! Si on veut subsister, il faut apprendre à vivre avec l'Afrique du Sud. Il serait grand temps qu'ils ouvrent un peu les yeux !

Voilà pourquoi Craig conduisait au ralenti. Une allure qui lui convenait à merveille, et lui donnait le temps de redécouvrir le paysage.

Il quitta la route goudronnée à quinze miles de la ville pour emprunter la piste jaune qui s'étirait vers le nord. Un mile plus loin, il atteignait la limite du domaine. La grille pendait de guingois, grande ouverte — jamais il ne l'avait vue comme ça. Il se gara et tenta de la fermer derrière lui, mais le bois tordu et les gonds rouillés refusaient d'obéir. Il abandonna la partie et retourna la pancarte qui gisait dans l'herbe.

Le panneau avait été décloué, les vis purement et simplement arrachées, mais les lettres délavées par le soleil étaient encore lisibles :

King's Lynn
Elevage de bovins. Sélection Afrikander
Propriétaire : Jonathan Ballantyne
Domaine de « Ballantyne's Illustrious IV »
Nombreux prix de championnat

Craig gardait un souvenir ébloui d'un grand taureau roux avec son dos bossu, son poitrail flasque qui ballottait autour du champ de foire, la rosette bleue du champion sur sa joue, et Jonathan « Bawu » Ballantyne, grand-père maternel de Craig, qui le menait fièrement par l'anneau luisant à ses naseaux humides.

Il revint à sa Volkswagen et continua son chemin à travers des prairies où l'herbe était autrefois épaisse et dorée, mais qui était aujourd'hui parsemée de plaques de terre poudreuse, comme le crâne dégarni d'un vieillard. Le mauvais état du pacage le désolait. Jamais, même pendant la grande sécheresse des années 50, l'herbe de King's Lynn n'avait ressemblé à ça. En s'arrêtant près d'un bouquet de *camel-thorn* [1] qui jetait son ombre sur la piste, Craig comprit ce qui se passait.

Dès qu'il eut coupé le contact, il entendit les bêlements qui filtraient derrière les épineux.

— Des chèvres ! Ils élèvent des chèvres à King's Lynn !

Bawu Ballantyne devait se retourner dans sa tombe. Des chèvres sur son herbe chérie, sur ses pâturages ! Craig s'avança. Il y en avait deux cents, plus encore, peut-être. Quelques-unes étaient grimpées dans les arbres, et dévo-

1. *Camel-thorn : Acacia erioloba (N.d.T.).*

raient l'écorce, se goinfraient de gousses, pendant que d'autres raclaient l'herbe jusqu'aux racines. Bientôt il n'y en aurait plus un brin. La terre se dessécherait. Craig avait vu les ravages que ces animaux pouvaient causer dans les réserves tribales.

Deux gamins matabélé menaient le troupeau, ravis d'entendre que Craig parlait leur langue. Ils se bourrèrent les joues avec les bonbons qu'il avait emportés pour l'occasion, et répondirent sans crainte à ses questions.

Oui, trente familles vivaient sur King's Lynn maintenant, chacune avec un troupeau — les plus belles chèvres du Matabeleland, s'extasiaient-ils en retroussant leurs lèvres poisseuses, alors que sous les arbres un vieux bouc cornu s'escrimait à saillir une bique à grands coups de reins vigoureux.

— Tiens ! Regarde ! Il n'arrête pas. Bientôt nous aurons plus de bêtes que toutes les autres familles.

— Où sont passés les fermiers blancs qui vivaient ici ?

— Enfuis ! Nos guerriers les ont chassés. Maintenant, la terre appartient aux fils de la Révolution.

A six ans, ils possédaient déjà sur le bout du doigt le jargon doctrinal.

Ils arboraient tous les deux autour du cou une fronde de caoutchouc et autour de la taille une ceinture d'oiseaux morts : alouettes, fauvettes et sucriers. Pour leur dîner ils allaient les griller sur un lit de braises, sans même en enlever les plumes, et croquer à belles dents les petites bestioles noircies. Le vieux Bawu Ballantyne aurait fouetté d'importance les insolents qui osaient se promener sur ses terres avec une fronde.

Ils raccompagnèrent Craig à la voiture, mendièrent une seconde ration de bonbons et le regardèrent s'éloigner en battant des bras comme pour un vieil ami. Malgré leurs satanées biques, Craig se sentait à nouveau envahi d'une affection sans bornes pour ce peuple. Car c'était son peuple, après tout, et il faisait si bon rentrer à la maison !

Il marqua une nouvelle pause sur la crête des collines pour englober d'un coup d'œil les bâtiments de King's Lynn. La pelouse était morte et les plates-bandes avaient succombé à l'assaut des chèvres. Même de loin, on devinait que la ferme était déserte. Les fenêtres brisées trouaient la façade comme des dents cariées, et la plupart des feuilles d'amiante avaient disparu du toit. La charpente se dressait, dénudée, comme un squelette sur le ciel. Les squatters avaient volé les tôles pour bâtir des cabanes branlantes près des étables.

Craig descendit lentement, et se gara près de la citerne. Elle était vide, à moitié remplie d'ordures et de saloperies. Il poussa jusqu'au campement des squatters. Une demi-douzaine de familles à peu près. Craig chassa les cabots braillards qui cavalaient vers lui de quelques pierres bien ajustées, et salua le vieil homme assis près du feu.

— J'ai l'œil sur toi, vieux père.

Là encore, sa maîtrise de la langue fit naître un sourire bienveillant. Il bavarda longuement avec le vieux Matabélé, tout au plaisir de sentir les mots rouler dans sa gorge, et son oreille s'accorder peu à peu au rythme et aux nuances du ndébélé.

— Ils nous disaient qu'après la révolution tout le monde aurait une belle voiture et cinq cents têtes de bétail. (Le vieil homme cracha dans les braises.) Seuls les ministres ont des voitures. Ils nous disaient qu'on aurait toujours l'estomac plein. Mais la nourriture coûte cinq fois plus cher qu'à l'époque de Smith. Tout coûte cinq fois plus cher — le sucre, le sel, le savon —, tout.

Sous l'administration des Blancs, un contrôle des changes draconien et un blocage rigide des prix sur le marché intérieur avaient protégé le pays des ravages de l'inflation. Maintenant, le Zimbabwe s'initiait aux joies des fluctuations internationales, et la monnaie avait déjà subi une dévaluation de vingt pour cent.

— On ne peut pas acheter de bétail, alors on élève des biques. (Il expédia un nouveau jet de salive, et regarda son crachat s'évaporer en sifflant.) Des biques ! Comme les Shona, ces mangeurs de crotte !

Sa haine tribale bouillonnait au moins autant que la glaire sur les braises.

Craig le laissa à ses imprécations pour s'avancer vers la maison. En grimpant les marches de la véranda il eut l'impression étrange que son grand-père allait sortir pour l'accueillir de l'une de ses plaisanteries acides... Le vieux, tiré à quatre épingles, très droit, avec sa crinière argentée, sa peau tannée comme du vieux cuir et ses invraisemblables yeux verts — les yeux des Ballantyne —, planté à nouveau devant lui.

« Tiens ! revoilà Craig, avec sa queue entre les pattes ! »

Mais la véranda était jonchée de crottes d'oiseaux, et une colonie de pigeons sauvages roucoulait à qui mieux mieux dans les poutres.

Il se fraya un chemin jusqu'aux grandes portes qui s'ouvraient sur la vieille bibliothèque. Il y avait eu là autrefois deux énormes défenses d'éléphant, de part et d'autre de l'entrée, celles d'un mâle que l'arrière-arrière-grand-père de Craig avait abattu aux alentours de 1860. Ces défenses étaient un trésor de famille, qui, de mémoire d'homme, avait toujours monté la garde à King's Lynn. Le grand-père Bawu les touchait chaque fois qu'il passait devant elles, et l'ivoire jauni avait fini par se patiner à l'endroit où il posait la main. Il ne restait plus que des trous dans la maçonnerie, là où les trophées étaient rivés. En guise d'héritage ancestral Craig ne possédait plus que le journal de la famille : une collection de cahiers reliés en cuir où des générations d'aïeux avaient consigné leur histoire. Il lui fallait ces défenses, en complément des grimoires. Il se promit de les chercher. On devait pouvoir retrouver la trace d'un trésor aussi rare.

Il entra dans la maison délabrée. Placards, étagères et planchers avaient alimenté le feu des squatters de la vallée, et les fenêtres brisées gardaient la trace des frondes des gosses. Les livres, les tapis, les lourds meubles de teck avaient disparu. De la ferme, il ne restait qu'une carapace, une coquille vide mais solide. Craig frappa du plat de la main contre les murs que l'arrière-arrière-grand-père Zouga Ballantyne avait bâtis de pierres robustes et de mortier, tassé par les années. Sa claque rendait un son mat, plein. Il ne manquait qu'un peu d'imagination et beaucoup d'argent pour redonner à cette coquille l'allure d'une vraie maison.

Il sortit, et grimpa le *kopje* [1] qui montait au cimetière fami-

1. *Kopje :* colline conique surmontée par une épaisseur de roches dures d'origine éruptive *(N.d.T.)*.

lial, sous le grand msasa qui couronnait la crête. L'herbe poussait entre les dalles. Le cimetière était négligé, mais contrairement à la plupart des vestiges de l'ère coloniale les vandales n'y avaient pas touché.

Craig s'assit sur la tombe de son grand-père.

— Tu vois, Bawu, je suis revenu.

Il crut entendre la voix gouailleuse, caustique du vieillard :

« Décidément, à chaque fois que tu as les fesses qui cuisent, tu retrouves le chemin de la maison. Qu'est-ce qui t'est arrivé, cette fois ? »

— Je suis à sec, Bawu.

Il resta un long moment silencieux, pendant que le tumulte de son esprit s'apaisait lentement.

— La ferme est dans un drôle d'état, Bawu, dit-il enfin, et le petit lézard à tête bleue qui paressait sur la dalle se faufila dans l'herbe au son de sa voix. Les défenses ont disparu de la véranda, et les biques sont en train de dévorer tes pâtures.

Il observa un nouveau silence, mais cette fois des chiffres et des projets occupaient son esprit. Il resta immobile près d'une heure avant de se relever.

— Bawu, qu'est-ce que tu dirais si je virais ces sales biques ?

Alors seulement il redescendit la colline et reprit le volant de la Volkswagen.

Il n'était pas encore 5 heures quand il arriva en ville. Devant la Standard Bank, la salle des ventes, qui faisait aussi fonction d'agence immobilière, était encore ouverte au public. L'enseigne était même fraîchement repeinte dans un rouge criard, et en entrant Craig reconnut le visage rougeaud et bourgeonnant du commissaire-priseur en short kaki et chemisette débraillée.

— Alors, Jock, tu n'as pas fait le grand saut, comme tout le monde ?

« Faire le grand saut » : un euphémisme pour l'exil. Sur deux cent cinquante mille Blancs, plus de la moitié avaient fait le grand saut depuis le début des hostilités en Rhodésie, et la majeure partie des autres s'était perdue dans la nature au moment où le gouvernement noir de Robert Mugabe avait pris les rênes.

Jock Daniels fixait le nouveau venu, interloqué.

— Craig! explosa-t-il. Craig Mellow!

Il prit la main de son visiteur dans ses grosses pattes calleuses.

— Non, tu vois, je suis resté, mais il y a des jours où ça me pèse bougrement. Et toi? T'as décroché le gros lot, sapristi! On dit dans les journaux que t'as ramassé un million avec ton bouquin. Les gens d'ici n'arrivaient pas à y croire. Le vieux Craig Mellow, ils disaient, de tous les ahuris, il fallait que ce soit Craig Mellow!

— Ils disaient ça, hein?

Le sourire de Craig se crispa, et il retira sa main.

— Peux pas dire que ton bouquin m'ait tellement plu, à vrai dire.

Jock secoua la tête.

— Tous les Noirs ressemblent à des héros là-dedans — mais c'est la mode, en Amérique. Pas vrai? Le noir est à la mode — ça fait vendre. C'est ça?

— Certains critiques m'ont traité de raciste, murmura Craig. On ne peut pas faire plaisir à tout le monde.

Mais Jock n'écoutait pas.

— Il y a un truc, Craig. Pourquoi t'as raconté que M. Rhodes était pédé?

Cecil Rhodes, le père des colons blancs, était mort depuis quatre-vingts ans, mais les vieux de la vieille lui donnaient encore du «Monsieur Rhodes».

— J'ai expliqué pourquoi, dans le livre.

— C'était un grand homme, Craig. Mais de nos jours les jeunes n'ont plus le respect des grandes choses... comme des roquets qui jappent après un lion.

Craig jugea bon de dévier la conversation vers un sujet moins dangereux.

— Si on buvait un coup, Jock?

Le bonhomme marqua une pause. Ses joues rouges et son appendice nasal violacé ne devaient rien à la rigueur du soleil africain.

— Là, tu m'intéresses. Il a fait sacrément soif aujourd'hui. Laisse-moi d'abord fermer la boutique.

— Je vais acheter une bouteille. Nous pourrons la boire ici tranquillement.

Ce qui restait d'hostilité chez le vieux colon s'évapora.

— Bonne idée. Le marchand a encore du Dimple Haig en réserve. Ramène donc un peu de glace pendant que tu y es.

Assis dans le réduit minuscule que Jock appelait son bureau, ils burent le whisky dans des timbales épaisses. L'humeur du bonhomme s'améliorait à chaque lampée.

— Non, Craig, je suis pas parti. D'ailleurs pour aller où ? L'Angleterre ? Pas mis les pieds là-bas depuis la guerre. La pluie, les syndicats... non merci. L'Afrique du Sud ? Les voilà qui dégringolent la même pente que nous. Au moins, ici, on tombera pas plus bas.

Il empoigna la bouteille et se versa une nouvelle rasade.

— Et si tu pars, ils te permettent pas d'emmener plus de deux cents dollars. Deux cents dollars pour recommencer à zéro à soixante-cinq ans ! Faut pas se foutre de notre gueule !

— Comment ça se passe ici, Jock ?

— Tu sais comment on appelle quelqu'un qui pense que ça ne peut pas aller plus mal dans ce pays ? Un optimiste.

Il éclata d'un rire homérique en claquant ses cuisses velues.

— Non, je blague. Ça peut encore aller. A condition de pas s'attendre à des merveilles. Si tu fermes ta gueule et que tu touches pas à la politique, tu peux te débrouiller, comme partout ailleurs dans le monde, en gros.

— Les grands fermiers, les ranchers, ils s'en tirent ?

— Et comment ! Ils ont le beau rôle. Le gouvernement a décidé d'être raisonnable. Ils ont laissé tomber leur laïus sur la nationalisation des terres. Ils se rendent compte enfin que s'ils veulent nourrir leurs Noirs, il leur faut des fermiers blancs. Ils en sont même très fiers maintenant : à chaque visite officielle — un ministre libyen, un Chinois quelconque —, ils lui font faire la tournée des domaines pour lui montrer que le pays prospère.

— Et le prix de la terre ?

— Après la guerre, quand les Noirs criaient partout qu'ils

allaient redistribuer la terre au peuple, les fermes étaient invendables.

Il se gargarisa d'une gorgée de whisky.

— Prends la société de ta famille, par exemple, la Rholands Ranching Company. Il y avait trois lots là-dedans, pas vrai ? King's Lynn, Queen's Lynn, et cette grande parcelle de brousse au nord, à la limite de la réserve de Chizarira. Eh bien, ton oncle Douglas a vendu tout ça pour un quart de million de dollars. Avant la guerre, il en aurait obtenu dix millions à l'aise.

— Un quart de million ! fit Craig, incrédule. C'est donné !

— Avec le cheptel, par-dessus le marché ! Des taureaux afrikanders primés, et des vaches de toute beauté. Tu comprends, il fallait qu'il foute le camp. Il avait fait partie du cabinet Smith, et avec les Noirs ça ne pardonne pas. Il a tout vendu à un consortium suisse-allemand et ils lui ont versé l'argent à Zurich. Alors le vieux Dougie a pris sa famille sous le bras et il a mis le cap sur l'Australie. Evidemment, il avait déjà sorti quelques millions... Il a pu s'acheter une petite ferme dans le Queensland, et nous autres, pauvres nouilles, on est obligés de rester ici si on ne veut pas tout perdre.

— Encore un petit coup ? offrit Craig, et il aiguilla Jock sur le sujet qui l'intéressait. Qu'est-ce qu'ils ont fait de Rholands, tes Suisses ?

— Sacrés roublards, les Schleus !

Le bonhomme commençait à bafouiller un peu.

— Ils ont ramassé tout le bétail, graissé la patte d'une grosse légume pour obtenir l'autorisation d'exporter et ont expédié tout ça en Afrique du Sud... Paraît qu'ils ont vendu les bêtes pas loin d'un million et demi, par là. Rappelle-toi, c'était la fine fleur du cheptel du pays. Eh bien, ils ont empoché leur million, ils ont investi ça dans les mines d'or et ils ont triplé leur bénéfice !

— Ils ont vidé le ranch et ils l'ont abandonné ?

Jock hocha la tête avec une grimace de commisération.

— Ils essaient de revendre la société, évidemment. Je l'ai sur mes registres — mais il faudrait un sacré paquet de fric pour remonter l'affaire et la remettre sur les rails. Ça n'intéresse personne. Qui irait investir dans un pays au bord du gouffre ?

— Combien en veulent-ils ?

Jock Daniels dessoûla miraculeusement, et riva sur Craig son petit œil finaud de commissaire-priseur.

— Ça t'intéresse ?

Son regard se fit plus aigu encore.

— Dis donc, tu as vraiment ramassé un million de dollars avec ce bouquin ?

— Combien en veulent-ils ?

— Deux millions. Tu comprends pourquoi j'ai pas d'acheteurs... Quelques fermiers du coin voudraient bien rafler la terre... mais deux millions ! Plus personne ne trimbale une somme pareille, dans ce pays...

— Si on les payait à Zurich, ils accepteraient de baisser ?

— Est-ce qu'on demande si un Shona pue de la gueule ?

— Jusqu'où ils descendraient ?

— Disons un million... à Zurich.

— Si on propose un quart ?

— Tu rêves. Jamais de la vie.

— Contacte-les. Dis-leur que les squatters envahissent le domaine, qu'on ne peut pas les expulser sans déclencher une mobilisation générale. Dis-leur que les chèvres dévastent les pacages, et que dans un an ce sera un désert. Fais-leur remarquer qu'ils vont récupérer intégralement leur investissement. Dis-leur que le gouvernement menace de nationaliser les terres que les propriétaires n'exploitent pas, et qu'ils pourraient bien finir par tout perdre.

— C'est pas tout à fait faux, bougonna Jock. Mais un quart de million... !

— Appelle-les !

— Qui va payer le coup de téléphone ?

— Moi.

— Bon, d'accord. Je les appelle, soupira Jock, résigné.

— Quand ?

— Voyons... On est vendredi... disons lundi ?

— Entendu. En attendant, tu peux me fournir quelques bidons d'essence ?

— De l'essence ? Pour quoi faire ?

— Je monte jusqu'à la Chizarira. Ça fait dix ans que je n'ai pas mis les pieds là-haut. Puisque j'achète, j'aimerais quand même jeter un œil.

— A ta place, Craig, je m'abstiendrais. C'est un nid de brigands.

— Dissidents politiques est le terme correct.

— Des brigands, je te dis. Des gredins matabélé qui te perceront la peau du cul de quelques trous supplémentaires, ou qui te prendront en otage. Ou peut-être même les deux.

— Trouve-moi de l'essence, et je tente le coup. Je serai de retour la semaine prochaine, pour voir ce que tes potes à Zurich pensent de ma proposition.

C'était une région merveilleuse, encore vierge, encore sauvage — ni barbelés, ni champs cultivés, ni le moindre bâtiment —, protégée des hordes de bétail et de paysans par la mouche tsé-tsé, qui infestait la vallée du Zambèze et ses forêts limitrophes.

D'un côté s'étendait la réserve de Chizarira, de l'autre le parc de Mzolo Forest, deux sanctuaires de la faune africaine. Pendant la crise de 1930, le vieux Bawu avait payé son paradis un shilling l'hectare. Cinquante mille hectares pour deux mille cinq cents livres.

« Evidemment, on n'y élèvera jamais de bétail, avait-il dit à Craig en suivant le vol oblique des gangas dans le soleil couchant, un jour qu'ils campaient sous les figuiers sauvages au bord d'un marigot. L'herbe ne vaut rien, et la tsé-tsé te démolirait ton troupeau, mais c'est justement pour cette raison quc ça restera toujours un morceau d'Afrique authentique. »

Le vieil homme venait y chasser. Il refusait d'y construire la moindre cabane de peur de profaner le sol, et préférait dormir par terre sous les branches tutélaires d'un figuier.

Il pratiquait une chasse très sélective — éléphants, lions, rhinocéros et buffles —, le grand gibier seulement, qu'il protégeait jalousement, interdisant même à ses fils d'apporter leurs fusils.

Personne, vraisemblablement, n'avait emprunté la piste des mares depuis que le vieux y avait amené Craig, dix ans auparavant. Elle disparaissait sous la végétation. Des mopanes barraient la route sillonnée de ravines.

— Avec toutes mes excuses, monsieur Avis, dit Craig en lançant la Volkswagen à l'assaut.

Heureusement, la petite traction avant était assez légère et assez nerveuse pour avaler les marigots asséchés les plus inhospitaliers. A plusieurs reprises, Craig dut pourtant tapisser le sol de branchages pour que les roues puissent mordre dans le sable fin. Il perdit la piste une bonne douzaine de fois, et ne la retrouva qu'au prix de recherches laborieuses dans les broussailles.

Il lui fallut enfin abandonner la voiture pour couvrir les quelques derniers miles à pied. Il atteignit les mares dans les derniers rayons du couchant.

Enveloppé dans la couverture qu'il avait subtilisée au motel, il sombra dans un sommeil sans rêve pour se réveiller dans la magie rougeoyante de l'aube africaine. Il fit du café, engloutit une boîte de haricots en sauce — froids —, abandonna son paquetage sous le figuier et descendit vers la rivière.

Il ne pouvait pas explorer les cinquante mille hectares à pied, mais la Chizarira était le cœur, l'artère du domaine. Ce qu'il allait trouver là lui permettrait d'évaluer les changements survenus depuis sa dernière visite.

Apparemment les espèces les plus communes de la faune africaine peuplaient encore la forêt : de grands koudous fantasques, avec leurs cornes en spirale, disparurent en bondissant dans un carrousel de queues blanches et touffues. Des impalas aériens s'évanouirent dans les arbres comme un nuage de brume. Il releva un peu plus loin des traces d'animaux plus rares. D'abord, dans la glaise, l'empreinte toute fraîche d'un mufle de léopard qui était venu boire pendant la nuit et, plus loin, les fumées oblongues d'un égocère noir.

Pour son déjeuner, les baobabs lui offrirent le contenu blanc de leurs fruits en forme de gourde. Plus tard, il tomba sur un taillis d'ébéniers, et suivit une sente qui s'enfonçait au cœur du maquis. A peine avait-il fait cent pas qu'il déboucha dans une petite clairière sous une voûte de broussailles entrelacées.

Une puanteur bestiale s'en dégageait, âcre, tenace. Il reconnut les couverts d'un animal, une souille où la bête revient régulièrement pour déféquer. D'après l'aspect des bouses éparpillées, piétinées, il sut qu'il s'agissait du repaire d'un rhinocéros noir, une des espèces les plus rares et les plus menacées du continent africain.

Contrairement à son cousin le rhinocéros blanc, brouteur d'herbe placide et léthargique, le rhino noir se repaît de pousses et de branches basses qu'il glane dans les fourrés. C'est par nature un animal fureteur, hargneux, stupide, nerveux et irritable, capable de charger n'importe quoi — hommes, chevaux, camions, et même locomotives.

Avant la guerre, un célèbre rhinocéros noir vivait dans les gorges du Zambèze, là où la route et la voie ferrée entament leur grande plongée vers Victoria Falls. Il attendait les camions et les cars au détour de la côte, et les éperonnait de plein front, en crevant les radiateurs d'un coup de corne formidable. Puis, parfaitement satisfait, il s'enfonçait au petit trot dans la forêt avec des gloussements triomphants. Il avait ainsi accroché dix-huit véhicules à son tableau de chasse.

Grisé par le succès, il finit pourtant par trouver plus fort que lui, le jour où il s'attaqua au Victoria Falls Express en déboulant entre les rails comme un chevalier du Moyen Age. Le choc fut grandiose. Les deux tonnes de la bête bloquèrent l'express dans un grincement de métal surchauffé, mais sa carrière de démolisseur de radiateurs devait s'arrêter là.

Les dernières bouses dataient d'une journée à peine, et les traces indiquaient qu'il s'agissait d'un couple, mâle et femelle, un petit accroché à leurs basques. Un conte matabélé explique que le rhinocéros prend soin d'éparpiller ses crottes à cause d'un porc-épic, seul être au monde capable de le faire détaler à toutes jambes. Craig sourit en évoquant la légende.

Un jour, raconte la tradition, le rhinocéros emprunta au porc-épic un piquant pour recoudre l'accroc qu'avait fait une épine dans sa carapace. En jurant, bien sûr, qu'il le lui rendrait à leur prochaine rencontre. Seulement voilà : ses travaux de couture achevés, le rhinocéros, fier de sa reprise, resta un moment à admirer son œuvre, son aiguille entre les dents. Distrait, il l'avala sans s'en rendre compte. On dit qu'il la cherche encore, et qu'il se défile à la moindre trace de porc-épic par crainte de se voir réclamer ce satané piquant.

Il y eut soudain un sifflement strident, un concert de piaillements affolés, et un nuage de pique-bœufs roux jaillit des fourrés en voletant. Suivit un piétinement pesant, et un reniflement de machine à vapeur. Les broussailles s'écartèrent et une masse grise énorme déboucha sur le sentier, à trente pas de Craig, en renâclant d'un air indigné. Les petits yeux myopes du rhinocéros lorgnaient par-dessus ses deux cornes à la recherche de l'intrus.

Craig savait que la bête n'y voyait rien à plus de dix mètres. De plus, la brise soufflait de son côté. Il resta figé sur place, les muscles tendus, prêt à se jeter sur le côté si l'animal chargeait. La bête balançait son grand corps de gauche à droite avec une agilité surprenante, sans cesser son tapage furibond. Dans l'imagination fiévreuse de Craig, la corne paraissait s'allonger, s'affûter à vue d'œil. Il serra nerveusement son couteau dans sa poche. Soupçonneux, le rhino esquissa quelques pas. Le danger se faisait plus pressant.

D'un geste vif du poignet, Craig expédia le couteau dans les buissons d'ébéniers derrière la bête. Le manche heurta les branches avec un claquement sec.

L'animal pivota d'un bond, et lança tout son poids dans une charge aveugle qui se perdit au loin, laissant dans son sillage un fracas de branches brisées et piétinées, comme un char d'assaut. Craig s'écroula au beau milieu du chemin, plié en deux par un fou rire hystérique.

Quelques heures plus tard il avait localisé trois des marigots puants, bourbeux, que ces animaux étranges préfèrent aux eaux limpides des rivières, et choisi les emplacements où il camouflerait les abris d'où ses touristes pourraient épier leurs ébats. Evidemment, il installerait des blocs de sel près des trous d'eau pour les rendre plus alléchants encore aux pachydermes et les attirer plus près des appareils photo et des caméras.

Assis sur une souche, il passa en revue ses chances de succès. Victoria Falls était à moins d'une heure de vol. Au prix d'un petit détour, il pourrait canaliser une partie de ces milliers de touristes qui se pressaient en masse devant les chutes du Zambèze — une des sept merveilles du monde. Il avait un animal que peu de parcs naturels possédaient. De part et d'autre de son domaine, des réserves de vie sauvage lui assuraient un approvisionnement constant en bêtes de tout genre et de toutes espèces.

Il envisageait une base du genre « champagne et caviar », dans la lignée des domaines privés qui bordent le parc national Kruger en Afrique du Sud, plus quelques campements isolés pour donner à leurs occupants l'illusion d'être perdus en pleine jungle. Il engagerait des guides pittoresques et expérimentés pour conduire ses clients en Land-Rover puis à pied jusqu'aux abords des grands fauves, où les touristes croiraient vivre l'aventure de leur vie. Le soir, un décor luxueux les attendrait au camp — air conditionné, vins fins et cuisine soignée, jeunes hôtesses affriolantes, films et conférences sur la brousse. Tout cela étant hors de prix, ce qui conviendrait parfaitement aux couches les plus juteuses du marché du tourisme.

Le soir tombait quand Craig boitilla jusqu'à son figuier, le visage et les bras brûlés de soleil, la nuque cuisante de la morsure des mouches tsé-tsé, et le moignon de sa jambe endolori, meurtri par cet inhabituel déploiement d'activité. Il défit la courroie de sa prothèse, s'accorda un whisky, s'enroula dans sa couverture et s'endormit. Il se réveilla quelques minutes au milieu de la nuit, écouta les rugissements lointains du massacre des lions en chasse pendant qu'il urinait, et retourna à ses rêves, ivre de fatigue.

Aux cris des pigeons qui festoyaient dans le figuier au-dessus de sa tête, il se réveilla, en proie à une faim dévorante, heureux comme il ne se souvenait pas l'avoir été depuis des années.

Après son petit déjeuner il sautilla jusqu'à la rivière avec un exemplaire du *Farmer's Weekly,* la bible des fermiers africains. Puis, assis sur la rive, le dos confortablement calé contre l'escarpement de sable qui râpait sa peau nue, abandonnant à la caresse des eaux vertes l'extrémité encore chatouilleuse de son moignon, il étudia le marché du bétail et se livra à des calculs compliqués.

Il dut rapidement mettre un frein à ses plans ambitieux devant la somme qu'exigeait le repeuplement de King's Lynn.

Il commencerait avec quelques taureaux sélectionnés et des vaches de qualité, puis enrichirait peu à peu la souche, pour se constituer un fonds de cheptel solide. Mais cela lui coûterait une fortune. Il faudrait rééquiper les fermes, et le projet d'installation touristique de la Chizarira allait coûter une somme considérable. Après quoi, il faudrait encore débarrasser les pâtures des squatters et de leurs chèvres. La seule façon d'y parvenir serait de leur offrir une compensation financière quelconque.

« Calcule combien ça va te coûter, disait toujours le vieux Bawu. Et multiplie par deux... Tu seras plus près de la vérité. »

Craig balança le magazine sur la rive et se laissa glisser dans l'eau, tout en continuant ses calculs. A bord de son yacht il avait vécu frugalement. Son livre avait figuré parmi les best-sellers, des deux côtés de l'Atlantique, pendant près d'une année, meilleure vente dans trois des plus gros clubs de livres, traduction dans une multitude de langues — y compris l'hindi —, parution au *Reader's Digest,* sans compter une adaptation télévisée et une édition de poche...

Evidemment, le percepteur avait trouvé le moyen de prélever sa dîme, mais il lui restait tout de même un joli petit pécule. Et puis la chance l'avait aidé dans ses placements. Il avait spéculé sur l'or, l'argent, réussi trois bonnes opérations en Bourse, pour finalement changer tous ses bénéfices en francs suisses au bon moment. Ajouté à cela, il pouvait vendre le yacht. Il y a un mois on lui en offrait cent cinquante mille dollars. Il pouvait aussi vendre son âme à Ashe Levy et réclamer une avance substantielle sur son prochain roman.

En tirant toutes les ficelles, en sonnant à toutes les portes, il arriverait peut-être à rassembler un million et demi — et il lui en manquerait au moins autant pour opérer la jonction.

« Henry Pickering, mon banquier chéri, je vous réserve une surprise de mon cru. » Craig eut un sourire carnassier en pensant qu'il allait briser la règle d'or de l'investisseur avisé, et mettre tous ses œufs dans le même panier. « Cher Henry, notre ordinateur central vous a choisi pour prêter un million et demi de dollars à un écrivaillon unijambiste à court d'inspiration. » Pour le moment, il ne voyait pas d'autre solution. D'ailleurs, à quoi bon se creuser les méninges tant que les Suisses ne donnaient pas leur accord ?

Il renversa la tête, et laissa l'eau emplir sa bouche. La Chizarira était un affluent mineur du Zambèze. Il buvait donc à nouveau l'eau du grand fleuve, conformément aux exigences du dicton. Chizarira. Les touristes auraient un mal fou à retenir un nom pareil. Il lui fallait quelque chose de plus accrocheur pour vendre son petit paradis.

— *Zambezi Waters,* dit-il à voix haute. Je l'appellerai Zambezi Waters, et il faillit suffoquer en entendant une voix articuler très clairement :

— Il doit être fou.

C'était une voix matabélé, grave, mélodieuse.

— D'abord il débarque ici sans armes, seul, il s'assoit parmi les crocodiles et il parle aux arbres !

Craig roula sur le ventre pour regarder les trois hommes qui, plantés sur la rive à quelque dix pas à peine, l'observaient d'un air hostile, le visage fermé.

Ils étaient tous les trois vêtus de jean — l'uniforme des maquisards — et manipulaient avec une familiarité dégagée l'éternel AK 47, avec son magasin courbe et son habillage de bois latté.

Jean, AK 47, Matabélé : Craig n'eut aucun doute sur l'identité des inconnus. Les troupes régulières du Zimbabwe portaient maintenant des tenues de camouflage, étaient équipées d'armes de l'OTAN et parlaient la langue des Shona. Il avait devant lui trois anciens membres de la ZIPRA, l'Armée révolutionnaire du peuple, organisation désormais dissoute, qui avait fait d'eux, au terme d'une guerre sanglante et interminable, des êtres sans feu ni lieu, avec dans les mains un engin meurtrier et dans les yeux une flamme qui ne l'était pas moins. Craig s'attendait à ce genre de rencontre. Pourtant sa bouche était terriblement sèche, et la nausée nouait son estomac.

— Pas la peine de le faire prisonnier, dit le plus jeune des trois. On n'a qu'à le descendre et planquer son cadavre. Qu'est-ce qu'on ferait d'un otage ?

Craig lui donnait à peu près vingt-cinq ans, et il totalisait probablement autant de meurtres.

— Les six otages qu'on a pris aux chutes Victoria nous ont empoisonnés pendant des semaines et il a fallu les descendre quand même, approuva le deuxième.

Ils attendirent le verdict du troisième.

Il accusait quelques années de plus, et paraissait commander l'équipe. Partant du coin de ses lèvres, une mince cicatrice tiraillait sa bouche dans un sourire sardonique et courait sur sa joue, pour se perdre en diagonale dans la toison crépue qui couvrait ses tempes.

Craig se souvint de l'épisode auquel ils faisaient allusion. Des rebelles avaient bloqué un car de touristes sur la route de Victoria Falls et enlevé six hommes — Canadiens, Américains et Anglais — qu'ils se proposaient d'échanger contre la libération de leurs camarades emprisonnés. Malgré des recherches intensives et un ratissage de la montagne par l'armée, on ne les avait jamais retrouvés.

Le balafré fixa Craig un long moment d'un œil noir et voilé, et, d'un coup de pouce, glissa le sélecteur de tir en position « rafale ».

— Un vrai Matabélé ne tue pas le frère de sang d'un homme de sa tribu.

Craig déployait des efforts surhumains pour que sa voix ne trahisse pas sa terreur. En l'entendant s'exprimer avec tant de naturel dans un ndébélé irréprochable, le chef guérillero cligna des yeux.

— Hau ! Tu parles comme un homme. Mais qui est ce frère de sang dont tu te réclames ?

— Le camarade ministre Tungata Zebiwe, répondit Craig, et il vit un éclair passer dans le regard du rebelle.

Touché. Pourtant le sélecteur de tir restait en position automatique, et le canon ne déviait pas de son estomac.

C'est le plus jeune qui brisa le silence, d'une voix trop forte, comme pour masquer son trouble.

— Le babouin peut crier le nom du lion noir des montagnes et annoncer partout qu'il le protège, mais le lion reconnaîtra-t-il le babouin ? Tuez-le, qu'on en finisse.

Craig sentit que sa vie tenait à un fil.

— Je vais vous montrer. Laissez-moi rejoindre mon paquetage.

Le balafré hésitait.

— Je suis nu ! insista Craig. Sans armes. Pas même un couteau.

— Vas-y. Mais prends garde. Ça fait plusieurs lunes que je n'ai pas tué d'homme, et ça me manque.

Craig sortit de l'eau. Il vit l'intérêt que suscitait sa patte folle, amputée sous le genou, et sentit les regards admiratifs qui couvraient la musculature surdéveloppée de son torse bombé et de son autre jambe, qui devait travailler pour deux. Il sautilla jusqu'au figuier, sa peau bosselée de muscles dégoulinante de gouttelettes. Il s'était préparé pour cette rencontre, et de la poche de son sac il tira son portefeuille pour tendre au chef rebelle une photo en couleurs. On y voyait deux hommes, assis sur le capot d'une Land-Rover d'un modèle ancien. Ils se tenaient par l'épaule en riant tous les deux et, dans leur main libre, brandissaient une canette de bière à l'adresse du photographe.

Le balafré étudia un moment l'instantané, puis glissa le cran de sélection en position « sûreté ».

— C'est bien le camarade Tungata, dit-il en tendant la photo à ses hommes.

— Peut-être, concéda le plus jeune, mais il y a longtemps. Je pense toujours qu'il faut le supprimer.

Pourtant le ton de sa voix, cette fois, paraissait nettement moins déterminé.

— Fais ça, dit l'autre en balançant son arme en bandoulière, et le camarade Tungata t'avalera d'une bouchée.

Craig récupéra sa jambe, et la raccorda à son moignon d'un geste. Les trois rebelles, intrigués, oublièrent aussitôt leurs intentions belliqueuses et s'approchèrent.

Connaissant le goût des Africains pour le burlesque, Craig improvisa un numéro bouffon. Il esquissa quelques pas de gigue, pirouetta sur sa prothèse, se cassa sans sourciller un bâton sur le tibia, et pour finir, raflant le chapeau du plus jeune des guérilleros, le bouchonna pour le dropper au sol, en criant « Pelé », et l'expédier dans les branches d'un shoot meurtrier de sa jambe artificielle. Les deux autres s'esclaffaient, les larmes aux yeux, pendant que leur compagnon grimpait dans le figuier pour récupérer piteusement son couvre-chef.

Jugeant le moment venu, Craig sortit de son sac un gobelet et une gourde de whisky. Il servit à boire au balafré.

— Entre frères, dit-il.

Le maquisard posa son arme, et accepta le gobelet. Il l'éclusa d'un trait, et savoura les vapeurs de l'alcool en soufflant par les narines d'un air extatique. Les deux autres burent à leur tour, avec des mines gourmandes.

Quand Craig tira sur ses jambes de pantalon pour s'asseoir sur son paquetage en plantant la gourde devant lui, ils déposèrent tous leur fusil pour s'accroupir en arc de cercle autour de lui.

— Je m'appelle Craig Mellow, annonça-t-il.

— Pour nous tu seras *Kuphela,* dit le balafré. La jambe qui marche toute seule.

Et ses compagnons de claquer des mains, et Craig de leur servir une rasade généreuse, pour célébrer son baptême.

— Moi, continuait le chef rebelle, je m'appelle camarade Qui-vive...

La plupart des maquisards avaient adopté des *noms de guerre* [1].

— Lui, c'est camarade Pékin.

« En hommage à ses instructeurs chinois », pensa Craig.

— Et là...

Il indiquait le plus jeune :

1. En français dans le texte.

— C'est camarade Dollar.

Craig eut du mal à ne pas rire d'un tel hiatus idéologique.

— Camarade Qui-vive, dit-il. Le *kanka* t'a marqué.

Kanka, le chacal, nom qu'on donnait aux forces de sécurité. Le camarade Qui-vive caressa fièrement sa joue.

— Une baïonnette. Ils me croyaient mort, et ils m'ont abandonné aux hyènes.

— Et ta jambe ? demanda le camarade Dollar. C'est aussi la guerre ?

Une réponse affirmative leur indiquerait qu'il s'était battu contre eux. Mais Craig n'hésita qu'une seconde avant d'acquiescer.

— J'ai marché sur une de nos mines.

— Une de tes mines ? gloussa Qui-vive. Il a marché sur une de ses mines !

Et les deux autres aussi trouvaient cela hilarant.

— Où ça ? voulut savoir Pékin.

— Sur la rivière, entre Kazangula et Victoria Falls.

— Ah oui, firent-ils en s'adressant gravement des hochements de tête, c'est là qu'on a battu les Scouts.

Le commando des Ballantyne Scouts, une des unités d'élite des forces de sécurité. Craig y servait en tant qu'armurier.

— C'est ce jour-là que j'ai marché sur ma mine, dit-il. Le jour où les Scouts ont été décimés sur la frontière de la Zambie.

— Hau ! Ce jour-là, hein ? On y était ! On se battait au côté du camarade Tungata.

— Quel beau massacre ! siffla Dollar, la lueur meurtrière du combat dans les yeux.

— Et quels soldats ! *Nkulu kulu,* quels guerriers ! Ça c'étaient des hommes !

Craig sentait une impression de malaise lui nouer les tripes. Ce jour-là son cousin, Roland Ballantyne, avait conduit les Scouts à travers le Zambèze. Tandis que Craig gisait dans son sang à l'orée du champ de mines, Roland et ses braves se battaient jusqu'à la mort quelques miles plus loin. Leurs cadavres avaient été mutilés, profanés par ces hommes, et ils en parlaient maintenant comme d'un match de football mémorable.

Il leur versa une nouvelle rasade de whisky. Comme il avait pu les haïr ! Les « terrs », comme on les appelait, les terroristes. Et maintenant, il levait son gobelet à leur santé.

— Où étais-tu le jour où on a attaqué les réservoirs d'essence de Harare ? demandèrent-ils.

— Et tu te rappelles quand les Scouts sont tombés du ciel sur notre camp, à Molingushi ? Ils ont tué huit cents des nôtres, ce jour-là. Mais moi, ils m'ont pas pris !

Craig n'arrivait plus à entretenir sa haine. Sous la brutalité, sous la cruauté que leur imposait la guerre, il retrouvait les Matabélé tels qu'il les avait toujours aimés, avec leurs éclats de rire, leur fierté, leur indécrottable sens de l'honneur, leur loyauté, et leur respect absolu d'une éthique stricte et sans faille. Il se sentait gagné par une irrésistible vague de sympathie à laquelle ses compagnons, peu à peu, répondaient.

— Alors qu'est-ce qui te pousse à venir ici, *Kuphela ?* Un homme sensé comme toi, qui entre sans même un bâton dans l'antre du léopard ? Tu as bien dû entendre parler de nous !

— Oui. J'ai entendu dire que vous étiez des hommes rudes, comme les guerriers du vieux Mzilikazi.

Ils encaissèrent le compliment en hochant la tête.

— Mais je voulais vous parler, continuait Craig.

— Pourquoi ?

— J'écris un livre, un livre qui racontera la vérité sur votre lutte, et sur vous.

— Un livre ? fit Pékin, soupçonneux.

— Quel genre de livre ? renchérit Dollar.

— Et qui es-tu pour écrire un livre ?

Qui-vive ne cherchait pas à cacher son mépris.

— Tu es trop jeune. Ceux qui écrivent sont des gens instruits, des sages.

Comme beaucoup d'Africains, il éprouvait une sainte terreur de la chose écrite, et un respect sans bornes pour les cheveux blancs.

— Un écrivain unijambiste, ricana Dollar.

Et Pékin gloussa en reprenant son fusil. Il le cala sur ses genoux avec un nouveau gloussement. L'ambiance changeait encore une fois de registre.

Craig s'était aussi préparé pour cela. Dans le rabat de son sac, il alla pêcher une grande enveloppe de papier kraft d'où il fit tomber une liasse de coupures de journaux. Il les feuilleta lentement, laissant l'incrédulité moqueuse de son public se transformer peu à peu en curiosité. Puis il tendit un feuillet à Qui-vive. La dramatique tirée de son livre avait été diffusée par la télévision du Zimbabwe deux ans plus tôt, avant sans doute que les guérilleros ne reprennent le chemin du maquis.

— Hau ! s'exclama Qui-vive. C'est le vieux roi Mzilikazi !

La photo qui illustrait l'article montrait Craig sur le plateau avec un groupe d'acteurs. En costume de léopard et plumes de héron, le comédien noir américain qui jouait le rôle du vieux roi matabélé se détachait du reste.

— Et là, c'est toi, avec le roi.

Même l'instantané de Tungata ne les avait pas impressionnés à ce point.

Il y avait une autre coupure, un cliché pris à la librairie *Doubleday* sur la 5e Avenue, où Craig se tenait debout, appuyé contre une pyramide de livres où son portrait agrandi, en quatrième de couverture, se répétait à l'infini.

Ils n'en revenaient pas.

— C'est toi qui as écrit ce livre ?

— Vous me croyez maintenant ?

Qui-vive étudia attentivement l'article avant de se risquer à donner son opinion. Ses lèvres remuaient lentement au fur et à mesure qu'il avançait dans le texte, et il rendit son bien à Craig d'un air grave.

— *Kuphela,* tu es vraiment un écrivain important.

Ils montraient maintenant un empressement quasiment pathétique à lui exposer leurs doléances, comme des plaideurs à l'*indaba,* où les anciens du village écoutent et tranchent les différends de la tribu. Pendant qu'ils parlaient le soleil escaladait un ciel d'une pureté sans tache, bleu comme un œuf de héron. Puis il atteignit le zénith, et entama sa descente vers le couchant dans les couleurs d'une agonie sanglante.

Les maquisards parlaient de l'Afrique, ils racontaient la tragédie de ce grand continent clôturé de barrières où germaient toutes les graines de la violence et du désastre, la maladie incurable qui les affligeait tous — le tribalisme.

En l'occurrence, Matabélé contre Mashona. Les « mange-merde », comme les appelait Qui-vive, ceux qui rampent dans les cavernes, qui se planquent dans des forteresses au sommet des collines, des chacals qui n'osent mordre que quand on leur tourne le dos.

C'était le mépris du guerrier pour le marchand, la haine de l'homme d'action pour le négociant retors et politicien.

— Depuis que le grand Mzilikazi a traversé le Limpopo, les Mashona ont été nos chiens — *amaholi,* des esclaves, et des fils d'esclaves.

Au cours des siècles, le même scénario s'était répété à travers le continent tout entier. Plus au nord, les seigneurs massaï avaient conquis et terrorisé les Kikuyu ; les géants Watusi avaient enchaîné les paisibles Hutu — et chaque fois les vaincus compensaient leur manque d'agressivité guerrière par la ruse, le calcul et, dès le départ des colons blancs, s'empressaient de massacrer leur éternel bourreau — comme les Hutu ou les Watusi — ou bien édulcoraient la doctrine parlementaire héritée des Anglais pour placer leurs anciens maîtres dans une position d'infériorité politique, à l'exemple du sort que les Kikuyu faisaient subir aux Massaï.

Le même processus se déroulait au Zimbabwe.

— Il y a cinq mange-merde mashona pour un seul *indoda* matabélé, dit Qui-vive. Mais ça ne leur donne pas le droit de nous commander. De quel droit cinq esclaves gouverneraient-ils un roi ? Quand cinq babouins se mettent à glapir, le grand lion noir doit-il se mettre à genoux ?

— C'est la règle, fit Craig. En Angleterre, en Amérique, la volonté de la majorité a force de loi...

— Je pisse à la raie de la majorité. L'Angleterre, l'Amérique, peut-être — nous sommes en Afrique. Et je ne courberai pas l'échine devant la volonté de cinq mange-merde. Non, pas même devant cent, devant mille Mashona. Je suis matabélé, et je respecte la loi d'un seul homme — un roi matabélé.

Le vieux continent se réveillait d'un sommeil colonialiste de plus d'un siècle, et retrouvait d'instinct le chemin des traditions.

Craig pensait aux milliers d'Anglais naïfs qui, contre un salaire ridicule, avaient passé leur vie dans les rangs du Colonial Service, s'efforçant d'inculquer à leurs ouailles le respect de la morale protestante, l'amour du travail, la religion du fair-play, et la soumission aux lois du gouvernement de Westminster — des hommes jeunes, qui étaient rentrés en Grande-Bretagne vieillis, malades, pour toucher une pension misérable, et qui finissaient leurs jours en se rabâchant qu'ils avaient noblement sacrifié leur bonheur pour bâtir un édifice durable. S'étaient-ils jamais douté que leurs efforts ne servaient à rien?

Les frontières imposées par l'administration coloniale étaient droites, logiques. Elles suivaient un fleuve, la rive d'un lac, les crêtes d'une chaîne de montagnes, et quand rien de tout cela n'existait un ingénieur blanc traçait une visée dans la mire de son théodolite à travers la brousse. «Ici, pour l'Angleterre; là, pour l'Allemagne.» Sans égards pour les tribus qui se retrouvaient coupées en deux par une ligne de barbelés.

— Le Shona est malin. Pour nous mater, il a envoyé les troupes du gouvernement Smith...

Craig se souvenait de la jubilation sauvage des soldats blancs, aigris par une défaite qu'ils considéraient plutôt comme une trahison, quand Mugabe les avait lâchés sur les dissidents matabélé. Après leur opération de nettoyage les voies de garage de la gare de Bulawayo s'encombraient de wagons frigorifiques bourrés, du sol au plafond, de cadavres matabélé.

— Les soldats blancs se chargeaient du sale boulot, pendant que Mugabe et ses babouins couraient se réfugier à Harare pour pleurnicher dans les jupes de leurs femmes. Et quand les troupes rhodésiennes ont pris nos armes, ils ont redressé la tête pour sortir de leur retraite comme des conquérants.

— Ils ont humilié nos chefs...

Accusé de subversion, Nkomo, leader des Matabélé, s'était vu assigner à la résidence surveillée par un gouvernement à la solde des Shona.

— Ils ont des prisons secrètes dans la brousse, continuait Pékin, où ils torturent les nôtres.

— Maintenant que nous sommes sans armes, ils envoient leurs unités spéciales dans nos villages. Ils frappent nos anciens, ils violent nos femmes, ils emmènent nos guerriers dans des endroits d'où ils ne reviennent jamais.

Craig avait vu une photo où des hommes dans l'uniforme bleu et kaki de l'ex-British South Africa Police, autrefois synonyme de justice et d'honneur, clouaient au sol un jeune Matabélé, les bras en croix. Deux gendarmes faisaient pleuvoir leurs coups sur le dos, les épaules, les fesses du malheureux, en brandissant leurs gourdins comme des battes de baseball. « La police interroge un suspect, dans l'espoir de retrouver la trace des otages américains et anglais aux mains des dissidents matabélé », disait la légende. Aucune photo ne montrait ce qu'ils avaient fait à la femme du suspect.

— Mais pourquoi vous en prendre à des innocents ? objecta Craig. Ces otages, ces fermiers blancs que vous assassinez...

— Que faire d'autre ? cracha Qui-vive. Comment attirer l'attention sur les souffrances de notre peuple ? Nos chefs sont morts, emprisonnés, bâillonnés. Nous sommes sans armes, ou presque. Nous n'avons pas d'alliés puissants, alors que les Américains, les Chinois, les Anglais soutiennent les Shona. Nous n'avons pas d'argent pour financer la lutte — ils monopolisent la terre et confisquent les dollars de l'aide internationale. Comment montrer au monde ce qui nous arrive ?

Prudent, Craig décida que le moment se prêtait mal à une conférence sur la morale politique. Une pensée, d'ailleurs, lui traversa l'esprit : « Peut-être mon idée de la morale est-elle dépassée. » Dans l'actualité internationale était apparu un durcissement qui devenait presque acceptable : le droit pour les minorités opprimées de braquer les feux des médias sur leur cause par des moyens expéditifs.

Depuis les Palestiniens et les séparatistes basques, en passant par les poseurs de bombes d'Irlande du Nord qui réduisaient en charpie des régiments entiers de Horse Guards dans les rues de Londres, une nouvelle moralité émergeait. Avec ces exemples sous les yeux, forts d'une expérience qui leur prouvait l'efficacité de la violence pour l'avènement d'un nouvel ordre, ces hommes étaient les enfants de cette nouvelle moralité.

Bien sûr, Craig ne pouvait se résoudre à approuver de telles méthodes. Pourtant il éprouvait, contre son gré, une certaine sympathie pour leur révolte. Un lien étrange, souvent sanglant, unissait depuis toujours sa famille à la tribu matabélé. Une tradition de respect et de compréhension envers un peuple qui savait se montrer fier dans l'amitié comme dans la guerre, une race aristocratique qui ne méritait pas le sort qu'on lui infligeait.

Craig avait en lui une fibre élitiste qui ne supportait pas de voir un Gulliver ficelé au sol par une armée de Lilliputiens. Il détestait ce culte de la jalousie, cette petitesse mesquine du socialisme qui, pensait-il, visait à abattre le surhomme, à ramener les héros au niveau du commun, à remplacer le charisme des chefs par le vacarme confus des syndicats braillards, à émasculer l'initiative privée à coups d'impôts écrasants et, progressivement, à aiguiller une population bêlante et soumise pour la parquer derrière les barbelés du totalitarisme. Ces hommes étaient des terroristes, évidemment — Robin des Bois aussi —, mais du moins avaient-ils du panache et un minimum de classe.

— Tu dois voir le camarade Tungata ? demandaient-ils avec un empressement presque touchant.

— Oui, bientôt.

— Dis-lui que nous sommes prêts.

— Je lui dirai.

Ils le raccompagnèrent à la voiture, et Dollar insista pour porter son paquetage. Puis ils s'entassèrent dans la Volkswagen poussiéreuse, les canons de leurs AK 47 pointant par les fenêtres.

— On t'escorte, expliqua Qui-vive. Jusqu'à la grand-route de Victoria Falls. Si tu tombais sur une de nos patrouilles, ça risquerait de tourner mal.

Ils atteignirent le ruban de macadam à la tombée de la nuit. Craig ouvrit son paquetage et leur donna ce qui lui restait de nourriture, avec un fond de whisky. Il avait deux cents dollars dans son portefeuille, qu'il ajouta en prime. Ils se serrèrent la main.

— Dis au camarade Tungata qu'il nous faut des armes, recommanda Dollar.

— Plus que des armes, dis-lui qu'il nous faut un chef.

Le camarade Qui-vive gratifia Craig de la poignée de main qu'il réservait aux vrais amis — paume contre paume et pouces entrecroisés.

— Va en paix, *Kuphela.* Et puisse ta jambe te porter loin.

— Reste en paix, ami.

— Non, *Kuphela.* Souhaite-moi plutôt de la guerre et du sang.

Dans la lumière des phares un sourire horrible tordit son faciès balafré. Quand Craig jeta un coup d'œil en arrière ils s'étaient fondus dans l'ombre, silencieux, comme des léopards en chasse.

— Jamais cru te revoir un jour ! claironna Jock Daniels en voyant entrer Craig dans son bureau le lendemain matin. Tu as poussé jusqu'à la Chizarira, ou est-ce que le bon sens t'est revenu à temps ?

Craig évita de répondre directement.

— Je suis vivant, non ?

— Brave garçon. Pas la peine de se frotter à ces *shuftas.* Des bandits, tous autant qu'ils sont.

— Des nouvelles de Zurich ?

Jock secoua la tête.

— J'ai envoyé le télex à 9 heures. Ils ont une heure de retard sur nous.

— Je peux prendre ton téléphone ? Quelques coups de fil personnels...

— Pas trop loin, j'espère. J'ai pas envie que tu baratines les poules de New York à mes frais.

— Bien sûr que non.

— Alors d'accord. A condition que tu gardes la boutique. Je vais faire un tour.

Craig se carra derrière le bureau et consulta les notes qu'il avait prises à la hâte en parcourant le dossier de Pickering. Il commença par l'ambassade américaine à Harare.

— Votre attaché culturel, s'il vous plaît. M. Morgan Oxford.

— Oxford à l'appareil.

L'accent était sec, très militaire.

— Un ami commun m'a demandé de vous transmettre ses amitiés.

— Je vous attendais. Passez donc me dire un petit bonjour, à votre convenance.

— Avec plaisir, répondit Craig, et il raccrocha.

Henry Pickering tenait parole. Les messages confiés à Oxford partiraient par la valise diplomatique, et atterriraient sur son bureau douze heures plus tard.

Il réservait son prochain appel au ministère de l'Information et du Tourisme. La voix de la secrétaire se fit plus chaleureuse quand il lui parla en ndébélé.

— Le camarade ministre se trouve à Harare pour la cession parlementaire.

Elle lui donna son numéro personnel à la Chambre. Craig dut s'y prendre à quatre fois avant d'obtenir quelqu'un.

Le réseau téléphonique commençait sérieusement à se détériorer, apparemment. La plaie des pays en voie de développement, c'était le manque d'artisans qualifiés. Avant l'indépendance tous les opérateurs étaient blancs, et ils avaient tous fait le « grand saut ».

On lui passa une secrétaire mashona, qui tenait à parler anglais pour prouver son haut degré de raffinement.

— Veuillez, je vous prie, énoncer le motif de votre appel.

Elle lisait manifestement à haute voix un formulaire administratif.

— Personnel.

— Ah ! oui. P.E.R.S.O.N.E.L.

Elle épelait laborieusement en remplissant sa fiche.

— Non, corrigea Craig. Deux « n ».

— Je vais consulter l'agenda du camarade ministre. Nous vous remercions de bien vouloir rappeler ultérieurement.

Sur la liste de Craig venait ensuite le Registre du commerce et des sociétés, et cette fois la chance lui sourit. On lui passa un employé diligent, efficace, qui prit note de sa demande de renseignements.

— La liste des actionnaires, l'inventaire et les statuts de la Rholands Ltd ?

Il perçut une note désapprobatrice dans la voix de l'employé. Tout ce qui rappelait le mot « Rhodésie » suscitait un réflexe hostile maintenant, et Craig se promit de modifier le nom de la société. « Zimlands. » Voilà qui sonnerait mieux pour des oreilles africaines.

— Je vous fais ronéoter un exemplaire. La copie sera prête à 4 heures.

Il appela ensuite le cadastre, et réclama là encore une copie de documents — cette fois les titres des propriétés foncières de la société : les fermes de King's Lynn, Queen's Lynn et le domaine de Chizarira.

Il y avait encore quatorze noms sur la liste, d'anciens voisins, des amis de la famille, des gens que grand-père Bawu avait aimés.

Sur les quatorze, il réussit à en contacter quatre. Les autres avaient rendu leurs terres et pris la longue route du Sud. Ceux qui restaient semblaient heureux de l'entendre.

— Bienvenue au pays, Craig. On a lu ton bouquin, et on a tous regardé la télé.

Pourtant ils se refermaient comme des huîtres dès qu'il commençait à poser des questions.

— Cette saloperie de téléphone fuit comme une écumoire, lui avoua enfin un de ses correspondants. Viens donc dîner au ranch. Tu resteras la nuit. Il y a toujours un lit pour toi, Craig. Nom d'une pipe ! C'est pas si souvent qu'on a des nouvelles des anciens !

Jock Daniels réapparut au milieu de l'après-midi, suant, écarlate.

— Toujours pendu à mon téléphone ? Je me demande s'il leur reste du Dimple Haig, en face.

Craig répondit à tant de subtilité en traversant la route pour rapporter une bouteille dans un sac en papier brun.

— J'avais oublié qu'il faut un foie en fonte émaillée pour vivre dans ce pays.

Il dévissa le bouchon, et le laissa tomber dans la corbeille à papiers. A 4 h 50, il rappela le bureau du ministre.

— Le camarade ministre Tungata Zebiwe consent à vous recevoir à 10 heures vendredi matin. Il peut vous accorder vingt minutes.

Cela lui donnait trois jours à tuer, en attendant de lancer sa voiture sur la route de Harare.

— Aucune réponse de Zurich ?

Petite lichette dans le verre de Jock.

— Si tu me faisais une offre pareille, je te garantis que je ne te répondrais pas non plus, bougonna le vieux colon, en prenant la bouteille des mains de Craig pour remplir son gobelet.

Les jours suivants Craig mit à profit l'invitation des amis de Bawu, et s'abandonna aux délices de la traditionnelle hospitalité rhodésienne.

— Evidemment, il y a des choses qu'on ne trouve plus — les confitures Cross & Blackwell, le savon Bronnley, c'est fini tout ça, expliquait une de ses hôtesses en emplissant son assiette d'une pitance royale servie dans un plat d'argent. Mais on se débrouille. Ça nous fera des souvenirs.

Et d'un signe, elle demanda au serviteur en robe blanche de rapporter de la cuisine une nouvelle platée de patates douces. Il passait ses journées avec des hommes à l'élocution tranquille, brûlés de soleil sous leurs larges chapeaux de feutre, en shorts kaki, qui le menaient en Land-Rover faire le tour des troupeaux.

— On dira ce qu'on voudra, rien ne vaut le bœuf du Matabeleland. La plus belle herbe du monde. Je suis bougrement content d'être resté ici. Regarde ce vieux Dereck Sanders en Nouvelle-Zélande. Il travaille comme ouvrier dans une ferme à moutons à l'heure qu'il est — un sacré boulot, je te le dis. Il n'y a pas de Matabélé pour se charger des basses besognes, là-bas.

Il regardait ses bouviers noirs avec une affection toute paternelle.

— Sous leur baratin politique, ce sont toujours les mêmes. Le sel de la terre, mon gars. Des braves gens, et je suis heureux de pas les avoir désertés.

— C'est vrai qu'il y a des problèmes, lui confiait un autre. Les taxes d'importation nous assassinent. Pas moyen de trouver des pièces détachées, des engrais, des produits vétérinaires, mais le gouvernement de Mugabe commence à se réveiller. Evidemment le téléphone marche quand il a le temps, et il ne faut plus compter sur le train pour arriver à l'heure. Mais le prix du bœuf se maintient. Et puis, si on veut que nos gosses aient une éducation correcte, on peut toujours les envoyer en Afrique du Sud.

— Et sur le plan politique ?

— Ça, c'est leur affaire. Ça se passe entre Matabélé et Mashona. Les Blancs n'ont plus leur mot à dire, Dieu merci. Qu'ils s'entretuent si ça leur chante. Moi, je me gare des voitures. La vie n'est pas si mauvaise, après tout — pas comme dans le temps, bien sûr, mais c'est partout pareil. Pas vrai ?

— Vous vous risqueriez à acheter de la terre ?

— Plus de sous dans la caisse, mon pauvre vieux.

— Mais si vous en aviez ?

Le fermier frotta pensivement l'arête de son nez.

— Vu le prix de l'hectare en ce moment, c'est vrai qu'il y aurait moyen de faire un joli coup. A condition que ça s'arrange. Parce que si ça ne s'arrange pas, tu bois un sacré bouillon !

— On pourrait dire la même chose de la Bourse. Et en attendant, la vie est belle ici, non ?

— Sûr. Et puis quoi ! On m'a sevré avec l'eau du Zambèze. Je m'imagine pas en train de respirer le brouillard de Londres, ou de chasser les mouches en Australie. Ça non !

Le jeudi matin Craig retourna au motel, rassembla son linge, boucla son sac de toile, paya sa note et rendit la clé.

Il passa au bureau de Jock.

— Ta réponse est arrivée il y a une heure.

Le bonhomme lui tendit la bande de papier, que Craig parcourut rapidement :

« Accordons à votre client une option de trente jours pour se rendre acquéreur des actions de la Rholands Company contre la somme d'un demi-million de dollars américains, payable à Zurich en totalité à la signature. Dernière offre. »

« Fais ton estimation et multiplie par deux », disait Bawu. Jusqu'ici il était tombé juste.

Jock scrutait son visage.

— Le double de ce que tu proposais. T'as un demi-million sous la main ?

— Il faut que j'en parle à ma tante à héritage. D'ailleurs, j'ai encore trente jours. Je repasserai te voir.

Ayant mendié un plein d'essence au bonhomme, Craig mit le cap sur le nord-est, vers le Mashonaland, vers Harare. A dix miles à peine de la ville il rencontrait son premier barrage.

« Comme au bon vieux temps », pensa-t-il en serrant le bas-côté.

Deux soldats noirs en tenue de camouflage s'appliquèrent avec zèle à fouiller la Volkswagen tandis qu'un lieutenant, sa casquette ornée de l'insigne de la 3e brigade — régiment entraîné par des instructeurs coréens —, examinait son passeport.

Une fois encore Craig se félicita de la tradition qui voulait que toutes les femmes enceintes de la famille, aussi bien chez les Mellow que du côté Ballantyne, soient envoyées en Angleterre pour accoucher. Ce petit livret bleu avec son lion doré, sa licorne, et son « Honni Soit Qui Mal Y Pense », commandait encore le respect, même dans la 3e brigade.

L'après-midi était bien avancé quand il franchit le cercle des collines basses pour découvrir la poignée de buildings incongrus qui se dressaient sur le veld[1] africain, comme des menhirs à la gloire de l'Empire britannique.

1. Veld : steppe d'Afrique du Sud *(N.d.T.)*.

Autrefois baptisée du nom de Lord Salisbury, ministre de la reine Victoria qui avait octroyé une charte à la British South Africa Company pour exploiter les terres du roi Lobengula, la ville était revenue au nom de Harare, en souvenir du chef shona que les pionniers blancs avaient trouvé en septembre1890, régnant sur un amas de huttes de chaume et de boue, au terme d'une équipée qui leur ouvrait les portes de l'Afrique australe. Les rues aussi avaient changé de nom. Loin de commémorer les premiers représentants de Victoria, elles célébraient maintenant la mémoire des fils de la Révolution.

Dans les rues régnait une ambiance de ville-champignon. Les trottoirs débordaient et à l'hôtel *Monomatapa,* immeuble moderne de seize étages, le hall fourmillait de touristes, banquiers et industriels en voyage d'affaires, dignitaires étrangers et conseillers militaires, dans un mélange de langues et d'accents disparates.

Il n'y avait pas de place pour Craig. Jusqu'à ce qu'il parle à un sous-directeur qui avait vu la série télévisée. On le gratifia alors d'une chambre au quinzième étage avec vue sur le parc. Pendant qu'il prenait un bain, une procession de serveurs lui apporta des fleurs, des corbeilles de fruits et une bouteille de «champagne» sud-africain, cadeau de la direction. Il travailla jusqu'à minuit à la rédaction de son rapport pour Henry Pickering, et le lendemain matin il se présentait au Parlement à 9 h 30.

La secrétaire le fit attendre quarante-cinq minutes avant de l'introduire dans une pièce lambrissée, et le camarade ministre Tungata Zebiwe se leva de son bureau.

Craig avait oublié l'impression de force qui se dégageait de lui; ou avait-il acquis ce magnétisme depuis leur dernière rencontre? A vrai dire, il avait peine à croire que ce même homme ait pu un jour travailler sous ses ordres comme porteur de fusil à l'Office de la faune et des parcs nationaux. Il s'appelait alors Samson Kumalo. Kumalo : la dynastie des rois matabélé, dont il était le descendant direct. Bazo, son arrière-grand-père, avait conduit la révolte de 1896, pour finir pendu par les Blancs. Son arrière-arrière-grand-père Gandang était le demi-frère de Lobengula, dernier roi matabélé, que Cecil Rhodes avait réduit à une mort ignoble avant de reléguer son corps dans une tombe sans nom au cœur des étendues sauvages du nord du pays.

Royale était sa lignée, et royale sa prestance. Plus grand que Craig, d'une stature qui faisait plus de deux mètres, et mince, pas encore affligé de cet empâtement qui frappe souvent ceux de sa race. Un costume en soie de coupe italienne mettait sa carrure en valeur, épaules qu'on aurait dites soustendues par une poutre, et un ventre plat, nerveux, de lévrier. La guérilla l'avait auréolé de gloire, et tout en lui respirait le guerrier. Craig éprouvait un plaisir immense et totalement inattendu à le revoir.

— J'ai l'œil sur toi, camarade ministre, salua-t-il en ndébélé, évitant d'avoir à choisir entre le vieux « Sam », trop familier, et ce nom de guerre de « Tungata Zebiwe » — Celui qui cherche la justice — que Samson Kumalo s'était choisi.

— Je te croyais parti. Je me souviens d'avoir payé ma dette envers toi, et de t'avoir envoyé à l'étranger.

Aucune cordialité, aucune chaleur dans ces yeux sombres voilés de brume. L'ossature lourde de la mâchoire découpait une ligne sévère.

— Je te sais gré de ce que tu as fait.

Craig non plus ne souriait pas, bien qu'il lui fallût se forcer pour cacher sa joie. C'était Tungata qui avait signé un ordre ministériel spécial pour lui permettre de sortir son yacht du pays, à une époque où un contrôle draconien bloquait aux frontières jusqu'aux réfrigérateurs. Cloué à sa chaise roulante, Craig ne possédait au monde que *Bawu.*

— Je ne veux pas de ta gratitude, dit Tungata.

Pourtant dans son regard ambré vibrait quelque chose que Craig ne parvenait pas à sonder.

— Ni de mon amitié ?

— Elle est morte sur le champ de bataille ; lavée dans le sang. Tu avais choisi l'exil. Pourquoi es-tu revenu ?

— Parce que c'est ici ma terre.

— Ta terre ! Tu parles comme un colon blanc. Comme un des tueurs de Cecil Rhodes.

— Je ne le pensais pas comme ça.

Tungata s'assit à son bureau et posa les paumes à plat sur

son sous-main blanc. Il regarda longuement ses doigts en silence.

— Tu es allé à King's Lynn, dit-il enfin.

Craig sursauta.

— Après quoi tu es monté jusqu'à la Chizarira.

— Tes yeux voient loin.

— Puis tu as réclamé une copie des titres de propriété. Mais tu dois bien savoir qu'il faut un certificat officiel approuvé par le gouvernement pour acheter des terres au Zimbabwe. Tu dois soumettre un plan d'utilisation des sols.

— Je sais.

— Donc tu viens ici maintenant protester de ton amitié pour moi.

Tungata releva les yeux.

— Et puis, au nom de cette amitié, tu vas me réclamer une autre faveur. Je me trompe ?

Craig eut un geste résigné.

— Un rancher blanc, un seul, sur un domaine qui pourrait nourrir cinq cents familles matabélé. Un rancher blanc qui s'engraisse, qui s'enrichit, pendant que ses serviteurs vont en haillons, et mangent les restes qu'on leur jette, siffla Tungata.

Craig riposta :

— Un rancher blanc, un seul, mais qui amène des capitaux, qui crée des emplois, et dont les récoltes donneront de quoi nourrir dix mille — non pas cinq cents — Matabélé. Un rancher blanc qui soigne sa terre, qui la protège des chèvres et de la sécheresse, et qui évite qu'au bout de cinq ans elle soit totalement épuisée.

Les yeux étincelants de colère, il se crispait, penché sur le bureau du ministre.

— Tu n'as plus rien à faire ici, tonna Tungata. Le *kraal* ne veut pas de toi. Retourne à ton bateau, à ta célébrité, à tes admiratrices. Sois heureux qu'on t'ait laissé une jambe — et file, avant qu'on ne prenne aussi ta tête.

Puis il remonta sa manche, et jeta un coup d'œil à sa montre en or.

— Je n'ai rien d'autre à te dire.

Il se leva. Pourtant, derrière l'hostilité de son regard,

Craig devinait toujours ce même sentiment indéfinissable ; pas de la peur, non, ni de la fourberie, mais comme du désespoir, du regret, et même peut-être un peu de culpabilité. Craig s'approcha plus près encore, et baissa la voix.

— Moi, en revanche, j'ai quelque chose à te dire. J'ai rencontré trois hommes sur la Chizarira : Qui-vive, Pékin et Dollar. Et ils m'ont confié un message...

Il n'alla pas plus loin. La colère de Tungata s'était muée en une rage féroce qui le parcourait de frissons, voilait ses yeux, nouait les tendons de sa mâchoire de colosse.

— Tais-toi, dit-il dans un souffle qui contenait mal sa fureur. Tu te mêles de choses qui te dépassent complètement. Quitte ce pays avant que tout ça ne se retourne contre toi.

— Je ne partirai pas tant que ma demande officielle d'acquisition des terres ne sera pas refusée.

— Cela ne saurait tarder.

Dans le parking, la Volkswagen rôtissait au soleil. Craig ouvrit les portières et, pendant que l'intérieur refroidissait, découvrit qu'il tremblait. Il tendit une main, et regarda frémir le bout de ses doigts. Autrefois, quand son rôle de ranger le forçait à traquer un lion mangeur d'hommes ou un éléphant qui dévastait les récoltes, il lui arrivait d'éprouver cette même descente d'adrénaline.

Il se glissa sur le siège avant. Tandis qu'il attendait de retrouver son calme, il tira les enseignements de sa confrontation avec Tungata Zebiwe.

Depuis son arrivée au Matabeleland, on avait dû le surveiller. Pourquoi ? Mystère. Mais Tungata connaissait ses moindres mouvements.

Autre mystère : les vraies raisons de l'hostilité du ministre. Celles qu'il avait données étaient basses, mesquines, et Samson Kumalo n'avait jamais possédé ni l'un ni l'autre de ces défauts. Craig était sûr de n'avoir pas inventé cette impression étrange de le voir jouer cette scène à contrecœur. Oui, il y avait des courants et des contre-courants puissants, sur les eaux où il venait de lever la voile.

Etrange aussi, la réaction de Tungata au nom des trois maquisards. Une réaction violente, qui supposait une mauvaise conscience évidente. Henry Pickering ne manquerait pas de trouver cela intéressant.

Craig mit en route la Volkswagen et rentra lentement au *Monomatapa,* en suivant des avenues qu'on avait tracées suffisamment larges pour qu'un attelage de soixante-six bœufs y exécute un demi-tour.

Il était presque midi quand il retrouva sa chambre. Il ouvrit le bar, et tendit la main vers la bouteille de gin. Il la reposa sans l'avoir ouverte, et prit le téléphone pour réclamer un café : son alcoolisme mondain, hérité des cocktails new-yorkais, ne le suivrait pas jusqu'ici.

Assis à sa table, il rassembla ses pensées en laissant errer ses regards sur le parc, où les jacarandas bleus déployaient leurs frondaisons, et prit enfin son stylo pour compléter son rapport à Henry Pickering.

Ce qui l'amena, naturellement, à sa demande de financement. Il aligna les chiffres, souligna le potentiel de l'entreprise, et, jouant sur la confiance de Pickering dans les possibilités touristiques du Zimbabwe, s'étendit longuement sur le projet « Zambezi Waters ».

Il inséra les dossiers dans deux enveloppes de papier kraft, et se dirigea vers l'ambassade américaine. Là, supportant le regard scrutateur du marine, dans sa cabine blindée, il attendit que Morgan Oxford vienne le chercher.

L'attaché culturel le surprit. D'une trentaine d'années, comme Craig, il était bâti en athlète, ses cheveux coupés ras, ses yeux d'un bleu pénétrant, et la force de sa poignée de main suggérait une énergie peu commune.

Il conduisit Craig à l'arrière, dans un petit bureau, et accepta sans un mot les deux enveloppes brunes.

— On m'a chargé de vous introduire dans notre petit monde, dit-il. Il y a un cocktail chez l'ambassadeur de France, ce soir. De 6 à 7. C'est l'occasion rêvée. Cela vous va ?

— A merveille.

— Vous êtes descendu au *Mono,* ou au *Meikles ?*

— *Monomatapa.*

— Je passe vous prendre à 17 h 45. Des objections ?

Devant une efficacité aussi militaire, Craig sourit. Attaché « culturel », pensa-t-il, désabusé.

Même sous la férule socialiste de François Mitterrand, les Français s'appliquaient à déployer un faste caractéristique. La réception se déroulait sur les pelouses de la résidence de l'ambassadeur. Le drapeau tricolore ondulait gaiement dans la brise du soir. Le parfum des fleurs de frangipaniers créait, après la fournaise de la journée, comme une illusion de fraîcheur. Les serviteurs officiaient en *kanza* blanc et large ceinture rouge ; le champagne, bien que non millésimé, venait de chez Bollinger, et le foie gras du Périgord. L'orchestre jouait des opérettes italiennes, épicées d'une rythmique africaine exubérante, et seule l'assistance, assortiment hétéroclite, différenciait ce cocktail de la garden-party du gouverneur de la Rhodésie à laquelle Craig avait assisté six ans auparavant.

Chinois et Coréens paradaient, fiers de leur position privilégiée auprès du gouvernement. Pendant la guérilla, c'est eux qui approvisionnaient les forces shona en armes et en matériel, tandis que les Soviétiques, dans une de leurs rares erreurs d'appréciation, courtisaient la faction matabélé. Faute que Mugabe leur faisait regretter.

On retrouvait partout leurs silhouettes trapues de poupées chinoises en pyjama froissé, tout sourire dehors. Au contraire, les Russes faisaient bande à part. Leur groupe comptait quelques uniformes de jeunes officiers — pas même un colonel, nota Craig.

Morgan Oxford le présenta à l'hôte et à l'hôtesse. L'ambassadrice accusait au moins trente ans de moins que son mari. Elle portait un flamboyant imprimé de chez Pucci avec un chic tout parisien.

— *Enchanté madame* [1], dit Craig en effleurant sa main du bout des lèvres, et quand il se redressa elle le couvrit d'un

1. En français dans le texte.

long regard appréciateur avant de se tourner vers l'invité suivant.

— Pickering m'avait prévenu, plaisanta Oxford. Vous êtes un vrai tombeur. Pas d'incident diplomatique, voulez-vous ?

— D'accord. Je me contenterai d'un verre de champ.

Armés d'une flûte de champagne, ils observèrent la pelouse. Ces dames d'Afrique noire arboraient les toilettes nationales dans une merveilleuse cacophonie de couleurs — une vraie nichée de papillons. Leurs maris portaient des cannes tarabiscotées ou des chasse-mouches en queues d'animaux. Les musulmans, avec leur fez brodé où pendait un pompon, indiquaient ainsi qu'ils avaient fait le pèlerinage de La Mecque et qu'ils méritaient le titre de *Hadj.* Craig pensait à son grand-père, le vieux colonialiste.

« Dors en paix, Bawu. Il vaut mieux que tu ne voies pas ça. »

— Montrez-vous donc un peu aux British, suggéra Morgan, et il l'entraîna vers la femme de l'attaché d'ambassade anglais, une gorgone à la mâchoire d'acier dont la coiffure laquée imitait celle de Margaret Thatcher.

— Je dois avouer que votre livre m'a choquée, dit-elle, réprobatrice. Toute cette violence ! Etait-ce bien nécessaire ?

Craig gomma de sa voix toute trace d'ironie.

— L'Afrique est violente. Celui qui passe ce fait sous silence est un mauvais conteur.

Peu désireux d'entamer une controverse pour critique littéraire amateur, il détourna les yeux et promena ses regards sur la pelouse, à la recherche d'une diversion.

Il en trouva une qui fit bondir son cœur contre ses côtes, comme un animal en cage. A travers le jardin elle fixait sur lui ses yeux verts sous la ligne presque droite de ses sourcils épais. Elle portait une jupe de coton ornée de poches surpiquées, des sandales qui se laçaient à la cheville et un T-shirt ultra-simple. Un cordon de cuir attachait sur sa nuque ses lourds cheveux noirs. Sur son épaule un Nikon FM à moteur était jeté en bandoulière, et elle enfouissait ses deux mains dans les poches de sa jupe.

Au moment où Craig découvrit qu'elle l'observait, elle

pointa le menton d'un air dédaigneux, soutint un instant son regard et tourna lentement la tête vers l'homme qui lui parlait, pour éclater de rire dans un éclair de dents blanches. L'homme était africain, vraisemblablement mashona : il portait l'uniforme empesé de l'armée zimbabwéenne et affichait les barrettes rouges et les étoiles d'un général de brigade. Il avait la beauté d'un jeune Harry Belafonte.

— Il y en a qui ont l'œil, murmura Morgan, ironique. Venez, je vais vous présenter.

Sans laisser à Craig la chance de protester, il se lança à travers la pelouse.

— Général Fungabera, puis-je vous présenter M. Craig Mellow, le célèbre romancier?

— Enchanté, monsieur Mellow. Veuillez m'excuser si je n'ai pas lu votre livre. J'ai si peu de temps à consacrer au plaisir!

Il parlait un anglais excellent, mais avec un très fort accent.

— Le général Fungabera est ministre d'Etat chargé de la sécurité, expliqua Morgan.

Il avait des yeux de faucon, cruels et pénétrants, mais son sourire dénotait un humour qui conquit Craig immédiatement. Un homme dur, mais juste, jugea-t-il.

— Portefeuille difficile.

Le général hocha la tête.

— Certes. Mais tout ce qui mérite d'être accompli demande toujours beaucoup d'efforts. Ecrire des livres par exemple, n'est-ce pas, monsieur Mellow?

Il avait l'esprit vif, ce qui le rendit plus sympathique encore à Craig. Pourtant, le cœur battant, la bouche sèche, celui-ci accordait peu d'attention au général.

— Et cette jeune fille, continuait Morgan, est Mlle Sally-Ann Jay.

— Nous nous sommes déjà rencontrés, M. Mellow et moi. Bien qu'il ne s'en souvienne pas, je suppose.

Elle prit le bras de l'attaché culturel d'un geste familier.

— On ne s'est pas vus beaucoup, Morgan, depuis mon retour des Etats-Unis. Je ne te remercierai jamais assez d'avoir organisé cette exposition pour moi. J'ai reçu tant de lettres...

— Un franc succès, je sais. On déjeune ensemble la semaine prochaine ? Je te montrerai...

Il se tourna vers Craig pour expliquer :

— Nous avons monté une exposition des œuvres de Sally-Ann dans tous nos consulats en Afrique. Des photos fabuleuses, Craig. Vous devriez voir ça.

— Oh ! Il connaît, fit-elle avec un sourire sans joie. Malheureusement M. Mellow ne partage pas ton enthousiasme pour mon humble talent.

Puis, sans accorder à Craig la moindre chance de se disculper, elle reprit à l'attention de Morgan :

— C'est merveilleux, le général Fungabera m'a promis de m'accompagner pour visiter un centre de réhabilitation, et je pourrai faire une série de photos...

D'un subtil mouvement d'épaules, elle excluait purement et simplement Craig de la conversation, et l'isolait, piteux, en dehors du groupe.

Une petite tape sur l'avant-bras le tira d'embarras. Le général Fungabera l'entraîna à l'écart.

— Vous n'avez pas votre pareil pour vous faire des ennemis, monsieur Mellow.

— Un malentendu stupide à New York...

— J'ai cru détecter une vague de température arctique entre vous et cette charmante photographe, en effet, mais je pensais à des gens plus haut placés, et dont l'inimitié dispose de moyens plus puissants.

D'un seul coup toute l'attention de Craig était braquée sur Peter Fungabera comme il continuait d'une voix tranquille :

— Votre entrevue avec un de mes collègues ce matin a été...

Il marqua une pause.

— Infructueuse, dirons-nous ?

— Infructueuse, c'est le mot.

— Quel dommage, monsieur Mellow ! Si nous voulons subvenir à nos besoins alimentaires, et ne plus dépendre de nos voisins sud-africains, nous avons tant besoin de fermiers armés de capitaux et de courage pour exploiter une terre qui malheureusement s'appauvrit.

— Vous êtes bien informé, général. Et prévoyant.

— Merci, monsieur Mellow. Peut-être avant de soumettre votre dossier à l'approbation des autorités me ferez-vous l'honneur de me contacter ? Un ami dans la place, c'est l'expression, n'est-ce pas ? Mon beau-frère est ministre de l'Agriculture.

Quand il souriait, Peter Fungabera était irrésistible.

— Autre chose, monsieur Mellow. Vous l'avez entendu, je compte accompagner Mlle Jay dans certains endroits réservés. La presse internationale a raconté des horreurs sur ces camps. Un journaliste parlait même de Buchenwald, je crois, ou Belsen, je ne sais plus. J'ai pensé qu'un homme avec une réputation comme la vôtre pourrait ramener les choses à leur juste valeur. Un prêté pour un rendu, peut-être — et si vous voyagez en compagnie de Mlle Jay, vous trouverez l'occasion d'éclaircir votre malentendu. Qu'en dites-vous ?

Il faisait encore noir quand Craig gara la Volkswagen derrière l'un des hangars de la base aérienne de New Sarum et, balançant son sac de toile sur l'épaule, plongea par la petite porte dans l'intérieur caverneux.

Peter Fungabera se trouvait déjà là, en grande conversation avec deux officiers de l'armée de l'air, mais en voyant Craig il mit fin à l'entretien et s'avança vers lui en souriant.

Il portait une tenue de camouflage, et sur son béret rouge-bordeaux était accroché le léopard d'argent de la 3e brigade. A part le revolver qui pendait à sa ceinture, il n'était équipé que d'un stick gainé de cuir.

— Bonjour, monsieur Mellow. J'admire les gens ponctuels.

Il jeta un coup d'œil au sac de Craig.

— Surtout quand ils savent se limiter au strict nécessaire.

Côte à côte ils franchirent les grandes portes coulissantes qui s'ouvraient sur le tarmac.

Deux antiques bombardiers Canberra étaient garés devant le hangar. Maintenant le fleuron des forces de l'air zimbabwéennes, ils avaient autrefois pilonné sans merci les maquis au nord du Zambèze. Plus loin attendait un petit Cessna 210 bleu et argent, racé, et Peter Fungabera y dirigea ses pas au moment même où Sally-Ann apparaissait sous l'aile. Elle s'affairait aux vérifications de prédécollage, et Craig se rendit compte alors qu'elle allait leur servir de pilote. Il escomptait un hélicoptère, et un pilote de l'armée.

En coupe-vent Patagonia, les cheveux couverts d'une écharpe de soie, elle portait un blue-jean et des bottes de cuir souple. D'un air très compétent et très professionnel elle examina le niveau d'essence dans les réservoirs des ailes avant de bondir sur la piste.

— Bonjour, général. Vous prenez le siège de droite?

— M. Mellow voudra peut-être s'y mettre. Moi, je connais déjà.

— A votre guise.

Puis, avec un signe de tête glacial vers Craig :

— Monsieur Mellow.

Elle prit contact avec la tour de contrôle. L'appareil s'ébranla pour s'immobiliser en bout de piste. Elle serra le frein, et murmura :

— Faut toujours travailler pour vivre, heureux équilibriste.

Maxime pour le moins énigmatique. Craig attendit la suite. En vain. Elle l'ignorait superbement. C'est en voyant ses mains s'affairer sur les commandes pour vérifier les freins, le train d'atterrissage, le trim, la puissance et la voilure, qu'il comprit. Cette phrase était son récapitulatif mnémotechnique personnel pour les opérations de prédécollage. Sa méfiance pour les femmes pilotes se dissipa du même coup.

Après le décollage elle mit le cap sur le nord-ouest et brancha le pilotage automatique pour déplier une carte à grande échelle sur ses genoux. Technique très efficace, admit Craig, mais qui ne facilitait pas la communication. Il tenta tout de même sa chance en criant :

— Bel engin! Il est à vous?

— Prêt permanent du World Wildlife Trust, répondit-elle, sans cesser de scruter le ciel.

— Il va vite ?

— Vous avez un indicateur de vitesse devant vous, monsieur Mellow.

C'est finalement Peter Fungabera qui mit fin au silence en se penchant vers l'avant.

— Le Grand Filon, dit-il à Craig en indiquant une formation géologique accidentée. On y trouve du chrome, du platine, de l'or...

Au-delà, les terres cultivées se raréfiaient. Ils survolaient une zone immense d'escarpements et de forêts vert pâle qui s'étirait jusqu'à l'horizon laiteux.

— Nous allons atterrir sur un petit terrain au pied des collines Pongola, expliqua le général. Il y a une base missionnaire et un village, mais l'endroit est très isolé. Une voiture nous attendra. Nous arriverons au camp deux heures plus tard.

— Vous permettez qu'on descende un peu plus bas ? demanda Sally-Ann, et Peter Fungabera émit un gloussement.

— Sally-Ann fait mon éducation sur le rôle de la faune, dit-il, et sur les mesures qu'il faut prendre pour assurer sa protection.

Elle amorçait sa descente. La température monta d'un cran et le petit appareil se mit à frémir, à ballotter en traversant les thermiques qui montaient des collines. Pas la moindre habitation, pas le moindre champ cultivé pour ponctuer le paysage qui défilait sous leurs ailes.

— Collines désertes, grogna le général. Pas d'eau, pas d'herbe, et la mouche tsé-tsé.

Sally-Ann localisa un troupeau d'élands beiges au dos bossu près d'une rivière à sec et, vingt miles plus loin, un éléphant solitaire.

Elle décrocha jusqu'au niveau des arbres, actionna les volets et tourna en virages serrés autour de l'animal pour couper sa fuite vers la forêt, l'isoler à découvert et le forcer à faire face, oreilles et trompe déployées.

— Il est superbe ! criait-elle, penchée dans les rafales de vent qui fouettaient son visage. Cent livres d'ivoire de chaque côté, au moins.

Et elle mitraillait d'une main, tandis que le moteur du Nikon aspirait la pellicule en ronronnant.

Ils étaient si bas que Craig distinguait très clairement la sécrétion poisseuse de la glande temporale, derrière les yeux de l'animal. Il se surprit à se cramponner à son siège.

Enfin Sally-Ann stabilisa la voilure et reprit de l'altitude. Craig se décrispa, soulagé.

— Vous tremblez, monsieur Mellow ? De la tête aux pieds, dirait-on. Au singulier « pied », bien sûr.

« Salope », pensa Craig. Par-dessus son épaule, elle parlait à Peter Fungabera.

— Mort, ce mâle vaut cent mille dollars. Vivant, il vaut dix fois plus. Et il engendrera une centaine de petits qui deviendront comme lui.

— Sally-Ann est convaincue qu'une opération de braconnage considérable décime le gibier de ce pays. Elle m'a montré des photos remarquables, et j'avoue que ce problème commence, moi aussi, à me préoccuper.

— Il faut les trouver, général, et les éliminer, insista-t-elle.

— Trouvez-les pour moi, Sally-Ann, et je les éliminerai. Je vous l'ai déjà promis.

En les écoutant, Craig se sentait la proie d'un sentiment vieux comme le monde. La jalousie. Entre ces deux-là il existait une complicité évidente, et Fungabera était d'une beauté dévastatrice. Le général l'observait d'un air spéculatif.

— Quelle est votre opinion sur ce problème, monsieur Mellow ?

Brusquement Craig se retrouva en train de déballer ses plans pour Zambezi Waters. Il leur raconta le rhinocéros noir, les réserves voisines, la proximité de Victoria Falls. Sally-Ann l'écoutait attentivement. Quand il eut terminé ils observèrent un moment de silence.

— Voilà un discours qui m'intéresse, dit enfin le général. Voilà le genre de réalisation dont manque notre pays, monsieur Mellow.

— Craig serait plus simple, général.

— Merci, Craig. Mes amis m'appellent Peter.

Une demi-heure plus tard un toit de tôle galvanisée étincela dans le soleil, droit devant.

— La base missionnaire de Tuti, annonça Sally-Ann, et elle réduisit les gaz.

Elle piqua droit sur l'église. Craig devina des silhouettes minuscules qui agitaient la main près d'une poignée de huttes.

La piste était courte, étroite et cahoteuse, et le vent arrivait en plein travers, mais la jeune femme sauta la lisière, pencha l'aile dans le vent d'un coup de manche et fit l'arrondi en beauté, pour toucher très précisément en bout de piste. « Elle se débrouille vraiment très bien », pensa Craig.

Une Land-Rover de l'armée attendait sous un énorme marula, et trois soldats saluèrent Peter Fungabera dans un claquement de talons qui déclencha un nuage de poussière et un cliquetis métallique. Pendant que Craig aidait Sally-Ann à haubaner l'appareil, ils empilèrent leur maigre bagage dans la voiture.

Comme la Land-Rover passait l'école de la mission, Sally-Ann demanda :

— Vous croyez qu'ils ont des toilettes là-dedans ?

Peter frappa l'épaule du chauffeur du bout de son stick, et le véhicule s'immobilisa. Les yeux écarquillés, une troupe de gamins noirs se massa sur la véranda. Leur institutrice apparut en haut des marches pour accueillir la visiteuse d'une petite révérence. Elle avait de longues jambes minces sous sa jupe de coton. Ses vêtements, d'une propreté méticuleuse, étaient soigneusement repassés, et ses chaussures de tennis immaculées. Sa peau luisait comme du velours et son visage avait la rondeur typique, la dentition étincelante et les yeux de gazelle des vierges nguni. En revanche la grâce de son allure, l'intelligence, la vivacité de son regard et la finesse de ses traits n'appartenaient qu'à la beauté.

Elle entraîna Sally-Ann à l'intérieur.

— Comprenons-nous bien, Craig. (Peter les regardait disparaître.) Je vous ai vu nous observer, Sally-Ann et moi. C'est une fille que j'admire — mais les Occidentales n'exercent aucune attraction sur moi. Elles sont viriles, autoritaires, et je trouve leur peau blanche insipide. Excusez mon franc-parler...

— Au contraire, je suis ravi de l'entendre.

— A l'inverse, cette petite institutrice me paraît diablement... C'est vous l'expert en vocabulaire. Donnez-moi donc le mot.

— Alléchante.

— Bien.

— Délicieusement nubile.

— Encore mieux.

Peter gloussa.

— Il faut vraiment que je lise votre livre. Elle s'appelle Sarah. Elle a quatre *A-levels*[1], un diplôme d'enseignement primaire, et un diplôme d'infirmière. Elle est belle et pourtant modeste, elle respecte les règles de la politesse traditionnelle... Avez-vous remarqué qu'elle ne nous a pas regardés directement ? Une fille moderne en somme, mais dotée de vertus ancestrales. Pourtant, son père est un sorcier qui s'habille de peaux de bêtes, lit l'avenir dans les ossements et ne se lave qu'une fois par an. L'Afrique. Ma merveilleuse, ma fascinante Afrique.

Les deux jeunes femmes sortaient des dépendances derrière l'école en bavardant. Sally-Ann prenait photo sur photo et fixait sur la pellicule l'image de ces enfants et de leur maîtresse, qui paraissait à peine plus vieille qu'eux. Dans la Land-Rover les deux hommes suivaient la scène.

— Vous êtes manifestement un homme d'action, Peter. Et le prix de la demoiselle est sûrement dans vos moyens. Alors qu'attendez-vous ?

— Elle est matabélé et je suis mashona. Toujours la même histoire : Capulet et Montaigu.

Sous la houlette de Sarah les enfants entonnaient une chanson. Ils récitèrent ensuite gravement l'alphabet et les tables de multiplication pendant que Sally-Ann photographiait leurs visages. Quand elle grimpa dans la voiture ils la saluèrent d'adieux vibrants, et bientôt la poussière les cacha aux regards.

1. *A-level* : diplôme qui termine les études secondaires *(N.d.T.)*.

Le véhicule bondissait sur la piste défoncée. Les ornières qui s'étaient creusées à la saison des pluies dans une boue noire et gluante prenaient maintenant sous le soleil la consistance du béton. Dans les trouées de la forêt on apercevait un horizon de crêtes bleutées, abruptes, vertigineuses et inhospitalières.

— Les Pongolas, expliqua Peter.

Puis, comme ils approchaient de leur destination, il les prépara à ce qu'ils allaient trouver en arrivant.

— Ces centres de réhabilitation ne sont pas des camps de concentration mais, comme leur nom l'indique, des écoles de rééducation, de réadaptation à la vie en société.

Il eut un coup d'œil vers Craig.

— Nous venons de traverser une abominable guerre civile. Vous savez comme moi ce que cela veut dire. Onze années d'enfer, qui ont marqué toute une génération. Leur jeunesse, ils l'ont passée avec un fusil dans les mains. Ils ont appris à satisfaire leur moindre désir en abattant celui qui leur barrait la route.

Peter Fungabera resta silencieux un moment. Il reprit son monologue en soupirant.

— Pauvres diables ! Leurs chefs les ont dupés. Pour alimenter leur enthousiasme, on leur a fait miroiter des chimères. On leur a promis des terres, des troupeaux, de l'argent, des voitures, des femmes — on leur a monté la tête, et quand ils ont découvert que les promesses des beaux parleurs ne tenaient pas, ils se sont retournés contre eux.

Il s'interrompit, et consulta sa montre.

— Si nous mangions un morceau ? Nous en profiterons pour nous dégourdir les jambes.

La piste croisait une levée de terre et un pont de bois qui enjambait le lit d'une rivière. Le chauffeur se gara. Entre les bancs de sable, une eau verte tourbillonnait. Sur la rive, des roseaux dodelinaient de la tête. Les soldats allumèrent un feu sur lequel ils entreprirent de griller du maïs, et pendant qu'ils préparaient du thé, Peter entraîna ses invités vers la levée d'un pas nonchalant et poursuivit son exposé.

— Il existait autrefois une tradition chez nous : quand un jeune guerrier se montrait intraitable, qu'il bafouait les lois de la tribu, on l'expédiait dans un camp de brousse où ses aînés se chargeaient de lui apprendre à vivre. Le centre de réhabilitation est une version moderne de cette tradition. Je n'essaierai pas de vous cacher quoi que ce soit.

» L'établissement que vous allez visiter n'a rien d'un village du *Club Méd.* Les hommes sont durs, et le traitement aussi. En revanche, il ne s'agit pas non plus d'un camp d'extermination. Disons plutôt que cela se rapproche des bases disciplinaires de l'armée anglaise. Vous êtes libres de parler aux détenus, mais je vous recommande de ne pas vous promener seuls dans la forêt. Vous, Sally-Ann, tout particulièrement.

Il lui sourit.

— Dans un endroit aussi isolé les hyènes et les léopards, attirés par les détritus, ont vite fait de devenir féroces. Si vous voulez quitter le camp prévenez-moi, je vous fournirai une escorte.

De retour au feu ils épluchèrent le maïs roussi avec les doigts, et arrosèrent leur déjeuner frugal d'un thé du Malawi, noir, épais, liquoreux.

Puis la Land-Rover reprit la piste. Une heure plus tard ils arrivaient au camp de réhabilitation de Tuti.

Pendant la guerre, c'était un des « villages fortifiés » instaurés par Smith pour protéger les paysans des exactions de la guérilla. Il y avait un *kopje* central où la roche mise à nu avait été dégagée de toute végétation, un amoncellement de blocs de granite gris couronné d'un fortin de sacs de sable, troué d'embrasures où pointaient des mitrailleuses et farci de tranchées, de couloirs et de casemates. En contrebas s'étendait le campement, alignement géométrique de huttes de boue et de chaume, autour d'un terrain de manœuvres poudreux qui, à en croire les buts rudimentaires qui flanquaient les deux extrémités, servait apparemment aussi de terrain de football. Un mur blanc incongru s'élevait à la limite du campement, près du fort.

Un fossé entouré d'une double rangée de barbelés ceinturait le camp d'une clôture impénétrable, haute de trois mètres. Le fond du fossé se hérissait de pieux aiguisés, et des miradors perchés sur des madriers surveillaient chaque coin du périmètre. Les sentinelles qui gardaient l'entrée saluèrent la Land-Rover, et les visiteurs suivirent lentement l'allée qui contournait la place centrale.

En plein soleil, deux ou trois cents jeunes Noirs en short kaki se démenaient en cadence aux cris d'un instructeur en uniforme. Sous l'auvent des huttes on en devinait d'autres, docilement assis devant un tableau noir, qui ânonnaient leur leçon à l'unisson.

— Nous visiterons les lieux tout à l'heure, dit Peter. Je vais d'abord vous installer.

On attribua à Craig une niche dans la roche à l'intérieur du fort. La poussière du sol avait été fraîchement balayée et arrosée d'eau. Une natte de roseau et un rideau de toile de jute constituaient tout le mobilier. Sur la natte étaient posés une boîte d'allumettes et un paquet de bougies. «Un luxe réservé aux visiteurs de marque», pensa Craig.

Sally-Ann avait une cellule de l'autre côté de la tranchée. Derrière le rideau on l'apercevait, assise en lotus sur le sol, qui nettoyait les lentilles de son appareil et rechargeait la pellicule.

Peter Fungabera les laissa pour remonter la tranchée jusqu'au poste de commandement en haut du piton. Quelques minutes plus tard un générateur électrique se mit à ronronner et Craig l'entendit parler à la radio dans un shona rapide qu'il n'arrivait pas à suivre. Le général redescendit une demi-heure plus tard.

— La nuit va tomber dans une heure. Venez. Vous allez assister au dîner des détenus.

Silencieux, en file indienne, les hommes avançaient pas à pas en traînant les pieds. Pas le moindre chahut, pas le moindre sourire, pas même la moindre curiosité pour ces visiteurs blancs qu'accompagnait le général.

— Une nourriture très simple, vous voyez : bouillie de maïs et légumes.

On distribuait à chacun une louchée de gruau dans un bol, couronnée d'une ration de purée verte.

— Viande une fois par semaine, tabac une fois par semaine. En cas d'indiscipline, l'une et l'autre sont supprimés.

Peter ne cachait rien de la vérité. Les hommes étaient minces, les côtes saillaient sous la musculature efflanquée.

Ils dévoraient leur pitance debout, et essuyaient leur bol avec les doigts. Minces, mais pas émaciés ; pas affamés, jugea Craig, et tout à coup son regard se fit plus aigu.

— Cet homme est blessé.

L'ecchymose violaçait sa peau noire.

— Vous pouvez lui parler, fit Peter.

Quand Craig le questionna, l'homme répondit immédiatement :

— On m'a fouetté.

— Pourquoi ?

— Je me battais avec un autre.

Peter appela un garde, et lui demanda des explications.

— Il s'était confectionné une arme avec du fil de fer, traduisit le général. Pour poignarder un autre prisonnier. Privé de viande et de tabac pendant deux mois, et quinze coups de garcette par jour. Voilà précisément le type de comportement antisocial que nous tenons à réprimer.

Comme ils traversaient le terrain de manœuvres pour longer le grand mur blanc, Peter continua :

— Demain vous avez quartier libre. Nous partirons tôt le matin suivant.

Ils partagèrent le dîner des officiers shona. Le menu était le même que pour les détenus, additionné d'un ragoût de viande filandreuse d'origine indéterminée et de fraîcheur douteuse. A la fin du repas, Peter Fungabera entraîna ses officiers hors du mess, laissant Sally-Ann et Craig en tête à tête.

Pendant que Craig cherchait quelque chose à dire, Sally-Ann se leva et s'enfonça dans la nuit. Furieux, il la suivit. Il la retrouva près du nid de mitrailleuses, perchée sur les sacs de sable, les genoux repliés. Sa colère s'évanouit aussi brutalement qu'elle était venue.

— J'ai agi comme un porc.

Elle fixait le camp en contrebas, sans un mot.

— Quand nous nous sommes rencontrés je traversais une mauvaise passe. En gros, le livre que j'essayais d'écrire ne sortait pas. Je m'en suis pris à vous...

Elle paraissait ne pas l'entendre. En bas, de l'autre côté des barbelés, un cri hideux monta soudain de la forêt, éclats de rire sans joie qui déchiraient le silence, sanglots, lamentations qui retombaient pour renaître, amplifiées, en une douzaine de points au-delà du périmètre du camp, et mourir enfin dans un decrescendo de grognements, de gloussements et de gémissements pitoyables.

— Des hyènes, dit Craig.

Sally-Ann frissonna, et fit mine de se lever.

— S'il vous plaît ! Encore un instant. J'attendais une occasion pour m'excuser...

— Pas la peine. J'avais tort, c'est tout. Je pensais que vous aimeriez mes photos. Quelle douche froide ! Je l'avais bien cherché, je suppose. Et vous ne m'avez pas ratée.

— Mais ces photos — vos photos... (Il baissa la voix, la gorge serrée.) Elles m'ont tellement effrayé...

Elle se retourna, et le regarda enfin.

— Effrayé ?

— Terrifié. Je commençais à croire que j'étais l'homme d'un seul livre, un auteur sans talent qui avait eu un coup de pot. Mon stylo restait désespérément sec.

Elle le fixait maintenant, lèvres entrouvertes. Ses yeux dessinaient deux flaques d'ombre.

— Et vous me fourrez vos bon sang de photos sous le nez en me mettant au défi de me montrer à la hauteur ! (Elle secouait lentement la tête.) Un défi, oui. C'est comme ça que je l'ai pris. Et depuis, je n'ai pas cessé de regretter ma réaction imbécile. C'est grâce à vos photos que je suis revenu en Afrique.

— Je ne me doutais pas..., commença-t-elle, et ils sombrèrent tous les deux dans le silence.

Craig savait que s'il ouvrait la bouche il n'en sortirait qu'un sanglot. Des larmes de détresse piquaient déjà ses paupières. Une mélopée pathétique montait du camp. C'était un vieux chant matabélé, un chant guerrier qui résonnait maintenant comme une lamentation.

Les taupes se cachent sous la terre
Elles sont mortes ? demandent les filles de Mashobané.
Non. Ecoutez, vous n'entendez pas ?
Quelque chose remue dans l'ombre.

Les échos de la voix moururent. Craig pensait à tous ces jeunes gens, allongés en silence, que cette incantation emplissait, comme lui, d'une même mélancolie.

Sally-Ann prit la parole.

— Merci de vous être confié à moi, dit-elle en effleurant son bras.

Puis elle se laissa glisser au sol d'un bond agile et descendit la tranchée. Il entendit la toile de jute tomber sur l'entrée de sa cellule, et le frottement d'une allumette.

Incapable de dormir, il resta seul, à l'écoute de la nuit africaine. Il sentait lentement les mots sourdre en lui, et sa tristesse s'évanouit pour faire place à l'exaltation.

Il rejoignit sa niche, alluma une bougie, sortit de son sac son carnet de notes et son stylo. Il posa la bille sur le papier blanc, et elle se mit à courir, comme animée d'une vie autonome. Les mots giclaient, débordaient dans un orgasme trop longtemps retenu, et couvraient les feuilles de gribouillis hâtifs. Il ne s'arrêtait que pour allumer une nouvelle bougie à la flamme de l'ancienne qui agonisait dans la cire.

Au matin, les yeux rouges et brûlants, il tremblait de faiblesse comme un coureur fourbu, épuisé mais plein d'une joie vibrante.

Joie que l'attitude de Sally-Ann à son égard rendait plus radieuse encore. Une ou deux fois il la vit même sourire, et cette bouche, ce nez trop grand s'harmonisaient enfin au visage de la jeune femme. Tout à son bonheur, il trouvait difficile de s'intéresser au sort des détenus. Sally-Ann au contraire témoignait pour eux d'une compassion qu'elle ne tarda pas à lui faire partager.

— Il est facile de classer ces hommes parmi les criminels, murmura-t-elle devant ces visages fermés, ces yeux méfiants. Mais la plupart d'entre eux sont passés directement des bancs de l'école aux camps d'entraînement de la guérilla. Du porte-plume au fusil d'assaut AK 47. Demandez à celui-ci quel âge il a.

— Il n'en sait rien, traduisit Craig.

Il se souvint de ces mouvements d'humeur qui lui faisaient renvoyer une bouteille de vin qu'il ne trouvait pas exactement à sa convenance, de ces coups de tête qui le poussaient à renouveler d'un coup sa garde-robe chez les plus grands faiseurs — alors même que cet homme ne possédait rien, pas même une paire de chaussures, pas même une couverture pour le protéger du froid, pas même une date de naissance.

— En avoir ou pas, conclut Sally-Ann en enregistrant à travers l'objectif de son Nikon cette résignation abrutie, animale, qui plonge ses racines au-delà du désespoir. Le gouffre qui sépare les nantis des déshérités de ce monde finira par nous engloutir corps et biens. Demandez-lui s'il est bien traité ici, Craig.

Mais l'homme le fixait sans comprendre, comme si cette question ne voulait rien dire, et la joie radieuse qui illuminait le cœur de Craig acheva de disparaître comme rosée au soleil.

Dans les huttes, les cours d'instruction politique battaient leur plein. Sur les tableaux des diagrammes décortiquaient les rouages de l'Etat et des devises résumaient le rôle du citoyen responsable dans la communauté socialiste. La main maladroite d'un instructeur à demi illettré les avait tracées à la craie, et les détenus accroupis en rang d'oignon les débitaient comme des perroquets avec un manque de compréhension tellement évident que Craig se sentit plus déprimé encore.

Ils regagnaient leurs quartiers quand il se tourna vers Peter Fungabera. Une pensée venait de le frapper.

— Tous les détenus sont matabélé, n'est-ce pas ?

— Exact. Nous séparons les prisonniers par tribu. Pour éviter les frictions.

— Il y a des camps pour les Shona ? insista Craig.

— Bien sûr. Dans les Eastern Highlands. Les conditions sont exactement les mêmes.

Au coucher du soleil le générateur de la radio se mit en route et, vingt minutes plus tard, le général descendit à la cellule où Craig relisait et corrigeait ses notes.

— Un message pour vous, en provenance de Morgan Oxford.

Craig se leva d'un bond. Il avait demandé qu'on lui transmette la réponse d'Henry Pickering dès qu'elle parviendrait à Harare. Il prit la feuille que Peter lui tendait.

« A l'attention de Mellow — Stop — Enthousiasme personnel pour votre projet n'emporte pas l'assentiment général — Stop — Ashe Levy refuse avance ou garantie — Stop — Commission d'octroi des prêts réclame supplément de garantie substantiel avant de débloquer complément — Stop — Tous mes regrets — Henry. »

— Ça ne me regarde pas, dit Peter, mais il s'agit de ce projet que vous appelez Zambezi Waters, n'est-ce pas ?

— Exact. Et je peux lui dire adieu.

— Oui, fit le général, pensif. On pourrait le croire.

Malgré sa nuit blanche, Craig eut un mal fou à s'endormir. Les chœurs infernaux de la horde de hyènes qui montaient de la forêt faisaient écho à ses méditations moroses.

Puis ce fut le retour vers la base missionnaire de Tuti. Assis près du chauffeur, il ruminait des imprécations contre Ashe Levy, ce fils de chienne qui lui refusait son aide, Henry Pickering, qui avait sans doute mal présenté son projet, et cette satanée Commission d'octroi des prêts qui ne voyait pas plus loin que le bout de son nez.

Sally-Ann voulut à tout prix s'arrêter à l'école de la mission pour revoir Sarah. Cette fois, la jeune institutrice leur offrit le thé. Peu désireux de se mêler à la conversation Craig s'isola, assis sur le petit mur qui bordait la véranda, et se jeta à corps perdu dans des spéculations hasardeuses pour contourner la fin de non-recevoir de sa demande de prêt.

Sarah s'approcha d'un air timide, avec une timbale émaillée sur un plateau de bois sculpté.

— Quand le crocodile apprend que le chasseur le traque, chuchota-t-elle en ndébélé, il s'enfouit dans la vase au plus profond de l'eau. Et quand le léopard se met en chasse, il attend la nuit.

Surpris, Craig la dévisagea. Elle avait relevé les yeux. Une colère farouche animait ses prunelles.

— Les chiens de Fungabera ont dû faire du tapage, continuait-elle. Ils devaient avoir faim, pauvres bêtes. Pendant votre séjour, on n'a pas pu leur donner à manger. Tu les as entendus pleurer, *Kuphela ?*

Craig allait répondre quand Peter Fungabera jeta un coup d'œil vers lui. Voyant son visage il se leva et traversa la véranda pour le rejoindre. Sarah baissa modestement le regard, esquissa une petite révérence et se retira avec son plateau.

— Ne vous laissez pas abattre, Craig, déclara le général, réconfortant. Venez donc avec nous.

Dans la Land-Rover qui les conduisait au Cessna, Sally-Ann se pencha vers l'avant pour lui effleurer l'épaule.

— Dites, cet endroit que vous appelez Zambezi Waters n'est sûrement pas à plus d'une demi-heure de vol. J'ai trouvé la rivière sur la carte. Nous pourrions faire un petit détour sur le chemin du retour.

— Inutile.

— Pourquoi ? demanda-t-elle, et il lui passa la feuille où était noté le message de Pickering.

— J'aimerais tout de même voir la région, coupa Peter Fungabera. (Et comme Craig secouait à nouveau la tête, sa voix se durcit :) Allons-y !

Ils étudièrent la carte.

— Les mares doivent se trouver ici, là où le marigot rejoint le lit de la rivière.

Sally-Ann se mit au travail, manipulant compas et règle de navigation.

— OK, dit-elle. Vingt-deux minutes de trajet, avec ce vent.

Elle mit l'appareil en palier et pendant qu'elle comparait la topographie du terrain avec sa carte, Craig ressassait les paroles de l'institutrice matabélé.

« Les chiens de Fungabera. » L'expression semblait contenir une menace, et son utilisation du nom *« Kuphela »* le troublait bougrement. Une seule explication : elle était en contact avec les maquisards. Probablement même appartenait-elle à leur réseau. Mais que voulait-elle dire, avec ses allusions, son crocodile, son léopard, et ses « chiens de Fungabera » ? Curieux bestiaire ! Et puis, quelle que fût la signification de ces énigmes, quel crédit pouvait-on accorder à l'opinion, nécessairement partiale, d'une sympathisante de la guérilla ?

— Voilà la rivière.

Sally-Ann coupa les gaz et se laissa tomber dans un virage serré vers l'eau qui étincelait à travers la cime des arbres.

Elle longea la rive et, malgré l'écran de végétation, localisa des hardes entières d'animaux avec, en prime, le bloc monolithique d'un rhinocéros noir dans les taillis d'ébéniers.

— Regardez ça !

Dans une boucle de la rivière, une clairière trouait la futaie. Les hautes herbes avaient été tondues comme une pelouse par les zèbres qui s'enfuyaient déjà dans un nuage de poussière, paniqués.

— Je parie que je peux me poser là.

Elle mit les volets, ralentit l'appareil et piqua du nez pour dégager son champ de vision.

Elle exécuta une série de va-et-vient au-dessus de la clairière en descendant à chaque fois d'un cran. Au quatrième passage ses roues n'étaient qu'à deux ou trois pieds du sol. Dans la terre poudreuse, ils distinguaient les marques de sabots des zèbres.

— Ça ira, dit-elle, et au passage suivant les roues touchèrent le sol.

Elle serra les freins au maximum et immobilisa sa machine en moins de cent cinquante mètres.

— Femme-oiseau, dit Craig avec une moue admiratrice, et elle sourit du compliment.

Ils traversèrent la clairière, franchirent le mur des arbres à travers une sente et débouchèrent sur une falaise blanche au-dessus de la rivière.

Le décor était une vraie carte postale africaine. Bancs de sable blanc, rocs polis par le courant, luisants comme des écailles de reptiles, branches penchées sur l'eau verte, ployant sous le poids des nids de tisserins, arbres immenses dont les racines noueuses s'accrochaient à la roche — et en toile de fond, la forêt.

Sally-Ann s'éloigna en serrant son appareil photo. Campé devant le paysage, Fungabera admirait.

— Un site idéal pour l'un de vos camps.

— Site idéal, en effet. Malheureusement... Dommage. J'aurai du mal à retrouver une occasion pareille. Il y avait moyen de monter une opération juteuse, avec un investissement de départ somme toute raisonnable.

— Voilà un discours qui choque mes oreilles socialistes, gloussa Peter.

Craig releva brusquement les yeux. Dans le regard du général brillait cette bonne vieille lueur qu'il avait tant vue chez les Occidentaux : l'appât du gain. Ils restèrent tous les deux silencieux, observant Sally-Ann qui s'efforçait de composer des tableaux d'arbres, de rocs et de ciel pour les fixer sur la pellicule.

— Craig...

Peter venait manifestement de prendre une décision.

— Si j'obtenais la garantie que réclame la Banque mondiale, je mériterais de toucher une commission, n'est-ce pas?

— Et comment!

Il voyait déjà se ranimer les cendres de ses espoirs défunts. Mais Sally-Ann les interpella.

— Il se fait tard. Nous avons deux heures et demie de vol pour rentrer sur Harare.

A l'aéroport de New Sarum le général leur serra la main.

— Vous serez au *Monomatapa*? demanda-t-il à Craig. Je vous contacte dans les trois jours qui viennent.

Il sauta dans la Jeep qui l'attendait, adressa un hochement de tête au chauffeur et les salua de son stick au moment où le véhicule démarrait.

— Vous avez une voiture? demanda Craig. (Et comme Sally-Ann secouait la tête :) Je ne conduis pas aussi bien que vous pilotez, mais voulez-vous tenter votre chance?

Elle habitait un appartement dans un vieil immeuble, en face de Government House. Il la déposa à l'entrée.

— Que diriez-vous d'un dîner?

— J'ai un travail fou, Craig.

— Un petit dîner rapide, promis, pour célébrer notre réconciliation. A 10 heures, je vous ramène.

D'un geste théâtral, il porta la main à son cœur. Elle finit par céder.

— D'accord. Rendez-vous ici à 7 heures.

Il la regarda monter le perron avant de remettre le contact. Elle marchait d'un pas décidé, une vraie démarche de femme d'affaires, mais son derrière, moulé dans la toile bleue du jean, était nettement plus coquin.

Elle suggéra une rôtisserie où le propriétaire, un colosse barbu, l'accueillit comme une princesse, et où l'entrecôte battait tous les records, épaisse, juteuse, tendre. Ils burent un cabernet du cap de Bonne-Espérance, et Sally-Ann se dégela peu à peu.

— Tant que j'étais assistante technique chez Kodak, tout allait bien, mais quand j'ai commencé à partir en reportage il ne supportait plus. Le premier homme au monde à être jaloux d'un Nikon.

— Vous êtes restés mariés longtemps ?

— Deux ans.

— Pas d'enfants ?

— Dieu merci, non.

Elle mangeait comme elle marchait, rapide, résolue, efficace, mais avec un plaisir très sensuel, et quand elle eut fini elle consulta sa Rolex.

— Vous avez promis de me raccompagner à 10 heures, dit-elle, et malgré ses protestations, elle divisa scrupuleusement le montant de l'addition en deux pour régler sa part.

Devant l'appartement elle le fixa sérieusement avant de demander :

— Café ?

— Avec le plus grand plaisir.

Il ouvrait la portière. Elle l'arrêta.

— Mettons les choses au point. C'est du café instantané — du Nescafé — et puis c'est tout. Pas de gymnastique — rien d'autre. OK ?

— OK.

Un magnétophone, quelques coussins de toile, un lit de camp et un duvet meublaient son appartement. Le sol était encaustiqué et les murs tapissés de photos. Il les examina pendant qu'elle préparait le café dans la kitchenette.

— En cas de besoin, cria-t-elle, la salle de bains est là. Faites attention en entrant.

Cela tenait plutôt de la chambre noire, avec une housse

de nylon opaque au-dessus du bac à douche, des paquets de papier photo et des flacons de produits chimiques là où toute autre salle de bains féminine aurait aligné des parfums.

Ils se calèrent dans les coussins, burent leur café, écoutèrent la Cinquième de Beethoven et parlèrent de l'Afrique.

— Je dois me lever très tôt demain matin.

Elle lui enleva la tasse vide des mains.

— Bonne nuit, Craig.

— On se revoit bientôt ?

— Aucune idée. Je pars pour la brousse, et Dieu sait quand je reviendrai.

Devant sa mine déconfite elle ajouta :

— Je vous appelle au *Mono* dès mon retour, si vous voulez.

— Je veux.

— Vous savez, Craig, finalement vous n'êtes pas si insupportable que ça. Si j'osais, je dirais même que j'éprouve pour vous quelque chose qui ressemble à de l'amitié. Rien d'autre, attention — je ne suis pas encore tout à fait guérie. Mais tant qu'on sait tous les deux à quoi s'en tenir...

En rentrant au *Monomatapa* il se sentait ridiculement comblé. Pas question pour le moment d'analyser trop attentivement ses sentiments pour elle. Elle le changeait agréablement des habituelles chasseuses de célébrités, voilà tout. Il respectait son talent, et partageait inconditionnellement son amour de l'Afrique.

— Pour le moment ça suffit, dit-il à voix haute en garant la Volkswagen.

Le directeur commercial vint à sa rencontre dans le hall de l'hôtel en se tordant les mains d'un air affolé, et l'entraîna dans son bureau.

— Monsieur Mellow, j'ai eu la visite de ces messieurs des Brigades spéciales pendant votre absence. Il m'a fallu leur ouvrir votre coffre, et les laisser entrer dans votre chambre.

— Nom de Dieu ! Mais ils ont le droit de faire ça ?

— Comprenez bien, monsieur Mellow. Ils peuvent faire ce qu'ils veulent. Ils n'ont cependant rien pris dans le coffre, je puis vous l'assurer.

— Laissez-moi vérifier quand même.

Il compulsa ses traveller's chèques : le compte y était. Son billet de retour était intact, ainsi que son passeport — par contre ils avaient mis le nez dans la « panoplie » d'Henry Pickering. La plaque d'identité dorée de la Banque mondiale se promenait dans son écrin de cuir.

— Qui peut commanditer une perquisition de ce genre ?

— Quelqu'un de haut placé, monsieur Mellow.

« Tungata Zebiwe, pensa Craig, amer. En effet, que tu as changé, mon salaud. »

***

Il apporta à l'ambassade le rapport sur sa visite au centre de réhabilitation destiné à Henry Pickering, et Morgan Oxford lui offrit un café.

— Je vais peut-être rester plus longtemps que prévu, lui dit Craig, et je ne peux pas travailler dans une chambre d'hôtel.

— Difficile de trouver des appartements à louer. Je vais voir ce que je peux faire.

Il l'appela le lendemain.

— Craig, une de nos filles part en vacances pour un mois. Elle adore votre bouquin, et elle vous sous-louerait son appartement pour six cents dollars. Elle s'en va demain.

C'était un studio clair et confortable, équipé d'une grande table qui pouvait faire office de bureau. Craig carra une pile de feuilles blanches au milieu, avec une brique en guise de presse-papiers, et posa son *Concise Oxford Dictionary* à côté.

— Allez ! Reprise des travaux.

Il avait presque oublié combien les heures passent vite au pays des contes, tout à la joie de voir les feuilles noircies d'encre s'empiler en bout de table.

A deux reprises, Morgan Oxford l'appela pour le convier à des réceptions officielles. A deux reprises, Craig refusa. Il finit par débrancher le téléphone. Quand il se décida, le quatrième jour, à remettre la fiche dans sa prise, la sonnerie retentit immédiatement.

— Monsieur Mellow ? Nous avons eu beaucoup de mal à vous joindre. Ne quittez pas, je vous passe le général Fungabera.

— Craig, c'est Peter. (Le même accent, le même charme.)

Peut-on se voir dans l'après-midi ? 3 heures ? Je vous envoie un chauffeur.

A quinze miles de la ville, la résidence du général dominait le lac Macillwane. La maison avait été bâtie en 1920 par un riche spéculateur, fils dévoyé d'un constructeur aéronautique anglais. Elle s'entourait d'abord d'une large véranda, puis d'un auvent blanc de bois contourné, et de deux hectares de pelouses et d'arbres en fleurs.

Un gorille de la 3e brigade en *battle-dress* vérifia soigneusement l'identité de Craig et de son chauffeur avant de leur ouvrir l'accès à la demeure. Le maître des lieux attendait son visiteur en haut du perron. Il était vêtu d'un pantalon de coton blanc et d'une chemisette en soie rouge qui tranchait, superbe, sur l'ébène de sa peau satinée. Passant un bras amical autour des épaules de Craig, il le conduisit vers un petit groupe assis sur la véranda.

— Craig, j'aimerais vous présenter M. Musharewa, gouverneur de la Land Bank of Zimbabwe, M. Kapwepwe, son assistant, et enfin M. Cohen, mon avocat. Messieurs, M. Craig Mellow, le célèbre romancier.

Craig distribua une série de poignées de main.

— Un verre, Craig ? Nous sommes tous au bloody-mary.

— Pour moi c'est parfait.

Un serviteur flottant dans un *kanza* blanc, souvenir de l'époque coloniale, lui apporta son cocktail, et Peter Fungabera attendit qu'il disparaisse.

— La Land Bank of Zimbabwe se porte garante auprès de la Banque mondiale, ou de sa filiale à New York, pour un prêt de cinq millions de dollars.

Craig le fixait, bouche bée.

— Vos relations avec la Banque mondiale ne sont pas un secret, vous savez. Henry Pickering n'est pas un inconnu pour nous. Bien sûr, il y a des conditions. Mais je pense qu'elles vous satisferont.

Il se tourna vers son avocat :

— Vous avez les documents, Izzy ? Parfait. Voulez-vous en remettre un double à M. Mellow et nous les lire à haute voix, je vous prie.

Isadore Cohen chaussa ses lunettes, tapota sur la table la pile de papiers qui lui faisait face et commença :

— Tout d'abord, le certificat officiel d'autorisation pour la translation de biens fonciers. Licence est donnée à M. Craig Mellow de prendre une participation majoritaire dans la société enregistrée sous le nom de Rholands Limited. Le certificat sera signé par le président de la République et contresigné par le ministre de l'Agriculture.

Craig revit Tungata Zebiwe en train de lui jurer qu'il bloquerait l'autorisation, puis il se rappela que le ministre de l'Agriculture n'était autre que le beau-frère de Fungabera. Il glissa un coup d'œil vers lui, mais le général écoutait religieusement son avocat.

A chaque nouveau feuillet Isadore Cohen ne leur faisait grâce d'aucun article, pas même du préambule, et s'arrêtait de loin en loin pour fournir des explications.

Oubliant la panique qui avait fondu sur lui en entendant afficher au grand jour ses liens avec la Banque mondiale, Craig se retenait pour ne pas grimper aux murs en criant sa joie : à lui King's Lynn, à lui Queen's Lynn, à lui Zambezi Waters.

Pourtant, malgré son enthousiasme, il remarqua un paragraphe qui sonnait curieusement creux quand Isadore Cohen le lut à voix haute.

— Qu'est-ce que ça veut dire : « ennemi de l'Etat et du peuple du Zimbabwe » ?

— C'est une clause standard dans tous nos formulaires. Après tout, la Land Bank est une institution nationalisée. Si le demandeur devait se compromettre dans des activités subversives qui mettraient en danger la sûreté de l'Etat, elle se verrait forcée de dénoncer son accord.

— Vous pensez que la Banque mondiale va accepter mon dossier avec une clause pareille ?

— Ils l'ont déjà fait pour d'autres contrats de garantie, fit le gouverneur de la Land Bank, rassurant.

— Après tout, Craig...

Peter sourit.

— Vous ne projetez pas de renverser le gouvernement ?

Hésitant, Craig lui rendit son sourire.

— Bon, d'accord. Si les Américains acceptent ça, je suppose qu'il n'y a pas de lézard.

La lecture leur prit plus d'une heure. Puis le gouverneur Musharewa signa tous les feuillets ; après Peter Fungabera, son assistant apposa sa signature en qualité de témoin. Ensuite vint le tour de Craig, avec nouvelles griffes des témoins, et pour finir Isadore Cohen imprima son sceau officiel sur le tout.

— Et voilà, messieurs. Lu et approuvé.

— Reste à savoir si Henry Pickering voudra bien donner son accord.

— Oh ! j'allais oublier...

Peter Fungabera eut un sourire matois.

— M. Kapwepwe a parlé à Pickering hier au téléphone. L'argent vous sera débloqué dès que notre certificat d'hypothèque parviendra entre ses mains.

Il adressa un signe au serviteur qui revint avec du champagne. On but au succès de chacun, à la Land Bank, à la Banque mondiale, à Rholands Ltd, et c'est seulement en arrivant à bout de la deuxième bouteille que les banquiers consentirent à prendre congé.

Leur limousine descendait l'allée quand Peter Fungabera prit Craig par le bras.

— Discutons maintenant de mes honoraires. M. Cohen va vous montrer les papiers.

Craig lut, et se sentit pâlir. Dix pour cent sur les parts de Rholands !

— Il faudra vraiment que nous changions ce nom. Comme vous pouvez le voir, M. Cohen me servira de prête-nom. Cela pourra peut-être nous éviter d'avoir à fournir des explications embarrassantes.

Craig fit semblant de relire le contrat. Les deux hommes l'observaient en silence. Dix pour cent ! C'était énorme, mais que faire ?

Isadore Cohen lui tendit son stylo.

— A mon avis, vous vous rendrez vite compte qu'un ministre et un haut dignitaire de l'armée font des partenaires fort utiles dans une entreprise de ce type.

Craig accepta le stylo.

— Mais… il n'y a qu'un exemplaire.

— Il n'en faut pas plus. (Peter n'avait rien perdu de son sourire.) Et il est pour moi.

Craig hocha la tête. Il ne lui restait aucune preuve de la transaction, et son partenaire se dérobait derrière un prête-nom. En cas de litige, c'était sa parole contre celle d'un ministre — mais il voulait Rholands. Il tenait à Rholands plus qu'à tout au monde.

Il jeta son paraphe en bas du contrat, et Peter Fungabera demanda une troisième bouteille de champagne.

Jusqu'ici il suffisait à Craig d'avoir un crayon, du papier, et son temps lui appartenait. Il se retrouva tout d'un coup confronté avec les responsabilités d'un propriétaire. Brusquement le temps se rétrécissait. Devant l'ampleur de la tâche il se sentait paralysé, effaré par sa propre témérité et dévoré par le doute.

En mal de réconfort il pensa immédiatement à Sally-Ann. Mais les fenêtres de son appartement étaient fermées, la boîte à lettres débordait de courrier, et personne ne répondit à son coup de sonnette.

De retour à son studio il s'installa à sa table, posa devant lui une feuille blanche et inscrivit en gros : « Choses à faire. » Puis il fixa le papier.

Il se souvenait de ce que lui avait dit une fille autrefois. « Tu n'as jamais su faire qu'une chose dans ta vie : écrire. » Quel rapport avec la remise à flot d'un domaine agricole au capital de plusieurs millions ? Il réprima la vague de panique qu'il sentait l'envahir.

Il venait d'une famille de fermiers, après tout ! Il avait été élevé avec l'odeur âcre de la bouse de vache dans les narines, il avait appris à estimer le bœuf sur pied alors qu'il était tout juste assez grand pour se percher sur le pommeau de la selle de Bawu comme un piaf sur une clôture.

— Au boulot ! décréta-t-il, et il se pencha sur sa liste pour écrire :

1. Appeler Jock Daniels. Accepter l'offre des Suisses.
2. Prendre l'avion pour New York :
   a) rendez-vous à la Banque mondiale ;
   b) ouvrir un compte courant et un compte de dépôt ;
   c) vendre *Bawu.*
3. Prendre l'avion pour Zurich :
   a) signer l'engagement d'achat ;
   b) prendre dispositions nécessaires au règlement.

Sa panique commençait à refluer. Il décrocha le téléphone et composa le numéro de British Airways. Ils pouvaient le caser vendredi sur un vol à destination de Londres, avec correspondance pour New York par Concorde.

Il joignit Jock Daniels à son bureau.

— Où diable étais-tu passé ?

A en croire sa voix, Jock avait déjà bien arrosé la journée.

— Jock, félicitations ! Tu viens de te faire une commission de vingt-cinq mille dollars, annonça Craig, et il savoura le silence interloqué qui lui répondait.

Sa liste commençait à s'allonger. Elle couvrait maintenant une douzaine de pages.

...

39. Voir si Okky Van Rensburg est toujours dans le pays.

Pendant vingt ans, Okky avait officié à King's Lynn en qualité de mécanicien. Grand-père prétendait qu'il pouvait démantibuler un tracteur John Deere et monter une Cadillac et deux Rolls Royce Silver Cloud, avec les pièces. Voilà l'homme qu'il lui fallait.

Il posa son stylo, et sourit au souvenir du vieux. « On rentre à la maison, Bawu. » Il consulta sa montre. Il était 10 heures, mais inutile de compter dormir.

Il enfila un chandail pour faire un tour dans la nuit. Une heure plus tard il se retrouvait planté devant chez Sally-Ann. Ses pieds avaient trouvé le chemin tout seuls, apparemment.

La fenêtre était ouverte, et la lumière allumée.

— Qui est là ?

Sa voix paraissait étouffée.

— C'est moi, Craig.
Long silence.
— Il est presque minuit.
— A peine 11 heures... et j'ai quelque chose à vous dire.
— Ho ! OK. La porte n'est pas fermée.
Elle était dans sa chambre noire. On entendait le clapotis des bacs à développement.
— J'arrive. Vous savez faire du café ?
Elle sortit enfin, vêtue d'un ensemble en jersey fatigué qui pochait aux genoux, les cheveux défaits. Jamais encore il ne l'avait vue comme ça, et il la dévisagea curieusement.
— J'espère que vous avez vraiment quelque chose à me dire !
— Ça y est ! annonça-t-il. Rholands est à moi.
Et ce fut son tour de le dévisager.
— Rholands... ?
— La société qui possède Zambezi Waters. Elle m'appartient. A moi. Zambezi Waters est à moi.
Sally-Ann s'élança vers lui, comme pour tomber dans ses bras, et s'arrêta brusquement. Ils restèrent figés face à face, à deux pas l'un de l'autre.
— Craig, c'est extraordinaire ! Mais comment... Par quel miracle...
— Peter Fungabera m'a obtenu une garantie sur un prêt de cinq millions de dollars.
— Quoi ? Vous allez emprunter cinq millions ? Combien ça vous fait d'intérêts à débourser, une fortune pareille ?
Il préférait ne pas y penser.
— Excusez-moi. Cela ne me regarde pas. Il faut fêter ça.
Dans les placards de sa kitchenette elle dénicha un fond de Glenlivet, le versa dans le café fumant et leva cérémonieusement sa tasse.
— Au succès de Zambezi Waters ! Racontez-moi ce qui s'est passé, et après j'ai aussi une nouvelle à vous annoncer.
Il lui confia ses projets : le développement des deux ranches, la reconstruction de la ferme, la reconstitution du cheptel et surtout l'organisation de Zambezi Waters, puisque c'était là qu'il espérait lui faire jouer un rôle.
— Il me faudrait une collaboratrice, pour ajouter une

touche féminine : dessiner le plan des camps, superviser la décoration... quelqu'un qui soit un peu artiste, qui connaisse l'Afrique...

— Je vous vois venir. Mais rappelez-vous que je touche une bourse du WWF. Je leur dois tout mon temps.

— Pas question de vous mobiliser vingt-quatre heures sur vingt-quatre ! Une consultante, c'est tout ce qu'il me faut. Et puis bien sûr, quand l'affaire tournera, vous pourrez donner des conférences, montrer vos diapos...

Touché. Comme tous les artistes, elle était à l'affût de toutes les occasions pour exposer ses œuvres. Il la vit fléchir.

— Je ne peux rien vous promettre...

Ce qui équivalait à un « oui », ils le savaient tous les deux, et Craig sentit ses responsabilités s'alléger considérablement.

Il cherchait un prétexte pour prolonger la soirée.

— Vous m'avez promis une nouvelle.

Sally-Ann s'assombrit.

— Oui.

Elle parut réfléchir un moment avant de poursuivre :

— J'ai trouvé la trace du trafiquant d'ivoire.

— Le tueur du champ de mines ?

— Je crois. Je viens de passer dix jours dans les Eastern Highlands, en mission pour le WWF. On m'a chargée d'observer les léopards. Recenser les bêtes, répertorier les spécimens, relever leur territoire, étudier l'influence des hommes sur leur comportement... j'ai toute une équipe de broussards sous mes ordres. En particulier un vieux braco shangané adorable, un vieux pirate qui trimbale une odeur *sui generis* délicieusement exotique, un sens de l'humour redoutable et une santé de fer. Il doit avoir quatre-vingts ans, sa plus jeune femme en a dix-sept, et la semaine dernière elle lui a offert une paire de jumeaux magnifiques. C'est un gredin de première, avec un goût prononcé pour le scotch — deux doigts de Glenlivet et sa langue se délie.

» Nous campions tous les deux dans les collines de Vumba. Le soir venu, autour du feu, je lui sers un petit whisky, puis un deuxième, et voilà qu'il se met à jacasser comme une pie. "On" lui avait proposé deux cents dollars pour une peau de léopard, paraît-il. "On" pouvait lui en acheter régulièrement, et “on” lui fournissait même les pièges. “On”, c’était un jeune Noir très bien habillé au volant d’une Land-Rover officielle. Et comme mon vieux Shangané répondait qu’il avait trop peur d’être arrêté pour se risquer à braconner, l’autre lui assura qu’il ne risquait rien. Qu’il serait sous la protection d’un grand chef de Harare, un camarade ministre qui s’était rendu célèbre pendant la guerre et qui commandait encore sa propre armée privée.

Il y avait un classeur de carton sur le lit de camp. Sally-Ann s’en empara et le tendit à Craig. Sur la première page s’étalait la liste complète des ministres du Zimbabwe. Vingt-six noms, en face du portefeuille qui leur était attribué.

— Là-dedans on peut éliminer d’office tous ceux qui n’ont jamais eu de fusil entre les mains. Tous les ministres qui ont fait la guerre dans une suite au *Ritz* à Londres ou dans une datcha au bord de la mer Caspienne.

Elle s’installa près de Craig et tourna la page.

— Il reste donc six noms. Six chefs de guerre.

Peter Fungabera figurait en tête.

— Procédons par élimination. Une armée privée : probablement des dissidents. Autrement dit des Matabélé. Leur leader appartient donc à la même tribu. Combien avons-nous de ministres matabélé ?

Elle tourna la deuxième page. Sur le dernier feuillet figurait un seul nom.

— L’un des héros de la guérilla. Ministre du Tourisme : tout ce qui relève de la faune tombe sous sa tutelle.

Craig lut à voix haute, en se disant qu’il aurait préféré ne pas y croire :

— Tungata Zebiwe. Mais il travaillait avec moi à l’Office des parcs nationaux ! Et puis, que ferait-il de tout cet argent ? Le type qui est à la tête d’un réseau pareil doit encaisser les dollars par brouettes entières. Sam mène une vie très austère, tout le monde le sait — pas de grandes maisons, pas de voitures de luxe, pas de maîtresses, rien, aucun vice.

— Sauf, peut-être, le vice le plus ruineux de tous : le pouvoir. Quand on entretient une armée privée, il faut de l’argent — beaucoup, beaucoup d’argent.

Les protestations de Craig s’étranglaient dans sa gorge.

Lentement, les pièces du puzzle s'imbriquaient. Henry Pickering l'avait prévenu d'une rumeur de coup d'Etat fomenté par les Russes. Les Soviétiques, justement, avaient soutenu la ZIPRA, faction matabélé de la résistance nationaliste pendant la guerre. Leur candidat à la présidence était sûrement matabélé.

Et pourtant Craig renâclait. Il s'accrochait au souvenir de l'homme qui avait été son ami, probablement le meilleur ami qu'il ait jamais eu. Il évoquait son intégrité viscérale, sa fidélité à un idéal sans compromis. Celui qu'on connaissait alors sous le nom de Samson Kumalo avait hérité de ses maîtres missionnaires le culte de l'honnêteté, et il avait poussé l'intégrité jusqu'à démissionner avec Craig de l'Office des parcs nationaux le jour où ils avaient découvert que leur supérieur hiérarchique dirigeait un réseau de trafic d'animaux. Aurait-il à son tour suivi le même chemin ?

— C'était mon ami...

— Autrefois, oui. Avant la guerre, Craig. Et la guerre distille une drogue redoutable pour ceux qu'elle sort du rang : le goût du pouvoir.

Peter Fungabera leur ménagea une entrevue aux premières heures de la matinée, et ils se rendirent ensemble à sa résidence des collines Macillwane.

Un serviteur les guida jusqu'au bureau du général, une salle immense quasiment vide qui dominait le lac et qui abritait autrefois un billard. Une carte du pays couvrait un des murs. Elle était constellée de punaises multicolores. Il y avait une longue table, couverte de rapports, de circulaires et de dossiers, et un bureau de teck rouge au milieu du sol dallé.

Peter Fungabera se leva. Il était pieds nus et vêtu d'un simple pagne blanc noué sur ses hanches. Son torse et ses bras luisaient sous sa peau comme des nœuds de cobra. Manifestement, Peter Fungabera entretenait son physique de guerrier dans une forme éblouissante.

— Excusez ma tenue. Je me sens beaucoup plus à l'aise quand je puis être totalement africain.

Des tabourets d'ivoire sculpté s'alignaient devant le bureau.

— Je vous fais apporter des chaises. J'ai si rarement des visiteurs blancs...

— Non, non.

Sally-Ann s'installait déjà, décontractée, sur l'un des tabourets.

— Je suis toujours heureux de vous voir, bien sûr, mais on m'attend à la Chambre à 10 heures et...

— J'irai droit au fait. Nous pensons connaître l'identité du gros bonnet qui dirige le trafic d'animaux.

Peter s'apprêtait à s'asseoir derrière son bureau. Il se redressa brusquement pour se pencher en avant, les poings plantés sur son sous-main, et clouer sur la jeune fille un regard aigu.

— Donnez-moi son nom.

Sally-Ann tint à répéter la démonstration à laquelle elle s'était livrée avec Craig. Le général suivit son raisonnement sans un mot.

— Tungata Zebiwe, répéta-t-il enfin pensivement, avant de se laisser tomber dans son fauteuil.

Il prit le stick gainé de cuir posé sur le bureau et, les yeux fixés sur la carte qui couvrait le mur, frappa à petits coups secs le creux rosé de sa paume.

Le silence s'éternisait.

— Eh bien? demanda Sally-Ann.

— Vous me demandez de prendre à mains nues la braise la plus brûlante, fit-il, le regard rivé sur Craig. Qu'en dites-vous?

— C'était mon ami...

— Mais...?

— J'ai bien peur que Sally-Ann ne soit sur la bonne piste.

Le général se leva et se carra devant la carte murale.

— Le pays tout entier est une poudrière. La rébellion matabélé menace. Ici! Ici! Ici! Leurs guérilleros se mobilisent.

Il tapa sur la carte.

— Nous avons dû rogner les ailes de leurs chefs. Nkomo est en résidence surveillée, deux secrétaires d'Etat matabélé sont sous les verrous, accusés de haute trahison. Tungata

Zebiwe est désormais le seul de sa tribu dans l'équipe du gouvernement. Il jouit d'une popularité extraordinaire et les Matabélé voient en lui le seul chef qui leur reste. Si vraiment nous devions l'abattre...

— Vous allez le laisser filer! soupira Sally-Ann, désespérée. Le voilà, votre paradis socialiste : deux poids, deux mesures...

— Taisez-vous, coupa le général, et elle obéit docilement.

Il revint à son bureau.

— Ce que je voulais dire, c'est que l'arrestation de Tungata Zebiwe pourrait plonger le pays dans la guerre civile. Avant d'agir il nous faut des preuves. Il nous faut des témoins inattaquables pour étayer nos accusations.

Il ne quittait pas la carte des yeux.

— Le monde nous accuse déjà de perpétrer un génocide contre les Matabélé. En fait, nous ne faisons que maintenir un minimum d'ordre en cherchant un compromis acceptable avec cette tribu de têtes brûlées. Pour l'instant, Tungata Zebiwe constitue notre seul médiateur, notre seul contact avec la dissidence. Nous ne pouvons pas nous permettre de le supprimer à la légère.

Il marqua une pause, et Sally-Ann brisa le silence.

— Alors, décidez-vous vite, dit-elle d'un ton aigre.

— En tout cas, vous choisissez bien votre moment pour vendre.

Debout dans le cockpit de *Bawu,* le courtier maritime affichait une allure terriblement nautique, en blazer croisé et casquette de marine ornée d'un amour de petite ancre dorée — sept cents dollars chez Bergdorf Goodman. Son bronzage était plus parfait encore — rayons ultraviolets au *N.Y. Athletic Club.* Un fin réseau de rides plissait le coin de ses yeux — rides qu'il n'avait pas attrapées en bornoyant dans un sextant ou en contemplant les atolls éblouissants de soleil, se dit Craig, mais en lorgnant les prix et en additionnant ses bénéfices.

— Avec les taux d'intérêt qui dégringolent, les yachts se vendent bien.

Il avait l'impression de discuter les clauses d'un divorce chez un avocat, ou de tenir conseil avec un entrepreneur de pompes funèbres.

— Très marin, coque saine, accastillage nickel, votre prix me paraît raisonnable. Je crois pouvoir vous amener des acheteurs.

— Assurez-vous seulement que je ne sois pas présent.

— Je comprends, monsieur Mellow.

Le type arrivait même à imiter la voix mielleuse de l'entrepreneur de pompes funèbres.

Ashe Levy aussi sonnait diablement funèbre quand Craig lui téléphona. Il envoya tout de même un coursier à la marina pour prendre livraison des trois premiers chapitres que son auteur avait fini de corriger. Lequel auteur s'en alla ensuite déjeuner avec Henry Pickering.

— Craig, ça fait vraiment plaisir de vous voir.

Craig avait oublié combien, en deux brèves rencontres, il s'était attaché au personnage.

— Commençons par commander à boire.

Il opta pour une bouteille de grand-échézeaux. Craig sourit.

— Mon accent français m'interdit de prononcer ce fichu nom !

— C'est sans doute pour ça que les Américains connaissent peu ce vin, pourtant l'un des plus grands crus du monde. Heureusement, d'ailleurs. Cela évite de faire monter les prix.

Ils humèrent le bouquet d'un air appréciateur, et accordèrent au vin l'attention qu'il méritait. Puis Henry reposa son verre.

— Dites-moi maintenant ce que vous pensez du général Fungabera.

— Vous n'avez pas lu mon rapport ? Tout est là.

— Je sais. Mais souvent dans la conversation on laisse passer des choses qu'on n'écrit pas.

— Peter Fungabera est un homme cultivé. Il maîtrise l'anglais avec une précision admirable, malgré un accent très prononcé. En uniforme, il ressemble à un officier britannique. En costume de ville, on le prendrait pour une star de cinéma, mais en pagne, on le voit enfin comme il est réellement : africain. Voilà une chose qu'on oublie trop souvent : les Noirs possèdent une nature très particulière...

— Voyez ! Voilà qui n'était pas dans votre rapport. Continuez.

— Nous les imaginons simples, directs, alors qu'il n'existe pas peuple plus compliqué, plus secret. Leurs tribus sont plus structurées encore que les clans écossais. Comme les Siciliens, ils sont capables de poursuivre une vendetta pendant plus d'un siècle...

Pickering écoutait attentivement.

— Il y a quelque chose que je ne comprends pas bien, Craig : la différence subtile entre les termes « matabélé » et « ndébélé ».

— C'est simple : entre eux, les Matabélé s'appellent « Ndébélé ». C'est nous qui leur donnons ce nom de Matabélé.

— Ah ! Et leur langage porte aussi le nom de ndébélé. C'est ça ?

— Exact. A vrai dire, le mot matabélé s'est teinté de connotations colonialistes depuis l'indépendance...

Décontractée, cordiale, la conversation aurait pu se poursuivre ainsi éternellement. Le restaurant se vidait de ses derniers clients, et le serveur rôdait avec la note.

— Ce que j'essayais de vous dire, conclut Craig, c'est que le colonialisme a plaqué sur l'Afrique une grille de valeurs contre nature. Et tôt ou tard, les vieilles valeurs reprendront le dessus.

— Pour le plus grand bonheur des Africains, termina Pickering. Vous repartez quand ?

— Je ne fais que passer à New York. Le temps de prendre mon chèque.

Henry lança un éclat de rire, une de ses inimitables roucoulades.

— Au moins vous allez droit au but !

Il régla l'addition, se leva.

— Notre conseiller juridique nous attend. D'abord, il vous soumettra un contrat qui doit vous asservir corps et âme, et après il vous donnera vos sous.

L'intérieur de la limousine était silencieux, frais, et la suspension gommait tous les imprévus du bitume new-yorkais.

— Comment interprétez-vous la répugnance du général Fungabera à prendre des mesures immédiates contre Zebiwe ?

— Il agit prudemment, à l'africaine. Il commence par réfléchir, tendre judicieusement ses filets, et au moment de frapper il nous surprendra tous par la vitesse et la sûreté de son coup.

— J'aimerais que vous lui donniez toute l'assistance requise. Aide illimitée, Craig.

— Tungata était mon ami. Vous le saviez ?

— Des scrupules ?

— Pas s'il est coupable, non.

— Tant mieux ! Mes administrateurs sont très satisfaits de vos premiers résultats. On m'a autorisé à augmenter votre rémunération, qui s'élève désormais à soixante mille dollars par an.

— Génial. Mais ce n'est pas avec ça que je vais payer les intérêts sur cinq millions de dollars.

Il faisait encore jour quand le taxi déposa Craig aux grilles de la marina. Un soleil oblique transformait les fumées de Manhattan en une brume rose qui adoucissait les contours sévères des grandes tours de béton.

Quand Craig prit pied sur la passerelle, le tangage alerta la silhouette dans le cockpit.

— Ashe ! Ashe Levy, la bonne marraine des auteurs nécessiteux !

— Mon vieux...

Ashe fit quelques pas à sa rencontre, foulant le pont avec la gaucherie des habitués du plancher des vaches.

— Je ne pouvais pas attendre. Il fallait que je te voie.

— Très ému, fit Craig, acide. Quand je n'ai plus besoin d'aide, je peux compter sur toi pour accourir au galop.

L'éditeur ignora le sarcasme, et posa les mains sur ses épaules.

— J'ai lu ton truc. Je l'ai relu, et je l'ai enfermé dans mon coffre. C'est superbe.

Craig retint la raillerie qui lui montait aux lèvres et scruta le visage de l'éditeur, à la recherche d'un indice d'hypocrisie. Il vit alors des larmes d'émotion derrière les lunettes cerclées d'or d'Ashe Levy.

— Tu n'as jamais rien écrit de meilleur, Craig.

— Il n'y a que trois chapitres.

— J'ai pris une claque en lisant ça !

— Il faut retravailler le texte.

— Je ne croyais plus en toi, Craig. J'avoue. Je commençais à penser que tu t'essoufflais, mais là... depuis des heures je suis assis ici, et je te jure que je peux t'en réciter des passages par cœur !

Craig l'étudia attentivement. Il avait du mal à croire à tant d'enthousiasme.

— Tu pourrais m'accorder une avance là-dessus ?

Ce n'était pas d'argent dont il avait besoin, mais d'une preuve.

— Combien veux-tu ? Deux cent mille ?

— Alors ça te plaît vraiment, hein ?

Il laissa échapper un soupir comblé comme se dissipaient, l'espace d'un instant, les éternels doutes de l'écrivain.

— Buvons un verre, Ashe.

— Faisons mieux que ça, mon vieux. Prenons une cuite, une vraie.

Assis à la poupe, les pieds sur le gouvernail, Craig regardait la rosée former des cristaux de diamant sur son verre. Il n'entendait plus Ashe, qui délirait sur son livre. Il pensait à King's Lynn, et l'odeur des pâtures du Matabeleland flottait à ses narines. Il pensait à Zambezi Waters, et il entendait le fracas d'un grand corps gris dans les buissons d'épineux. Il pensait aux vingt chapitres qui suivraient les trois premiers, et ses doigts brûlaient de tenir un stylo.

Etait-il vraiment possible qu'il fût, en ce moment même, l'homme le plus heureux du monde ?

Pourtant il lui manquait quelqu'un pour partager son bonheur.

Et tout d'un coup, ce n'était pas tant l'Afrique qui le hantait, mais l'absence de Sally-Ann Jay.

Craig trouva une Land-Rover parmi les voitures d'occasion qui croupissaient chez Jock Daniels, dans le terrain derrière la salle des ventes. Il resta sourd au laïus dithyrambique que lui débitait Jock pour prêter l'oreille au bruit du moteur. L'allumage réclamait un réglage, mais on n'entendait ni choc ni claquement suspect. La direction répondait gentiment, le levier du frein accrochait bien. Quand il la soumit à un galop d'essai dans les ravines à la sortie de la ville, le silencieux dégringola, mais le reste tenait bon. Autrefois, il était capable de démonter une Land-Rover et de la remonter en un week-end. Il pourrait sauver celle-là. Il obtint de Jock un rabais de mille dollars — c'était toujours ridiculement trop cher, mais le temps pressait.

A l'arrière il chargea tout ce qui lui restait après la vente du bateau : une valise de linge, une douzaine de ses livres favoris et une malle de cuir cerclée de cuivre jaune, qui contenait les journaux de la famille.

Ces journaux constituaient son seul héritage, tout ce que Bawu lui avait laissé. Le reste de la fortune du vieil homme — un legs de plusieurs millions de dollars qui comprenait les actions de Rholands — était allé à son fils aîné Douglas, oncle de Craig, qui avait tout liquidé pour s'installer en Australie. C'est pourtant dans ces vieux cahiers qu'était la vraie fortune. Craig y avait acquis le sens de l'histoire, la fierté d'appartenir à sa lignée, toutes choses qui lui avaient donné suffisamment de confiance et de science du récit pour écrire son livre, lequel, à son tour, lui avait apporté célébrité, réussite et fortune, et jusqu'à Rholands même, qui lui revenait grâce à cette malle de vieux papiers.

Combien de fois avait-il parcouru cette route qui menait

à King's Lynn ? Mais jamais comme ça, jamais en tant que *patron*[1]. Il arrêta sa voiture à la limite du domaine, pour étrenner sa terre en la foulant aux pieds.

Il engloba d'un coup d'œil l'étendue d'herbe dorée, les bosquets clairsemés d'acacias en terrasses, la ligne gris-bleu des collines et, par-dessus, la voûte parfaite d'un ciel sans tache. Il s'agenouilla comme un pèlerin. Sa jambe tirait un peu. Il prit une poignée de terre au creux de la main, la divisa mentalement en deux et en laissa un dixième s'éparpiller au sol.

— Voilà tes dix pour cent, Peter Fungabera. Mais le reste m'appartient — et je jure devant Dieu que je ne le lâcherai pas.

Un tantinet gêné par l'enfantillage de sa petite mise en scène, il essuya ses mains sur son pantalon et remonta dans la Land-Rover.

Au pied des collines qui cernaient la maison, une grande silhouette longiligne s'avançait sur la piste. Une couverture graisseuse sur le dos, les reins ceints d'un pagne rudimentaire, l'homme portait sur l'épaule sa panoplie de bâtons de combat. Des sandales taillées dans des pneus de voiture habillaient ses pieds, et ses boucles d'oreilles, bouchons de plastique récupérés sur des bocaux d'acide, s'ornaient de perles de couleur qui étiraient les lobes jusqu'à trois fois leur taille. Il poussait devant lui un petit troupeau de chèvres.

— J'ai l'œil sur toi, grand frère, salua Craig, et le vieil homme exhiba la carie qui trouait sa dentition jaunie.

— J'ai l'œil sur toi, *Nkosi.*

Craig reconnut le vieux qu'il avait trouvé accroupi derrière les ruines de la ferme.

— Quand pleuvra-t-il ? demanda-t-il, en lui tendant le paquet de cigarettes qu'il réservait précisément pour ce genre de rencontres.

Nonchalamment ils se plièrent à la routine de questions et de réponses qui, en Afrique, doit obligatoirement précéder toute discussion sérieuse.

— Quel est ton nom, vieil homme ?

1. En français dans le texte.

Un terme qui marquait non pas l'âge du bonhomme, mais bien plutôt le respect qu'on lui devait.

— Shadrach est mon nom.

— Dis-moi, Shadrach, tes chèvres sont-elles à vendre ?

Une lueur matoise glissa dans l'œil du vieux.

— Ce sont des bêtes magnifiques. J'aurais l'impression de me séparer de mes propres enfants en les vendant.

La petite communauté de squatters qui s'abritait à King's Lynn reconnaissait en Shadrach un chef et un porte-parole. A travers lui, Craig pouvait négocier avec toute la troupe, ce qui lui éviterait de gaspiller du temps et de se fourvoyer dans des complications pénibles.

Pas question cependant de priver Shadrach d'une occasion d'exhiber sa science du marchandage, ou de l'insulter en précipitant les tractations.

Les discussions s'étalèrent sur deux jours. Craig en profita pour recouvrir la charpente du vieux pavillon de garde d'une toile de bâche épaisse, remplacer la pompe rouillée du puits par une Lister diesel et installer son lit de camp dans la chambre vide du pavillon.

Le troisième jour l'affaire fut conclue. Craig se retrouvait propriétaire de près de deux mille biques. Il les paya en liquide, en comptant un par un billets et pièces dans la paume de ses nouveaux partenaires commerciaux, pour éviter toute contestation. Après quoi il chargea ses ouailles bêlantes dans quatre camions, loués pour l'occasion, qu'il expédia aux abattoirs de Bulawayo, inondant le marché, faisant chuter les prix de cinquante pour cent et encaissant, du même coup, une perte sèche d'un peu plus de dix mille dollars.

« Un début prometteur », pensa-t-il, amer, et il envoya chercher Shadrach.

— Dis-moi, vieil homme, t'y connais-tu en matière de bétail ?

Ce qui équivalait à demander à un Suisse s'il avait jamais vu de la neige. Shadrach se rengorgea d'un air indigné.

— Ecoute-moi bien : quand j'étais haut comme ça...

Et il plaçait la main juste au-dessous du genou.

— Je faisais gicler le lait de la vache dans ma bouche. Comme ça...

La main monta d'un cran.

— J'avais deux cents têtes de bétail sous ma seule garde. J'ai libéré le veau qui s'était coincé dans le ventre de sa mère, je l'ai porté sur mes épaules quand la rivière débordait. Quand j'étais haut comme ça...

La main dépassait maintenant le genou.

— J'ai tué une lionne avec ma sagaie pour défendre le troupeau...

Craig le laissa patiemment débiter son histoire jusqu'à ce que la main arrive à hauteur de l'épaule.

— Et tu oses me demander si je m'y connais en bétail !

— Alors, écoute : bientôt, sur cette herbe, je ferai paître des vaches si fines, si belles, qu'elles voileront tes yeux d'un rideau de larmes au premier regard. J'aurai des taureaux dont les robes luiront comme l'eau au soleil, dont les bosses se dresseront comme des montagnes et dont les fanons, lourds de graisse, balaieront le sol devant eux comme fait le vent dans la poussière d'une terre frappée de sécheresse.

— Hau ! fit Shadrach, ébloui par tant de lyrisme.

— Il me faut quelqu'un qui connaisse le bétail — et qui comprenne les hommes.

Des hommes, le vieux lui en trouva. Il en choisit vingt parmi les squatters. Tous vigoureux, tous enthousiastes, pas trop jeunes — donc ni trop godiches ni trop bagarreurs — et pas trop vieux.

— Les autres sont nés d'une mère babouin et d'un voleur mashona. Je leur ai ordonné de quitter nos terres.

Craig sourit de ce « nos », mais fut impressionné par Shadrach : quand il parlait, les hommes obéissaient.

Il avait rassemblé ses recrues devant le pavillon pour les soumettre au traditionnel *giya,* la harangue enflammée par laquelle les anciens *indunas* matabélé galvanisaient leurs troupes à la veille d'une bataille.

— Vous savez qui je suis ! criait-il. Vous savez que mon arrière-arrière-grand-mère était fille du vieux roi Lobengula, celui qui file comme le vent.

— Hé, hé !

Ils commençaient à entrer dans le jeu.

— Vous savez qu'un sang royal coule dans mes veines, que dans un monde normal je serais, en toute légitimité, *induna* de mille guerriers, avec des plumes d'oiseau-veuve dans les cheveux et des queues de bœuf sur mon bouclier.

— Hé, hé !

— Alors ! scanda Shadrach. Alors voilà que grâce à la sagesse, à la clairvoyance du jeune *Nkosi,* je suis vraiment devenu un *induna.* L'*induna* de King's Lynn. (Il prononçait « Kingi Lingi ».) Et vous êtes mes *amadoda,* la crème de mes guerriers.

— Hé, hé !

Ils frappaient le sol du pied dans un fracas de canonnade.

— Et maintenant, regardez cet homme blanc. Il vous paraît jeune et imberbe — mais vous avez devant vous le propre petit-fils de Bawu, l'arrière-petit-fils de Taka-Taka.

— Hau ! clamèrent les guerriers, car ces deux noms pesaient lourd.

Celui de Bawu correspondait à un souvenir de chair et d'os. Sir Ralph Ballantyne en revanche appartenait à la légende : la légende de Taka-Taka, nom qu'avait valu à Sir Ralph la mitrailleuse Maxim dont le tir meurtrier avait fait la réputation du vieux forban pendant la rébellion matabélé.

Ils dévisageaient brusquement Craig d'un autre œil.

— Oui ! continuait Shadrach. Regardez-le. C'est un brave, que la guérilla a couvert de cicatrices terribles. Il a massacré des centaines de Mashona braillards, ces violeurs de femmes...

Craig mit ce mensonge sur le compte de la licence poétique, et ne broncha pas.

— Il a même tué quelques-uns des nôtres, les héros au cœur de lion de la ZIPRA. Voyez en lui un homme, et non pas un enfant.

— Hé, hé !

Ils n'affichaient aucune rancœur contre les prétendus faits d'armes de Craig.

— Sachez aussi qu'il veut faire de vous, femmelettes qui gardez des chèvres en grattant vos puces au soleil, des bouviers, de vrais hommes, fiers et libres. Car... (Shadrach se ménagea une pause pour souligner ses effets) bientôt sur cette herbe paîtront des vaches si fines, si belles, qu'elles voileront vos yeux...

Il répéta très exactement la tirade, avec cette mémoire remarquable qu'ont souvent les illettrés. Il termina en beauté par un saut de cigogne, et un moulinet magistral de ses bâtons. Son public applaudit à tout rompre et attendit que Craig prenne la relève, les yeux rivés sur lui.

« Difficile d'enchaîner derrière un numéro pareil ! » pensait-il en se levant. Il leur parla d'une voix posée, dans un ndébélé grave, musical.

— Bientôt le bétail sera là. Il faut préparer son arrivée. Vous connaissez les salaires imposés par le gouvernement. Vous recevrez ça, avec aussi la nourriture pour vous et vos familles.

Déclaration qui ne souleva pas grand enthousiasme.

— Et en prime... (Petite pause stratégique.) Pour chaque année d'ancienneté je vous donnerai une génisse, avec le droit de la nourrir dans les pacages de Kingi Lingi, et le droit de l'accoupler à mes grands taureaux pour qu'elle vous donne des veaux.

Le piétinement reprit, ponctué de cris de joie, et pour les interrompre Craig dut lever les deux mains.

— Il y en a parmi vous qui voudront peut-être me voler, ou qui se trouveront un coin d'ombre pour passer la journée au lieu de travailler.

Moment de flottement dans l'assemblée.

— Le nouveau gouvernement, très sagement d'ailleurs, interdit maintenant au maître de botter le train de l'ouvrier avec son pied. Mais je vous préviens : je peux le faire sans utiliser mon pied !

Il se pencha, décrocha sa jambe d'un geste preste et se redressa en brandissant sa prothèse. Les Noirs le fixaient, incrédules.

— Voyez ! Ce n'est pas mon pied !

Les visages se décomposaient, comme confrontés à quelque infernal prodige. Partout on commençait à s'agiter nerveusement, en cherchant des yeux un moyen de prendre la fuite.

— Sans enfreindre la loi, je peux frapper qui je veux !

Craig fit deux bonds rapides, balança sa jambe et expédia la botte de sa prothèse dans l'arrière-train du guerrier le plus proche.

Il y eut un instant de silence interloqué, et un fou rire libérateur secoua l'assemblée. Les joues ruisselantes de larmes, ils titubaient en s'administrant des claques sur la tête, se distribuaient des accolades, hoquetaient, suffoquaient. Rassemblés autour du malheureux dont le derrière avait fait les frais de la démonstration de Craig, ils le chahutaient, le poussaient en hurlant de rire. Oubliant toute dignité Shadrach se tordait, écroulé dans la poussière, électrisé par une hilarité qui déferlait sur lui en vagues irrésistibles.

Craig suivait la scène, attendri. Il reconnaissait les siens. Bien sûr, il y aurait des judas dans le tas. Il faudrait faire un tri. Bien sûr, en bons Africains, même les meilleurs mettraient sa patience à l'épreuve. Mais viendrait le moment, il le savait, où ils formeraient tous une seule et même famille.

Première priorité : la réfection des clôtures. Elles étaient dans un état pitoyable. Il manquait des kilomètres de barbelés, très probablement volés. Quand il voulut les remplacer, Craig comprit pourquoi : il n'y en avait pas un seul rouleau dans tout le Matabeleland. Aucune licence d'importation ne couvrait la province.

— Découvrez les joies de l'élevage au Zimbabwe ! lui dit le directeur de la coopérative agricole de Bulawayo. On peut importer un million de dollars de sucre d'orge si ça nous chante, mais pour ce qui est du barbelé, il ne faut pas y compter.

— Mais enfin, nom de Dieu ! il me faut des clôtures. Vous l'attendez quand, votre prochaine livraison ?

— Dès qu'un rond-de-cuir du ministère voudra bien s'occuper de nous.

Découragé, Craig retournait à sa Land-Rover quand une idée lui vint.

— Je peux utiliser votre téléphone ?

Il composa le numéro de Peter Fungabera. Une secrétaire le lui passa immédiatement.

— Peter? Nous avons un gros problème.

— En quoi puis-je vous être utile?

Craig le lui dit. Le général prit note.

— Combien vous en faut-il?

— Au moins deux cents rouleaux.

— Autre chose?

— Pas pour l'instant. Ah! si. Désolé de vous ennuyer avec ça, mais je n'arrive pas à joindre Sally-Ann. Son téléphone ne répond pas, et mes télégrammes sont restés sans réponse.

— Rappelez-moi dans dix minutes, ordonna-t-il.

Craig s'exécuta.

— Sally-Ann a quitté le pays, annonça Fungabera. Elle se trouve au Kenya, avec son Cessna, dans un endroit qui s'appelle Kitchwa Tembu, sur le Massaï Mara.

— Vous connaissez la date de son retour?

— Non, mais dès qu'elle rentre je vous le fais savoir.

Il fallait que Peter Fungabera ait le bras long, pour suivre ainsi les déplacements d'un ressortissant étranger hors des frontières du Zimbabwe. Manifestement, Sally-Ann figurait sur une liste qui méritait une attention toute particulière. Il lui vint à l'idée qu'il en faisait probablement lui-même partie.

Il aurait pu deviner que Sally-Ann ne manquerait pas Kitchwa Tembu en cette saison. Lui-même avait visité ce merveilleux camp de safari à l'invitation de ses propriétaires, Geoff et Jorie Kent, deux ans auparavant. C'était l'époque où les buffles mettaient bas dans les plaines du Mara, et la bataille que livraient les mères aux prédateurs, venus en hardes pour l'occasion, constituait l'un des spectacles les plus sauvages de la savane africaine. Sally-Ann devait être sur place avec son Nikon.

En rentrant sur King's Lynn il s'arrêta à la poste pour lui expédier un télégramme aux bons soins d'Abercrombie & Kent, à Nairobi :

«Ramenez-moi des tuyaux pour Zambezi Waters —

Stop — La chasse est-elle encore ouverte ? Renseignez-vous. Amitiés. »

Trois jours plus tard, un convoi gravit les collines de King's Lynn, et une équipe de la 3e brigade empila deux cents rouleaux de barbelés dans les dépendances sans toit de la ferme.

— Il y a une facture à payer ?

— Je ne sais pas, répondit le sergent. On m'a demandé de livrer ça ici. Moi, j'obéis.

Craig suivit des yeux les camions qui redescendaient, l'estomac étrangement noué. Il n'y aurait jamais de facture, il le savait. Il savait aussi qu'il était en Afrique, et il n'osait pas penser aux conséquences qu'entraînerait le moindre faux pas vis-à-vis de Peter Fungabera.

Pendant cinq jours il travailla aux côtés de ses hommes, nu jusqu'à la taille, les mains protégées par des gants de cuir épais. Il se jetait de tout son poids sur les raidisseurs et scandait les chants de travail avec ses ouvriers — mais la même barre lui nouait toujours les tripes, et il décida de mettre les choses au point.

Le téléphone n'était toujours pas installé à la ferme. Il conduisit jusqu'à Bulawayo et joignit Peter au Parlement.

— Mon très cher Craig, vous vous faites bien du souci pour rien ! L'intendant général ne m'a toujours pas facturé sa marchandise. Mais si vraiment cela vous tracasse, envoyez-moi un chèque. J'arrangerai l'affaire sans plus tarder. Ah ! un détail : libellez le chèque au porteur, voulez-vous ?

Les jours suivants Craig se découvrit une réserve d'énergie insoupçonnée. Il se levait tous les matins à 4 h 30 pour secouer ses Matabélé. Encore ensommeillés ils émergeaient de leurs huttes, drapés dans des couvertures, toussant dans la fumée du feu de veille en grommelant sans malice.

A midi, il s'accordait une sieste, comme tout son monde, à l'ombre d'un acacia. Revigoré, il travaillait ensuite tout l'après-midi. La vieille cloche du chemin de fer, pendue aux branches d'un jacaranda devant la maison, donnait le signal du débrayage. Alors le cri de *shayie!* («Elle a sonné!») se propageait de groupe en groupe et les hommes remontaient des collines. Après quoi Craig s'accordait un bain dans la citerne de ciment derrière le pavillon, puis un repas hâtif, et la nuit tombante le trouvait assis à la table de pin dans la lumière blanche d'une lampe à gaz sifflante, une feuille de papier devant lui et un stylo-bille à la main, transporté dans le monde de son imaginaire. Il écrivait parfois jusqu'après minuit, et à 4 h 30 il sortait à nouveau dans la rosée de l'aube à peine naissante, dans une forme éblouissante.

Le soleil cuivrait sa peau, décolorait la mèche qui barrait son front. L'exercice tonifiait ses muscles, galvanisait son moignon, et il pouvait maintenant sans peine arpenter des kilomètres de prairies. Il avait si peu de temps à perdre que ses repas n'étaient plus qu'une simple formalité, et la bouteille de whisky n'avait pas quitté son sac — intacte. Il devenait mince, les traits creusés.

Puis un soir, en rentrant, quelque chose l'arrêta sous les jacarandas. Un fumet de bœuf rôti entourait le pavillon comme un mur infranchissable. L'eau à la bouche, il reprit son chemin, soudain affamé.

Dans ce qui restait de la petite cuisine une silhouette émaciée se penchait sur le feu de bois. Ses cheveux étaient doux, blancs comme de la ouate, et il leva un regard accusateur quand Craig s'encadra dans la porte.

— Pourquoi ne m'as-tu pas prévenu?

— Joseph! s'écria Craig, en refermant ses bras sur lui.

Pendant trente ans, le vieil homme avait été le cuisinier de Bawu. Il pouvait élaborer un menu de cérémonie pour cinquante personnes, ou improviser un frichti de chasseurs sur un feu de brindilles. Déjà un pain cuisait dans le four qu'il s'était confectionné avec une boîte en fer-blanc, et il avait déniché de quoi remplir un saladier dans le jardin en friche.

Il s'extirpa de l'étreinte de Craig, étourdi par cette entorse au protocole.

— *Nkosana,* fit-il, réprobateur. Tes vêtements sont

dégoûtants, et ton lit n'était pas fait. Toute la journée nous avons travaillé pour nettoyer ta maison.

C'est alors seulement que Craig remarqua un autre homme dans la cuisine.

— Kapa-lala !

Le boy hocha la tête, ravi, en montrant toutes ses dents. Il manipulait un lourd fer à repasser noir rempli de braises. Tous les vêtements de Craig, ses draps même, fraîchement lavés et repassés, s'empilaient sur la table en rangs bien ordonnés. Les murs étaient lessivés, le sol scrupuleusement briqué. Même les robinets de cuivre de l'évier brillaient comme les boutons d'un uniforme de marine.

— J'ai fait une liste de ce qui nous manque, continuait Joseph. Pour nous dépanner un moment. Mais ce taudis n'est pas digne de toi. *Nkosi* Bawu, ton grand-père, n'aurait pas accepté de te voir vivre ainsi. J'ai donc envoyé un message à l'oncle de ma femme, qui est maître couvreur, en lui demandant d'amener aussi son plus jeune fils, le maçon, et son neveu — un excellent charpentier. Demain ils seront là pour commencer les réparations sur la grande maison. Pour le jardin, je connais quelqu'un...

Et il énumérait sur ses doigts les conditions qui lui paraissaient essentielles à la bonne marche de King's Lynn.

— Après quoi, nous pourrons lancer les invitations pour le réveillon de Noël, comme au bon vieux temps. Maintenant, *Nkosana,* va te laver. Dans quinze minutes le dîner sera prêt.

Avec ses pacages solidement enclos et les travaux de restauration du corps de ferme et des dépendances bien avancés, Craig put enfin passer à l'étape décisive : reconstituer le cheptel du domaine.

Il appela Shadrach et Joseph, et leur confia les rênes de la ferme pendant son absence. Ils acceptèrent gravement la responsabilité. Puis Craig conduisit jusqu'à l'aéroport, laissa la Land-Rover au parking, et prit le premier avion en partance pour le Sud.

Pendant trois semaines il parcourut les grands élevages bovins du nord du Transvaal. La constitution d'un troupeau ne se fait pas à la légère et chaque transaction donnait lieu à plusieurs jours de discussion, d'examens attentifs des bêtes, pendant que Craig profitait de la traditionnelle hospitalité des paysans afrikanders. Des hommes dont les ancêtres étaient remontés du cap de Bonne-Espérance au rythme de leurs grands bœufs, et qui partageaient depuis toujours la vie des animaux. A chaque fois Craig quittait leur ferme avec l'impression d'avoir immensément enrichi ses connaissances en matière d'élevage. Il en ressortait plus désireux que jamais de poursuivre les expériences de Bawu en améliorant la race indigène afrikander, connue pour sa rusticité, son endurance et sa résistance aux maladies, par croisements avec les Santa Gerdrudis, espèce à taux de croissance plus élevé. Il acheta des taures pleines, des taureaux de bonne souche avec un pedigree irréprochable, les soumit aux inspections, vaccins et examens exigés pour l'exportation, contracta l'assurance nécessaire à leur passage au Zimbabwe après la période de quarantaine réglementaire, puis chargea de les convoyer à King's Lynn une entreprise de transport routier spécialisée dans l'acheminement du bétail.

Il avait dépensé près de deux millions de dollars quand il reprit l'avion pour achever de préparer la ferme. L'arrivée des bêtes devait s'échelonner sur plusieurs mois, pour que chaque contingent ait le temps de s'acclimater avant que ne débarque la livraison suivante.

Les premiers arrivants étaient quatre. Quatre jeunes taureaux, grillant d'assurer leur mission reproductrice. Craig les avait payés quinze mille dollars chacun. Peter Fungabera tenait à célébrer dignement l'événement. Il persuada deux de ses frères ministres d'assister à la cérémonie.

Pénétré d'importance, Joseph s'attela à la préparation d'un de ses banquets légendaires. Craig loua un chapiteau pour l'occasion. Les deux millions de dollars qu'il avait dû sortir pour acheter ses bêtes lui restaient encore en travers de la gorge, et il rogna sur le champagne en commandant l'imitation — un cépage en provenance du cap de Bonne-Espérance — plutôt que du brut authentique.

L'armada ministérielle apparut dans une flottille de Mercedes noires escortée de gorilles armés jusqu'aux dents, tous en lunettes de soleil genre « aviateur ». Les dames se drapaient dans des cotonnades aux couleurs invraisemblables. Elles éclusèrent le mousseux en moins de temps qu'il n'en faut pour vider une baignoire, et se mirent bientôt à caqueter et à glousser comme un vol de sansonnets lustrés. L'une des épouses du ministre de l'Education sortit un sein noir appétissant pour donner à l'enfant qu'elle tenait sur sa hanche un déjeuner hâtif, tout en engloutissant elle-même des quantités astronomiques de champagne.

— Ravitaillement en vol, fit un des voisins blancs de Craig, ex-pilote de bombardier dans la Royal Air Force.

Peter Fungabera arriva le dernier, en grand uniforme, conduit par son aide de camp, un capitaine de la 3e brigade que Craig avait vu à plusieurs occasions. Cette fois cependant Peter le présenta :

— Le capitaine Timon Nbebi.

Il était si maigre qu'il en paraissait fragile. Derrière ses lunettes à monture d'acier ses yeux étaient trop vulnérables pour un soldat, et sa poignée de main trop nerveuse. Craig aurait aimé lui parler, mais la bétaillère qui amenait les taureaux s'annonçait déjà sur la pente.

Le camion arriva dans un nuage de poussière rouge devant l'enclos de rondins où Craig comptait enfermer les bestiaux. Avant que le hayon ne soit baissé Peter Fungabera monta sur l'estrade pour s'adresser à l'assemblée.

— M. Craig Mellow aurait pu choisir n'importe quel pays pour s'établir, et en tant que romancier à succès on l'aurait accueilli partout à bras ouverts. Mais non. Il a choisi de revenir au Zimbabwe. Par son geste, il déclare à la face du monde que dans ce pays les hommes de toutes les couleurs, de toutes les tribus — Noirs, Blancs, Mashona, Matabélé —, sont libres de vivre, de travailler, de prospérer en paix sous la férule protectrice d'une loi juste et généreuse.

Puis il orchestra les applaudissements pendant que Craig baissait le hayon et que le premier des nouveaux arrivés émergeait au soleil en clignant des yeux. C'était une bête énorme, plus d'une tonne de muscles saillant sous le cuir roux, lustré. Il venait de supporter seize heures confiné dans une boîte bruyante, cahotante. L'effet des tranquillisants qu'on lui avait administrés se dissipait, et le laissait avec une gueule de bois monumentale et un ressentiment farouche contre l'humanité tout entière.

Et voilà qu'il tombait sur une foule excitée, un tourbillon de couleurs bigarrées, dans un tonnerre d'applaudissements. Il émit un long mugissement féroce et, remorquant ses bouviers derrière lui, chargea droit devant.

La palissade de rondins explosa sous une telle avalanche de muscles, et l'assistance en fit autant. Ils s'égaillaient comme des sardines devant le mufle carnassier d'un barracuda affamé. Les hauts dignitaires bousculaient leurs femmes pour atteindre plus vite le refuge des jacarandas. Ficelés sur le dos de leur mère, les enfants braillaient à qui mieux mieux.

Le taureau éperonna le flanc du chapiteau, en fauchant les haubans de ses épaules puissantes, et la tente s'écroula dans un gracieux cumulus de bâche, piégeant une horde de convives paniqués. L'animal émergeait à l'autre bout au moment où l'une des plus jeunes femmes de ces messieurs les ministres traversait son chemin en hurlant de terreur. Le bout pointu d'une des longues cornes courbes s'accrocha dans l'ourlet de sa robe. D'un coup d'échine rageur, l'animal déroula l'étoffe bariolée qui fit virevolter le corps de la fuyarde comme la ficelle d'une toupie. Elle valdingua dans une pirouette spectaculaire, rattrapa son équilibre de justesse et, nue comme aux premiers jours, se lança dans une course éperdue vers le sommet de la colline, ses longues jambes tricotant fiévreusement et ses seins généreux tressautant en cadence.

— Deux à un, la donzelle l'emporte d'un néné ! s'esclaffait l'ancien pilote d'un air extasié.

Lui aussi, entre-temps, s'était ravitaillé en vol.

La robe bigarrée drapait les cornes du taureau. Il secouait son trophée comme une oriflamme, et promenait alentour ses petits yeux malins pour les fixer sur le très honorable ministre de l'Education, le moins leste des fuyards, qui ahanait en escaladant la pente.

Le ministre trimbalait le fardeau de chair et de graisse qui convient à un homme de son rang. Sous son gilet son ventre ballottait dignement. Son visage était gris comme cendre et il piaillait, d'une voix vibrante de terreur et d'épuisement :

— Tuez-le ! Abattez ce démon !

Ses gardes du corps n'entendaient pas. Ils cavalcadaient à trente mètres devant, et creusaient rapidement l'écart.

Depuis son poste d'observation sur le plateau du camion, Craig, impuissant, vit le taureau baisser la tête et foncer sur le ministre. Des plumets de poussière giclaient sous ses sabots. Il poussa un nouveau mugissement. Ce coup de sirène qui soufflait sur ses reins parut donner à l'honorable ministre un sursaut d'énergie, et il se découvrit meilleur grimpeur que coureur. Avec l'agilité d'un écureuil, il escalada le premier jacaranda et resta pendu aux branches, accroché tant bien que mal.

Frustré de sa victoire l'animal beuglait de plus belle, piochait la terre d'un air vicieux et zébrait l'air de coups de cornes rageurs.

— Faites quelque chose ! pleurait le ministre.

Ses gorilles jetèrent enfin un coup d'œil en arrière et, voyant la situation, rassemblèrent leur courage. Ils empoignèrent leurs armes. Prudemment, ils se déployèrent et s'avancèrent lentement vers le taureau et sa victime. On entendit le cliquetis des armes automatiques.

— Non ! hurla Craig. Ne tirez pas !

Non seulement son assurance ne couvrait sûrement pas la « mort par rafale de mitraillette », mais tout le voisinage — le chapiteau et ses occupants, une bonne dizaine de femmes et d'enfants et lui-même — serait balayé par la volée de balles. L'un des gardes du corps leva son fusil, et visa. Ses récentes émotions ne favorisaient guère la sûreté de sa main. Le canon décrivait des arabesques inquiétantes.

— Non !

A ce moment, une longue silhouette maigre s'interposa entre le gorille et sa cible.

— Shadrach ! souffla Craig, comme le vieil homme repoussait l'arme d'un geste impérieux.

— J'ai l'œil sur toi, *Nkunzi Kakhulu !* Grand taureau ! salua-t-il, courtois.

L'animal tourna sa tête massive vers le nouveau venu. Il renâcla, et branla du chef d'un air menaçant.

— Hau ! Prince des bœufs, comme tu es beau !

Shadrach fit un pas vers les cornes de la bête, aiguisées comme des piques. L'animal fouailla la terre d'un coup de sabot et fit mine de s'élancer. Shadrach ne bougea pas.

— Noble est ta tête, grand bœuf, roucoulait-il, et tes yeux, sombres comme des lunes noires.

La bête secoua ses cornes. Shadrach répondit à cette manœuvre d'intimidation en franchissant un deuxième pas. Les cris de terreur des femmes et des enfants se turent. Même les plus trouillards s'arrêtèrent dans leur fuite. Tous les yeux étaient fixés sur le monstre rouge et le vieil homme.

— Tes cornes sont pointues comme la sagaie du grand Mzilikazi.

Shadrach continuait d'avancer. Le taureau le lorgnait de ses petits yeux rougis.

— Glorieux sont tes testicules, murmurait le vieux, comme deux grands blocs de granite ronds. Deux mille vaches au moins sentiront leur puissance et leur majesté.

L'animal recula d'un pas, et hocha la tête d'un air indécis.

— Ton souffle est chaud comme le vent du nord, mon roi des bœufs.

Le vieil homme tendait la main. Tous les yeux étaient braqués sur la scène.

— Tout beau...

Shadrach toucha le mufle brun, humide, luisant. La bête s'agita nerveusement et se reprit, méfiante, pour renifler les doigts du vieux.

— Mon tout beau, roi des grands taureaux...

Doucement Shadrach glissa l'index dans le lourd anneau de bronze et leva la tête de l'animal. Il se pencha, plaça sa bouche contre les deux narines béantes ourlées de rose et y souffla son haleine. Le taureau frissonna. Craig vit très clairement les muscles noués de son échine se détendre. Shadrach se redressa. Tenant l'anneau au creux de l'index il s'éloigna — et l'animal, placide, chaloupait derrière lui en balançant ses fanons. Un petit cri soulagé monta de l'assistance, et s'interrompit bien vite quand Shadrach les couvrit d'un regard méprisant.

— *Nkosi!* cria-t-il à Craig. Jette ces babouins mashona hors de nos terres! Ils énervent mon tout beau.

Craig fit un vœu pour qu'aucun des dignitaires présents ne comprenne le ndébélé.

Il s'émerveillait, une fois encore, de ce lien presque mystique qui unissait les ethnies nguni et leur bétail. Depuis la nuit des temps, depuis l'époque où les premiers troupeaux quittaient l'Egypte pour commencer leur migration à travers les siècles vers le sud du continent, le destin de l'homme noir et celui de l'animal étaient inexorablement liés. Etrange, d'ailleurs, que les tribus de pasteurs se soient toujours montrées les plus dominatrices et les plus belliqueuses : Massaï, Bechuana et Zoulous avaient toujours opprimé les simples paysans. Comme si quelque chose, dans leur association séculaire avec les bêtes à cornes, les prédisposait à la violence.

Il suffisait de regarder Shadrach emmener son taureau monstrueux pour reconnaître cette même arrogance guerrière, noblesse éternelle de l'homme domestiquant l'animal.

On ne pouvait guère parler de noblesse en revanche pour le ministre de l'Education, qui s'accrochait encore comme un matou ventru à son arbre. Craig se joignit au cœur des gorilles qui le conjuraient de descendre.

Peter Fungabera fut le dernier personnage officiel à quitter la ferme. Craig le gratifia d'une visite de ses installations. Il renifla d'un air appréciateur l'odeur douce du chaume doré qui couvrait déjà la moitié du toit.

— Mon grand-père avait remplacé la couverture originale par de la tôle ondulée pendant la guerre, expliqua Craig. Vos roquettes RPG 7 s'y entendaient pour réchauffer l'atmosphère.

— Oui, on a fait de jolis feux de joie, c'est vrai.

— A vrai dire, j'en profite pour moderniser le bâtiment. L'électricité et la plomberie avaient grand besoin d'une remise à neuf.

— Toutes mes félicitations. En peu de temps vous avez

accompli un travail remarquable. Bientôt vous pourrez vivre ici dans le luxe et le faste de vos ancêtres.

Craig lui lança un regard aigu, mais le sourire de Peter n'avait rien perdu de son charme, ni de sa décontraction débonnaire.

— Toutes ces améliorations donnent de la valeur à la propriété, fit-il remarquer. Et vous en possédez un bon morceau.

Le général posa une main apaisante sur son bras.

— Bien sûr, bien sûr. Mais vous avez encore du pain sur la planche. Quand allez-vous vous attaquer à Zambezi Waters ?

— Bientôt... Dès que le reste du bétail sera là, et dès que Sally-Ann pourra m'aider.

— Ah ! Alors vous pouvez commencer tout de suite. Sally-Ann Jay a été signalée à l'aéroport de Harare, hier matin.

— Ce soir j'irai en ville pour lui téléphoner.

Peter Fungabera claqua la langue d'un air chagrin.

— Ils ne vous ont donc pas encore installé le téléphone ? Je vais m'en occuper. En attendant, si ma radio peut vous dépanner...

L'installateur du téléphone arriva le lendemain matin. Une heure plus tard, le ronronnement du Cessna de Sally-Ann s'annonça. Dans un vieux bidon de graisse, Craig avait confectionné un brûlot de chiffons et d'huile de vidange pour lui indiquer les limites de l'ancien terrain d'atterrissage et la direction du vent.

Quand elle sauta du cockpit, Craig fut surpris d'avoir oublié la souplesse de ses gestes. Elle ne portait rien sous sa chemise de coton. Elle remarqua son regard, apparemment sans éprouver la moindre gêne.

— Quel domaine merveilleux, vu de là-haut !

— Laissez-moi vous offrir une visite guidée.

Elle balança son sac sur le siège arrière de la Land-Rover et sauta par-dessus la portière.

L'après-midi tirait à sa fin quand ils revinrent à la ferme.

— Kapa-lala vous a préparé une chambre, et Joseph nous réserve son plus merveilleux dîner. Le générateur fonctionne enfin, nous aurons donc de la lumière, et le chauffe-bain a bouilli toute la journée. Maintenant, je peux toujours vous conduire en ville au motel le plus proche.

— Pas la peine de dépenser de l'essence.

Elle sortit sur la véranda, ses cheveux mouillés enturbannés d'une serviette, et s'écroula dans un fauteuil à côté de Craig pour poser les pieds sur le muret.

— Seigneur ! Quel délice !

Elle embaumait le savon.

— Un petit whisky ?

— Un grand, oui ! Bien plein, avec beaucoup de glace.

Elle sirota son scotch avec un soupir de bonheur. Devant eux le soleil couchant déchirait le ciel, un de ces cieux africains rouges, hypnotiques et sanglants. Ils regardèrent le soleil disparaître. Puis Craig lui tendit quelques feuillets.

— Un acompte pour votre travail de consultante à Zambezi Waters.

Il alluma la lumière au-dessus d'elle.

Elle lut lentement, relut trois ou quatre fois et, serrant les pages sur ses genoux, fixa la nuit sans rien dire.

— C'est tout juste un brouillon, commença timidement Craig. J'ai suggéré les photos qui iront avec chacun des textes. Seulement, bien sûr, je n'en ai vu que quelques-unes. Vous en avez sans doute des centaines en réserve. Je pense qu'il faudrait se limiter à deux cent cinquante pages...

Elle tourna lentement la tête vers lui.

— Et vous aviez peur ? Imbécile ! C'est moi maintenant qui tremble de ne pas être à la hauteur.

Elle baissa les yeux.

— Vous êtes sûr, Craig, que vous voulez vraiment faire ce livre avec moi ?

— Oui. Sûr et certain.

— Merci, dit-elle simplement, et à ce moment-là Craig sut enfin qu'un jour ils se donneraient l'un à l'autre.

Pas ce soir, non — il était encore trop tôt —, mais un jour. Elle le savait aussi, sans doute, et quand Joseph apporta le café ils regardèrent en silence la lune qui couronnait les msasas, sur la crête.

Quand Sally-Ann se leva pour aller au lit, elle s'attarda sans trop savoir quoi dire, et se planta finalement devant lui pour murmurer encore une fois :

— Merci.

Il n'essaya pas de la retenir.

***

La restauration de la ferme de Queen's Lynn, à cinq miles de la demeure principale, était terminée quand arriva la dernière livraison de bétail. Le contremaître que Craig avait engagé put s'y installer avec sa famille. C'était un homme tranquille, massif, et qui, malgré son sang afrikander, avait passé toute sa vie dans le pays. Il parlait ndébélé aussi bien que Craig, comprenait et respectait les Noirs, et savait en retour se faire respecter d'eux. Mais plus que tout, il connaissait le bétail et il l'aimait, en véritable Africain qu'il était.

Avec Hans Groenewald à la tête de la ferme, Craig put enfin se consacrer au projet Zambezi Waters. Il contacta le jeune architecte qui avait dessiné les chalets des parcs privés les plus luxueux d'Afrique du Sud, et lui paya son voyage depuis Johannesburg. Ils campèrent tous les trois — Craig, Sally-Ann et lui — sur le site de Zambezi Waters, et parcoururent les deux rives de la Chizarira pour sélectionner l'emplacement des cinq bungalows et du complexe central qui devait abriter les équipements du camp. A la demande de Peter Fungabera un escadron de la 3e brigade les surveillait, sous les ordres du capitaine Timon Nbebi.

Craig apprit à mieux connaître l'officier. Il découvrit un jeune homme sérieux, studieux, qui consacrait tous ses loisirs à suivre par correspondance les cours d'économie politique d'une université londonienne. Il parlait anglais, ndébélé, shona aussi bien sûr, et professait, sur les rivalités tribales qui déchiraient le Zimbabwe, des vues étonnamment modérées pour un officier shona de la brigade d'élite. Avec Craig et Sally-Ann, il passa plus d'une soirée près du feu de camp à discuter du problème.

— Je ne veux pas assurer la paix de mes enfants avec un

AK 47, monsieur Mellow. Et ce n'est pas en massacrant tous les Matabélé que je serai fier d'être shona.

Conversations sans fin, que la présence d'une sentinelle en armes rendait plus pathétiques encore. La vue des uniformes commençait à sérieusement porter sur les nerfs de Craig et de Sally-Ann, et un soir, vers la fin de leur séjour à Zambezi Waters, ils faussèrent compagnie à leurs anges gardiens.

Ils pouvaient enfin se permettre d'être eux-mêmes, sans contrainte, de partager ensemble un silence complice ou de bavarder pendant des heures. Il leur arrivait maintenant de se toucher parfois, contacts furtifs et parfaitement banals qui n'avaient d'importance que pour eux. Elle posait sa main sur la sienne par exemple, pour souligner une remarque, ou Craig s'appuyait sur elle pour lui montrer un nid de pivert ou un essaim d'abeilles en haut d'un arbre.

Ce jour-là, enfin seuls, ils trouvèrent une termitière qui se dressait au-dessus des ébéniers et dominait les couverts d'un rhino. L'endroit était idéal pour observer et prendre des photos. Perchés là-haut, ils attendirent la visite d'un pachyderme.

Brusquement Craig se figea.

— Ne bougez pas ! chuchota-t-il.

Elle tourna lentement la tête pour suivre son regard, et étouffa un hoquet de surprise.

— Qui sont-ils ?

Mais Craig ne répondit pas.

On ne voyait que leurs yeux. Ils étaient venus à pas de velours, silencieux comme des léopards, se fondant dans le maquis avec le savoir-faire de ceux qui ont passé leur vie à se cacher.

— Alors, *Kuphela,* dit enfin l'un d'eux d'une voix sépulcrale, tu amènes les tueurs mashona ici pour renifler nos traces ?

— Pas du tout, camarade Qui-vive, répondit Craig d'un souffle rauque. Personne ne sait que vous êtes là. Je te le jure sur ma propre tête.

— C'est justement elle que tu risques, camarade. Dis-moi vite pourquoi tu viens là si ce n'est pas pour nous trahir.

— J'ai acheté cette terre. Je veux en faire une réserve pour montrer aux touristes. Comme Winkie Park.

Ça, ils comprenaient. Le célèbre Winkie National Park se trouvait en plein Matabeleland, et il y eut un conciliabule de quelques minutes au bout duquel le camarade Qui-vive demanda :

— Que va-t-on devenir, nous, dans ta réserve ?

— Il y a de la place pour vous, dit Craig. Je vous donnerai de la nourriture, de l'argent, et en retour vous protégerez mes animaux. Vous surveillerez discrètement les visiteurs, et il ne sera plus question de prendre des otages. Nous passerons un accord entre amis.

— Et combien vaut notre amitié, à ton avis, *Kuphela ?*

— Cinq cents dollars par mois.

— Mille, contra Qui-vive.

— Les bons amis ne parlent jamais d'argent, acquiesça Craig. Je n'ai que six cents dollars sur moi, mais j'enterrerai le reste sous le figuier de notre campement.

— D'accord. Et tous les mois nous nous rencontrerons. Ici, ou là.

Qui-vive désigna deux pitons, silhouettes bleutées sur l'horizon de part et d'autre de la rivière.

— Le signal du rendez-vous sera un feu de feuilles vertes ou bien trois coups de feu bien détachés. Maintenant, *Kuphela,* laisse l'argent dans le trou de tamanoir à tes pieds et ramène ta femme au camp.

Sur le chemin du retour Sally-Ann se plaquait contre lui en jetant des regards effrayés par-dessus son épaule.

— Seigneur ! Craig, c'étaient des vrais *shuftas !* Pourquoi nous ont-ils laissés partir ?

— Pour la meilleure raison du monde : l'argent.

Le rire de Craig sonnait un peu rauque, et l'adrénaline courait encore dans ses veines.

— Pour mille misérables dollars par mois, je viens de m'assurer le service d'ordre le plus redoutable de la région. Bonne affaire.

***

Avec l'architecte aussi, il avait fait une bonne affaire. Ses plans étaient superbes. Pierre du pays, chaume, les bungalows s'harmoniseraient élégamment au décor des rives. Sally-Ann travailla avec lui sur l'aménagement intérieur, et proposa quelques améliorations de son cru.

Ses activités pour le World Wildlife Trust la mobilisaient au loin pendant des semaines entières mais elle profitait de ses déplacements pour recruter l'équipe de Zambezi Waters.

Pour commencer, elle débaucha un chef cuisinier hors pair d'une chaîne d'hôtels internationaux. Puis elle dénicha cinq jeunes guides de safari, tous les cinq nés en Afrique, avec une connaissance et un amour de la brousse remarquables, et, plus important, le don de les faire partager aux autres.

Après quoi, elle décida de s'attaquer à l'élaboration des brochures publicitaires, en utilisant ses photos et des extraits de textes de Craig.

— Une répétition générale pour notre livre, dit-elle en l'appelant un jour de Johannesburg.

Et Craig comprit alors à quoi il s'était engagé en acceptant de collaborer avec elle. C'était une redoutable perfectionniste et elle n'hésiterait pas à les harceler, lui et ce pauvre bougre d'imprimeur, pour obtenir quelque chose de parfait. Le résultat fut un chef-d'œuvre de couleurs, d'équilibre et de goût. Sally-Ann inonda de brochures toutes les agences spécialisées dans le tourisme africain, de Copenhague à Tokyo.

— Il faut fixer une date pour l'inauguration, dit-elle à Craig, et s'arranger pour que nos premiers visiteurs attirent l'attention des journaux. Tu devras leur offrir le voyage, j'en ai peur.

— Tu ne penses tout de même pas à une star du rock n'roll ?

Elle réprima un frisson.

— J'ai contacté papa à l'ambassade à Londres. Il pourra peut-être nous avoir le prince Andrew. Peut-être. Henry Pickering connaît bien Jane Fonda...

— Bon sang ! Je ne te savais pas si branchée.

— Et puisque nous en sommes au chapitre des célébrités, je crois pouvoir décrocher un romancier à succès qui s'imagine avoir de l'humour et qui boira sûrement plus de whisky qu'il n'en mérite.

Au moment de mettre en chantier les travaux de Zambezi Waters, Craig se plaignit à Peter Fungabera des difficultés qu'il avait à trouver de la main-d'œuvre en pleine brousse. Cinq jours plus tard, un convoi militaire lui amenait deux cents détenus des centres de réhabilitation.

— Travaux forcés, fit Sally-Ann, écœurée.

Grâce à eux, la route d'accès à la Chizarira fut percée en dix jours et Craig put appeler Sally-Ann à Harare pour lui annoncer :

— Je crois qu'on peut fixer la date d'inauguration pour le 1er juillet sans trop prendre de risques. Si tu venais faire un tour par ici ? Ça fait un mois qu'on ne s'est pas vus.

— Seulement trois semaines.

— J'ai encore pondu vingt pages pour notre bouquin, insista-t-il, jouant son atout maître. Ce serait bien qu'on les revoie ensemble.

— Envoie-les-moi.

— Viens les chercher.

— Bon d'accord. La semaine prochaine. Mercredi. Tu seras où ? King's Lynn, ou Zambezi Waters ?

— Zambezi Waters. Les plombiers et les électriciens terminent l'installation. Je tiens à être sur place.

Elle atterrit dans la trouée au bord de la rivière, où les gardes avaient tracé un ruban de graviers. Ils hissèrent même une vraie manche à air pour son arrivée. Craig vit tout de suite qu'elle était d'une humeur massacrante. Elle vint vers lui au pas de charge.

— Tu as perdu deux rhinos. J'ai repéré les cadavres de là-haut. Les cornes ont disparu. Je crois même que c'est Charlie et Lady Di.

Au cours de leurs vols de reconnaissance ils avaient recensé vingt-sept rhinocéros sur le domaine. Vingt-sept bêtes, qu'ils s'étaient amusés à baptiser. Charlie et Lady Di, jeunes fiancés pachydermiques, arboraient chacun des trophées de toute beauté. La grande corne du mâle, pour un braconnier, valait bien dans les dix mille dollars. Celles de

Lady Di étaient plus fines, et elle était enceinte jusqu'aux oreilles la dernière fois qu'ils l'avaient repérée.

— Ils sont dans les taillis, de l'autre côté des gorges. Je crois que j'ai vu un coin où je pourrais me poser, pas trop loin.

Craig détacha le fusil de son support derrière le siège avant de la Land-Rover.

— Allons-y.

Le « coin » de Sally-Ann était une clairière étroite à la naissance des gorges. Elle dut s'y prendre à deux reprises avant de réussir un atterrissage délicat au ras des arbres.

Les vautours les guidèrent vers leur destination macabre. Ils se perchaient en grappes noires sur les arbres autour des cadavres, comme des fruits grotesques. Les charognards en tout genre avaient piétiné, aplati les buissons alentour, jonchés de plumes de vautours poissées de sang. A leur approche, une demi-douzaine de hyènes déguerpirent en sautillant avec cette allure gauche que leur donnent leurs épaules voûtées. Même leurs mâchoires redoutables n'avaient pas pu dévorer complètement la cuirasse épaisse des rhinocéros. Les braconniers, pourtant, avaient éventré les carcasses pour leur faciliter le travail.

Les bêtes pourrissaient là depuis au moins une semaine. La chair putréfiée mêlait sa puanteur à l'odeur des crottes de vautours qui blanchissaient les charognes. Leurs becs avaient creusé les yeux du mâle, déchiré ses oreilles et fouaillé ses joues. La corne de l'animal avait disparu, laissant dans l'ossature du mufle une blessure hideuse, coupée de traits de hache. La femelle aussi avait perdu ses cornes. Son ventre s'ouvrait sur un carnage sanguinolent. Le fœtus gisait à l'écart, où les hyènes l'avaient tiré pour le dévorer à moitié.

Sally-Ann s'agenouilla près de la dépouille mutilée.

— Prince Billy ! Pauvre petit bonhomme.

Du sommet du piton ils découvraient une étendue de broussailles jaunies et, au-delà, la rivière qui serpentait dans un écrin de forêts denses, jusqu'à l'horizon.

Craig avait allumé son feu de feuilles vertes à midi. Il l'alimentait régulièrement depuis. Maintenant le ciel s'empourprait et la fraîcheur du soir tombait. Sally-Ann frissonna.

— Froid?

— Triste, surtout.

Elle ne s'écarta pas quand il la prit par l'épaule. Plaquée sur sa poitrine, elle se détendit lentement. La nuit gommait l'horizon et se refermait sur eux.

— J'ai l'œil sur toi, *Kuphela.*

La voix résonna, si proche que Sally-Ann sursauta.

— Tu m'as demandé?

Le camarade Qui-vive restait dans l'ombre.

— Où te cachais-tu, fit Craig, accusateur, quand on assassinait deux de mes *bejanes* pour leur voler leurs cornes?

Un long silence lui répondit.

— Où est-ce arrivé?

Craig le lui dit.

— C'est très loin d'ici. Très loin de notre camp. Nous ne savions pas.

A en croire le ton piteux de sa voix, l'ami Qui-vive n'était pas fier de lui.

— Mais nous trouverons les coupables. Nous les trouverons.

— J'espère bien, oui. Et débrouille-toi pour leur faire avouer le nom de ceux qui leur achètent les cornes.

— Tu auras les noms.

Douze jours plus tard, dans ses jumelles, Craig localisa la colonne de fumée grise qui s'étirait au loin. Il se rendit seul au rendez-vous. Sally-Ann avait quitté le ranch trois jours auparavant pour accueillir l'un des directeurs du World Wildlife Trust à Harare.

— Je n'ai pas le choix, expliqua-t-elle en grimpant dans le Cessna. C'est de lui que dépend ma bourse pour l'an prochain.

Craig escalada la colline fiévreusement. Arrivé en haut, son souffle était régulier et sa jambe ne le tiraillait même pas. Ces derniers mois l'avaient endurci, et la colère bouillonnait encore en lui quand il déboucha sur les restes brasillants du feu.

C'est seulement au bout de vingt minutes que le camarade Qui-vive se détacha en silence de la lisière des arbres, méfiant, son fusil d'assaut au creux du bras.

— On ne t'a pas suivi, *Kuphela?*

Craig secoua la tête.

— Tu as trouvé les hommes?

— Tu as l'argent?

Craig tira une enveloppe épaisse de la poche intérieure de sa saharienne.

— As-tu trouvé les hommes?

— Cigarette, fit Qui-vive. Tu as des cigarettes?

Craig lui balança un paquet. Le balafré en alluma une et inspira profondément.

— Ils étaient trois. Nous avons suivi leur piste à partir des cadavres. Une piste qui avait près de dix jours, et qu'ils avaient essayé de camoufler.

Il tira une bouffée de sa cigarette en se rengorgeant.

— Leur village est sur l'escarpement de la vallée, à trois jours de marche d'ici. Des babouins batonka. Ils avaient encore les cornes. Nous les avons entraînés dans la brousse pour leur faire un bout de conversation.

Craig sentit sa peau se hérisser en imaginant cette «conversation». Sa colère disparut, pour faire place à un sentiment nauséeux de culpabilité.

— Qu'est-ce qu'ils t'ont dit?

— Il y a un homme, un homme de la ville avec une voiture et des vêtements de Blanc. Il achète les cornes de rhino, les peaux de léopard et les défenses d'éléphant, et distribue de l'argent comme s'il en pleuvait.

— Où le rencontrent-ils? Et quand?

— Les nuits de pleine lune, il arrive par la route de Tuti. Ils l'attendent près de la Shangani.

Craig s'accroupit près du feu et observa un long silence avant de relever les yeux vers Qui-vive.

— Tu diras à ces hommes d'attendre avec leurs cornes la prochaine nuit de pleine lune...

— Impossible, *Kuphela.*

— Pourquoi?

— Ils sont morts.

— Mais...

Craig s'interrompit, la gorge nouée. Il avait lâché les guérilleros sur les villageois, comme une meute de fox-terriers sur un hamster.

— Ne t'inquiète pas, *Kuphela.* Nous t'avons rapporté les cornes de ton *bejane.*

En jetant sur son dos le sac de fibres d'écorce qui contenait les cornes pour redescendre vers la Land-Rover, Craig se sentait honteux, malade, écœuré. Même sa jambe était douloureuse. Pourtant la courroie du sac qui lui sciait l'épaule le faisait moins souffrir que sa mauvaise conscience.

Les trophées trônaient sur le bureau de Peter Fungabera. Quatre cornes de rhinocéros : deux grandes et deux petites.

— Aphrodisiaque, murmura le ministre, en en caressant une de ses longs doigts fins.

— C'est une légende, dit Craig. Les analyses prouvent que leur composition chimique n'a rien d'aphrodisiaque.

— Les cornes ne sont rien d'autre qu'une masse de poils agglutinés, expliqua Sally-Ann. Les riches Chinois qui l'ingurgitent en poudre avec un peu d'eau de rose dans l'espoir de pallier leur virilité défaillante se font des illusions. Le seul effet que ça puisse procurer est rigoureusement symbolique : la corne est longue, et dure. Voilà tout.

— De toute façon, souligna Craig, les cheiks arabes sont prêts à payer plus pour un manche de poignard en corne de rhino que les mandarins pour redresser leur glaive.

— Quelle que soit la nature de la clientèle, le résultat est le même : il y a maintenant deux rhinos de moins sur Zambezi Waters que le mois dernier. Dans un an, combien en restera-t-il ?

Le général se leva et contourna le bureau. Son pagne immaculé était fraîchement repassé. Il se planta devant ses visiteurs, pieds nus.

— J'ai mené mon enquête. Elle aboutit aux mêmes conclusions que celles de Sally-Ann. Le pays est quadrillé par un réseau de trafiquants d'animaux hautement organisé.

Les villageois abattent les bêtes et préparent la marchandise. Des intermédiaires — souvent commissaires de district ou rangers de l'Office des parcs nationaux — font la collecte et accumulent le butin dans des endroits sûrs. Le moment venu, on rassemble le tout pour l'expédier hors du pays.

Peter Fungabera arpentait lentement la pièce.

— Les cargaisons empruntent généralement les lignes commerciales d'Air Zimbabwe jusqu'à Dar es-Salaam. Là nous perdons leur trace, mais on peut penser qu'un cargo russe ou chinois les achemine à destination.

— Les Russes n'ont pas grand scrupule vis-à-vis de la faune, remarqua Sally-Ann. L'exportation de peaux de zibeline et l'exploitation des baleines sont pour eux une source importante de devises.

— Sous la tutelle de quel ministère tombe Air Zimbabwe ? demanda brusquement Craig.

— Le ministère du Tourisme, sous la responsabilité de l'honorable Tungata Zebiwe, répondit Peter d'une voix douce. (Et il observa un silence avant de poursuivre :) Lorsque l'envoi est prêt à partir on achemine la marchandise sur Harare, de préférence la nuit. Puis on la charge directement sur les appareils, et le vol part presque aussitôt.

— Quelle est la fréquence de ces expéditions ?

Peter Fungabera jeta un coup d'œil à son aide de camp, discrètement posté près de la porte.

— Cela dépend, répondit le capitaine Timon Nbebi. Pendant la saison sèche, les braconniers redoublent d'activité. La saison des pluies marque souvent un net ralentissement des envois. Mais nous avons appris de source sûre qu'une cargaison quittera vraisemblablement le pays dans les quinze jours qui viennent...

— Merci, capitaine, l'interrompit Fungabera avec un froncement de sourcils irrité.

Il aurait manifestement préféré annoncer lui-même cette dernière nouvelle.

— Ce que nous savons aussi, c'est que le chef du réseau prend souvent une part active dans l'opération. Par exemple, ce massacre d'éléphants dans le champ de mines...

Il se tourna vers Sally-Ann.

— ... qui vous a fourni le sujet d'une photo si frappante. Nous avons appris qu'un ministre — lequel? nous l'ignorons encore — s'est fait conduire sur les lieux par un hélicoptère de l'armée. A deux reprises, un fonctionnaire de haut rang — vraisemblablement un ministre, là encore — assistait au chargement de la marchandise à bord des appareils. Nous avons infiltré un agent dans leur organisation. Avec un peu de chance, nous devrions pouvoir prendre notre suspect la main dans le sac. Sinon, nous saisirons le butin à l'aéroport, et nous arrêterons tous ceux qui nous tombent sous la main. Il y en aura bien un dans le lot pour passer aux aveux.

En observant son visage, Craig reconnut ce regard froid, impitoyable qu'il avait vu dans les yeux de Qui-vive au moment où le guérillero lui rapportait la mort des trois braconniers. Impression fugitive, que Peter Fungabera masqua bien vite sous son habituelle politesse souriante.

— Pour des raisons évidentes j'aurai besoin de témoins impartiaux au moment de l'arrestation du suspect. Je veux que vous soyez présents tous les deux. En conséquence j'apprécierai que vous vous teniez prêts à collaborer avec nos services à la première alerte, et que vous informiez le capitaine Nbebi de vos déplacements pour qu'il sache où vous contacter en cas de besoin.

Ils se levaient pour prendre congé quand Craig demanda soudain :

— Quelle est la peine encourue pour ce genre de délit?

— La législation actuelle prévoit une peine qui ne dépasse pas les dix-huit mois de détention.

— C'est insuffisant.

L'image des cadavres des deux animaux mutilés hantait encore son souvenir.

— Exact. Ce n'est pas suffisant. Il y a deux jours au Parlement j'ai soumis un amendement qui devrait obtenir l'appui inconditionnel du Parti. Je pense qu'il sera voté jeudi.

— Et quelle est la sanction prévue par cet amendement? demanda Sally-Ann.

— Pour le trafic de certaines espèces, l'achat, la vente et l'exportation des trophées d'animaux : une peine de douze ans de travaux forcés et une amende n'excédant pas cent mille dollars.

Ils s'accordèrent un moment de réflexion. Puis Craig hocha la tête.

— Douze ans...

***

Le signal du branle-bas de combat arriva le lendemain matin. Craig et Hans Groenewald rentraient tout juste de leur visite matinale aux pâtures. Au beau milieu du pantagruélique petit déjeuner de Joseph, le téléphone sonna.

— Capitaine Nbebi à l'appareil. Le général vous demande à son QG de Macillwane le plus tôt possible. On attend du nouveau pour cette nuit. Quand pouvez-vous être sur place ?

— Il y a six heures de route...

— Mlle Jay vient de partir. Elle devrait arriver à King's Lynn dans deux heures pour vous prendre.

Sally-Ann s'annonça en effet deux heures plus tard. Craig l'attendait sur le terrain. Ils atterrirent directement à Harare, et poussèrent en voiture jusqu'à Macillwane.

Passé la grille, une animation inhabituelle régnait autour de la demeure. Un Super Frelon était garé sur la grande pelouse. Appuyés au fuselage, le pilote et son mécanicien bavardaient en fumant. Quatre camions s'alignaient derrière la maison au milieu d'une foule de soldats à l'insigne de la 3e brigade, en tenue de combat. On aurait dit une meute excitée par l'odeur du gibier.

Dans le bureau du général, deux tables faisaient face à l'immense carte murale. Trois jeunes officiers conféraient gravement autour de la première. Sur l'autre trônait une radio. Par-dessus l'épaule de l'opérateur, Timon Nbebi parlait dans le micro à voix basse dans un shona fluide, coulant, s'interrompant brusquement pour donner des ordres au sergent posté près de la carte qui déplaçait immédiatement les punaises multicolores avec empressement.

Peter Fungabera désigna deux tabourets aux nouveaux

arrivants tout en continuant sa conversation téléphonique. Il raccrocha, et expliqua brièvement :

— Nous connaissons l'emplacement de trois de leurs caches, et l'une se trouve dans les Chimanimanis. Des peaux de léopard, pour l'essentiel. La deuxième est située dans le Sud près de Chiredzi, de l'ivoire, surtout, et la troisième, à la base missionnaire de Tuti. C'est de là que viendra le chargement le plus important : ivoire et cornes de rhino.

Il lut rapidement la note que lui tendait le capitaine Nbebi, distribua quelques ordres, et reprit :

— Nous avons baptisé l'opération : *Bada*. Léopard, en shona. C'est aussi le nom que nous donnerons à notre suspect.

Craig hocha la tête.

— On nous signale que Bada vient de quitter Harare dans une Mercedes officielle, en compagnie d'un chauffeur et de deux gardes du corps — tous les trois matabélé, évidemment.

— Dans quelle direction ? coupa Sally-Ann.

— Il semble qu'ils se dirigent vers le nord.

— A la rencontre du chargement le plus important.

Une lueur guerrière animait les yeux de la jeune femme. Craig se sentait à son tour gagné par l'excitation générale.

— Les routes que doivent emprunter les trois convois sont pour le moment sous surveillance. Dès que Bada prendra une direction déterminée, nous mobiliserons le plus gros de nos effectifs en conséquence.

La radio crachota, et une voix shona désincarnée résonna dans le sifflement de la bande passante. Le capitaine Nbebi lança un coup d'œil vers Peter.

— Confirmé. Bada s'est engagé sur la route de Karoi.

— Parfait, capitaine. Nous passons donc au stade trois.

Il sangla son holster.

— Toujours rien à signaler sur la route de Tuti ?

Nbebi fit trois appels au micro. Il reçut une réponse ultracourte à sa question.

— Négatif pour l'instant, mon général.

— Il est encore un peu tôt.

Peter ajusta l'angle de son béret rouge, et le léopard d'argent étincela au-dessus de son œil droit.

— Mais nous pouvons déjà nous mettre en position.

Il s'élança sur la véranda, entraînant tout le monde à sa suite. En le voyant, le pilote de l'hélicoptère et son mécanicien écrasèrent hâtivement leurs mégots pour sauter dans l'habitacle. Le général prit place à son tour, et les rotors commencèrent leur ballet.

En bouclant sa ceinture, Craig profita du vacarme des moteurs pour poser en aparté une question qui lui brûlait les lèvres.

— Peter, il s'agit d'une véritable opération militaire ! Pourquoi ne pas tout simplement charger la police de cette affaire ?

— Depuis le départ des officiers blancs, la police est un repaire de voleurs sans vergogne.

Puis, en tournant vers lui son sourire le plus suave :

— Et après tout, collègue, ce sont aussi mes rhinos !

L'hélicoptère se souleva, bascula dans un glissement qui leur chavira le cœur et orienta son nez vers le nord. A quelques mètres du sol, épousant les courbes du relief, il s'éloigna dans un bruit qui rendait toute conversation impossible.

Pour éviter que les occupants de la Mercedes ne le repèrent, l'appareil se cantonnait à l'ouest de la grand-route. Une heure plus tard, il amorça sa descente sur le fort militaire de Karoi. Craig consulta sa montre. 4 heures. Peter Fungabera surprit son geste, et fit écho à ses pensées.

— Cela va être une opération de nuit, oui.

Depuis la révolution, il ne restait du village de Karoi qu'une unique rue de boutiques sans gloire autour d'une station-service. La base militaire dressait ses murailles de sacs de sable et ses barbelés à la sortie de l'agglomération.

Le commandant de la place, un jeune lieutenant, était visiblement ébloui par l'importance de son visiteur. Il saluait chacune de ses paroles d'un garde-à-vous théâtral.

— Virez-moi cet imbécile, grogna Peter en direction du capitaine Nbebi, et donnez-moi les derniers renseignements sur la position de Bada.

Le capitaine leva les yeux de sa radio.

— Bada a traversé Sinoia il y a vingt-deux minutes.

— Très bien. Avons-nous une description précise du véhicule ?

— C'est une Mercedes bleu nuit 280 SE avec un fanion officiel sur l'aile. Immatriculation PL 674. Quatre occupants.

— Faites diffuser ce signalement. Et répétez encore une fois qu'il ne doit pas y avoir un seul coup de feu. Il nous faut Bada vivant, et indemne. Je ne veux pas me retrouver avec une rébellion matabélé sur les bras. Personne ne doit tirer, ni sur lui ni sur son véhicule. Même pour sauver sa propre vie. Si quelqu'un désobéit, il m'en répondra personnellement. C'est clair ?

Nbebi contacta une par une chaque unité. Après quoi ils attendirent patiemment en buvant du thé dans des tasses ébréchées, les yeux rivés sur la radio.

Elle grésilla enfin. Timon Nbebi bondit.

— Nous avons repéré le camion, annonça-t-il, triomphant. C'est un cinq tonnes Ford bâché, de couleur verte. Un chauffeur et un passager dans la cabine. Lourdement chargé. Monte les côtes en démultipliée. Il a franchi le gué de la Sanyati il y a dix minutes, pour prendre vers le croisement à vingt-cinq miles au nord d'ici.

— On les tient, dit Peter Fungabera dans un souffle.

La fièvre de la chasse luisait dans ses prunelles.

La radio monopolisait maintenant l'attention de tous. Au moindre crachotement, ils sursautaient.

Les rapports tombaient régulièrement, retraçaient la progression de la Mercedes vers le nord et le lent cheminement du Ford surchargé qui ahanait laborieusement sur une petite route défoncée dans l'autre direction. Entre chaque rapport ils restaient silencieux, assis, sirotant un thé corsé et sirupeux, et mâchonnant des sandwiches de pain noir et de corned-beef.

Peter Fungabera mangeait peu. Les pieds sur le bureau du commandant il se balançait sur sa chaise en tapotant son stick sur la tige de ses jungle-boots à semelle de crêpe. Craig mourait brusquement d'envie de fumer une cigarette pour la première fois depuis plusieurs mois. Il se leva pour arpenter nerveusement le bureau.

Timon Nbebi recevait un nouveau rapport. Il replaça le micro et traduisit du shona :

— La Mercedes vient d'atteindre le village. Ils font le plein à la station-service.

Tungata Zebiwe était à quelques mètres à peine. Jusqu'à maintenant, cette poursuite n'était pour Craig qu'un exercice purement intellectuel, un jeu de piste. Il avait cessé de penser à Tungata comme à un homme, il était devenu « Bada », le gibier, dont il fallait déjouer les ruses. Il se rappela brusquement de lui comme d'un ami, un être humain extraordinaire, et une fois encore sa vieille amitié lui réclamait des comptes.

Soudain claustrophobe, il sortit dans la cour minuscule clôturée d'épais murs de sacs de sable. Le soleil disparaissait, et le crépuscule africain colorait le ciel au-dessus de sa tête. Un pas léger se fit entendre derrière lui.

— Ne sois pas trop malheureux, murmura Sally-Ann. Reste ici, si tu veux. Tu n'es pas forcé d'aller jusqu'au bout.

Il secoua la tête.

— Je veux être sûr... je veux le voir de mes yeux.

En baissant le regard vers elle, il sut que le moment était venu. Qu'elle attendait qu'il l'embrasse. Enfin, elle était prête. Le même désir, la même tendresse brûlaient dans leurs veines.

Il effleura sa joue du bout des doigts. Ses paupières papillotèrent, et il comprit tout d'un coup qu'il l'aimait. Le souffle court, il ressentait devant elle une terreur presque religieuse.

— Sally-Ann, chuchota-t-il.

Et la porte du PC s'ouvrit brutalement pour laisser passer Peter Fungabera.

— On y va ! On y va ! aboya-t-il, et ils s'écartèrent.

Craig vit Sally-Ann trembler comme si elle émergeait d'un rêve.

Côte à côte, ils suivirent Peter et Timon jusqu'à la Land-Rover qui les attendait devant le fortin.

***

Le vent les frappait de plein fouet, mordait leur visage. Son pare-brise rabattu sur le capot, dépouillée de son hard-top, la Land-Rover avançait prudemment, tous feux éteints.

Timon Nbebi conduisait, Peter Fungabera à ses côtés. Craig et Sally-Ann s'entassaient à l'arrière avec l'opérateur radio. Les deux camions militaires suivaient de près.

La Mercedes était à moins d'un mile. On apercevait ses feux arrière de temps en temps, qui dégringolaient la pente entre deux rideaux d'arbres.

Peter Fungabera frappa Timon sur le genou du bout de son stick.

— Encore deux miles jusqu'à la piste. C'est le moment d'appeler l'équipe du croisement.

Sans arrêter le moteur, le capitaine contacta le groupe d'observation qui surveillait la bifurcation de la mission de Tuti.

— C'est bien ça ! Bada vient de quitter la grand-route, mon général. Le Ford l'attend à deux miles de l'embranchement.

— En route !

Nbebi roulait maintenant à toute allure. Seuls ses feux de position éclairaient le bas-côté.

— Voilà le croisement ! aboya Peter.

Nbebi ralentit, et braqua la voiture sur la piste poudreuse qui traçait un ruban blanc dans la nuit. Un sergent de la 3e brigade jaillit de l'ombre. Il sauta sur le marchepied, et réussit le prodige de saluer en s'accrochant à la portière.

— Ils sont passés il y a une minute, mon général. Nous bloquons la piste en amont, et dès que vous serez passé nous fermons derrière vous. Ils sont piégés.

— Dites aux camions de se mettre au point mort. Nous allons profiter de la pente pour descendre en roue libre.

Les machines firent taire leurs moteurs. Le silence paraissait menaçant. On n'entendait que le grincement des amortisseurs, le crissement des pneus sur le gravier et le sifflement du vent.

Les lacets de la piste surgissaient de la nuit au dernier moment, et Nbebi donnait de grands coups de volant qui les précipitaient toujours plus bas vers le fond de la gorge.

Les deux camions collaient à leurs feux arrière, silhouettes monstrueuses qui les poursuivaient dans l'ombre. Jetée contre Craig au hasard des virages, Sally-Ann lui prit la main.

— Les voilà ! gronda Peter Fungabera.

On devinait les phares de la Mercedes en contrebas qui perçaient à travers les arbres. Ils gagnaient du terrain. Pendant quelques instants, un tournant leur masqua les lumières puis elles réapparurent — deux longs faisceaux incandescents sur la surface luminescente de la piste, auxquels répondit bientôt une autre paire de phares, qui projeta trois éclairs blancs dans la direction opposée — manifestement un signal. La Mercedes ralentit.

— Nous les tenons, jubilait Peter Fungabera — et il éteignit les feux de position.

Au-dessous d'eux un Ford bâché quittait lourdement le bas-côté où il était garé, pour déboîter au milieu de la piste. Ses phares inondèrent la Mercedes, qui s'arrêta. Deux hommes en sortirent, pour se diriger vers le poids lourd. L'un d'eux portait un AK 47. Par la vitre baissée, ils parlèrent au chauffeur.

Plongée dans le noir, la Land-Rover poursuivait sa course en roue libre. Sally-Ann s'accrochait au bras de Craig comme à une bouée.

Sous leurs yeux, dans la lumière éblouissante qui illuminait la scène, l'un des hommes se dirigea vers l'arrière du Ford. Il se figea, et jeta un coup d'œil par-dessus son épaule. Il avait dû percevoir le crissement des pneus.

Peter Fungabera alluma les phares, en portant à sa bouche un mégaphone électronique.

— Ne bougez pas !

Sa voix, amplifiée, éclatait dans la nuit pour retomber en échos des collines encaissées.

— Ne tentez pas de fuir !

Les deux hommes pivotèrent, et se ruèrent vers la Mercedes. Timon Nbebi lança le moteur, qui propulsa la Land-Rover en avant dans un hoquet.

— Restez où vous êtes ! Lâchez vos armes !

Les deux gorilles hésitèrent, puis celui qui était armé laissa tomber son fusil, et ils levèrent les mains, clignant des yeux dans l'éblouissement des phares.

La Land-Rover se jeta en travers de la piste devant la Mercedes. Timon Nbebi s'éjecta du véhicule, et braqua son pistolet-mitrailleur Uzi à l'intérieur de la limousine.

— Dehors ! Tout le monde dehors !

Derrière eux, les deux camions militaires pilèrent dans un hurlement de freins surchauffés ; nuages poudreux qui fusaient sous les roues. Une meute de soldats en armes en sortit pour foncer sur les deux gardes du corps et leur administrer une volée de coups de crosse qui les laissa prostrés dans la poussière. D'autres cernaient la Mercedes, ouvraient violemment les portières et tiraient à l'extérieur les occupants de la voiture : le chauffeur et le passager assis sur la banquette arrière.

Difficile de ne pas reconnaître cette grande silhouette à la carrure de colosse. La lumière des phares soulignait les traits taillés à la serpe de Tungata Zebiwe, et l'éclat sauvage de ses yeux.

— Arrière, chacals braillards ! Ne posez pas la main sur moi !

Il portait pantalon noir et chemise blanche. Son crâne rasé était rond et noir comme un boulet de canon.

Son arrogance hautaine fit reculer les soldats. Peter Fungabera se profila dans le faisceau des phares, et l'autre le reconnut immédiatement.

— Tiens, tiens ! Le boucher, en personne !

— Fouillez le camion, ordonna le général sans quitter sa proie des yeux.

Ils se dévisageaient avec tant d'hostilité que rien n'avait d'importance autour d'eux. Craig les observait, incrédule. Un courant de haine presque tangible passait dans leur regard, féroce, mortelle, un fanatisme qui n'avait rien d'humain. On aurait dit deux fauves assoiffés de sang, prêts à s'entr'égorger à coups de griffes et de dents.

A l'arrière du Ford, les hommes en uniforme balançaient des ballots et des caisses sur la piste. L'une d'elles se fendit en heurtant le sol, et les planches disjointes laissèrent apercevoir l'éclat jauni de l'ivoire. Un soldat éventra un ballot et en tira un amas de poils, la peau dorée, pommelée du léopard, la fourrure rouge, épaisse, du lynx.

— Saisissez-le ! hurla Peter d'une voix qui vibrait de mépris et de jubilation haineuse.

Mais ses hommes hésitaient, comme retenus par l'impression de puissance qui émanait de la silhouette hiératique de leur victime.

Sally-Ann était descendue de la Land-Rover pour se diriger vers les fourrures qui s'amoncelaient sur la piste. L'espace d'une seconde, elle fit écran devant Tungata Zebiwe. Il eut un geste vif, qui traça dans l'air comme un éclair.

Il venait d'attraper le bras de la jeune fille et le tordait cruellement en la soulevant du sol. A l'abri de ce bouclier humain, il plongea pour ramasser le AK 47 qui gisait à ses pieds. Pressés les uns contre les autres, les soldats ne pouvaient pas tirer sans blesser l'un des leurs. Tungata était adossé à la Land-Rover.

— Ne tirez pas ! hurlait Peter. Je le veux pour moi, ce chien matabélé.

Tungata cala le fusil d'assaut sous le bras de Sally-Ann et pointa le canon sur Fungabera en se hissant contre la Land-Rover, sa captive collée à lui. Le moteur tournait encore.

— Tu n'iras pas loin ! La piste est bloquée.

D'un coup de pouce, Tungata fit glisser le sélecteur et ajusta son tir sur le général. Craig vit le canon dévier au moment même où il appuyait sur la détente. Délibérément, il visait à côté. L'aboiement de la rafale déchira la nuit et les soldats s'égaillèrent comme des volailles. Le fusil d'assaut tressautait dans la poigne du fugitif. Les balles perçaient la tôle des camions de trous béants, cerclés d'un halo de métal luisant. Peter s'était jeté sur le côté pour s'étaler face contre terre sur le sol et ramper convulsivement à l'abri des roues. Des nuages de poudre et de poussière voilaient la lumière des phares. Les soldats s'éparpillaient en désordre, couvrant leur propre ligne de tir. Dans la confusion, Tungata balança Sally-Ann sur le siège avant de la Land-Rover. D'un même mouvement il bondit au volant, et la voiture s'arracha dans un rugissement.

— Ne tirez pas ! hurla à nouveau Peter Fungabera. Je le veux vivant.

Un candidat à l'héroïsme s'était jeté devant le véhicule dans une tentative aussi spectaculaire que futile. Il prit le capot en pleine poitrine. L'impact ressemblait au choc amorti d'une boule de pâte à tarte sur une planche à pain. Il y eut une série de cahots comme son corps s'accrochait au châssis et il roula sur la piste. La Land-Rover continuait sa course en escaladant la pente.

Sans réfléchir Craig se catapulta au volant de la Mercedes. Il bloqua la direction dans un virage à cent quatre-vingts degrés et lança le moteur. La voiture chassa de l'arrière, fit patiner ses roues. L'aile droite heurta le talus dans une embardée, qui jeta le capot en biais et boucla les quelques derniers degrés de la courbe. Craig leva le pied, contra le dérapage, recentra le volant et écrasa l'accélérateur. Par la vitre baissée lui parvint la voix de Fungabera.

— Craig ! Attendez !

Il ignora le conseil pour aborder la première épingle à cheveux de la côte qui déjà se ruait sur lui. La direction de la Mercedes était d'une légèreté trompeuse. Il faillit survirer, et les pneus rebondirent sur la berge. Puis il se retrouva en ligne droite. Devant, les feux arrière de la Land-Rover trouaient un nuage bouillonnant de poussière blanche.

Craig rétrograda. La mécanique hurla, l'aiguille du compte-tours fut propulsée dans le rouge, et le moteur tira la voiture dans la pente sur les traces de la Land-Rover.

Le coude suivant l'avala. L'écran de poussière força Craig à lâcher l'accélérateur. La direction flotta un instant. Il faillit décrocher en plein virage et les roues arrière mordirent l'abîme, à deux doigts du désastre.

Mais il commençait à maîtriser la machine. A quatre cents mètres devant lui, la Land-Rover lui apparut à travers la poussière. Sally-Ann se silhouetta dans les phares. Elle se tordait sur le siège, prête à se jeter par la portière. Tungata referma sa poigne sur son épaule et la força à se rasseoir. Son foulard s'envola de sa tête et se perdit dans l'ombre comme un oiseau de nuit, libérant une vague de lourds cheveux noirs qui claquaient au vent comme un drapeau. Puis la poussière les masqua à nouveau et Craig sentit un élan de colère et de rage cogner dans sa poitrine avec une violence qui le suffoquait presque. Jamais il n'avait haï quelqu'un autant qu'il haïssait Tungata Zebiwe en ce moment précis. Il aborda le lacet suivant en douceur, mordant gentiment dans le gravier, et lâcha toute la puissance de la mécanique une fois passé la courbe.

Trois cents mètres : l'écart s'amenuisait. Craig se retrouvait déjà sur une autre épingle à cheveux. Quand il en émergea le fugitif était beaucoup plus proche. Sally-Ann regardait derrière elle. Son visage était blanc, presque lumineux dans le faisceau des phares, ses cheveux dansaient en flots désordonnés comme s'ils allaient l'étouffer. Le lacet suivant l'arracha à sa vue. Craig négocia la courbe dans le rugissement des cylindres et, en débouchant sur la ligne droite, vit le barrage.

Un trois-tonnes de l'armée barrait la piste. Des acacias abattus bloquaient l'espace entre le camion et la berge. Les branches formaient un lacis impénétrable et des chaînes reliaient les troncs épais. Craig voyait luire les anneaux dans l'éclat des phares. Une estacade pareille pouvait stopper net n'importe quel bulldozer.

Devant, cinq soldats brandissaient leurs fusils. Le fait qu'ils n'aient pas encore ouvert le feu fit espérer à Craig que Peter Fungabera les avait prévenus par radio.

— Ne tirez pas ! cria-t-il, et il écrasa si fort l'accélérateur que la coque de sa jambe artificielle coupa dans sa chair.

A cent mètres du barrage, le talus s'abaissait. Tungata braqua le mufle carré de la Land-Rover dans la brèche. Les quatre roues griffèrent le remblai, mordirent la pente et enlevèrent le véhicule de l'autre côté, où il s'enfonça dans l'épaisseur des herbes à éléphant dans un vacarme de moissonneuse-batteuse.

Craig ne pouvait pas suivre. La Mercedes laisserait ses tripes sur la rocaille. Il continua sa course, et pila net au ras du barrage. La voiture dérapa, Craig se jeta sur la portière et tituba sur la piste.

Il reprit son équilibre, escalada le talus sur sa droite. A vingt mètres la Land-Rover bondissait, cahotait, fauchait les pailles en louvoyant entre les arbres. Malgré l'allure de tortue que lui imposait le terrain difficile, elle allait réussir à contourner l'obstacle. Craig s'élança.

Tungata Zebiwe le repéra. D'une main il leva son fusil pour le pointer sur lui. Mais Sally-Ann s'accrochait à son bras, et il ne pouvait pas lâcher le volant. Dans la lutte confuse qui s'ensuivit, la 4×4 tanguait en zigzags qui permettaient à Craig de rattraper son retard. Tungata avait lâché son arme. Du tranchant de la main il administra un coup brutal derrière l'oreille de Sally-Ann. Elle s'écroula contre le tableau de bord. Puis la voiture vira, parut osciller un instant sur l'à-pic qui dominait la piste, avant de faire le grand saut et de retomber en contrebas dans un fracas de métal et de pneus torturés.

Craig mobilisa ses dernières forces pour se précipiter sur le talus. Trois mètres plus bas, la Land-Rover s'était miraculeusement rétablie sur ses quatre roues. Hébété, la bouche en sang, Zebiwe était encore secoué par le choc qui l'avait projeté contre le volant.

Craig n'hésita pas. Il sauta, dans un plongeon qui lui coupa le souffle. La Land-Rover démarrait. Il se reçut en catastrophe, cassé en deux sur le hayon. Il sentit craquer ses côtes sur la tôle, sentit ses poumons expulser tout ce qu'ils contenaient d'air et sa vision se brouilla — mais il trouva une prise à la base de l'antenne radio et s'accrocha désespérément, les pieds traînant au sol.

Derrière lui le camion militaire se dégageait du barrage, tous phares allumés, moteur grondant. Droit devant, la fourche du croisement arrivait à tombeau ouvert.

Zebiwe bifurqua sur la gauche. Le véhicule bascula sur deux roues et Craig, agrippé au métal comme un forcené, sentit se tordre les tendons de ses épaules et jouer les os dans leurs articulations. Ils filaient vers le nord, vers la Zambie. La route descendait vers la grande faille et ils ne trouveraient aucune habitation, aucun être humain dans cette contrée infestée de mouches tsé-tsé avant le poste frontière et le pont qui enjambait le Zambèze à Chirundu, quelque cent miles plus loin. Avec un otage, Tungata y arriverait peut-être. Si toutefois Craig lâchait prise.

Craig ne lâchait pas prise. Centimètre par centimètre, il se hissait dans la voiture. Sally-Ann se tassait sur le siège en dodelinant de la tête à chaque virage. A côté d'elle Tungata se dressait, immense, et ses épaules carrées tendaient le tissu immaculé de sa chemise.

Craig lâcha une main pour tenter d'agripper la banquette arrière. Immédiatement la Land-Rover vira brusquement. Il saisit le regard de Tungata dans le rétroviseur. Le fugitif avait repéré son passager clandestin.

Tungata donna un nouveau coup de volant qui les précipita au ras du talus. Craig vit l'escarpement foncer sur lui dans la lumière des phares. Il allait se retrouver pulvérisé contre le roc, coincé entre la pierre et le métal. Dans un effort désespéré il se plia en deux pour hisser ses jambes à l'intérieur. La tôle heurta le roc dans un crissement strident. Quelque chose accrocha sa jambe, secoua sa hanche, et arracha sa prothèse. Avec une jambe de chair et d'os il y aurait laissé sa vie. Mais là, comme la Land-Rover virait à nouveau pour retrouver la route, il profita de son élan pour rouler sur la banquette arrière et refermer son coude dans un étau mortel sur le cou de Zebiwe.

Il sentait contre sa peau le larynx de sa victime, et l'ossature des vertèbres, comme une branche morte prête à se briser.

Tungata abandonna le volant avec un gémissement rauque, pour tenter de se dégager. La Land-Rover quitta la route, bascula dans la rocaille et boula dans le vide dans un hurlement de tôles froissées.

Craig fut éjecté dès le premier tonneau. Il valdingua dans les fourrés et resta allongé sur le sol un instant, les oreilles bourdonnantes, le corps endolori, avant de reprendre ses esprits et de se redresser.

La Land-Rover gisait les roues en l'air. Les phares étaient toujours allumés et éclairaient vingt mètres plus bas le corps prostré de Sally-Ann. Un mince serpent de sang coulait en travers de son visage.

Il rampa vers elle. A ce moment une silhouette se détacha dans l'ombre, grande, noire, massive. Tungata paraissait hébété, il titubait, les mains à sa gorge. En le voyant Craig bouillonna de rage.

Il fondit sur lui, et leurs deux corps se heurtèrent dans un choc sauvage. Depuis leur dernière lutte Craig avait oublié la puissance quasiment animale du bonhomme. Il était cuirassé de muscles durs, résistants, noirs comme la chape des pneus d'un quinze-tonnes transcontinental. Sur une seule patte, Craig ne resta pas longtemps debout.

Il tomba, accroché à son adversaire, et utilisa l'impulsion de sa chute pour l'empaler sur le bonnet de caoutchouc de son moignon.

Il y eut un bruit sourd. Tungata encaissa le coup, grogna, s'affaissa. Craig lui empoigna la gorge à deux mains. Il sentit les muscles noueux qui encadraient la saillie du cartilage thyroïde, et y enfonça ses deux pouces sauvagement. Mais au dernier moment sa colère s'évanouit. Il ne pouvait pas le tuer. Ses mains se décrispèrent.

Il se traîna jusqu'à Sally-Ann et la prit doucement dans ses bras pour la bercer contre son épaule, désespéré par le poids flasque, sans vie, de son corps inerte contre sa poitrine. D'une main il essuya le filet de sang qui barrait son front.

— Mon amour. Oh, mon amour!

Sur la route un camion s'arrêta dans un grincement de freins. Un flot de soldats dévalaient la pente, aboyant comme des molosses pour l'hallali.

Sally-Ann avait quatre côtes cassées, une cheville foulée et un hématome violacé sur le cou, là où Zebiwe l'avait frappée. Heureusement, la blessure de son cuir chevelu n'était que superficielle. On la garda tout de même en observation dans la chambre privée que Peter Fungabera avait réquisitionnée à l'hôpital surpeuplé de Harare.

C'est là que M. Abel Khori, procureur général désigné pour l'affaire Zebiwe, vint lui rendre visite. M. Khori était un Shona à l'air très distingué qui se targuait d'avoir plaidé à Londres et arborait encore l'habit de Lincoln's Inn Fields[1], ainsi qu'un penchant funeste pour les locutions latines.

— En venant vous voir, chère mademoiselle, je n'ai d'autre objectif que d'éclaircir un peu certains points dans la déclaration que vous avez faite à la police. Loin de moi l'idée, bien sûr, d'essayer en aucune manière d'influencer votre témoignage.

Quelques manifestations matabélé s'étaient spontanément organisées dans le sud du pays. Manifestations que le rédacteur en chef shona du *Herald* avait reléguées dans les pages du milieu de son journal.

— Gardons surtout à l'esprit que cet homme est accusé *ipso jure* d'actes criminels, et qu'il faut éviter de faire de lui un martyr. Vous comprenez le danger. Plus tôt cette affaire sera classée *mutatis mutandis*, et mieux ce sera pour tout le monde.

La précipitation avec laquelle Tungata Zebiwe devait comparaître devant la Cour suprême — dans dix jours — avait en effet quelque chose de surprenant.

— Impossible de garder *nudis verbis* un homme de son envergure en prison, voyez-vous. Et en le libérant sous caution, nous ne ferions qu'exalter ses fidèles.

A part ce procès, Craig et Sally-Ann avaient d'autres préoccupations. Il fallait renouveler le certificat de navigabilité du Cessna, par exemple. Formalité pour laquelle la jeune fille devait présenter son avion à Johannesburg. Elle s'arrangea pour qu'un pilote descende l'appareil à sa place.

— Je suis comme un oiseau sans ailes.

— Un sentiment que je connais bien, dit Craig en tapant sa béquille sur le sol.

— Excuse-moi...

— Pas grave. Ça ne me gêne plus de parler de ma patte folle. Plus avec toi, en tout cas.

— Tu dois la récupérer bientôt?

— Morgan Oxford l'a expédiée par la valise diplomatique, et Henry Pickering m'a promis de harceler les techniciens de *Hopkins Orthopaedics*. Je devrais l'avoir pour le procès.

1. Lincoln's Inn Fields : école de droit londonienne.

Le procès. Tout semblait revenir au procès. Même l'approche de l'inauguration de Zambezi Waters ne pouvait pas distraire sa pensée des préparatifs du procès. Heureusement Peter Younghusband, le jeune guide kenyan choisi par Sally-Ann, avait débarqué à Zambezi Waters pour prendre les choses en main. Craig lui téléphonait, ainsi qu'à Hans Groenewald, en moyenne deux fois par jour.

Sa prothèse arriva la veille du jour où Sally-Ann sortait de l'hôpital. Il remonta son pantalon pour la lui montrer.

— Recarrossée, lubrifiée, et entièrement remise à neuf. Comment va ta tête ?

— Exactement comme ta jambe.

Elle marchait avec une canne, et des bandages sanglaient encore sa poitrine quand elle descendit son sac le lendemain matin. Il la vit grimacer en grimpant dans la Land-Rover.

— Tes côtes te font encore mal ?

— Tant que personne ne me les caresse dans le mauvais sens, ça ira.

— Pas de caresses. C'est un ordre ?

— Si on veut.

Elle baissa les yeux pour ajouter :

— Mais les ordres sont faits pour qu'on y désobéisse.

La deuxième chambre de la division mashonaland de la Cour suprême du Zimbabwe avait conservé tous les accessoires de la justice britannique : la chaire aux armoiries de la République, au-dessus du fauteuil du juge, qui dominait la salle du tribunal, les rangées de bancs de chêne qui lui faisaient face, et la barre des témoins avec le banc des accusés, de chaque côté. Procureurs, assesseurs et avoués portaient de longues robes noires tandis que le juge paradait dans sa pourpre. Seule la couleur des visages avait changé, leur peau noire accentuée par la blancheur des boucles serrées des perruques et les pans immaculés des cols empesés.

Le tribunal était bondé. Quand il n'y eut plus de place dans les allées, les huissiers fermèrent les portes, laissant la foule s'amasser dans les couloirs. L'assistance était disciplinée, grave, des Matabélé pour la plupart, qui avaient traversé le pays en car, exhibant à leur col la rosette de la ZANU. C'est seulement quand on conduisit l'accusé dans le box qu'un courant parcourut l'assemblée. Dans les derniers rangs une femme cria d'une voix hystérique : «*Bayété, Nkosi nkulu !*», et salua de son poing levé.

Les gardes l'empoignèrent immédiatement pour lui faire évacuer les lieux. Tungata Zebiwe promena alentour un regard impassible. Droit, formidable, il écrasait de sa stature imposante tous ceux qui l'entouraient. Même le juge Domashawa, un grand Mashona émacié doté d'un nez aquilin et de deux petits yeux de sansonnet, malgré toute l'autorité de sa robe et de sa pourpre, semblait désespérément banal en comparaison.

Ses deux assesseurs en robe noire étaient shona eux aussi. Le premier appartenait à la Commission pour la préservation de la faune, le second était une autorité en matière de jurisprudence.

Le juge arrangea les plis de sa robe, comme fait une autruche avant de s'installer sur son nid, et fixa ses yeux noirs sur Tungata Zebiwe pendant que le greffier lisait l'acte d'accusation en anglais.

Il y avait huit principaux chefs d'accusation : infraction aux lois réglementant le commerce international de la faune, prise d'otage, attaque à main armée, coups et blessures, tentative de meurtre, délit de fuite, vol d'un véhicule automobile et dommages causés intentionnellement à la propriété de l'Etat. A quoi venaient s'ajouter douze chefs d'accusation moins importants.

— Bon Dieu ! chuchota Craig à l'oreille de Sally-Ann. Ils ne l'ont pas raté.

— Heureusement. J'aimerais le voir au bout d'une corde, ce salaud !

— Pas de chance, aucun des chefs d'accusation ne mérite la peine capitale.

Et pourtant, pendant que le procureur général ouvrait les débats, Craig eut le sentiment d'assister au premier acte d'une tragédie grecque où le héros condamné par le destin succombe aux assauts d'ennemis qui ne lui arrivent pas à la cheville.

Peter Fungabera inaugurait la liste impressionnante des témoins à charge. Superbe, en grand uniforme, il prêta serment d'un air martial, son éternel stick à la main. Son témoignage fut simple, direct, et sans équivoque. Impressionné, le juge branlait gravement du chef en prenant des notes. Le comité central de la ZANU avait mandaté un avocat londonien pour la défense, mais même maître Joseph Petal, QC [1], ne parvint pas à désarçonner Peter Fungabera. Il comprit bientôt la futilité de ses efforts et se retira pour attendre une proie plus vulnérable.

Témoin suivant : le chauffeur du Ford qui convoyait la marchandise. C'était un ancien guérillero de la ZIPRA, récemment libéré d'un centre de réhabilitation. Il fit sa déposition dans son dialecte. L'interprète du tribunal traduisait.

— Aviez-vous déjà rencontré l'accusé avant la nuit de votre arrestation ?

— Oui, j'ai combattu à ses côtés.

— Et vous l'avez revu après la guerre ?

— Oui. L'année dernière.

— Avant votre séjour au centre de réhabilitation ?

— Oui, avant.

— Où a eu lieu votre rencontre ?

— Dans la vallée, près du grand fleuve.

— Voulez-vous expliquer à la Cour le but de cette rencontre ?

— Nous chassions les éléphants — pour l'ivoire.

— Et comment les chassiez-vous ?

— Avec l'aide des habitants d'un village batonka et un hélicoptère, nous les avons rabattus dans un vieux champ de mines.

— Objection, Votre Honneur.

Maître Petal avait bondi.

— Ce type de question n'a aucun rapport avec l'acte d'accusation.

1. QC : Membre du *Queen's Council*, et avocat officiel de la couronne d'Angleterre.

— Objection rejetée, maître Petal. Ces questions éclairent l'instruction du premier chef d'accusation. Continuez, je vous prie.

— Combien d'éléphants avez-vous tués ?

— Peut-être deux cents, je ne sais pas.

— Et vous affirmez que le ministre Tungata Zebiwe se trouvait là ?

— Il est venu à la fin, pour compter l'ivoire.

Quand vint son tour d'interroger le témoin, maître Petal contre-attaqua d'emblée.

— J'affirme que vous n'avez jamais appartenu au groupe de résistance de Tungata Zebiwe. J'affirme que vous n'avez jamais rencontré le ministre avant cette nuit sur la route de Karoi...

— Je proteste, Votre Honneur, fit Abel Khori, indigné. La défense cherche à discréditer le témoin, sachant pertinemment qu'il n'existe aucun registre officiel des Combattants de la liberté et que le témoin ne peut pas, en conséquence, prouver qu'il a vaillamment servi la cause de la patrie.

— Maître Petal, voulez-vous limiter vos questions aux événements qui concernent ce procès, je vous prie.

— Très bien.

Ravalant sa rancœur, l'avocat londonien reprit son interrogatoire :

— Pouvez-vous indiquer à la Cour la date de votre libération du centre de réhabilitation ?

— J'ai oublié.

— Etait-ce longtemps, ou peu de temps, avant votre arrestation ?

— Pas longtemps, répondit le témoin, buté, en fixant ses pieds.

— La vérité, c'est qu'on vous a libéré de prison à condition que vous acceptiez de conduire ce camion, et que vous déposiez contre...

— Votre Honneur ! piailla Abel Khori.

Et la voix du juge était tout aussi stridente, tout aussi outrée.

— Maître Petal ! Les centres de réhabilitation ne sont pas des prisons !

— Excusez-moi. Vous a-t-on fait des promesses en vous relâchant ? insista l'avocat.

— Non.

Le témoin jetait alentour des coups d'œil embarrassés.

— N'avez-vous pas reçu la visite d'un certain capitaine Timon Nbebi, deux jours avant votre libération ?

— Non.

— Vous n'avez reçu aucune visite ?

— Non ! Non !

— En êtes-vous sûr ?

— Le témoin a déjà répondu à cette question, coupa le juge.

Maître Petal jeta les bras au ciel en poussant un soupir théâtral.

— J'ai fini, Votre Honneur.

— D'autres témoins, maître Khori ?

Timon Nbebi aurait dû ensuite déposer à la barre. Curieusement, l'avocat général ne l'appela pas. Il passa directement à l'audition du soldat qui s'était fait renverser par la Land-Rover. Craig se perdit en conjectures sur les raisons d'un tel changement de tactique. Le procureur cherchait-il à protéger Timon Nbebi des questions trop embarrassantes de la défense ? Il préféra écarter une telle éventualité de son esprit.

La nécessité de traduire toutes les dépositions fit traîner la procédure, et c'est seulement au troisième jour du procès qu'on appela Craig à la barre.

Après avoir prêté serment, Craig jeta un regard vers le box des accusés. Les yeux fixés sur lui, Tungata Zebiwe lui adressa un signe imperceptible de la main droite.

A l'époque où ils battaient la brousse ensemble, ils avaient adopté un langage par signes qui leur permettait de communiquer en silence quand la proximité d'un gibier dangereux leur imposait la plus extrême prudence. Et voici que Tungata, poing fermé, ses doigts noirs crispés sur la peau rose de sa paume, le prévenait d'un danger.

La dernière fois qu'il lui avait fait ce signe, Craig avait tout juste eu le temps de pivoter pour faire face à une lionne enragée, le poitrail déchiqueté par une blessure hideuse, les naseaux écumants de sang, qui se jetait sur lui avec tant de force que son Magnum 458, en lui perforant le cœur, n'avait pas stoppé net l'élan du fauve. Craig s'était retrouvé projeté à terre sous une avalanche de muscles et de poils dégoulinants de sang.

Et cette fois ? Etait-ce un avertissement, ou une menace ? Mais Tungata restait impassible, et Craig s'aperçut brusquement qu'il venait de manquer la première question d'Abel Khori.

Pendant toute sa déposition, l'accusé demeura figé, impénétrable, comme une silhouette sculptée dans le granite du Matabeleland. Pourtant, pas une seconde ses yeux ne quittèrent le visage de Craig.

Au moment où maître Petal se levait pour l'interroger à son tour il se pencha, et murmura quelques mots à son oreille. L'avocat protesta, mais son client eut un geste péremptoire.

— Pas de questions, Votre Honneur, dit enfin maître Petal avant de réintégrer son fauteuil, laissant Craig libre de quitter la barre sans avoir à subir le harcèlement de la défense.

Sally-Ann fermait le défilé des témoins à charge. Elle boitait encore légèrement, la meurtrissure qui bleuissait son cou était encore clairement visible, et Abel Khori sut exploiter à merveille la séduction d'un témoin si touchant.

Très sagement, maître Petal se dispensa une fois encore d'entrer en scène.

On était au troisième jour du procès. L'accusation clôtura son réquisitoire et Craig quitta le prétoire en proie à un trouble indéfinissable.

Il dîna avec Sally-Ann dans leur rôtisserie favorite, mais même une bonne bouteille de vin du Cap ne suffit pas à le dérider.

— Cette histoire de chauffeur qui n'a jamais rencontré Tungata, et auquel on offre la liberté contre la promesse de conduire ce camion...

— Tu ne vas pas croire ces sornettes ? Le juge lui-même avait l'air ébahi qu'on puisse imaginer un scénario pareil.

Après avoir déposé la jeune fille chez elle, Craig erra seul dans les rues désertes, habité par un curieux sentiment de trahison — sentiment pour lequel il ne trouvait aucune explication logique.

Maître Joseph Petal commença par l'audition du chauffeur de Tungata Zebiwe.

C'était un Matabélé à la carrure massive, jeune encore, et pourtant empâté, avec une face de lune sur laquelle on attendait un sourire, mais qui n'exprimait maintenant qu'inquiétude et confusion. Son crâne avait été récemment rasé, et il ne leva pas une seule fois les yeux vers Tungata de toute la durée de sa déposition.

— La nuit de votre arrestation, quels ordres aviez-vous reçus de M. Zebiwe ?

— Rien. Aucun ordre.

Maître Petal eut l'air surpris, et consulta ses notes.

— Il ne vous a pas indiqué où vous alliez avant de partir ?

— Non. Il disait « tout droit », « à gauche », « à droite »...

Manifestement l'avocat ne s'attendait pas à pareille réponse.

— Il ne vous a pas ordonné de le conduire à la base missionnaire de Tuti ?

— Objection, Votre Honneur.

— N'influencez pas le témoin, maître Petal.

Visiblement, l'avocat révisait sa tactique. Il compulsa ses notes, jeta un coup d'œil à son client, et changea le ton de ses questions.

— Vous n'avez pas bougé de la prison depuis la nuit de votre arrestation, n'est-ce pas ?

— Non.

— Avez-vous eu des visites ?

— Ma femme.

— Personne d'autre ?

— Non.

Le chauffeur baissa piteusement la tête.

— D'où viennent ces marques sur votre crâne ? On vous a battu ?

Pour la première fois, Craig remarqua les ecchymoses tumescentes sur le cuir chevelu du chauffeur.

— Maître Petal, intervint le juge Domashawa d'un ton menaçant. Où diable voulez-vous donc en venir ?

— Votre Honneur, j'essaie simplement de savoir pourquoi la déposition du témoin ne concorde pas avec les déclarations qu'il a faites à la police.

Maître Petal tenta encore une fois de tirer quelque chose du chauffeur puis, devant tant d'obstination, finit par abandonner la partie avec un geste résigné. Abel Khori se leva pour l'interroger à son tour, le sourire aux lèvres.

— Donc le camion vous a fait des appels de phares ?

— Oui.

— Et que vous a-t-on dit à ce moment-là ?

Le témoin fronça les sourcils en rassemblant ses souvenirs, et murmura :

— Le camarade ministre Zebiwe a dit : « Le voilà. Arrête-toi. »

— « Le voilà ! » répéta le procureur en martelant ses syllabes d'un ton triomphant. « Arrête-toi ! » C'est bien ce que l'accusé a dit en voyant le camion, n'est-ce pas ?

— Oui, c'est bien ça.

— Je n'ai plus de questions, Votre Honneur.

— J'appelle à la barre Sarah Tandiwe Nyoni.

Devant le témoin surprise de la défense, Abel Khori fronça les sourcils et s'entretint d'un air agité avec ses deux confrères. L'un d'eux se leva et quitta le prétoire en hâte.

Sarah Tandiwe Nyoni prêta serment dans un anglais irréprochable. Sa voix était douce, mélodieuse, son allure tout aussi réservée que le jour où Craig l'avait vue pour la première fois à l'école de la mission. Elle portait une robe de coton d'un vert acide et des chaussures blanches sans talons. Ses cheveux étaient tressés en nattes élaborées, et quand elle eut fini de prêter serment elle tourna ses regards vers Tungata Zebiwe. Il n'eut pas le moindre sourire, mais sa main droite, appuyée sur la paroi du box, bougea légèrement, et Craig reconnut un de leurs signaux : « Courage. Je suis à tes côtés. »

— Connaissez-vous l'accusé ?

La jeune fille redressa la tête, et regarda maître Petal droit dans les yeux.

Elle jeta un nouveau coup d'œil vers Tungata, et son visage parut s'illuminer comme elle murmurait d'une voix rauque :

— Oui, je le connais.

— Vous a-t-il déjà rendu visite à la base missionnaire de Tuti ?

— Oui.

— Souvent ?

— Le camarade ministre est un homme très occupé. Je ne suis qu'une institutrice...

En surprenant un nouveau signe de Tungata elle esquissa un sourire et reprit :

— Il venait aussi souvent qu'il le pouvait, mais pas aussi souvent qu'il l'aurait souhaité.

— La nuit de son arrestation, attendiez-vous son arrivée ?

— Oui. Il m'avait téléphoné la veille pour m'annoncer qu'il viendrait avant minuit.

Son sourire s'évanouit.

— J'ai attendu jusqu'à l'aube... Il n'est pas venu.

— Savez-vous si sa visite avait un but particulier ?

— Oui.

Fascinée, Sally-Ann voyait pour la première fois rougir une Noire.

— Oui, il devait parler à mon père. J'avais arrangé un rendez-vous.

L'adjoint d'Abel Khori avait réintégré son siège pour lui tendre un feuillet couvert de notes. Le procureur le prit, et se leva pour interroger l'institutrice.

— Mademoiselle Nyoni, vous plairait-il d'expliquer à la Cour la signification du mot *isifebi* en ndébélé ?

Tungata Zebiwe étouffa un rugissement et fit mine de se lever, mais le policier qui le gardait le força à se rasseoir.

— Cela veut dire «putain», répondit tranquillement Sarah.

— Ce terme ne désigne-t-il pas aussi une femme qui vit avec un homme hors des liens du mariage...

— Votre Honneur!

L'objection de maître Petal arrivait un peu tard, mais le juge Domashawa l'accepta.

— Mademoiselle Nyoni, reprit Abel Khori, aimez-vous l'accusé?

Parlez plus haut s'il vous plaît, la Cour ne vous entend pas.

Cette fois la voix de Sarah s'éleva, ferme, comme un défi.

— Oui, je l'aime.

— Feriez-vous n'importe quoi pour lui?

— Oui.

— Même mentir pour sauver sa vie?

— Objection!

Joseph Petal s'était levé d'un bond. Le procureur devança l'intervention du juge.

— Je retire ma question et j'affirme, mademoiselle Nyoni, que l'accusé vous a demandé de lui fournir une cache dans les dépendances de votre école pour y entreposer de l'ivoire et des fourrures.

— Non! Il ne ferait jamais...

— Il vous a demandé de surveiller le chargement de cette marchandise dans un camion...

— Non! Non!

— Quand vous lui avez parlé au téléphone, n'était-ce pas plutôt pour convenir d'un nouvel envoi...?

— Non! sanglotait Sarah.

— Je n'ai plus de questions, Votre Honneur.

Visiblement très satisfait de lui-même, Abel Khori s'assit. Son adjoint se pencha pour chuchoter à son oreille des félicitations empressées.

— J'appelle à la barre le ministre Tungata Zebiwe.

De la part de maître Petal, c'était une manœuvre risquée. Il commença par rappeler le rôle de Tungata dans la communauté, ses services rendus à la révolution, son mode de vie frugal.

— Pouvez-vous expliquer à la Cour pourquoi vous vous trouviez ce soir-là sur la route de Karoi ?

— Je me rendais à la base missionnaire de Tuti.

— Pour quelles raisons ?

— Pour rendre visite à Mlle Nyoni, et pour avoir avec son père une conversation d'ordre privé.

— Vous aviez prévenu de votre arrivée ?

— Oui. Par téléphone.

— Ce n'était pas la première fois que vous alliez chez elle ?

— C'est exact.

— Où dormiez-vous, quand vous passiez la nuit à Tuti ?

— Dans une hutte qui m'était réservée.

— Une hutte ? Un tel gîte ne vous paraissait pas indigne de vous ?

— Au contraire, j'aime à retrouver les traditions de mon peuple.

— Quelqu'un partageait-il cette hutte avec vous ?

— Mon chauffeur et mes gardes du corps.

— Mlle Nyoni... lui arrivait-il de vous rendre visite dans cette hutte ?

— Cela aurait été contraire à nos coutumes et à nos lois tribales.

— Le procureur a utilisé le mot *isifebi.* Qu'en pensez-vous ?

— Peut-être s'imagine-t-il que je fréquente le même genre de femme que lui.

Le juge daigna sourire.

— Monsieur le ministre, quelqu'un était-il au courant de votre intention de visiter la mission ce soir-là ?

— Ce n'était pas un secret. Je l'avais écrit en toutes lettres dans mon agenda.

— Cet agenda est-il en votre possession ?

— Non. J'ai demandé à mon secrétaire de le faire parvenir à la défense mais il avait disparu de mon bureau.

— Je vois. En demandant à votre chauffeur de préparer la voiture, l'aviez-vous informé de votre destination ?

— Oui.
— Il prétend le contraire.
— C'est que sa mémoire lui joue des tours, ou qu'il a de bonnes raisons d'oublier.
— Très bien. Voulez-vous maintenant expliquer à la Cour ce qui s'est passé quand vous avez repéré le camion?
— Il était garé dans l'ombre, sur le bas-côté. Le chauffeur nous a adressé des appels de phares et s'est avancé sur la piste.
— De telle sorte qu'il vous forçait à vous arrêter?
— Exact.
— Qu'avez-vous fait alors?
— J'ai dit à mon chauffeur : « Attention. C'est peut-être un piège. »
— Vous ne vous attendiez donc pas à voir ce camion?
— Absolument pas.
— Avez-vous dit à ce moment-là : « Ah! le voici. Arrête-toi »?
— Absolument pas.
— Qu'entendiez-vous par les mots : « C'est peut-être un piège »?
— Les routes de campagne ne sont pas sûres depuis quelque temps.
— Vous pensiez donc avoir de bonnes raisons de vous méfier?
— Exact.
— Et que s'est-il passé à ce moment-là?
— Mes deux gardes du corps ont quitté la Mercedes pour parler au chauffeur du camion.
— Pouviez-vous distinguer les traits de ce chauffeur?
— Oui. Je ne l'avais jamais vu auparavant.
— Continuez votre récit.
— Brusquement, derrière nous, d'autres phares ont éclairé la piste. Une voix a ordonné à mes hommes de se rendre et de jeter leurs armes. Des soldats ont encerclé ma voiture et m'ont violemment tiré dehors.
— Parmi ces soldats, en avez-vous reconnu?
— Oui. J'ai reconnu le général Fungabera.
— Cela a-t-il apaisé vos craintes?

— Au contraire. Plus que jamais j'étais convaincu que ma vie était en danger.

— Et pourquoi cela, monsieur le ministre ?

— La brigade que commande le général Fungabera s'est rendue tristement célèbre chez les Matabélé.

— Objection, Votre Honneur ! gronda Abel Khori. La 3e brigade est une unité régulière de l'armée de la République, et le général Fungabera n'a rien à se reprocher.

— L'objection de l'accusation est totalement fondée.

Oubliant la dignité de sa charge, le juge tremblait de colère.

— Je ne permettrai pas à l'accusé d'utiliser ce tribunal pour diffamer l'un de nos plus vaillants officiers, et le bataillon d'élite de notre armée. Je ne laisserai pas l'accusé étaler les préjugés de sa haine tribale. Je vous avertis : je n'hésiterai pas à vous accuser d'outrage à la Cour si vous continuez dans ce registre.

Joseph Petal laissa s'écouler trente bonnes secondes de silence pour donner à son client le temps de digérer cette tirade.

— Vous pensiez donc que votre vie était en danger ?

— Oui.

— Avez-vous vu les soldats décharger de l'ivoire et des fourrures du camion ?

— En effet.

— Quelle a été votre réaction ?

— Je me suis dit que d'une façon ou d'une autre, cette marchandise allait être utilisée pour m'incriminer, et servirait peut-être même de prétexte pour m'abattre sur place.

— Objection, Votre Honneur !

— C'est mon dernier avertissement à l'accusé ! tonna le juge, menaçant.

— Qu'est-il arrivé à ce moment-là ?

— Mlle Jay s'est approchée. J'ai vu en elle ma dernière chance de survie. Je l'ai empoignée immédiatement pour empêcher les soldats de tirer, et j'ai tenté de fuir à bord de la Land-Rover.

— Je vous remercie, monsieur le ministre.

Maître Petal se tourna vers le juge :

Votre Honneur, mon client a subi un interrogatoire épuisant. Puis-je suggérer une suspension d'audience jusqu'à demain matin, afin qu'il se repose ?

Abel Khori se leva d'un bond.

— Il est à peine midi, et l'accusé est à la barre depuis moins de trente minutes. De plus son avocat a posé ses questions *recte et sauviter,* ce qui, *per se,* est une simple bagatelle pour un soldat de sa trempe.

Dans son agitation, le procureur retombait dans son cher latin.

— Nous allons poursuivre l'audience, maître Petal, décida le juge, et l'avocat de la défense haussa les épaules. A vous, maître Khori.

Le procureur avait la partie belle. Il se fit lyrique, flamboyant, passa en revue les chefs d'accusation et, une par une, assena les preuves qui pesaient sur le prévenu. Pendant une heure il s'acharna sur lui, lui arracha une série d'aveux accablants et quand il réintégra son fauteuil en se rengorgeant comme un jeune coq, Craig se dit que maître Joseph Petal avait payé bien cher le risque d'appeler son client à la barre.

Le juge mit son jugement en délibéré et réserva son verdict pour le lendemain.

Au dîner, Sally-Ann avoua :

— Pour la première fois aujourd'hui, ce procès m'a mise mal à l'aise. Pauvre Sarah ! Elle est totalement touchante, cette gamine.

— Si Sarah est une gamine, toi, tu es encore au biberon. Elle doit avoir un ou deux ans de plus que toi !

Le juge Domashawa lut son verdict de sa voix flûtée, une voix de vieille fille qui cadrait mal avec la gravité du sujet. Il commença par résumer les faits et continua :

— La défense a basé sa thèse sur deux éléments. Le premier, le témoignage de Mlle Sarah Nyoni, tend à établir que l'accusé était en route pour... ce que nous appellerons une mission amoureuse. Sa rencontre avec un camion contenant des marchandises illégales n'aurait été que le fruit d'une coïncidence ou d'une malveillance inexpliquée, ourdie par quelqu'un dont l'identité reste un mystère.

» La Cour a vu en Mlle Nyoni une jeune fille charmante mais un tantinet naïve et, de son propre aveu, aveuglément dévouée à l'accusé. La Cour a donc cru bon d'accréditer le postulat de l'accusation selon lequel Mlle Nyoni aurait poussé le dévouement jusqu'à se rendre complice de l'accusé.

» En conséquence, la Cour rejette le témoignage de Mlle Nyoni, qui lui semble par trop partial et peu digne de foi.

» Deuxième argument de la défense : l'hypothèse que la vie de l'accusé ait pu être en danger, ou qu'il ait pu se croire menacé, et qu'il ne se soit alors lancé dans une série d'actions regrettables que pour protéger sa vie.

» Le général Peter Fungabera est un officier à la réputation sans tache, un haut dignitaire de l'Etat. La 3e brigade est une unité d'élite de l'armée régulière, et ses membres des modèles de discipline et de courage.

» En conséquence, la Cour rejette catégoriquement les allégations de l'accusé selon lesquelles le général Fungabera ou ses hommes aient pu, de quelque manière que ce soit, présenter un danger quelconque pour sa sécurité. Elle exclut également la possibilité que l'accusé ait pu croire qu'il en fût ainsi.

» En conséquence, au regard du premier chef d'accusation, infraction aux lois réglementant le commerce international de la faune, je reconnais l'accusé coupable, et le condamne à douze ans de réclusion.

Défilèrent ensuite les autres chefs d'accusation. Prise d'otage : dix ans. Attaque à main armée : six ans. Tentative de meurtre : six ans.

— Le tout cumulable, et sans sursis.

Même Abel Khori sursauta. En tout, les sentences totalisaient quarante ans de réclusion. Au mieux, avec dix ans de remise de peine pour bonne conduite, Tungata écoperait encore de trente ans sous les verrous.

Dans les derniers rangs de l'auditoire, une jeune femme se mit à hurler :

— *Baba!* Le père! Ils nous prennent notre père!
D'autres se joignirent à ses lamentations.
— Père du peuple! Notre père nous est arraché!
Une voix de baryton s'éleva, vibrante :

Pourquoi pleurer, veuves de Shangani,
Pourquoi pleurer, petits-fils de la Taupe,
Puisque vos pères n'ont fait qu'obéir au roi?

C'était un chant de combat séculaire des *impis* de Lobengula, que les hommes reprirent en chœur. Le juge Domashawa se leva, furieux.

— Si le calme ne revient pas immédiatement, je fais évacuer la salle, et je fais emprisonner les meneurs pour outrage à la Cour, cria-t-il par-dessus le vacarme.

Mais il fallut encore cinq bonnes minutes de tohu-bohu avant que les huissiers ne ramènent un semblant d'ordre. Tungata Zebiwe restait tranquillement dans son box, l'ombre d'un sourire sur les lèvres. Avant que ses gardes ne l'emmènent, il adressa à Craig un deuxième signe : «Nous sommes quittes.» Craig avait perdu sa jambe et lui, maintenant, perdait sa liberté.

Craig aurait voulu lui répondre que c'était un marché de dupes, qu'il n'y était pour rien, Tungata se retournait déjà. Ses cerbères tentaient de l'entraîner mais il leur résistait et cherchait des yeux quelqu'un dans la foule.

Sarah Nyoni monta sur son banc et tendit la main. C'est à elle que Tungata réservait son dernier signe : «Mets-toi à l'abri, ordonna-t-il. Cache-toi, tu es en danger.»

Puis il se laissa guider vers les escaliers qui descendaient, sous le prétoire, dans le secret des cellules.

Le palais de justice déversait dans la rue un flot de Matabélé qui psalmodiaient leurs lamentations dans l'avenue, débordaient des trottoirs et bloquaient la circulation du centre-ville en cette fin de matinée. Ecartant à coups d'épaules les journalistes qui tentaient de lui barrer le passage, Craig Mellow se fraya un chemin au travers de la foule en tirant Sally-Ann derrière lui.

Il la poussa dans la Land-Rover, contourna le capot en courant pour se glisser au volant avec un juron à l'adresse d'un dernier photographe particulièrement obstiné, et fonça jusqu'à l'appartement de la jeune fille. Il s'arrêta en bas des marches sans couper le moteur, et attendit en fixant le pare-brise d'un regard hébété.

— Quarante ans ! articula-t-il d'une voix sourde.

— Tu n'y peux rien...

Il frappa du poing sur le volant.

— Quarante ans, nom de Dieu !

— Tu veux monter une seconde ? proposa Sally-Ann.

Il secoua la tête.

— Je rentre à King's Lynn.

— Maintenant ?

— Oui.

— Seul ?

— J'ai envie d'être seul.

— Histoire de te torturer encore un peu plus, hein ? Pas question. Je viens avec toi. Attends-moi ici, le temps d'entasser quelques affaires dans un sac. Ne coupe pas le moteur, j'arrive tout de suite.

Au bout de cinq minutes elle redescendait avec un sac à dos à bout de bras et ses appareils photo en bandoulière.

— On y va.

Sur la route, ils ne se dirent pratiquement pas un mot. Mais Craig était heureux de la sentir à ses côtés, rassuré par sa présence, réconforté par son silence compréhensif qui agissait sur lui comme un baume.

Ils gravirent les collines de King's Lynn à la nuit tombante. Joseph avait repéré les phares. Il les attendait sur la véranda.

— J'ai l'œil sur toi, *Nkosazana.*

Depuis leur première rencontre, Sally-Ann l'avait conquis. Déjà elle était pour lui la « petite maîtresse », et son allure digne et compassée dissimulait mal un sourire comme il ordonnait aux serviteurs de la débarrasser de son maigre bagage.

— Je remplis la baignoire pour vous… très chaud.

— Excellente idée, Joseph.

Après son bain, elle descendit sur la véranda. Craig lui tendit un whisky — bien plein, avec beaucoup de glace — et s'accorda un scotch allongé d'un soupçon de soda.

— Au juge Domashawa, fit-il, amer, en levant son verre. Et à la justice mashona.

Sally-Ann refusa de boire du vin au dîner malgré les protestations de son hôte.

— Le baron Rothschild serait terriblement vexé. Sa meilleure cuvée. Une bouteille que j'ai passée personnellement en fraude.

La gaieté de Craig sonnait faux, factice.

Après le repas il sortit la carafe de brandy.

— Craig, je t'en prie, ne bois pas trop.

Il se figea, son verre à la main, et la dévisagea.

— Non, dit-elle. Je ne me mêle pas de ce qui ne me regarde pas. Au contraire. Ce soir, je te veux sobre.

Il reposa le brandy, repoussa sa chaise et s'avança vers elle.

Elle se leva pour le regarder droit dans les yeux.

— Nous avons attendu suffisamment longtemps, non?

Il referma précautionneusement ses bras sur elle, comme s'il craignait de lui faire mal, et il la sentit lentement mollir, s'alourdir, peser contre lui et lui communiquer sa chaleur à travers la toile légère de ses vêtements.

Leurs lèvres se joignirent. Sa bouche s'ouvrit sous la sienne, moite, offerte, douce comme une figure chauffée au soleil.

Joseph apparut à la porte, un plateau à café dans les mains. Il eut un sourire attendri et referma discrètement. Ni l'un ni l'autre ne l'avaient entendu.

Quand Sally-Ann lui retira sa bouche, Craig fit mine de protester, mais elle posa un doigt sur ses lèvres et articula d'une voix si rauque qu'elle dut s'éclaircir la gorge pour répéter :

— Allons dans ta chambre, tu veux?

Il y eut un moment de gêne quand il s'assit sur le lit pour enlever sa prothèse mais elle s'agenouilla à ses pieds, chemise ouverte sur une poitrine superbe, et défit elle-même les courroies pour embrasser le tampon de chairs durcies à l'extrémité de son moignon.

— Merci, dit-il. J'avais peur que tu ne puisses pas faire ça.

— C'est aussi toi, murmura-t-elle. Ça fait partie de toi.

Et elle y déposa un nouveau baiser avant de faire courir ses lèvres sur son genou, sa cuisse, et plus haut.

Il s'éveilla avant elle, et resta un moment les yeux fermés pour savourer son bonheur. Brusquement, terrifié à l'idée que Sally-Ann ait disparu, il ouvrit les yeux et se tourna — elle était là.

Elle avait rejeté les draps, repoussé les oreillers, et dormait pelotonnée en boule comme un bébé.

Elle dut sentir la caresse de son regard car elle déplia les genoux, roula sur le dos, s'arqua comme une jeune chatte pour s'étirer voluptueusement et, les yeux mi-clos, fronça le nez dans une grimace mutine.

— Dites donc, très cher, vous en connaissez un sacré rayon ! Je regrette d'avoir attendu si longtemps.

Craig, lui, pensait au contraire que tout s'était déroulé en temps voulu. Il le lui avoua un peu plus tard alors que leurs deux corps se défaisaient lentement, comme collés ensemble par leur propre transpiration.

— Nous avons appris d'abord à nous connaître, et c'est très bien comme ça.

— Tu as raison, dit-elle, et elle s'écarta pour examiner son visage. (Ses seins se détachèrent de la poitrine de Craig avec un petit bruit de succion délicieusement obscène.) Je t'aime bien, tu sais.

— Et moi, je... commença-t-il, mais elle lui couvrit précipitamment la bouche.

— Pas encore.

On aurait dit que King's Lynn n'attendait qu'eux. Leur joie d'être ensemble paraissait illuminer le domaine tout entier.

Les Matabélé ne s'y trompaient pas. Quand Craig et Sally-Ann parcouraient les pistes dans leur vieille Land-Rover, les femmes relevaient les yeux de leur mortier ou tournaient la tête sous l'énorme fardeau de bois sec qui pesait sur leur nuque, pour leur adresser un signe et les suivre d'un regard complice. Le vieux Joseph ne disait rien, mais tous les matins il plaçait un bouquet de fleurs fraîchement coupées au chevet de leur lit.

Pendant trois jours Sally-Ann se retint, et un matin, n'y tenant plus, assise sur le lit défait, elle pointa la tasse de thé de son petit déjeuner vers les coupons de calicot que Craig avait punaisés devant les fenêtres, et dit d'un air anodin :

— Bonne idée, de mettre des torchons à vaisselle en guise de rideaux.

— Tu peux faire mieux?

Elle tomba droit dans le panneau. Bientôt elle dessinait des meubles pour la maison, réorganisait le jardin potager, refleurissait plates-bandes et parterres, décidait du menu pour la journée et c'est seulement quand Joseph lui tendit cérémonieusement les clés de l'office qu'elle comprit le rôle qu'elle assumait désormais.

Les jours se succédaient, pleins d'une activité heureuse et fébrile. Ils préparaient le livre de photos, l'ouverture de Zambezi Waters, et Craig s'employait à remettre la ferme à flot pendant que Sally-Ann mettait de l'ordre dans ses dossiers pour le Wildlife Trust.

A chaque semaine qui passait elle sentait s'émousser son envie de résister au sortilège de King's Lynn. Un jour, un télégramme lui annonça que la révision de son Cessna était terminée. Encore fallait-il descendre à Johannesburg pour le récupérer. Elle repoussa à plus tard ce voyage qui l'obligeait à renouer avec une vie qu'elle ne voulait plus mener. La perspective de courir l'Afrique avec un sac de vêtements de rechange et un appareil photo, dormant au hasard des escales et prenant un bain quand l'occasion s'en présentait, ne lui disait plus rien.

Et quand, une semaine plus tard, le formulaire de demande pour le renouvellement de sa bourse lui parvint par lettre recommandée à l'en-tête du Wildlife Trust, elle rangea l'enveloppe sans l'ouvrir.

— Je verrai ça plus tard.

Ce soir-là, à la table de teck de la salle à manger, elle regarda l'homme qui lui faisait face, les murs de pierre où dansait la flamme des bougies, et sut qu'elle venait de prendre une décision capitale.

On leur servit le café sur la véranda. Les grillons peuplaient de crissements les grands jacarandas.

Elle se blottit contre l'épaule de Craig et murmura :

— Il est temps que je te dise... Je t'aime, Craig. Je t'aime tellement.

* * *

Craig voulait se ruer à Bulawayo et tambouriner à la porte du bureau des mariages.

— Pas question. Je veux que tout soit fait dans les règles.

Sally-Ann compta sur ses doigts et gribouilla sur son agenda.

— Le 16 février, décida-t-elle.

— Mais c'est dans quatre mois !

Joseph, lui, approuvait pleinement la décision de la jeune fille.

— Tu te maries à Kingi Lingi, *Nkosikazi.*

Elle connaissait maintenant suffisamment de ndébélé pour savoir qu'on venait de la promouvoir du grade de « petite maîtresse » au rang de « grande lady ».

— Combien d'invités ? demanda Joseph. Deux cents ? Trois cents ?

Si le souvenir de Tungata Zebiwe revenait parfois hanter Craig, le reste du monde paraissait l'avoir totalement oublié. Après la campagne extravagante menée par la presse et la télévision autour de son procès, un épais rideau de silence était retombé sur cette affaire.

Et brusquement, le nom de Tungata Zebiwe allait réapparaître sur tous les écrans et faire la une de tous les journaux.

Assis devant leur téléviseur, Craig et Sally-Ann, incrédules, entendirent un soir les premiers reportages. Quand le programme passa aux prévisions météo, Craig coupa le son. Il revint à son fauteuil, hébété, comme quelqu'un qui vient de subir un choc épouvantable.

— J'ai du mal à y croire. Tungata, responsable d'une horreur pareille ? On croit rêver ! Je connaissais bien les Goodwin. De braves gens.

Nigel Goodwin approchait la quarantaine. Ce qui ne l'empêchait pas d'arborer un visage de gamin, une de ces bonnes bouilles roses que le soleil africain ne noircira jamais. Sa femme, Helen, était une brune mince avec de grands yeux clairs et ingénus.

Leurs deux petites filles étaient pensionnaires au couvent de Bulawayo. Alice Goodwin, huit ans, affichait la rondeur bonhomme de son père, des cheveux roux et des joues semées de taches de son. Stéphanie, cinq ans, était un petit diable plein de malice avec les yeux vifs de sa mère et son épaisse chevelure noire.

Tous les vendredis matin, Nigel et Helen Goodwin parcouraient les soixante-dix-huit miles qui les séparaient de la ville. A 1 heure, ils prenaient les filles au couvent, déjeunaient en famille à l'hôtel *Selborne* et passaient l'après-midi à faire des courses. Pour terminer, pendant que les gamines étaient au cinéma, Helen s'accordait le seul luxe de son existence : une visite au salon de coiffure.

Nigel traînait du côté de l'Association des fermiers matabélé, bavardait avec quelques collègues, et descendait la rue écrasée de soleil d'un pas tranquille, mains dans les poches, cigare au bec, saluant les amis — Noirs et Blancs — au passage et s'arrêtant tous les deux mètres pour échanger quelques banalités. Puis il revenait à son camion Toyota garé devant la coopérative, où son contremaître matabélé, un dénommé Josiah, l'attendait avec deux ouvriers. Ils chargeaient leurs emplettes — outils, pièces détachées, produits vétérinaires — à l'arrière, et Helen arrivait avec ses filles pour reprendre la route de la maison.

— Excusez-moi, mademoiselle, disait Nigel en accostant sa femme, vous n'auriez pas vu Mme Goodwin quelque part ?

C'était sa plaisanterie hebdomadaire, et Helen gloussait en lissant sa mise en plis.

Pour les petites, il avait toujours un sac de gâteries dans ses poches.

— Mais, chéri ! Tu sais bien que les bonbons leur font mal aux dents !

Nigel clignait de l'œil vers sa progéniture et tout le monde s'entassait dans le camion.

Après soixante-deux miles de route goudronnée, le chemin de la ferme s'enfonçait dans la nuit. Les phares allumaient des reflets dans les yeux des bêtes, braves vaches ventrues, et l'odeur de la bouse piquait les narines.

— Commence à faire sec, grommela Nigel. Faudrait de la pluie.

Sur l'épaule de sa mère, la petite Stéphanie s'endormait.

— Voilà la maison. Cooky a allumé les lampes.

Ils se promettaient d'acheter un générateur électrique depuis plus de dix ans, mais restaient obstinément fidèles au gaz et à la paraffine. Entre les acacias, les lumières de la ferme clignotaient.

Nigel gara le camion le long de la véranda et coupa le moteur et les phares. Helen descendit en portant Stéphanie qui suçait son pouce, ses jambes nerveuses ballottant sous sa jupe. Nigel souleva Alice pour la poser à terre.

— *Longile* Josiah. Va dormir, va. Nous déchargerons demain.

Il suivait sa femme vers la véranda quand une torche puissante les cloua dans un faisceau de lumière aveuglant.

— Qui est là ?

Nigel mit un moment à les distinguer. Trois Noirs, en jeans et blousons de toile bleue, un fusil d'assaut AK 47 à la main. Il y en avait d'autres encore, beaucoup d'autres, qui émergeaient de la nuit en poussant Josiah et ses deux ouvriers au bout de leurs armes.

Nigel pensa à son fusil qui reposait dans le coffre de son bureau. Mais de toute façon, il n'était pas chargé. L'une des premières mesures du gouvernement nationaliste à la fin de la guerre avait forcé les fermiers blancs à leur livrer armes et munitions. Et puis quelle importance ? Il n'aurait jamais pu atteindre le coffre.

— Qui c'est, papa ?

La voix d'Alice tremblait de peur. Elle savait, bien sûr. Elle était assez âgée pour se rappeler la guerre.

— Soyez courageuses.

Helen se réfugia contre lui, Stéphanie dans ses bras. Nigel sentit le mufle d'un fusil entre ses omoplates. On lui attachait les mains derrière le dos avec un fil de fer qui coupait cruellement dans sa chair. Ils arrachèrent Stéphanie à sa mère. La gamine se retrouva par terre, les jambes flageolantes encore de sommeil, suçant son pouce, clignant des yeux comme une petite chouette dans la lumière de la torche. Helen aussi eut les poignets ficelés. Elle ravala un gémissement de douleur en mordant ses lèvres. Deux soudards s'approchaient des enfants pour leur infliger le même traitement.

— Ce sont des gosses, dit Nigel en ndébélé. Ne les faites pas souffrir. Ne les attachez pas, s'il vous plaît.

— Ferme-la, chacal ! cracha l'un d'eux en s'agenouillant derrière Stéphanie.

— Ça fait mal, papa, pleurnichait-elle. Dis-lui d'arrêter, ça fait mal.

— Sois courageuse, répéta Nigel.

Il s'en voulait de n'avoir rien d'autre à lui dire. L'autre s'était dirigé vers Alice.

— Je ne pleurerai pas, promit-elle à son père. Je suis une grande fille.

L'homme à la torche, qui commandait manifestement l'opération, poussa les enfants vers la véranda du canon de son fusil automatique. Stéphanie hurlait de terreur en trébuchant sur les marches.

— N'aie pas peur, fit sa sœur. Ce n'est qu'un jeu.

Mais ses propres yeux débordaient de larmes.

Ils alignèrent Nigel et Helen près de leurs filles et la lumière de la lampe joua sur leurs visages, les détaillant les uns après les autres dans un rond blanc éblouissant.

— Pourquoi faites-vous ça ? demanda Nigel. La guerre est finie.

Pas de réponse. Juste un éclair aveuglant dans leurs yeux et les pleurs de Stéphanie, sanglots épouvantés, déchirants. Puis il y eut un murmure dans la nuit, un mélange de voix d'hommes, de femmes et d'enfants, hésitants, terrifiés.

— Ils amènent nos gens, chuchota Helen. Comme pendant la guerre. Pour qu'ils nous regardent.

Elle parlait doucement pour éviter que les enfants n'entendent.

— Ils vont nous exécuter.

Nigel ne répondait pas. Il savait qu'elle avait raison.

— J'aurais dû te dire plus souvent que je t'aimais, murmura-t-il enfin.

— Ça ne fait rien, va. Je le savais.

Ils distinguaient maintenant une foule de Matabélé, une masse anonyme derrière l'écran de lumière, et la voix du leader s'éleva en ndébélé.

— Les voilà, les chacals blancs qui parasitent nos terres ! Les pantins blancs qui traitent avec les tueurs mashona, les mange-merde de Harare, les ennemis du peuple de Lobengula...

L'orateur s'abandonnait peu à peu à une hystérie fanatique. Déjà les soudards se balançaient doucement en chantonnant d'une voix sourde, se perdaient dans cette ivresse guerrière où la raison n'a plus droit de cité. Les Matabélé avaient un nom pour ça : la « folie divine ». Une folie qui avait fait un million de morts sous le règne de Mzilikazi.

— Ce sont les Blancs, ces lèche-bottes, qui ont livré aux Mashona Tungata Zebiwe, le père de notre peuple ! hurlait l'orateur.

— Je t'embrasse, mon amour, chuchota Nigel.

Jamais il n'avait eu pour Helen une parole aussi tendre et c'est cela, non pas la peur, qui la fit sangloter. Elle tenta de réprimer ses pleurs, mais bientôt les larmes ruisselaient sur ses joues pour tomber goutte à goutte de son menton tremblant.

— Qu'est-ce que nous allons faire d'eux ? vociférait le leader.

— Il faut les tuer ! cria l'un de ses sbires, mais les Matabélé gardaient le silence.

— Qu'est-ce que nous allons faire d'eux ?

L'orateur avait sauté de la véranda pour leur postillonner ses hurlements au visage mais ils ne bronchaient pas.

— Qu'est-ce que nous allons faire d'eux ?

Même question, accompagnée cette fois du choc gélatineux d'un canon qui frappait la chair.

— Il faut les tuer.

Une réponse hésitante, terrifiée, assortie d'autres coups, plus violents encore.

— Il faut les tuer !

Peu à peu la clameur prenait corps.

— *Abantwana kamila !* (Une voix de femme, que Nigel identifia comme celle de la vieille Martha, la nourrice.) Mes bébés !

Mais ses cris se perdaient dans le grondement de la foule, gagnée peu à peu par la « folie divine ».

Deux hommes en jean attrapèrent Nigel par le bras pour le forcer à s'agenouiller face au mur.

Le leader tendit sa torche à l'un de ses soudards, prit le pistolet qui gonflait la ceinture de son jean. Il appliqua le canon de son arme sur le crâne du fermier et appuya sur la détente. Nigel fut projeté en avant. Son cerveau éclaboussa le mur blanc et dégoulina jusqu'au sol.

Ses pieds tressautaient encore au moment où ils poussèrent Helen à genoux à côté du cadavre de son mari.

— Maman ! hurla Alice au moment où la deuxième détonation transperçait le front de sa mère en lui défonçant l'occipital.

La pathétique petite démonstration de courage d'Alice ne résista pas. Ses jambes se dérobèrent, et elle se recroquevilla sur le sol de la véranda. Ses boyaux se vidèrent dans un gargouillis retentissant.

Son front reposait sur le sol. Le leader s'avança, pressa le mufle de son arme entre les boucles rousses qui encadraient la peau blanche de sa nuque. Le recul fit tressaillir son bras et la détonation s'étouffa dans un hoquet sinistre. Des arabesques de fumée bleutée défilaient dans le faisceau de la torche.

La petite Stéphanie se débattait. Il l'assomma d'un coup de canon et elle s'affala, inerte, pour gigoter convulsivement dans la mare de sang qui s'étalait autour de sa sœur. Le tueur posa le pied entre ses omoplates pour l'immobiliser au moment de tirer. La balle ressortit de la tempe de la gamine, et fora un trou à peine plus gros qu'un dé à coudre dans le ciment du sol. Le trou eut vite fait de se remplir de sang.

Le tueur y trempa son doigt pour écrire en lettres irrégulières sur le mur blanc de la véranda : « LIBÉREZ TUNGATA ZEBIWE. »

Puis il s'enfonça silencieusement dans la nuit. Ses hommes le suivirent en file indienne, sans un mot, d'une démarche souple de fauves en maraude.

— Je vous promets solennellement, assura le Premier ministre, que ces soi-disant dissidents seront exterminés. Eliminés, jusqu'au dernier.

Derrière les verres de ses lunettes, ses yeux avaient un éclat métallique, aveugle. Les défaillances de la transmission télévisée superposaient des silhouettes fantomatiques autour de sa tête mais n'enlevaient rien à sa colère, qui paraissait déborder de l'écran pour envahir le salon de King's Lynn.

— Jamais je ne l'avais vu dans un état pareil, dit Craig.

— C'est vrai. Il a l'air d'un tel pisse-froid d'habitude.

— J'ai ordonné à l'armée, à la police, de mobiliser toutes leurs unités pour traquer les coupables et les appréhender au plus vite. Nous les trouverons, eux et leurs sympathisants, car on n'échappe pas à la colère du peuple.

— Un bon point pour lui, dit Sally-Ann. Jusqu'ici je n'aimais pas trop le bonhomme, mais là...

— Ne te réjouis pas trop vite. Nous sommes en Afrique,

n'oublie pas. Les mots « traquer », « appréhender » ont un sens différent.

— Craig, je sais que ta sympathie est acquise aux Matabélé. Mais cette fois...

— D'accord, j'avoue. Je connais les Matabélé. Ma famille a appris — à ses dépens parfois — à les apprécier, à les respecter et, oui, à les aimer. Je ne connais pas les Mashona. Je ne parle pas leur langue. Je les sais froids, secrets, et je les crois fourbes et rusés. C'est pourquoi je suis venu vivre ici, au Matabeleland.

— Tu vas prétendre que les Matabélé sont des saints ?

— Seigneur non ! Autrefois, quand ils lançaient leurs raids sur les tribus rivales, leurs guerriers s'amusaient à jeter les enfants en l'air pour les rattraper sur la pointe de leurs lances. Mais la cruauté n'a pas le même sens en Afrique. Si tu dois vivre ici longtemps, tu devrais te mettre ça dans la tête.

Il marqua une pause, et esquissa un sourire.

— Je me souviens d'avoir un jour tenté d'expliquer le concept de démocratie à un guérillero. Quel bide ! Tu ne vois donc pas ? L'Afrique obéit à des règles que nous comprenons mal. Et je te parie un million de dollars contre une cuillerée de bouse d'éléphant que les jours qui viennent nous réservent des événements comme on n'en verra jamais à Denver, au Colorado !

Vint le vendredi, jour de sortie à King's Lynn. Craig et Sally-Ann prirent la Land-Rover pour aller à Bulawayo. Le nouveau cinq-tonnes les suivait, bondé de Matabélé qui profitaient du voyage pour passer la journée en ville. Ils avaient revêtu leurs plus beaux atours, et reprenaient en chœur des refrains joyeux.

Avant d'aborder le carrefour de Thabas Indunas, la Land-Rover rencontra un barrage. Une file de voitures s'étirait sur une centaine de mètres, et la plupart des véhicules se voyaient contraints de faire demi-tour.

— Attends-moi.

Craig remonta la file au pas de course.

Le barrage était impressionnant. De part et d'autre, deux mitrailleuses lourdes s'abritaient derrière une muraille de sacs de sable. Plus loin, en retrait, des engins plus légers couvraient les arrières. Un alignement de fûts pleins de béton jusqu'à la gueule barrait la chaussée, et une rangée de plaques métalliques hérissées de piques couvrait la route. Des soldats de la 3e brigade, avec leur béret rouge et leur insigne d'argent, montaient la garde.

— Que se passe-t-il, sergent ?

— La route est fermée, *Mambo.* On ne passe pas.

— Il faut pourtant que j'aille en ville.

— Pas aujourd'hui. Mieux vaut éviter Bulawayo aujourd'hui.

En effet, un chapelet de claquements assourdis retentit au loin en direction de la ville. On aurait dit du bois vert dans un feu. Craig sentit ses poils se hérisser. Il le connaissait trop bien, ce bruit.

— Rentre chez toi, *Mambo.* Ce n'est plus ton *indaba* maintenant.

Et brusquement Craig prit peur pour les siens. Il eut hâte de ramener saine et sauve à la ferme sa voiturée de Matabélé. Il courut à la Land-Rover et, braquant le volant à cent quatre-vingts degrés, exécuta un demi-tour vertigineux.

— Qu'est-ce qui se passe, Craig ?

— Je crois que c'est commencé, dit-il, les mâchoires crispées, en écrasant l'accélérateur.

Le camion de King's Lynn continuait d'avancer vers le barrage en bringuebalant joyeusement. Les femmes chantaient en tapant des mains, leurs robes claquant au vent. Craig leur fit signe de s'arrêter et sauta sur le marchepied. Dans son costume gris hérité du « patron », Shadrach trônait fièrement à côté du chauffeur.

— On rentre. Retour à Kingi Lingi. Il y a des ennuis, là-bas. En attendant que ça se tasse, personne ne devra quitter le domaine.

— Les soldats mashona ?

— Oui, 3e brigade.

— Tous des chacals et des fils de mange-merde, gronda Shadrach, et il expédia un crachat par la fenêtre.

⁂

— Affirmer que les forces de sécurité ont massacré des milliers d'innocents relève du mensonge pur et simple...

Dans son costume sombre et sa chemise blanche, le ministre de la Justice ressemblait à un agent de change prospère. Il étalait son sourire doucereux sur l'écran, le visage luisant de sueur sous les lampes à arc qui soulignaient le noir charbonneux de sa peau.

— Un ou deux citoyens, malheureusement, sont morts dans les accrochages qui ont opposé les forces de sécurité aux dissidents matabélé. Mais des milliers ! Fadaises ! Si vraiment des milliers de personnes ont été tuées, alors je dis : montrez-moi les corps. Pour ma part, je ne les ai pas vus.

Craig éteignit le poste.

— Bien. Nous n'obtiendrons rien de plus de Harare.

Il consulta sa montre.

— Bientôt 8 heures. Voyons ce que la BBC raconte.

Sous le gouvernement Smith, tous ceux qui ne voulaient pas mourir idiots s'assuraient d'avoir à portée d'oreilles un récepteur ondes courtes. La règle valait toujours. Celui de Craig était un Yaesu Musen, et il capta les émissions de la BBC à destination de l'Afrique sur 2171 kilohertz.

— Le gouvernement du Zimbabwe a expulsé tous les journalistes étrangers du Matabeleland. L'ambassadeur de Grande-Bretagne a transmis au Premier ministre du pays, au nom du gouvernement de Sa Majesté, sa très profonde inquiétude devant les rumeurs d'atrocités qui auraient été perpétrées par les forces de sécurité...

Craig passa sur Radio Afrique du Sud, et là le message était clair :

— ... l'arrivée de centaines de réfugiés, appartenant tous à l'ethnie matabélé, par la frontière nord du Zimbabwe. Selon les termes d'un porte-parole, rapportant un massacre de villageois auquel il aurait assisté : « Ils tuent tout le monde. Femmes, enfants, et même les poules et les chèvres. » Un autre réfugié déclarait : « Ne nous renvoyez pas. Les soldats nous tueraient. »

Craig chercha la Voix de l'Amérique sur la bande des ondes courtes.

— Le leader de la ZANU, M. Joshua Nkomo, a fui le

pays pour arriver au Botswana hier soir. « Ils ont abattu mon chauffeur, a-t-il déclaré à notre correspondant. Mugabe veut ma mort. Il est prêt à tout. »

» Après le récent emprisonnement des plus prestigieux chefs de la ZIPRA, le départ de M. Nkomo laisse le peuple matabélé sans leader, et sans porte-parole.

» Entre-temps, le gouvernement de M. Robert Mugabe a fait expulser tous les journalistes étrangers. Même la Croix-Rouge s'est vu refuser l'envoi d'une mission d'observation.

— C'est tellement familier, grommela Craig. Je retrouve même ce vieux sentiment de malaise au creux de l'estomac, en entendant ça.

Le lundi suivant, c'était l'anniversaire de Sally-Ann. Après le petit déjeuner, Craig la conduisit à Queen's Lynn, où Mme Groenewald gardait le cadeau surprise au secret.

— Oh ! Craig, il est magnifique !

— Maintenant tu auras deux gardes du corps.

Sally-Ann souleva le chiot à bout de bras et déposa un baiser sur son museau humide. En échange de quoi l'animal lui administra un coup de langue.

— C'est un Lion Dog rhodésien.

La peau du chiot était trop grande pour lui. Elle pendait en plis lâches sur son front, et lui donnait un air perpétuellement renfrogné.

— Regarde un peu ces pattes ! Il va devenir monstrueux !

Craig décréta un jour de vacances pour célébrer l'occasion. Ils emmenèrent le chiot pique-niquer avec eux sous les arbres près du barrage et, allongés sur une natte, s'efforcèrent de trouver un nom pour l'animal. Sally-Ann repoussa le « Chien » que suggérait Craig.

Les tisserins piaillaient, la tête en bas dans leurs nids en forme de poche, et Joseph avait mis une bouteille de vin blanc frais dans le panier. Epuisé par une partie de chasse à la sauterelle, le chiot s'écroula au soleil. Ils finirent le vin, et quand ils firent l'amour sur la natte, Sally-Ann chuchota le plus sérieusement du monde :

— Chut ! Ne réveille pas cette pauvre bête !

En rentrant par les collines elle s'étonna :

— On n'a pas parlé une seule fois des événements.

— Ne gâchons pas cette journée.

— Je vais l'appeler Buster.

— Pourquoi ?

— Mon premier chien s'appelait Buster.

Craig s'éveilla au son du fusil automatique. Un vieux réflexe hérité de la guerre le poussa hors du lit. Des rafales très courtes, très rapprochées. Les tireurs n'étaient pas des amateurs. A l'oreille, il les situa près du village des ouvriers.

Il empoigna sa prothèse et la boucla à sa jambe.

— Sally-Ann !

Prenant soin de rester à couvert sous l'appui de la fenêtre, il la tira à lui. Elle était nue, et engourdie de sommeil.

— Qu'est-ce qui t'arrive ?

— Tiens.

Il arracha son peignoir au pied du lit, et le lui tendit.

— Enfile ça, mais ne te relève pas.

Pendant qu'elle s'habillait, il tenta de rassembler ses pensées. Il n'y avait aucune arme dans la maison, à part les couteaux de cuisine. Pas d'abri, pas d'émetteur radio — aucun des moyens de défense les plus élémentaires dont s'équipait autrefois la moindre ferme.

Une autre rafale, et quelqu'un cria — une femme. Le cri s'interrompit, brutalement coupé.

— Qui est-ce ?

La voix de Sally-Ann était ferme, décidée. Elle n'avait pas peur. Il se sentit bêtement fier d'elle.

— Des dissidents ?

— Aucune idée. Mais on ne va pas attendre pour leur poser la question.

Il jeta un coup d'œil vers le chaume du toit. Meilleure tactique, s'ils ne voulaient pas griller vifs : la fuite. Pour cela, il leur fallait faire diversion.

— Ne bouge pas. Mets tes chaussures, et apprête-toi à piquer un sprint. Je reviens.

Il rampa jusqu'au couloir. Au salon il perdit dix secondes avec le téléphone — ils avaient coupé les fils, évidemment. Il laissa pendre le combiné et courut à la cuisine.

Il ne voyait qu'une diversion possible : la lumière. Il pressa sur le bouton de mise en route du générateur. A l'autre bout de la cour, le moteur s'ébroua, et les ampoules luisirent d'un éclat jaune avant de s'illuminer. Dans la boîte de fusibles il coupa les lumières de la maison, laissant éclairés la véranda et les jardins devant. Voilà qui plongerait l'arrière du bâtiment dans l'ombre.

Les détonations s'étaient tues, mais près du village des ouvriers une femme modulait sa plainte, cette mélopée douloureuse du deuil africain. Il sentit se hérisser sa peau.

Ils devaient déjà grimper la colline. Craig s'apprêtait à retourner vers Sally-Ann quand il distingua un mouvement dehors. Il attendit. Il tenait à savoir qui attaquait.

C'était un homme, un Noir, nu, qui courait vers la maison. Non, il portait un pagne. Il titubait plus qu'il ne courait, en battant des bras, et sa peau paraissait huilée. Comme il approchait, Craig s'aperçut qu'il était couvert de sang.

C'était le vieux Shadrach. Au mépris du danger, Craig courut sur la véranda et sauta le muret. Il rattrapa Shadrach au moment même où il tombait, et le soutint à bout de bras. La légèreté du corps du vieil homme le surprit. D'un seul bond, il le souleva à l'abri de la véranda.

Son bras avait été déchiqueté par les balles, épluché jusqu'à l'os, et le membre démantelé pendait par un ruban de chair. Shadrach se plaquait à lui comme un enfant.

— Ils viennent, hoqueta-t-il. Sauvez-vous. Ils sont en train de nous tuer tous.

C'était miracle que le vieil homme eût réussi à courir jusqu'ici avec une blessure pareille. Tapi derrière le muret, il déchira une bande de coton de son pagne entre ses dents et commença à s'improviser un garrot. Craig serra le nœud.

— Sauve-toi, petit maître, et déjà il roulait en bas des marches pour disparaître dans la nuit.

« Il a risqué sa vie pour me prévenir. »

Craig le chercha des yeux une seconde, et, plié en deux, courut dans la maison.

Sally-Ann avait attaché ses cheveux sur sa nuque, enfilé un T-shirt et un short, et s'employait à lacer ses chaussures de brousse.

— Allons-y !

— Buster, mon petit chien...

— Mais bon Dieu... !

— On ne peut pas le laisser.

Elle avait ce front buté qu'il connaissait maintenant si bien.

— Je te préviens : je t'emporterai de force s'il le faut.

Il risqua un coup d'œil par la fenêtre. Sous la lumière, les pelouses brillaient d'un vert électrique. On devinait des ombres qui montaient de la vallée, des hommes armés qui se déployaient. Un instant, il n'en crut pas ses yeux.

— Oh ! Dieu merci...

Tremblant de soulagement il serra Sally-Ann dans ses bras.

— Tout va bien maintenant. Tout va aller bien.

— Quoi ? Qu'est-ce qui se passe ?

— Les forces de sécurité arrivent.

Il avait reconnu les bérets rouges. Ils sortirent sur la véranda pour accueillir leurs sauveurs, Sally-Ann berçant son chiot dans ses bras.

— Très heureux de vous voir, dit Craig au sergent qui commandait l'escouade.

— Rentrez, je vous prie.

L'officier eut un geste impératif, sinon menaçant, de son arme. Devant ses traits glacés, impénétrables, Craig sentit s'évanouir son soulagement. Quelque chose n'allait pas. Les soldats s'étaient refermés comme un filet autour de la ferme, et des voltigeurs s'avançaient par paires, l'un couvrant l'autre, selon la tactique classique du combat de rue. Ils investirent la maison par les fenêtres et les portes latérales, et ratissèrent les pièces une par une. Un bruit de verre brisé retentit au fond du couloir.

— Qu'est-ce que ça veut dire, sergent ?

Craig bouillait de colère, et cette fois le geste de l'officier fut franchement hostile. Il les fit reculer dans le salon, acculés à la table de teck, sous la menace de ses hommes. Un flot de lumière blanche envahit la pièce. Ils avaient rebranché les fusibles.

Un opérateur radio apparut sur la véranda, son émetteur sanglé sur le dos. L'antenne rétractable dansait au-dessus de son épaule. Le sergent débita un discours incompréhensible en shona, et revint au salon.

Ils attendirent une éternité, figés comme un tableau vivant. Puis la rumeur d'un moteur fit vibrer le silence pardessus le ronronnement du générateur. Une Land-Rover.

Elle remonta l'allée. Les phares balayèrent les fenêtres, le gravier crissa, et le moteur s'éteignit. Les portières claquèrent. Des pas traversèrent la véranda.

Le général Peter Fungabera s'encadra dans la porte, le béret bordeaux incliné sur l'œil et au cou une écharpe de soie assortie. A part le revolver à sa ceinture, il n'était armé que de son éternel stick.

Derrière lui le capitaine Timon Nbebi portait une serviette de cuir à la main, et un pistolet-mitrailleur en bandoulière.

— Peter !

Une certaine méfiance tempérait l'enthousiasme de Craig. Toute cette opération paraissait trop bien organisée, trop planifiée.

— On a tué certains de mes ouvriers. Mon *induna* a été grièvement blessé.

— Oui. L'ennemi a subi de lourdes pertes.

— L'ennemi ?

— Dissidents. Les dissidents matabélé.

— Shadrach, un... dissident ? Vous êtes cinglé ! C'est un brave bouvier, qui se fout de la politique comme de son premier pagne... !

— Les apparences sont parfois trompeuses.

Peter Fungabera s'assit sur une chaise, et posa un pied sur la table. Timon Nbebi avait placé son porte-documents sur un meuble pour se poster à son épaule, le poing crispé sur la crosse du pistolet-mitrailleur.

— Nous avons nettoyé le nid de vipères que vous nourrissiez sous couvert d'un paternalisme aux relents de néo-colonialisme.

— Quoi ? Vous plaisantez ?

— Plaisanter ?

Peter reposa les pieds par terre avec un sourire nonchalant, et se campa devant Sally-Ann.

— Un petit chien. Touchant tableau.

Avant que la jeune fille ne réagisse, il lui prit l'animal et le caressa doucement. Buster grogna voluptueusement en nichant son museau dans le creux de son cou, et se laissa gratter derrière les oreilles.

— Je vais vous montrer si je plaisante.

Il laissa tomber le chien sur le carreau, posa la botte sur son poitrail et pesa de tout son poids. La bête poussa un hurlement. Sa cage thoracique céda dans un craquement.

— Voilà comme je plaisante.

Son sourire avait disparu.

— Pour moi, vos vies ne valent pas plus cher que cet animal.

Sally-Ann se blottissait contre Craig, secouée par une nausée qu'elle avait du mal à retenir. Le général expédia le petit cadavre dans la cheminée d'un coup de botte.

— Assez perdu de temps.

Il ouvrit la serviette, et étala les documents sur la table.

— Monsieur Mellow, c'est ici que prend fin votre rôle d'agent provocateur pour le compte de la trop célèbre CIA...

— Quoi ?

— Vous aviez pour contact local M. Morgan Oxford, agent qui travaille sous l'égide de l'ambassade américaine. Un certain Henry Pickering, qui s'abrite derrière la couverture de la Banque mondiale à New York, vous a recruté, vous et Mlle Jay...

— C'est faux !

— Votre rémunération s'élevait à soixante mille dollars par an. Votre mission : établir un centre de subversion dans le Matabeleland, financé par les fonds de la CIA. Fonds qui vous parvenaient par le biais d'un prêt d'une filiale de la Banque mondiale, sous contrôle des services secrets américains. Le budget alloué au financement de l'opération se montait à cinq millions de dollars.

— Bon Dieu, Peter ! Ça ne tient pas debout !

— Dorénavant vous voudrez bien m'appeler Excellence, ou bien général Fungabera. C'est clair ?

Dehors, un convoi débarquait des effectifs supplémentaires dans un vacarme émaillé d'ordres en shona. Une équipe de soldats s'employait à débarder des caisses sur la véranda. Peter Fungabera regarda Timon Nbebi, qui hocha la tête d'un air entendu.

— Bien ! Continuons. Profitant de votre connaissance de leur langue, vous avez entamé des négociations avec des traîtres matabélé notoires...

— Des noms ?

Timon Nbebi cria un ordre.

Deux soldats escortèrent un homme dans la pièce. Il était nu-pieds, vêtu d'un short kaki en lambeaux, et si maigre que sa tête paraissait énorme. Son crâne rasé était couvert de cicatrices, de croûtes et d'ecchymoses, ses côtes sillonnées de tumescences violacées — probablement la redoutable garcette en cuir d'hippopotame, la fameuse *siambok.*

Il fixa sur Craig des yeux ternis, voilés, comme perdus dans un brouillard opaque.

— Vous connaissez cet homme ?

— Jamais vu... commença Craig, et il s'interrompit.

Il venait d'identifier le camarade Dollar.

— Je réclame une entrevue avec un fonctionnaire du Haut-Commissariat britannique, dit-il. Et Mlle Jay...

— Veut voir quelqu'un de l'ambassade américaine, compléta Peter Fungabera. Bien sûr. Chaque chose en son temps. Terminons-en d'abord avec cette triste affaire.

Il se tourna vers le maquisard :

— Vous le reconnaissez ?

Le camarade Dollar hocha la tête.

— Oui. Il nous a donné de l'argent.

— Emmenez-le, ordonna le général. Soignez-le bien, et donnez-lui à manger. Alors, monsieur Mellow, vous niez toujours avoir entretenu des contacts avec les dissidents ?

Sans attendre la réponse, il continua d'une voix monocorde :

— Vous avez constitué un arsenal d'armes qui devait servir à renverser le gouvernement démocratique pour instaurer une dictature pro-américaine...

— Non, affirma Craig. Je n'ai pas d'armes.

— Vos protestations sont inutiles — et terriblement lassantes.

Il appela le sergent shona :

— Montrez-leur.

On les conduisit sur la véranda, devant les caisses. Le sergent aboya un ordre et ses hommes soulevèrent les couvercles. Il y en avait six par caisse, flambant neufs, encore luisants de graisse. Craig reconnut des fusils automatiques américains Armalite 5,56 mm AR 18.

Peter Fungabera s'était glissé derrière eux.

— Allez chercher l'autre, dit-il au capitaine Nbebi.

On fit sortir Hans Groenewald d'un des camions pour le traîner jusqu'à la ferme. Les mains ficelées derrière le dos, il paraissait terrifié. Son visage avait fondu en rides et en plis épais qui lui donnaient des airs de bouledogue anémique. Ses yeux débordaient de larmes, injectés de sang comme ceux d'un ivrogne.

— Avez-vous entreposé ces armes dans le garage des tracteurs, oui ou non ?

Groenewald gémit une réponse inaudible.

— Plus fort !

— Oui, Excellence, c'est bien là que je les ai rangées.

— Sur les ordres de qui ?

Le pauvre bougre jeta un regard piteux vers Craig.

— Sur les ordres de qui ? répéta Fungabera.

— M. Mellow, Excellence.

— Emmenez-le.

Pendant que les gardes le ramenaient au camion, Groenewald tordit la tête en arrière sans quitter Craig des yeux et beugla brusquement :

— Faut m'excuser, monsieur Mellow, j'ai une femme, des gosses...

L'un des gardes lui balança la crosse de son fusil dans le

ventre, juste sous les côtes. Le contremaître hoqueta et se plia en deux. Ils l'attrapèrent par les bras pour le hisser dans la cabine. Le moteur toussa, et le camion dévala la pente.

Peter Fungabera ramena son monde au salon et se rassit pour étudier les documents qui s'étalaient sur la table. Sous la menace des fusils, Craig et Sally-Ann attendaient, plaqués contre le mur. Dans la cheminée, le cadavre sanglant du pauvre Buster gisait dans les cendres comme un jouet mutilé.

Le général repoussa enfin les papiers et se renversa sur son dossier en tapotant son stick.

— Vous méritez la corde. Aussi bien vous que Mlle Jay... Heureusement, nous ne serons peut-être pas forcés d'en venir là. C'est à vous de décider.

Il roulait nonchalamment son stick entre ses doigts. Craig se surprit à fixer sur ses mains un regard hypnotisé. L'intérieur de la paume était d'un rose tendre, délicat.

— J'estime que vous êtes les victimes de votre éducation capitaliste, continua le général en souriant. C'est pourquoi je vais vous relâcher.

Ils gardaient le silence, tenaillés par l'espoir et pourtant méfiants, sûrs que ce jeu cruel ne s'arrêterait pas là.

— Je vais vous soumettre une proposition. Livrez-moi une confession complète, et je vous fais escorter à la frontière avec vos passeports, un peu d'argent, et tous les objets de valeur qu'il vous plaira d'emporter.

Il ne se départissait pas de son sourire, et le stick continuait son tap-tap-tap sur la table, comme un robinet mal fermé. Fasciné par ce manège, déboussolé, Craig était incapable de mettre de l'ordre dans ses pensées.

— Une confession ? bredouilla-t-il. Une de vos mises en scène grotesques, devant un tribunal du peuple en carton-pâte ?

— Pas nécessaire. Il suffira d'une déposition signée de votre main, et contresignée par nos témoins. Après quoi nous vous conduirons à la frontière pour vous remettre en liberté. Un procédé somme toute très simple, très direct et — si vous me passez l'expression — tout à fait civilisé.

Il choisit un document dans la pile devant lui.

— Voilà, tout est là, il ne vous reste plus qu'à marquer la date et à signer.

Le capitaine Nbebi lui tendit les papiers.

— Lisez, monsieur Mellow.

Ses activités « subversives et impérialistes » remplissaient trois feuillets dactylographiés d'un discours hystérique à la sauce socialiste. Au milieu de ce galimatias, comme des prunes dans un pudding indigeste, on retrouvait les accusations dont il faisait l'objet.

Il lut lentement, en tâchant de forcer son esprit hébété à fonctionner normalement, mais tout paraissait tellement irréel, tellement factice, qu'il lui semblait qu'on ne parlait pas de lui — jusqu'à ce qu'il tombe sur les mots qui allaient le fouetter au vif. Des mots familiers, qui brûlaient comme autant de gouttes d'acide concentré :

« En toute conscience je reconnais avoir prouvé par ma conduite que j'étais *un ennemi de l'Etat et du peuple du Zimbabwe.* »

Brusquement, il comprit ce qui se cachait derrière cette mascarade.

— King's Lynn, chuchota-t-il, et il leva les yeux vers Peter Fungabera. C'est là que vous voulez en venir.

Seul le martèlement du stick sur la table troublait le silence. Peter Fungabera respectait scrupuleusement le même rythme, et gardait le même sourire.

— Vous avez tout manigancé depuis le début. La clause suspensive...

Craig lança la « confession » par terre, tremblant de rage, et s'avança vers le général. Le sergent shona lui barra la route du canon de son fusil.

— Je ne signerai pas ! Plutôt rôtir en enfer.

— Cela peut s'arranger. Mais je vous en prie, monsieur Mellow, ne cédez pas à des accès de colère puérils. Signez cette confession, et vous vous épargnerez bien des désagréments.

— Pas question !

Peter Fungabera fit pivoter sa chaise en direction du sergent.

— Je vous laisse la femme. D'abord vous, et après vos hommes, un par un, jusqu'à ce qu'ils y soient tous passés. Ici, dans cette pièce, sur cette table.

— Espèce de salopard ! rugit Craig.

Et il tenta de retenir Sally-Ann, mais les soldats l'empoignèrent pour le clouer au mur, la pointe d'une baïonnette contre sa gorge.

Un autre attrapait le poignet de Sally-Ann pour remonter son bras tordu jusqu'à son omoplate, et la pousser devant le sergent, le visage déformé par la douleur.

Le Shona restait impassible, sans un regard lubrique, sans même un geste obscène. Il prit le T-shirt de Sally-Ann à deux mains et, d'un coup sec, le déchira de bas en haut. Ses seins jaillirent. Ils étaient blancs, tendres, leur mamelon rosé terriblement sensible et vulnérable.

— J'ai cent cinquante hommes, remarqua Fungabera. Elle en aura pour un moment.

Le sergent glissa ses deux pouces dans la ceinture du short et l'expédia d'une secousse autour des chevilles de la jeune fille. Craig se crispa, tendu, et la pointe de la baïonnette perça sa peau. Quelques gouttes de sang dégoulinèrent sur sa chemise. Dans un réflexe pathétique, Sally-Ann s'efforçait de couvrir le triangle noir de son pubis de sa seule main libre.

— Je me suis souvent amusé à vérifier combien vous autres Blancs, qui vous targuez volontiers de libéralisme, éprouvez de répugnance à la pensée qu'un pénis noir puisse pénétrer une Blanche.

Le ton de Fungabera était presque badin.

— Au bout de combien de fois jugerez-vous cela insupportable ? Je suis curieux de le savoir.

Les deux hommes avaient soulevé Sally-Ann pour l'allonger sur la table. Ils lui laissèrent ses chaussures, et les lambeaux de T-shirt qui couvraient ses épaules.

D'une main experte ils remontèrent ses genoux pour les caler sous ses aisselles. Elle était pliée en deux, impuissante, grande ouverte et sans défense, livrant à tous les regards les profondeurs secrètes de son corps. Le sergent commença à défaire sa ceinture.

— Je signe, siffla Craig. Lâchez-la, et je signe.

Peter Fungabera donna un ordre et les soldats s'écartèrent. Le sergent aida la jeune fille à se redresser. Poliment, il lui rendit son short, et elle l'enfila en sautillant sur un pied, secouée de sanglots.

Puis elle se lança vers Craig et referma ses bras sur lui, incapable d'articuler un son, suffoquant, ravalant ses larmes. Son corps était agité de spasmes.

— Plus tôt vous signez, plus tôt vous êtes libres.

Le capitaine Nbebi lui tendait un stylo. Il griffa ses initiales sur les deux premières feuilles, et apposa une signature complète sur la dernière. Fungabera et son capitaine contresignèrent.

— Une dernière formalité, dit Peter. Je tiens à vous faire examiner tous les deux par le médecin militaire, pour qu'il certifie que vous n'avez subi aucune torture, aucun mauvais traitement.

— Vous trouvez que ça ne suffit pas comme ça?

— Pour me faire plaisir, cher monsieur Mellow.

Le médecin attendait vraisemblablement dans un des camions. C'était un petit Shona bien mis, d'une propreté méticuleuse.

— Vous voudrez bien examiner la jeune femme qui se trouve dans la chambre, docteur. Vérifiez tout particulièrement qu'elle n'a subi aucune violence sexuelle.

Peter Fungabera se tourna vers Craig :

— Entre-temps, vous pouvez ouvrir le coffre de votre bureau pour y prélever votre passeport et tous autres documents qu'il vous paraît nécessaire d'emporter avec vous.

Sous bonne escorte, Craig récupéra son passeport, le portefeuille qui contenait ses cartes de crédit et son insigne de la Banque mondiale, trois carnets de traveller's chèques American Express et le manuscrit de son nouveau roman. Il enfourna le tout dans un sac British Airways, et revint au salon.

Sally-Ann sortait de la chambre. Elle avait enfilé un jersey de cachemire bleu, une chemise et un jean. Des sanglots gonflaient encore sa poitrine et s'échappaient de ses lèvres en hoquets frémissants. Elle portait son sac d'appareils photo et, sous son bras, le carton à dessin qui contenait la maquette de leur livre.

Le docteur invita Craig à le suivre. Quand il revint, Sally-Ann était assise sur la banquette d'une Land-Rover qui attendait devant la ferme. Timon Nbebi était à ses côtés, et deux soldats en armes occupaient l'arrière. A l'avant, on avait réservé à Craig le siège du passager.

Peter Fungabera se tenait sur la véranda.

— Au revoir ! dit-il.

Craig riva sur lui un regard où il espérait faire passer toute sa haine et toute sa rancœur.

— Vous ne pensiez tout de même pas que je vous laisserais reconstruire l'empire de votre famille ? Non, nous nous sommes trop battus pour détruire ce monde-là.

La Land-Rover descendit la pente. Le général se découpait sur les marches comme un conquérant. A ce moment seulement, le levain de la haine commença vraiment à fermenter dans le cœur de Craig.

Les phares de la Land-Rover balayèrent la pancarte :

King's Lynn
Elevage de taureaux. Sélection Afrikander
Propriétaire : Craig Mellow

Déjà les roues cliquetaient sur les rouleaux de la grille à bestiaux. Ils laissaient derrière eux King's Lynn, et les rêves de Craig, pour mettre le cap sur l'ouest. Les pneus commencèrent leur bourdonnement monotone sur le revêtement de la grand-route, et personne dans la Land-Rover n'avait encore dit un mot.

Le capitaine Nbebi sortit du porte-documents qu'il serrait sur ses genoux une bouteille d'alcool de canne. Il la tendit à l'avant, insista, et Craig finit par la prendre de mauvaise grâce. La liqueur lui tira des larmes, mais fit descendre dans son estomac une boule de feu qui le réchauffa jusqu'au cœur. Il s'accorda une deuxième gorgée et passa le flacon à Sally-Ann. Elle secoua la tête.

— Bois, ordonna-t-il, et elle obéit docilement.

Elle avait cessé de pleurer, mais des sanglots étranglés continuaient de la secouer. L'alcool la réconforta.

— Merci.

Elle rendit sa bouteille à Timon Nbebi, et la politesse de cette femme qui venait de subir une telle humiliation leur donnait à tous une terrible leçon.

Ils atteignirent le premier barrage à la limite des faubourgs de Bulawayo. Il était 2 h 53. Le planton examina brièvement à la lumière de sa torche le passe que lui tendait Timon Nbebi, le lui rendit et salua. La barrière se souleva devant eux.

Bulawayo était silencieux, mort. Quelques rares fenêtres allumées trouaient l'obscurité. Un feu tricolore jeta un éclair orangé, puis rouge, et le chauffeur s'arrêta docilement au croisement désert. Le ronronnement du moteur ne couvrait pas, au loin, le claquement sec des détonations.

Craig observait Nbebi dans le rétroviseur. Il le vit grimacer au son des fusils. Puis le feu passa au vert et ils prirent vers le sud à travers la banlieue. Encore deux barrages, et la route s'ouvrit devant eux.

Ils s'enfoncèrent au creux de la nuit dans le chuintement des pneus. Le vent souffletait le pare-brise. La lueur du tableau de bord baignait leurs visages de reflets verdâtres et une ou deux fois la radio à l'arrière grésilla pour débiter ses messages dans un shona nasillard. Craig reconnut la voix de Peter Fungabera mais il devait appeler une autre unité : Nbebi ne fit aucun effort pour répondre. Bercé par la chanson du moteur, Craig ne tarda pas à sommeiller.

Il se réveilla en sursaut au son de la voix de Timon Nbebi. L'aube pointait. Sur le ciel d'un jaune citron, on devinait la cime des arbres. La Land-Rover bifurquait sur une piste. L'odeur de la poussière envahit immédiatement la voiture.

— Où sommes-nous ? demanda Craig. Pourquoi avons-nous quitté la route ?

Le capitaine parla au chauffeur, et ils s'arrêtèrent au bord de la piste.

— Voulez-vous descendre, je vous prie, commanda-t-il

en tenant la portière du passager, comme s'il allait aider Craig à mettre pied à terre, mais au dernier moment il le saisit par le bras et, avant qu'il puisse réagir au contact glacé de l'acier sur sa peau, boucla des menottes à ses poignets.

— Bon Dieu! Qu'est-ce que ça veut dire?

Avec la même efficacité il infligeait déjà le même traitement à Sally-Ann.

— Maintenant continuons.

Sans ménagement, il les repoussa sur leurs sièges respectifs. Le chauffeur conduisait la Land-Rover dans les profondeurs du veld, et le ciel s'éclaircit. Dehors, le chœur des oiseaux battait son plein. Craig reconnut le duo d'un couple de rolliers dans un acacia. Prisonnier du faisceau des phares, un lièvre détalait devant eux, ses longues oreilles roses au vent. Puis le ciel s'enflamma des couleurs somptueuses de l'aurore africaine et le chauffeur coupa les lumières.

— Craig? Ils vont nous tuer, n'est-ce pas? demanda Sally-Ann d'une voix calme.

Elle parlait comme s'ils étaient seuls.

— J'aurais dû savoir que Peter Fungabera ne nous lâcherait pas.

— Quelle différence?

— Ils vont nous enterrer dans un coin perdu, et mettre notre disparition sur le compte des dissidents.

Impassible, Timon Nbebi ne disait rien.

Un chemin à peine visible débouchait sur la piste. Le chauffeur rétrograda pour s'y engager. Ils cahotèrent encore pendant vingt bonnes minutes. Il faisait jour maintenant, et le soleil levant embrasait les acacias.

Sur un ordre du capitaine, le chauffeur quitta le chemin pour foncer en aveugle dans l'herbe haute, contourner le tertre d'un kopje de granite, arrêter le véhicule et couper le moteur.

Le silence se referma sur eux.

— Personne ne nous trouvera, ici, murmura Sally-Ann, et Craig cherchait en vain des mots pour la réconforter.

— Ne bougez pas, ordonna Nbebi.

Derrière ses lunettes cerclées d'acier, ses yeux se teintaient peut-être de regret, mais le pli inflexible de sa bouche restait implacable. Il descendit de voiture et distribua quelques ordres. Les soldats rangèrent leurs armes à l'arrière de la Land-Rover pendant que le chauffeur grimpait sur le toit pour prendre trois pelles-pioches.

Nbebi récupéra les clés de contact au tableau de bord et entraîna ses hommes un peu plus loin. Du bout de sa botte, il traça deux formes oblongues dans le sable gris. Les trois Shona se débarrassèrent de leurs cartouchières et de leurs vestes de combat, et commencèrent à creuser les tombes. A l'écart, le capitaine allumait une cigarette. La fumée montait en arabesques tranquilles dans le ciel de l'aube.

— Je vais essayer d'attraper un fusil, chuchota Craig.

Il lui fallait ramper par-dessus les sièges, atteindre le râtelier où étaient rangées les armes, déboucler les attaches, charger le magasin, pousser le sélecteur et viser par la lunette arrière — le tout avec des menottes aux mains.

— Tu n'y arriveras pas.

— Probablement pas, mais si tu as une autre idée... ?

Il se tortilla sur son siège. Sa jambe l'entravait, s'accrochait au levier du crabotage.

— Ecoute, dit-il dans un souffle haletant. Je t'aime. Jamais je n'ai aimé quelqu'un autant que toi.

— Moi aussi...

— Sois courageuse.

Elle se baissait pour lui faciliter le passage, et il s'apprêtait à tenter sa chance quand Timon Nbebi se tourna vers la voiture. Il fronça les sourcils, et s'avança vers eux à grandes enjambées.

— Ne faites pas ça, monsieur Mellow, dit-il d'une voix douce. Nous sommes tous en danger. Restez tranquille, ne résistez pas, et nous aurons peut-être une chance de nous en tirer.

Il sortit les clés de contact de sa poche et dégrafa le rabat de son holster d'une main discrète.

— Mes hommes sont désarmés, et ils sont occupés à creuser. Quand je monterai dans la Land-Rover, n'essayez pas de vous jeter sur moi. Je cours autant de risques que vous. Faites-moi confiance. Il le faut. Vous comprenez?

Craig hocha la tête. « Comme si j'avais le choix », pensa-t-il. Timon ouvrit la portière avant et se glissa au volant. Les trois hommes s'enfonçaient jusqu'à la taille dans les tombes. Il inséra la clé de contact et la tourna.

Le moulin toussa, et les trois soldats relevèrent la tête, ahuris. Le démarreur glapissait, barattait, et le moteur refusait de se mettre en route. L'un des soldats cria, et bondit de son trou. Des rivières de sueur serpentaient sur sa poitrine, croûtée de poussière grise. Il s'avança vers la voiture. Timon Nbebi pompait sur la pédale d'accélérateur, crispé sur le démarreur. Une terreur désespérée déformait son visage.

— Vous allez la noyer, dit Craig. Levez le pied !

Le soldat s'était mis à courir. Le démarreur continuait à cafouiller, Timon figé au volant.

L'autre les avait maintenant presque rejoints. Ses deux collègues, plus lents, s'extrayaient de la tombe en brandissant leurs pelles-pioches.

— Bloquez la portière ! cria Craig.

Et Timon verrouilla la serrure au moment même où le premier soldat se jetait de tout son poids sur la poignée.

Il la secoua sauvagement et s'élança à l'arrière avant que Sally-Ann puisse faire quoi que ce soit. Il ouvrit violemment la portière, empoigna la jeune fille par le bras et tira de toutes ses forces.

De ses deux mains levées, Craig assena un coup de menottes sur le crâne rasé du Shona. L'acier mordit dans le cuir chevelu. L'homme s'écroula sur la banquette.

Craig frappa à nouveau, au beau milieu du front. L'os dénudé brilla une fraction de seconde au fond de la blessure, avant de disparaître sous un flot de sang. A quelques mètres à peine, les deux autres soldats aboyaient comme des molosses, armés de leurs pelles.

Brusquement le moteur de la Land-Rover rugit. Timon Nbebi enclencha fébrilement la première dans un craquement métallique et la voiture bondit. Déséquilibré, Craig valdingua par-dessus le dossier de son siège. Le corps inerte du Shona, accroché à un buisson d'épineux, glissa par la portière.

La voiture tanguait, roulait dans les ornières, poursuivie par les deux soldats enragés. La porte ouverte battait, claquait furieusement. Puis le capitaine changea de vitesse et reprit le contrôle du véhicule. Les roues s'arrachèrent dans un fracas de branches brisées, mordirent le roc : ils avaient distancé leurs poursuivants. L'un d'eux, dans un dernier geste désespéré, balança sa pelle dans leur direction. L'outil pulvérisa la lunette arrière, et une pluie de verre brisé s'abattit à l'intérieur.

Timon Nbebi retrouvait, dans l'herbe, les traces de leur premier passage. Les deux soldats s'étaient arrêtés, haletants, puis leurs braillements indignés s'éteignirent. Timon rejoignit le chemin, et la Land-Rover prit de la vitesse.

— Donnez-moi vos mains, ordonna-t-il, et quand Craig lui tendit ses poignets, il déverrouilla les menottes. Tenez ! (Il lui présentait la clé.) Libérez Mlle Jay.

Elle se frotta les poignets.

— Seigneur, Craig ! On a vraiment de la chance.

— Pourvu que ça dure, soupira le capitaine, les yeux rivés à la piste. C'est Napoléon, je crois, qui disait cela.

Avant que Craig n'ait le temps de le corriger, il ajouta :

— Veuillez prendre un des fusils, monsieur Mellow, et placer l'autre à côté de moi.

Sally-Ann passa l'engin sur le siège avant. La 3e brigade était la seule unité de l'armée régulière qui conservât des AK 47, un souvenir de ses instructeurs nord-coréens.

D'un geste, Craig vérifia le chargeur. L'arme était neuve, bien entretenue. Avec ça dans les mains, il se sentait revivre.

— Maintenant on va pouvoir se défendre.

Sally-Ann lui adressa le premier sourire depuis une éternité. Il glissa sa main à l'avant, dénicha l'alcool de canne dans le vide-poches et le lui tendit. Quand elle eut fini, il offrit la bouteille à Nbebi.

— Alors, capitaine, expliquez-nous un peu ce qui se passe. Timon déglutit sa rasade d'alcool.

— Vous aviez tout à fait raison, monsieur Mellow. J'avais ordre de vous exécuter.

— Et pourquoi n'avez-vous pas obéi ?

Avant de répondre, Timon lui rendit la bouteille et jeta un coup d'œil vers Sally-Ann.

— Je suis désolé d'avoir dû jouer le jeu jusqu'au bout. Mes hommes parlent anglais et...

— Capitaine Nbebi, je vous pardonne tout ce que vous voudrez. Mais enfin, pourquoi prendre un tel risque?

— Je vais vous avouer une chose que personne ne sait. Voyez-vous, ma mère était matabélé. Je n'ai pas eu le temps de beaucoup la connaître, mais j'ai toujours respecté son souvenir.

Il gardait les yeux fixés sur le pare-brise.

— Les Matabélé sont aussi mon peuple, et je suis écœuré par le traitement qu'on leur inflige. Le général Fungabera, je crois, me soupçonne depuis un moment déjà. Il sait que je ne peux plus lui être très utile. Il y a des signes qui ne trompent pas. Quand on a vécu longtemps comme moi près du Léopard, on apprend à interpréter ses moindres gestes. Après votre disparition, je sais le sort qui m'était réservé — une tombe sans épitaphe, ou les chiens de Fungabera.

Il l'avait dit en ndébélé : *amawundhla ka Fungabera.* Craig sursauta. Ces mots, il les avait déjà entendus dans la bouche de Sarah Nyoni.

— Les chiens de Fungabera?

— Des hyènes, oui. On leur livre en pâture les cadavres torturés des prisonniers des centres de réhabilitation. Elles n'en laissent rien, pas un poil, pas un os. Rien.

Horrifiée, Sally-Ann se souvenait de leur visite au camp de rééducation de Tuti.

— La haine du général Fungabera pour les Matabélé est une véritable obsession. Il rêve de les éliminer jusqu'au dernier. En commençant par arrêter leurs chefs, sous des accusations mensongères — comme Zebiwe par exemple...

— Quoi? fit Sally-Ann d'une voix blanche. Tungata Zebiwe, innocent?

— Malheureusement oui, mademoiselle Jay. Et vous avez fourni un prétexte en or pour le traduire en justice : en l'accusant de subversion politique, Fungabera mettait le pays à feu et à sang. Alors qu'avec un délit de droit commun, les apparences étaient sauves.

— Je suis peut-être stupide, mais si Zebiwe n'est pas à la tête du trafic, alors qui...?

— Fungabera.

Craig n'en croyait pas ses oreilles.

— Vous êtes sûr ?
— J'ai supervisé moi-même de nombreux chargements.
— Mais cette nuit-là, sur la route de Karoi... ?
— Un piège. Le général savait que tôt ou tard Zebiwe retournerait à la mission. Son secrétaire lui a communiqué la date, et l'heure. Il nous restait à poster un camion de marchandises sur la route, pour simuler un rendez-vous. En tentant de s'enfuir, Zebiwe n'a fait que s'enferrer.
Timon conduisait à tombeau ouvert. Accrochés à leur siège, Sally-Ann et Craig sentaient la fatigue les gagner.
— Où va-t-on ?
— Frontière du Botswana.
Il ralentit pour passer une zone que les tamanoirs avaient truffée de trous, fouillant la terre pour dénicher les larves des termites, et accéléra de nouveau.
— Mon laissez-passer ne nous conduira pas jusqu'à la frontière. Il faudra prendre des chemins détournés, et traverser en fraude. Le général Fungabera ne tardera pas à lancer la 3e brigade à nos trousses.
Ils venaient d'atteindre la bifurcation de la piste. Le capitaine s'arrêta pour déplier une carte.
— Nous sommes au sud de la ligne de chemin de fer. Ici, la route qui descend à la base missionnaire d'Empandeni. On peut tenter de traverser entre Madaba et Matsumi. La police du Botswana patrouille régulièrement dans ce secteur.
— Allons-y.
L'arme qu'il crispait dans ses mains ne suffisait plus à rassurer Craig. Timon replia sa carte, et engagea la première.
— Je peux vous poser d'autres questions ? demanda Sally-Ann.
— J'essaierai d'y répondre.
— Le massacre des Goodwin, et la tuerie des fermes blanches du Matabeleland, Tungata Zebiwe est-il responsable de ces atrocités ?
— Non. Au contraire, Zebiwe militait contre ce genre de dérapages. Je crois même qu'il se rendait à Tuti, le soir où on l'a arrêté, précisément pour rencontrer les éléments les plus radicaux de la dissidence.
— Mais ce slogan, écrit dans le sang... ?

Le capitaine sombra dans un silence interminable, et soupira enfin :

— Essayez de comprendre ma position, mademoiselle Jay. J'étais aveuglé par des promesses de gloire, d'avancement, et brusquement je ne pouvais plus reculer. « Jouer avec le feu. » C'est ce que vous dites, n'est-ce pas ? Eh bien, l'incendie avait pris, et je ne pouvais plus l'éteindre.

Il marqua une pause, et brusquement tout sortit d'une seule traite :

— Mademoiselle Jay, j'ai personnellement recruté les tueurs des Goodwin dans les camps de rééducation. Je leur ai dit où aller, comment s'y prendre — je leur ai dicté ce qu'il fallait écrire sur le mur. Les armes, c'est moi qui les leur ai données. Et ce sont des camions de la 3e brigade qui les ont conduits à proximité de la ferme. Voilà.

Nouveau silence, rythmé par le ronronnement du moteur. Puis Nbebi reprit la parole, comme si l'opium des mots pouvait soulager le poids de sa culpabilité.

— C'étaient des vétérans de la guérilla, des Matabélé endurcis par la guerre, qui auraient fait n'importe quoi pour retrouver la liberté et le plaisir de reprendre les armes. Vous comprenez maintenant pourquoi je suis ici avec vous ? Je ne pouvais plus continuer sur ce chemin.

— Et les autres meurtres ? Le massacre du sénateur Savage et de sa famille ?

— Ceux-là, Fungabera n'y est pour rien. Mais le sang appelle le sang. La brousse regorge de nostalgiques de la guerre. Ils cachent leur arsenal, certains même travaillent en ville, et le dimanche ils déterrent les fusils pour semer la terreur. Les Blancs sont le gibier le plus juteux, le plus riche et le plus vulnérable depuis que Mugabe les a privés de leurs armes.

— Et Fungabera n'a plus qu'à coller sur eux l'étiquette de « dissidents politiques » pour discréditer le mouvement matabélé, conclut Craig.

— Exactement, monsieur Mellow.

— Quant à Tungata Zebiwe...

Craig se sentait soudain très vieux, très fatigué, et écrasé par le remords.

— On peut être sûr qu'il a été supprimé depuis longtemps.

— Détrompez-vous, monsieur Mellow. Le général Fungabera a d'autres projets pour Zebiwe.

— Quels projets ?

— Je soupçonne Peter Fungabera d'être en rapport avec les Russes.

— Les Russes ?

— Il a eu une entrevue avec un étranger qui appartient, je crois, aux services secrets soviétiques.

Craig réfléchit quelques instants avant de revenir à sa première préoccupation.

— Où est Tungata Zebiwe ?

— Je suis désolé, monsieur Mellow, mais... je n'en sais rien.

— S'il est encore en vie, murmura Craig, que Dieu ait pitié de son âme !

Il observa un long silence.

— Fungabera compte se mettre King's Lynn dans la poche, n'est-ce pas ? Comment va-t-il s'y prendre ?

— Très simple : vous êtes déclaré ennemi du peuple. L'Etat confisque vos biens et, conformément à la clause suspensive de son contrat, la Land Bank vous retire sa garantie. On ordonne la liquidation, on met vos parts en adjudication, et comme le syndic n'est autre que le beau-frère de Fungabera, c'est lui qui emporte le tout pour une bouchée de pain. A propos de bouchée de pain...

Timon consulta sa montre.

— Je propose que nous mangions un morceau. La journée sera pénible.

Il quitta la piste, et engagea la Land-Rover dans les buissons. Grimpé sur le capot, il camoufla le véhicule sous un tapis de branches. Puis il sortit des rations de survie du casier sous le siège avant. Ils trouvèrent de l'eau dans un réservoir, logé sous le plancher.

Craig emplit un quart de sable, qu'il imbiba d'essence pour confectionner un brûleur sans fumée sur lequel ils firent du thé. Ils engloutirent les rations en silence.

Un message radio leur fit tendre l'oreille. Timon augmenta le volume, et secoua la tête en revenant s'asseoir.

— Aucun rapport avec nous.

— On est encore loin de la frontière ? demanda Craig, la bouche pleine d'un corned-beef sans saveur.

— Quarante miles, un peu plus peut-être.

La radio grésilla à nouveau, et le capitaine se pencha sur le poste.

— Il y a une unité de la 3e brigade qui rentre d'une mission à Empandeni. Nous risquons de les croiser.

— Je vais vérifier qu'on ne nous voit pas de la route. Sally-Ann, éteins le feu.

Craig empoigna son AK 47 et courut à la piste. Il examina le buisson qui cachait la Land-Rover, balaya les traces avec une branche, redressa précautionneusement les herbes malmenées par le véhicule : « Pas idéal mais cela devrait suffire », pensa-t-il. Une vibration imperceptible frissonna dans l'air. Il revint à la voiture, et monta au côté de Timon sur le siège avant.

— Rangez votre fusil au râtelier, ordonna le capitaine. (Et comme il hésitait :) Je vous en prie, monsieur Mellow. S'ils nous découvrent, toute résistance sera inutile. Il faudra que je sois convaincant, et si vous êtes armé j'aurai du mal.

A contrecœur, Craig passa l'arme à Sally-Ann. Elle la rangea. Il se sentait brusquement nu, vulnérable. Le bruit des moteurs s'intensifiait. On entendit bientôt des voix d'hommes qui chantaient.

— 3e brigade, dit Timon. C'est le *Chant des vents de pluie*. Le chant du régiment.

Quand l'incendie embrase la Nation, la pluie l'apaise.
Quand la sécheresse frappe les bêtes, la pluie les relève.
Quand la soif fait pleurer vos enfants, la pluie les console.
Nous sommes les vents qui poussent la pluie,
Les vents qui veillent sur la Nation.

Timon traduisait du shona, et maintenant Craig voyait la poussière des camions s'élever au-dessus des buissons. Bientôt il devina un éclair métallique et, à travers les feuilles, une vision fragmentée du convoi. Il y avait trois camions, bourrés de soldats en tenue de camouflage et chapeau de brousse, armés jusqu'aux dents. Sur le siège avant du dernier véhicule trônait un officier, le seul qui eût droit au béret rouge et à l'insigne d'argent. Il regardait Craig droit dans les yeux, soudain très proche, et l'écran des feuillages parut fondre d'un coup. Craig se recroquevilla.

Mais déjà la rumeur des moteurs s'éloignait, les voix s'éteignaient au loin, et la poussière retombait.

Timon Nbebi poussa un soupir.

— Il y en aura d'autres, prévint-il.

Et, les doigts sur la clé de contact, il attendit que le silence soit revenu. Puis il démarra et rejoignit la piste en marche arrière.

Ils suivirent en sens inverse les marques que le convoi traçait derrière lui. Dix minutes plus tard, Timon jeta un coup d'œil vers le ciel.

— De la fumée. On arrive à Empandeni. Préparez vos objectifs, mademoiselle Jay, je crois que la 3e brigade a laissé sa signature sur le village.

Ils arrivaient aux premiers champs de maïs. Les épis jaunis s'alourdissaient au bout des tiges, mûrs pour la moisson. Les femmes étaient parties travailler aux champs ce matin. L'une d'elles gisait au bord de la piste. On lui avait tiré dans le dos. La balle était ressortie entre ses seins. Des coups de baïonnette criblaient l'enfant qu'elle portait dans un linge. Les mouches bourdonnèrent dans un nuage bleu, et s'abattirent à nouveau sur les cadavres après leur passage.

Sans un mot, Sally-Ann fouilla dans son sac et sortit son Nikon. Sous ses taches de rousseur, elle était grise, exsangue.

Un peu plus loin, d'autres cadavres jonchaient le sol, amas de chiffons bigarrés maculés de taches. Il y avait une cinquantaine de huttes dans le village. Cinquante toits de chaume, qui flambaient comme des torches dans le bleu du ciel. Ils avaient balancé les corps dans les brasiers. Des flaques noires coagulées et des sillons sanglants marquaient l'endroit où ils étaient tombés. Craig sentait son estomac se révulser. Une odeur de chair calcinée tapissait son palais comme de la graisse de porc congelée.

Les lèvres de Sally-Ann étaient d'un blanc cireux. Le

moteur de son Nikon ronronnait comme elle prenait photo sur photo par la vitre baissée.

Ils avaient tué les poulets, les plumes volaient dans la brise comme après une bataille de polochon.

— Arrêtez ! ordonna-t-elle.

— Ce n'est pas prudent, objecta Timon.

— Arrêtez.

Elle laissa la portière ouverte et s'enfonça parmi les huttes. En bonne professionnelle, elle travaillait vite, rechargeait sa pellicule d'une main sûre, les lèvres tremblantes, les yeux agrandis d'horreur derrière le viseur.

— Il faut partir ! s'affolait Timon.

— Attendez.

Elle disparut derrière un groupe de huttes. Craig sentait la chaleur le fouetter en rafales. La puanteur du bûcher lui soulevait le cœur.

Sally-Ann hurla. Les deux hommes bondirent de la Land-Rover et se mirent à courir, balayant les alentours du canon de leur arme, zigzaguant en se couvrant mutuellement : Craig n'avait pas oublié ses vieux réflexes. Ils tournèrent le coin des huttes.

Aux pieds de Sally-Ann, une jeune Noire se traînait sur le sol. Son corps, sain, robuste, se transformait au-dessous du nombril en une monstruosité sanguinolente. Elle avait rampé hors du brasier. Par endroits, la chair pelée par les flammes découvrait une pulpe rosâtre mouillée de lymphe. Ailleurs, l'os affleurait. La hanche noircie pointait d'un fouillis de chairs calcinées. La paroi abdominale, carbonisée, laissait passer un fatras de boyaux. Par Dieu sait quel miracle, elle était encore en vie. Ses doigts ratissaient la poussière d'un geste mécanique, répétitif. Sa bouche s'ouvrait et se refermait convulsivement, sans un son. Ses pupilles s'écarquillaient sur un abîme de douleur.

— Mademoiselle Jay, s'il vous plaît, retournez à la voiture, dit Timon. Vous ne pouvez rien pour elle.

Sally-Ann restait paralysée, incapable de bouger. Craig entoura ses épaules d'un bras protecteur, et l'entraîna.

Il se retourna au coin de la hutte en flammes. Son AK 47 à la hanche, en position de tir, le capitaine Nbebi rivait sur sa cible un regard où se lisait presque autant de souffrance que dans les yeux de la malheureuse.

La détonation se mêla aux craquements des brûlots. Sally-Ann tituba jusqu'à la Land-Rover et, appuyée au capot, pliée en deux par la nausée, vomit douloureusement. Puis elle s'essuya la bouche du revers de la main.

Elle but comme de l'eau la dernière gorgée d'alcool de canne de la bouteille que Craig lui tendait, et balança sauvagement le flacon dans les flammes.

Timon Nbebi réapparut. Sans un mot, il se carra au volant. Ils traversèrent lentement le reste du village sans détourner les yeux.

Ils passaient devant la petite église de briques rouges quand le toit s'effondra. La croix de bois du clocher fut avalée dans un jaillissement d'étincelles et de fumée. Dans le soleil, les flammes étaient presque blanches.

Timon Nbebi utilisait la radio comme un navigateur se sert d'un sonar pour trouver la passe dans des eaux peu profondes.

Les barrages de la 3e brigade diffusaient leurs rapports au QG sur la bande VHF, en donnant leur position au début de chaque message, et Timon les localisait sur sa carte.

Ils évitèrent ainsi deux commandos en empruntant des chemins de traverse, tâtonnant précautionneusement à travers la forêt d'acacias. A deux reprises ils tombèrent sur des villages matabélé. La 3e brigade les avait précédés, suivie par une armée de corbeaux et de vautours qui grappillaient sur les squelettes quelques bribes de chair calcinée.

Ils gardaient le cap sur l'ouest. A chaque crête, Timon garait la Land-Rover à l'abri des regards, et Craig s'aventurait sur la cime en éclaireur. Dans toutes les directions, des colonnes de fumée sinistres ponctuaient le bleu du ciel. A l'approche du désert du Kalahari, le paysage se modifiait. S'aplanissait. Se fondait dans une plaine grise, monotone, sous la fournaise impavide d'un soleil impitoyable. Les arbres se recroquevillaient, branches torturées par la chaleur, membres infirmes. Ils abordaient une terre où l'homme ne pouvait survivre qu'à force d'ingéniosité, d'obstination et de privations : le désert.

Ils avaient couvert trente miles à peine depuis l'aube, et déjà le soleil amorçait sa dégringolade vers l'horizon. D'après la carte, vingt miles encore les séparaient de la frontière. Sous la tôle de la carrosserie, la chaleur devenait suffocante, épuisante.

Au milieu de l'après-midi ils s'accordèrent une pause de quelques minutes. Craig fit du thé. Sally-Ann disparut derrière une touffe d'épineux pour s'accroupir à l'abri des regards, et Timon se pencha sur sa radio.

— Nous avons passé les derniers villages. Je pense que nous ne risquons plus rien, mais jamais je ne me suis aventuré si loin. Je me demande ce qui nous attend.

— J'ai travaillé dans le coin avec Tungata, en 72, pour l'Office de la faune. Nous étions sur la piste d'une troupe de lions. Pays pourri — pas d'eau, quelques lacs salés et...

D'un geste impératif, le capitaine lui coupa brutalement la parole. Dans la monotonie des rapports routiniers, il venait de capter une voix autoritaire qui réclamait la fréquence en priorité. Il écouta le message, débité dans un shona saccadé, et releva les yeux.

— Une patrouille vient de ramasser les trois soldats à qui nous avons faussé compagnie ce matin. Le général Fungabera a deviné que nous allions tenter de traverser au sud de Plumtree. Il ordonne une mobilisation générale pour retrouver nos traces. Autrement dit : nous avons à nos trousses deux avions de reconnaissance, toutes les unités de la 3e brigade en opération de représailles dans le secteur, et deux sections de gardes-frontières qui descendent du poste de Plumtree pour nous couper la route.

Il enleva ses lunettes et les essuya posément avec son foulard de soie. Privé de ses verres, il était aussi myope qu'une chouette en plein jour.

— Le général a lancé le code Léopard pour toutes les unités.

Il marqua une nouvelle pause avant d'expliquer, comme s'il s'en excusait :

— Le code Léopard donne l'ordre de tirer à vue. Ce qui n'arrange pas nos affaires, j'en ai bien peur.

Craig prit la carte et la déplia sur le capot.

— Nous sommes ici.

Timon hocha la tête.

— La seule piste possible remonte au nord-nord-ouest. Les gardes-frontières vont obligatoirement descendre par ici, et les autres nous arriveront dans le dos...

La radio se réveilla. Timon reprit l'écoute. Son expression se fit plus lugubre encore.

— Une section de la 3e brigade vient de relever les traces de la Land-Rover. Ils se lancent à notre poursuite. La patrouille de Plumtree est prévenue, et ils manœuvrent pour nous coincer. Dans quelques minutes ils seront sur nous !

Craig décida de prendre les choses en main.

— Très bien. Nous allons quitter la piste, et mettre le cap droit sur la frontière.

— Mais vous disiez que c'était un pays pourri, et...

— Enclenchez les quatre roues motrices, et du vent !

Donnez-moi votre boussole, je grimpe sur la galerie. Sally-Ann, monte à l'avant.

Perché sur le toit, son AK 47 en bandoulière, Craig guidait Timon.

— Appuyez à droite. Encore. Voilà. Maintenant tout droit. Il s'alignait sur l'éclat blanc d'une lagune salée à quelques miles. Sous leurs roues, le sol paraissait raisonnablement fiable. La Land-Rover fonçait, écrasait les buissons, et ne déviait sa course que quand l'obstacle semblait trop important. Après chaque détour, Craig rectifiait la direction.

Ils roulaient à vingt-cinq miles à l'heure. Rien à l'horizon. Les camions qui les poursuivaient ne pouvaient pas les rattraper, et la frontière les attendait à moins d'une heure. De plus la nuit n'allait pas tarder. Craig sentait son optimisme revenir au galop.

— Allez, bande de fumiers ! Venez donc nous chercher !

Il pivota, et son rire s'étrangla. C'était comme un *willy-willy*, un de ces feux follets de sable qui dansent dans l'air du désert, mais ce nuage de sable-là savait visiblement où il allait, et il s'élevait très exactement à l'est, sur la piste qu'ils venaient de quitter.

Craig se pencha pour brailler à la portière :

— Patrouille en vue, à cinq miles derrière nous !

Puis il reprit son poste, et jeta un nouveau coup d'œil en arrière en faisant la grimace. La Land-Rover laissait un sillage de poussière qui leur collait au train comme une traîne de mariée, une longue queue pâle qui flottait dans l'air sur leur passage, et que les autres ne pouvaient pas rater.

Il aurait mieux fait de regarder devant. L'écran des herbes masquait au chauffeur le trou de tamanoir. Ils l'estoquèrent à vingt-cinq miles à l'heure.

Craig vola par-dessus le capot pour heurter le sol à quatre pattes, et se ramasser sur la joue. Sonné, endolori, il resta un moment allongé avant de s'asseoir en crachant la boue sanglante qui emplissait sa bouche. Du bout de la langue, il vérifia que ses dents tenaient encore. Son coude était écorché, et une tache rouge grandissait sur son jean à la hauteur du genou. Il tâta sa prothèse : intacte. Puis il se releva laborieusement.

La Land-Rover gîtait sur la gauche, le châssis échoué dans le trou. Il boita jusqu'à la portière avant, et l'ouvrit. Le pare-brise étoilé marquait l'endroit où Sally-Ann avait donné de la tête. Elle se recroquevillait sur le siège.

— Bon Dieu !

Il lui souleva doucement le menton. Une bosse bleue de la taille d'un gland décorait son front, mais peu à peu elle revenait à la réalité.

— Pas trop de mal ?

Elle se redressa péniblement.

— Tu saignes, grasseya-t-elle d'une voix pâteuse.

— Une égratignure.

Timon arborait une coupure magnifique sur sa lèvre supérieure. Le volant avait sectionné net une de ses incisives au ras de la gencive. Il épongeait le sang avec son écharpe.

— Enclenchez la marche arrière, ordonna Craig.

Pour alléger le véhicule, il tira Sally-Ann à l'extérieur. Elle tituba, et s'allongea finalement sur le dos pour laisser passer le vertige qui l'étourdissait.

Le moteur avait calé, et il résistait aux sollicitations du démarreur. Craig regardait la colonne de poussière qui s'approchait. La mécanique consentit enfin à repartir, bégaya et hurla, comme Timon s'obstinait à écraser la pédale. La vitesse passa dans un grincement, et les quatre roues s'emballèrent.

— Doucement, vous allez bousiller la boîte !

Timon fit une deuxième tentative. Les roues tournaient comme des toupies, expédiaient des ruades et des volutes de sable. La voiture trépidait, mais restait enlisée.

— Ça suffit !

La Land-Rover était en train de creuser sa tombe. Craig se glissa sous le châssis. La roue avant ne touchait plus terre : le poids du véhicule reposait sur les lames de la suspension.

— Pelles, réclama-t-il à Timon.

— On les a laissées, lui rappela le capitaine.

Craig s'attaqua à la bordure du trou à pleines mains.

— Trouvez un outil, quelque chose !

Le capitaine fouilla à l'arrière, et revint avec la manivelle et un *panga*.

Grognant, haletant, Craig commença à creuser. La sueur piquait sa joue écorchée.

La radio crachota, et Timon traduisit :

— Ils viennent de repérer l'endroit où nous avons quitté la piste.

— Bon Dieu !

Craig ahanait sous l'effort. Ils étaient donc à moins de deux miles. Entre ses dents cassées, Timon zézaya :

— Je peux vous aider ?

Il ne prit pas la peine de répondre. Il n'y avait pas place pour deux sous le châssis. La terre s'effrita brusquement et la Land-Rover s'affaissa. La roue avant reposait enfin au fond du terrier. Craig entreprit de creuser un plan incliné pour dégager l'accès vers l'arrière.

— Sally-Ann, prends le volant !

Il ponctuait chaque mot d'un coup de poing rageur sur la tôle.

— On va tâcher de soulever l'avant.

Il remonta à la surface et perdit une seconde à scruter

l'horizon. On voyait clairement le nuage de sable de leurs poursuivants.

— Allons-y, Timon.

Epaule contre épaule, ils empoignèrent le pare-chocs avant. Sally-Ann se glissa derrière le pare-brise souillé de poussière. Sur son front pâle, la bosse faisait comme un parasite immonde, bleuâtre, gorgé de sang. Elle fixait sur Craig un regard désespéré.

— Maintenant !

La suspension grinça. Le moteur s'emballa. La voiture s'ébroua et les roues calèrent contre la bordure de la rampe.

— Stop ! grogna Craig, et ils s'écroulèrent, à bout de souffle, sur le capot.

Le nuage de poussière était maintenant si proche qu'on s'attendait à distinguer les camions d'un instant à l'autre.

— Bon. On va la riper. Prêts ? Un ! Deux ! Trois !...

Pendant que Sally-Ann accélérait ils s'échinaient sur le pare-chocs à grands coups de reins réguliers rythmés par les ahans de Craig, et le véhicule bondissait, cognait sur le bord du terrier.

— Encore !

La poussière bouillonnait autour d'eux, et la radio se mit à aboyer triomphalement, comme un chien d'attaque menant sa meute sur les brisées du gibier. Ils étaient repérés.

— Du nerf !

Les mâchoires crispées, le souffle court, le visage congestionné, Craig sentait son crâne traversé de zébrures éblouissantes. Sa vision se brouillait. Ses vertèbres craquaient. Les muscles et les tendons de son dos se déchiraient — et brusquement les roues franchirent l'obstacle. La Land-Rover fut propulsée en arrière, enfin libérée.

Craig s'affala sur les genoux. Dans un dernier effort il se releva, tituba jusqu'à la voiture et se hissa sur le capot. Sally-Ann accélérait déjà. Il resta un long moment accroché à la tôle, laissant ses membres récupérer des forces. Puis il rampa sur la galerie.

Il n'y avait qu'un camion. Un Toyota cinq tonnes. A travers l'écran de chaleur il apparaissait, monstrueux, flottant dans l'air comme un fantôme désincarné. Craig épongea la sueur qui dégoulinait dans ses yeux.

Sa vision s'éclaircit. Il vit la structure noire qui couronnait la cabine du camion : une mitrailleuse lourde sur affût circulaire, avec la tête du servant à côté. Il crut reconnaître la Goryunov Stankovy modifiée, une vraie saloperie.

— Dieu du ciel ! siffla-t-il, et il remarqua pour la première fois que la Land-Rover roulait bizarrement.

Elle vibrait, tressautait. Sur la gauche, à l'endroit où elle avait encaissé le choc, on entendait la criaillerie stridente de la tôle. Craig se pencha à la portière, côté conducteur.

— Accélère !

— Je n'ose pas ! Elle va nous claquer dans les pattes !

Il jeta un coup d'œil par-dessus son épaule. L'écart se resserrait. On voyait le servant s'affairer sur le toit.

— Fonce ! Ils ont une mitrailleuse, et on va entrer dans le champ d'une seconde à l'autre.

La Land-Rover força l'allure. Un fracas métallique s'ajoutait maintenant aux gémissements de la carrosserie torturée. La vibration secouait jusqu'aux dents de Craig. Il vit le Toyota tressauter sous le recul de la mitrailleuse.

La détonation ne leur parvint pas tout de suite. Brusquement, une série d'éclaboussures fit gicler le sable sur leur gauche, rideau poudreux, léger, aérien, et l'aboiement sec d'une rafale clôtura la féerie du spectacle d'une note sinistre.

— Vire à gauche ! hurla Craig.

Toujours tourner vers l'impact : le tireur pointera automatiquement de l'autre côté pour corriger le tir. La rafale suivante balaya à droite.

— Droite !

Leurs zigzags leur faisaient perdre du terrain. Le camion les talonnait.

Le lac salé approchait, lagune luisante de reflets argentés qui s'étalait sur plus d'un hectare. Un groupe de zèbres avait dû traverser en diagonale. Leurs sabots avaient crevé la croûte de sel pour s'enfoncer dans la bourbe jaunâtre. En s'aventurant là-dedans, n'importe quel véhicule resterait enlisé.

— Attention à la nappe, sur ta gauche ! Coupe à gauche ! Encore ! Encore ! Voilà. Maintenant tout droit !

La queue de la lagune s'étalait en travers de leur route, et peut-être arriveraient-ils à attirer leurs poursuivants dans le bourbier. Il glissa un coup d'œil par-dessus son épaule et siffla un « merde » désespéré.

Le chauffeur du camion était trop malin pour tomber dans le piège. Il faisait le détour, comme eux, et une grêle de balles traça une ligne de cratères sur la carrosserie, halos de métal brillant sous la peinture écaillée.

— Ça va ?

— Ça va ! cria Sally-Ann, mais à en croire sa voix elle crânait déjà beaucoup moins. Craig, on n'avance plus ! J'ai beau écraser l'accélérateur, on ralentit à vue d'œil.

Craig pouvait maintenant sentir l'odeur âcre du métal surchauffé.

— Timon, passez-moi une arme !

Ils étaient hors de portée du AK 47, mais la rafale qu'il leur expédia le rassura. Ils contournaient la lagune dans le vrombissement des moteurs et la puanteur de la tôle martyrisée. Craig fixait l'horizon en rechargeant son fusil.

— Encore combien jusqu'à la frontière ? Dix miles ?

Mais une frontière suffisait-elle à arrêter un commando de la 3e brigade en mission Léopard ? Certainement pas. Israéliens et Sud-Africains avaient depuis longtemps banalisé les opérations de récupération en territoire neutre : ils les suivraient jusqu'à la mort.

La Land-Rover se traînait au rythme syncopé de sa suspension estropiée, et Craig sut pour la première fois qu'ils n'y arriveraient pas. Il vida son chargeur par rafales courtes, rageuses, et à la troisième le Toyota fit un écart pour se figer dans un nuage.

— Je l'ai eu !

— Youpi ! cria Sally-Ann.

— Beau travail, monsieur Mellow.

Le camion se découpait, massif, immobile, dans le brouillard qui retombait en écharpes autour de lui.

— Prends ça ! claironna Craig. Tu l'as dans le baba, fils de porc-épic !

Et il vida le chargeur sur sa cible. Des hommes grouillaient autour du véhicule impuissant comme des fourmis sur un cadavre de scarabée, et la Land-Rover continuait sa route en claudiquant.

— Oh ! non...

La silhouette du Toyota bougeait, et un plumet de poussière fusait de nouveau sous ses roues.

— Ils repartent !

Il avait peut-être esquinté le chauffeur, mais rien de plus. Comme pour mieux proclamer la reprise des hostilités, une salve fouetta la Land-Rover.

Dans la voiture quelqu'un hurla. Un cri suraigu, une voix féminine. Accroché à la galerie, paralysé par l'angoisse, Craig n'osait pas poser la question qui lui brûlait les lèvres.

— Timon est touché.

La voix de Sally-Ann — et son cœur — tressauta.

— Gravement ?

— Assez. Il saigne...

— Pas question d'arrêter.

Devant Craig s'étendait un néant désespérément vide. Même les quelques rares arbustes rabougris avaient disparu. Le paysage était plat, désolé, le reflet des lagunes livides donnait au ciel une pâleur laiteuse et gommait l'horizon. Air et terre se mélangeaient au loin dans un infini où le regard se perdait.

Craig baissa les yeux.

— Stop !

Sally-Ann pila. La Land-Rover dérapa sur le côté comme un crabe infirme, et s'immobilisa.

D'un air parfaitement innocent, une petite boule de poils jaunes sautillait devant le véhicule sur de grandes pattes élastiques. Elle disparut brusquement, avalée par la terre.

— Gerbilles ! cria Craig. Toute une colonie, juste devant nous.

— Des rats-kangourous !

Sally-Ann se penchait à la portière. Ils avaient eu de la chance. Des milliers de galeries minaient le sol, et sous la surface ponctuée de monticules insignifiants en apparence s'entrecroisait un réseau complexe de tunnels qui sapaient le sable sur une profondeur d'au moins un mètre. Une Land-Rover s'y serait enfoncée irrémédiablement.

Par-dessus le ronronnement du ralenti on entendait maintenant le vrombissement du camion et la Goryunov Stankovy cracha sa mitraille si près que Craig se baissa instinctivement.

— A gauche ! On coupe vers la lagune.

Ils braquèrent à angle droit, fouettés par une rafale meurtrière. Les râles de Timon perçaient à travers le bruit du moteur.

— Impossible de passer ! s'affola Sally-Ann.

Les galeries des gerbilles étaient partout.

— Fonce !

Le Toyota amorçait une diagonale qui pointait droit sur eux.

— Là !

Craig ne s'était pas trompé. Les galeries des rongeurs s'arrêtaient à l'approche de la lagune, pour éviter les infiltrations bourbeuses des vasières. Il y avait un passage étroit, et la Land-Rover s'y engagea, comme sur un pont. Cinq cents mètres plus loin ils retrouvaient la terre ferme. Sally-Ann écrasa l'accélérateur pour foncer en ligne droite.

— Non ! Non ! Vire à droite ! A droite, toute !

Elle hésitait.

— Mais vas-y, nom de Dieu !

Elle comprit brusquement la manœuvre et braqua le volant pour couper en biais devant leurs poursuivants. Le camion modifia immédiatement sa course. Il s'éloignait de la lagune, déviait du passage étroit à travers le labyrinthe souterrain des gerbilles. On distinguait maintenant les soldats à l'arrière, la couleur rouge bordeaux des bérets, l'éclat blanc des insignes, et les clameurs surexcitées.

Une grêle de balles fouailla le sol à trois mètres, et la Land-Rover creva le rideau de poussière. Craig vidait chargeur sur chargeur dans l'espoir de distraire le chauffeur du Toyota du piège qui lui tendait les bras.

— Seigneur ! Faites que ça marche ! priait-il, crispé sur son arme brûlante.

Et Dieu l'écouta. Le cinq-tonnes s'encaissa plein pot dans la fondrière.

C'était comme un éléphant sombrant dans une chausse-trappe. La terre s'ouvrit et avala le véhicule, qui bascula sur le côté en envoyant valdinguer ses soldats. Quand la poussière retomba, le camion gisait sur le flanc, à demi enterré. Des corps s'éparpillaient tout autour et certains commençaient seulement à se relever.

— Et voilà ! Maintenant il leur faudra un bulldozer s'ils veulent se tirer de là.

— Craig ! Timon...

— Arrête. Je descends.

Le capitaine se tassait contre la portière. Il avait perdu ses lunettes. Son souffle gargouillait dans sa gorge et son treillis était imbibé de sang. Craig défit sa veste.

La balle avait traversé la carrosserie, s'était aplatie sur la tôle pour forer, comme une dum-dum, un trou de la taille d'une tasse à café dans le dos du malheureux. Elle n'était pas ressortie. Il y avait une mallette à pharmacie attachée sous le tableau de bord. Craig en sortit deux tampons de gaze, une bande, et pansa la blessure tant bien que mal dans les cahots désordonnés de la voiture qui redémarrait.

— Alors ?

Sally-Ann cessa un instant de fixer le pare-brise pour glisser un coup d'œil sur le côté.

— Ça va aller.

Paroles rassurantes qui s'adressaient au blessé, mais qu'il accompagna d'une grimace sans illusion. Timon était un homme mort. Ce n'était plus qu'une question d'heures. Personne ne pouvait survivre à une blessure pareille. L'odeur du métal surchauffé devenait suffocante.

— De l'air, gémit le blessé dans un sifflement éraillé.

Craig pulvérisa la vitre de sa portière d'un coup de poing.

— Mes lunettes, reprit Timon. Je n'y vois rien.

Craig pêcha les lunettes cerclées d'acier entre les sièges et les lui percha sur le nez. Le mourant eut un sourire invraisemblable.

— Merci, monsieur Mellow. On dirait que je vais vous laisser en route, finalement. Où en est le camion ?

— Hors de combat.

— Bien joué, monsieur.

Un brouillard gluant de graisse et de caoutchouc carbonisé envahissait la voiture.

— On brûle ! cria Sally-Ann.

La friction du coussinet endommagé avait fini par enflammer le pneu. Bientôt, malgré les rugissements pathétiques de la mécanique, le véhicule s'immobilisa. Le feu se propageait. Des nuages de fumée noire sourdaient de sous le châssis.

— Coupe le contact !

Craig empoigna l'extincteur et descendit en catastrophe. Il étouffa les flammes de la calandre sous une mousse de poudre blanche et souleva le capot brûlant pour asperger le moteur. Puis il recula.

— Terminus. Tous les voyageurs descendent de voiture.

Après le vacarme de la poursuite le calme était étourdissant. Les claquements secs du métal qui refroidissait résonnaient comme des coups de cymbales. Derrière eux, une brume de chaleur masquait le Toyota. Le silence sifflait à leurs oreilles et la solitude du désert pesait sur eux comme un suaire. La bouche de Craig s'engluait dans une salive épaisse, poisseuse.

— De l'eau !

Sous le siège il dévissa le bouchon du réservoir d'eau et évalua le niveau : au moins vingt-cinq litres.

Un soldat avait laissé son bidon accroché à l'arrière. Craig le remplit et le porta à Timon. Le blessé but avec délices, hoquetant, déglutissant péniblement. Sur son bandage la tache de sang ne s'agrandissait plus. L'hémorragie était endiguée — pour le moment.

Première règle à appliquer dans le désert, se récita Craig : ne pas s'éloigner du véhicule. Règle qui ne s'appliquait pas à leur cas. La Land-Rover allait attirer les Shona comme un phare. Les avions de reconnaissance la repéreraient à trente miles sur la plaine. Il y avait aussi cette patrouille qui descendait du poste frontière de Plumtree. Dans quelques heures, ils seraient là. Pas question de rester. Il fallait filer.

Craig croisa le regard de Timon, et sut qu'ils arrivaient aux mêmes conclusions.

— Vous allez devoir me laisser.

Incapable de répondre, Craig grimpa sur le toit. Le soleil rougeoyait, s'enfonçait lentement dans la brume. Encore deux heures avant la nuit.

— Embusquez-moi à l'abri, et je peux vous couvrir un moment, insistait le capitaine. (Et comme Craig hésitait :) Ne perdez pas de temps en discussions stériles, monsieur Mellow.

— Sally-Ann, remplis le bidon. Prends le chocolat des rations de survie et les tablettes de protéines. Il nous faudra aussi la carte, la boussole et les jumelles.

Il engloba les environs d'un coup d'œil. Le terrain n'offrait aucune planque. Restait la Land-Rover. Il vidangea le réservoir d'essence pour éviter qu'une balle malheureuse ne transforme l'épave en torche, et Timon avec. Puis il bâtit un abri rudimentaire autour du pont arrière, empilant les roues de secours et la caisse à outils sur le côté pour protéger les flancs du tireur quand les Shona se refermeraient sur lui.

Il aida le blessé à s'extraire de son siège et le coucha sur le ventre derrière les roues arrière. L'hémorragie reprit, rougissant les pansements. Timon virait au gris. La sueur perlait sur sa lèvre supérieure en gouttelettes luisantes. Craig plaça un AK 47 entre ses doigts et arrangea un coussin de siège pour soutenir le canon. Près de sa main droite, il installa les munitions. Cinq cents cartouches.

— Ça durera jusqu'à la nuit, promit le mourant. Mais laissez-moi une grenade.

Ils savaient tous pourquoi. Timon ne voulait pas être pris vivant. Au dernier assaut, il se ferait sauter.

Craig prit les cinq grenades qui restaient et les enfourna dans l'un des sacs à dos. Il mit par-dessus le sac British Airways qui contenait ses papiers et son manuscrit. De la caisse à outils il tira un mince rouleau de fil de fer et une paire de pinces ; de la réserve de munitions, six chargeurs pour son AK 47. Il divisa le contenu de la pharmacie pour laisser à Timon deux bandes propres, une plaquette de gélules contre la douleur et une seringue de morphine.

Il jeta un coup d'œil dans la voiture. Y avait-il autre chose qui puisse leur être utile ? Un tapis de sol kaki roulé sous les sièges. Il l'ajouta à son fourniment et soupesa le sac : difficile d'emporter plus.

Le bidon en bandoulière, un deuxième sac à dos à l'épaule, Sally-Ann attendait. Elle était très pâle. Sur son front la bosse paraissait plus grosse encore.

— Prête ?

— Prête.

Craig s'accroupit près de Timon.

— Au revoir, capitaine.

— Au revoir, monsieur Mellow.

Il n'y avait aucune peur dans ses yeux, aucune crainte, et Craig s'émerveilla une fois encore du fatalisme avec lequel les Africains savent accueillir la mort.

— Merci pour tout.

— *Hamba gashle.* Allez en paix.

— *Shala gashle.* Restez en paix.

Il se redressa. Sally-Ann s'accroupit à son tour.

— Vous êtes un brave homme, Timon. Et courageux.

Le blessé dégrafa son holster et tendit son pistolet à la jeune fille sans un mot. C'était une copie chinoise du Tokarev modèle 51.

— Merci.

Ils savaient tous que, comme la grenade, c'était l'arme du dernier recours. Sally-Ann glissa le canon dans la ceinture de son jean et, impulsivement, embrassa le moribond avant de se détourner.

Craig l'entraîna. Il regardait en arrière de loin en loin, en prenant soin de rester en droite ligne de la Land-Rover. Si les autres suspectaient leur fuite, ils se scinderaient en deux pour lancer un commando sur leur trace.

Trente-cinq minutes plus tard claquait le premier coup de feu. L'épave n'était plus qu'une tache noire minuscule au loin, et l'obscurité se refermait sur elle. Une tempête de détonations rageuses répondit.

— C'est un bon soldat. Il a dû s'assurer que son premier coup portait. Je parie qu'ils ne sont plus que huit maintenant.

Il se rendit compte alors que les larmes coulaient sur les joues de Sally-Ann et diluaient la croûte de poussière qui couvrait sa peau.

— Ce n'est pas tant la mort, cita-t-il gravement, que la façon de mourir.

— Ne me bassine pas avec tes clichés littéraires à la noix!

Ils reprirent leur fuite. Les détonations n'étaient plus maintenant qu'une rumeur, comme un bruissement de pas sur un tapis de feuilles mortes.

— Craig!

Il se retourna. Sally-Ann s'était arrêtée, pour s'effondrer, la tête entre les genoux.

— Ça va aller. Simplement... J'ai un mal de crâne épouvantable. C'est tout.

Il sortit des calmants de son sac, détacha deux gélules et les lui fit absorber avec un peu d'eau. Cette bosse sur son front l'inquiétait. Il referma ses bras sur elle et la pressa contre lui. Elle s'abandonnait sur sa poitrine.

— Si tu savais...

Le souffle distant d'une déflagration étouffée vibra dans le silence du crépuscule. La jeune femme se crispa.

— Qu'est-ce que c'était?

— Grenade défensive.

Il consulta sa montre.

— C'est fini. Il nous aura donné un délai de quarante-cinq minutes.

— Ne les gâchons pas.

Sally-Ann se releva d'un air déterminé. Elle jeta un coup d'œil derrière elle.

— Pauvre Timon.

Combien leur restait-il de poursuivants maintenant? «Nous le saurons bien assez tôt», pensa Craig, et la nuit s'abattit comme un rideau sur une scène de théâtre.

Pas de lune. La seule lumière tombait des étoiles. Orion trônait d'un côté; la Croix du Sud de l'autre. La Voie lactée semait sa magnificence à travers le ciel. C'était une nuit superbe, mais quand Craig regarda en arrière il vit que cette clarté diffuse suffisait à relever facilement leurs traces.

— Repose-toi ! ordonna-t-il, et Sally-Ann s'allongea de tout son long.

Il coupa un bouquet de broussailles avec la baïonnette de son AK 47, le ficela avec du fil de fer et l'attacha à sa ceinture.

— Passe devant.

Il économisait ses forces en parlant le moins possible. Derrière lui, les broussailles effaçaient leurs empreintes.

Au bout d'un mile ce poids qu'il tirait comme une ancre commençait à prélever un lourd tribut sur ses réserves d'énergie. Il se penchait de plus en plus pour haler son fardeau. A trois reprises déjà Sally-Ann avait réclamé de l'eau. Chaque fois il refusait de lui en donner. Ne jamais boire dès les premières soifs : règle numéro deux.

Il n'eut pas le cœur de la faire souffrir plus d'une heure. Quand elle eut avalé quelques gorgées, il se chargea du bidon pour la soustraire à la tentation.

Un peu avant minuit il se débarrassa de son ballot d'épines. Si les Shona leur collaient encore aux basques, ce truc ne servait plus à rien. Il soulagea Sally-Ann de son sac et le balança sur son épaule.

— Laisse, ça va ! protesta-t-elle en titubant comme une pocharde.

Pas une seule fois elle ne s'était plainte. Pourtant, sous la clarté des étoiles son visage paraissait aussi pâle que le lac salé qu'ils traversaient. Il improvisa quelques paroles de réconfort.

— Nous avons dû passer la frontière depuis longtemps.

— Qu'est-ce que ça change ? chuchota-t-elle, et il n'eut pas le courage de répondre par des mensonges.

Le vent les cinglait à travers leurs vêtements. Il déplia le tapis de sol et le drapa sur les épaules de Sally-Ann.

Un mile encore, et ils atteignirent l'autre rive du lac salé. Il savait qu'elle n'irait pas plus loin aujourd'hui. Ils s'enfoncèrent dans une dune de sable croûtée de sel et retrouvèrent la terre ferme de l'autre côté.

— On s'arrête ici.

— Je peux boire un peu ?

— Non. Demain.

Le bidon clapotait comme s'il était à moitié vide. Craig coupa une haie de broussailles contre le vent. Puis il enleva ses chaussures à Sally-Ann et massa ses pieds. Son talon gauche était à vif. Il nettoya la plaie d'un coup de langue pour économiser l'eau, la badigeonna de mercurochrome et la banda serré. Pour finir, il intervertit les chaussettes de Sally-Ann et relaça ses chaussures.

— Tu es tellement doux, murmura-t-elle en l'accueillant à ses côtés sous le tapis de sol en plastique. Et tellement chaud.

— Je t'aime. Dors, va.

Elle soupira, se pelotonna en boule, et il la croyait endormie quand elle chuchota :

— Craig, c'est vraiment dommage pour King's Lynn.

Puis son souffle se fit plus profond, plus régulier. Elle dormait. Il se glissa de sous leur abri de fortune et s'assit sur la dune, son AK 47 sur les genoux, pour scruter la lagune.

Il y avait quelques jours il était riche encore de rêves, d'espoirs, de millions de dollars qu'il lui fallait maintenant rembourser. Du statut de millionnaire il avait basculé dans quelque chose de pire encore que le dénuement. Même ce paquet de feuillets dans le sac British Airways ne lui appartenait pas. Son manuscrit était hypothéqué. Il n'avait rien. Rien d'autre que cette femme — sa femme — et sa rage.

Il passa la nuit sans fermer l'œil, hanté par le souvenir de Peter Fungabera, consumé tout entier par une haine effroyable. Toutes les heures, il s'agenouillait auprès de Sally-Ann, rajustait le tapis de sol sur ses épaules, écoutait sa respiration, et revenait s'asseoir pour reprendre sa veille.

Des formes sombres se profilèrent sur le grand lac. L'estomac noué, il braqua les jumelles de Timon dans leur direction. Non. C'était une harde d'oryx, les grandes gazelles du désert au masque blanc, qui défilait au loin pour se fondre dans la nuit.

Orion s'estompa aux premières lueurs de l'aube. Il était temps de repartir mais Craig ne bougeait pas, repoussant à plus tard le moment où il lui faudrait imposer à Sally-Ann les terreurs de la traque, lui accordant encore quelques minutes d'oubli.

C'est alors qu'il les vit. Petites silhouettes obstinées qui pointaient droit sur eux. Le ballot de broussailles qui balayait leur piste avait dû les retarder, mais ils étaient là et Craig sentit le désespoir l'envahir.

Le moment était venu de faire front.

Plié en deux, il courut à son sac. La dune et les buissons lui offraient un petit avantage mais le temps pressait. Il fourra ses cinq grenades dans sa chemise, prit le rouleau de fil de fer et la pince, et revint à son poste.

Par-dessus la crête il observa la patrouille. Pour le moment ils s'alignaient en file indienne, mais ils se déploieraient certainement à l'approche de la rive, adoptant la formation classique, en V, qui leur permettait de se couvrir en cas d'embuscade.

Il calcula l'emplacement des grenades en conséquence. Le long de la crête, à intervalles de vingt mètres, il fixa solidement chaque engin sur une branche, fit une boucle de fil de fer à chaque goupille, et rassembla les cinq fils, pour les attacher un à un à son sac à dos.

La lumière augmentait. Il rampa à l'abri de la haie d'épines. Devant lui un éventail de fils s'étirait jusqu'aux grenades. Il vérifia le magasin de son AK 47 et plaça les chargeurs à portée de sa main.

Réveiller Sally-Ann. Il déposa un baiser sur ses lèvres. Elle fronça le nez, encore ensommeillée, et ouvrit les yeux. L'éclat vert de l'amour illumina ses prunelles un instant, pour faire place à un abîme de détresse. Elle fit mine de se lever. Il l'en empêcha.

— Ils arrivent.

Elle hocha la tête.

— Tu as le pistolet de Timon?

Nouveau signe de tête, comme elle empoignait la crosse à la ceinture de son jean.

— Tu sauras t'en servir?

— Oui.

— Promets-moi de garder une balle pour la fin.

— Promis.

A quatre cents mètres de la dune la patrouille se déployait

en V. Il les compta. Cinq ! Timon n'en avait descendu que quatre.

— Baisse la tête. Ta peau brille comme un miroir.

Sally-Ann obéit. Craig remonta sa chemise pour masquer son visage et les regarder s'approcher.

« Seigneur ! » pensa-t-il. Ils étaient vraiment bons. Après une nuit de traque ils gardaient la vigueur et l'œil méfiant du lynx.

En tête s'avançait un grand Shona, souple et délié comme un roseau. Il portait son AK 47 sur la hanche, et chacun de ses pas trahissait une concentration meurtrière.

Quatre autres soldats, trapus, sinistres, obéissaient docilement au moindre de ses gestes. Ils progressaient en silence vers la rive, et Craig alignait fiévreusement ses fils au creux de sa paume gauche.

A cinquante mètres du bord le Shona arrêta ses hommes d'un signe brutal. Il examina lentement la dune, les buissons, fit cinq pas en avant, et se figea. Craig retint sa respiration. Les secondes s'égrenaient.

L'autre avait pivoté pour revenir vers ses hommes. Il les désigna de l'index, et ils se détachèrent un par un pour se ranger selon la formation de combat traditionnelle des tribus nguni, l'arc en « cornes de taureau » que le roi Chaka avait utilisé avec tant de succès, et les cornes pointaient vers Craig.

Il se félicita d'avoir ménagé un intervalle aussi grand entre ses grenades. Les hommes aux deux extrémités allaient pratiquement foncer droit dessus. Il manipula les deux fils correspondants et les rangea à part en regardant approcher les soldats. Malheureusement le grand Shona n'avançait pas. Il se cantonnait en arrière, hors de portée des grenades, et surveillait la manœuvre de loin.

L'homme qui venait de prendre pied sur la dune, à gauche, avait un bandage sanglant autour du front. L'œuvre de Timon. La grenade lui arrivait au niveau du nombril. L'autre abordait tout juste la crête. Craig tira d'un coup sec sur les deux fils. Il entendit les bouchons sauter avec un « pop ! » « pop ! » métallique.

Trente secondes de délai avant la mise à feu. Le soldat de

droite se plaqua au sol mais Craig le jugea trop près de l'engin pour survivre à l'explosion. Les trois du centre, en retrait, roulèrent à terre en mitraillant la crête.

Seul le blessé ne réagit pas immédiatement.

L'explosion l'écharpa de plein fouet et le souleva de terre. Sur la droite on entendait le tambourinement sourd, terrible, des shrapnels qui s'enfouissaient dans la chair de son compagnon.

« En voilà deux », pensa Craig en ajustant leur chef. Mais sa cible roulait déjà sur le flanc, et la première rafale creva la croûte de sel.

Un des soldats s'était levé pour monter à la charge, louvoyant comme un trois-quarts aile qui vient de saisir le ballon. Craig le faucha d'une ligne de balles qui lui déchira l'aine et remonta son thorax en diagonale. Il se tordit, dégringola sur les genoux et s'abattit face contre terre comme un musulman en prière.

Le chef était debout. Fonçant. Criant des ordres. Et son dernier soldat le suivait à vingt mètres. Craig pointa sa mire sur l'officier en jubilant. Il ne pouvait pas le rater. Le AK 47 toussa une fois, et le percuteur claqua sur un chargeur vide.

Craig n'était plus aussi rapide qu'autrefois. Quand il lâcha sa deuxième volée de balles, sa proie s'était terrée à l'abri de la crête.

Avec un juron, il expédia au petit bonheur une rafale rageuse vers la rive, où courait encore le dernier soldat. Sa tête bascula, comme fouettée par un uppercut. Le béret rouge vola en l'air et le Noir s'écroula au pied de la dune.

Quatre sur cinq. C'était plus que Craig n'espérait. Mais le plus dangereux des cinq avait dû repérer sa position.

— Ne bouge pas, ordonna-t-il à Sally-Ann.

Et il tira sur les fils des grenades. Les trois déflagrations se superposèrent dans un feu roulant retentissant. Déjà il fonçait dans le tourbillon de flammes et de poussière.

Il fila trente mètres sur la droite, courbé en deux, son fusil chargé à la main, plongea pour bouler sur le côté et attendit à plat ventre, canon braqué sur l'endroit où l'officier shona avait disparu.

Le jour venait. La lumière grandissait.

Le Shona se silhouetta soudain sur la lagune, rapide et preste comme un mamba, mais à un endroit où Craig ne l'attendait pas. Il avait dû ramper sous la crête pour émerger loin sur la gauche.

Craig pointa son AK 47 dans sa direction, crispa le doigt sur la détente... et ne tira pas. Ses chances étaient trop minces pour qu'il prenne le risque de trahir sa nouvelle position. L'officier disparaissait déjà dans les fourrés. Craig se coula sans bruit le long de la crête, tout entier tendu vers sa proie. Les secondes s'éternisaient, le temps s'écoulait avec une lenteur de mélasse. Pouce par pouce, il progressait.

Tout à coup Sally-Ann poussa un hurlement. Un cri qui tortura ses nerfs comme une roulette de dentiste — et le Noir se dressait dans les broussailles derrière elle. Il l'agrippait par les cheveux, la plaquait contre lui pour s'en faire un bouclier. Sally-Ann se débattait, sifflait, griffait, crachait comme un chat.

Craig chargea. Sans réfléchir, il céda à un réflexe impératif qui le poussait en avant, balançant son fusil comme une masse. Le Shona lâcha sa captive. Elle chancela et s'affala sur le dos.

Le soldat esquiva la crosse du AK 47 et catapulta un coup d'épaule sur les côtes de Craig. Le fusil valdingua au loin. Ils n'en avaient besoin ni l'un ni l'autre. A cette distance, maintenant, l'arme idéale, c'était leur corps.

Craig sut tout de suite que le Noir était trop fort pour lui. Au lieu de résister à son étreinte il lança toutes ses forces en avant. Déséquilibrés, ils basculèrent. Il tenta d'en profiter pour assener un coup de prothèse à son adversaire mais ne réussit qu'à moitié.

Corps à corps, ils roulèrent sauvagement dans les fourrés, cadenassés dans un nœud de muscles, mêlant leur souffle en haletant. Le Shona retroussait ses lèvres sur une dentition de jeune loup. D'un coup d'incisive il pouvait lui trancher le nez, l'oreille, ou lui arracher une joue. Craig l'avait vu faire plus d'une fois dans les bagarres du samedi soir entre deux braillards éméchés.

Au lieu de reculer sa tête il lui expédia un coup de front

brutal dans les gencives. Une dent claqua. La bouche ensanglantée, le Noir esquiva une deuxième tentative — et brusquement il avait sorti son poignard de l'étui qui pendait à sa ceinture. Craig lui empoigna désespérément le bras mais parvint à peine à amortir le coup.

Ils roulèrent encore. Le Shona promenait la pointe frémissante de sa lame sur la gorge et le visage de son adversaire. Craig bandait toutes ses forces pour le retenir, arcbouté à son poignet, mais l'autre le nouait entre ses cuisses dans une prise meurtrière qui les clouait au sol comme deux amants.

Et le couteau descendait toujours. A l'arrière-plan le visage du Noir, gonflé par l'effort, les lèvres écarlates, le sang dégoulinant de son menton pour tomber goutte à goutte sur Craig, les yeux injectés de veinules brunâtres, exorbités — et la lame s'approchait inexorablement.

Craig mobilisait toutes ses forces pour la repousser. La pointe chatouillait sa peau à la naissance du sternum. Piquait comme une seringue hypodermique. Dans un dernier effort le Noir se préparait à donner le coup fatal qui enfoncerait l'acier à travers le larynx — coup que Craig ne pourrait pas éviter.

Miraculeusement la tête du Shona se métamorphosa, se déforma comme un masque de caoutchouc, se gondola, grotesque, et une fontaine de cervelle gélatineuse jaillit de sa tempe. Le tonnerre d'une détonation ébranla les tympans de Craig. Au-dessus de lui le corps du grand Noir s'affaissait. Il roula sur le côté et se déplia mollement sur le sol, comme un poisson-chat hors de l'eau.

A deux mètres à peine, Sally-Ann lui faisait face, les deux mains crispées sur la crosse de son Tokarev. Le canon pointait encore vers le ciel, où le recul l'avait projeté.

— Je l'ai tué ! souffla-t-elle, et l'horreur glaçait ses yeux. Je n'avais jamais tué avant — pas même un lapin, pas même un poisson... rien.

Elle laissa tomber le pistolet et se frotta convulsivement les mains. Craig la prit dans ses bras. Elle tremblait de tous ses membres.

— Emmène-moi, s'il te plaît. Je sens l'odeur du sang. Emmène-moi.

— Oui. Oui.

Fébrilement il roula le tapis de sol et boucla les sacs à dos.

— Par ici, viens.

Ployant sous les sacs, son fusil à la main, il l'entraîna vers l'ouest.

Ils marchaient depuis trois heures quand ils s'accordèrent leur première gorgée d'eau. Craig s'aperçut brusquement d'un oubli épouvantable. *Les bidons!* Dans sa hâte il avait omis de récupérer les gourdes sur les cadavres shonas. Il jeta en arrière un coup d'œil catastrophé. Même s'il laissait Sally-Ann pour faire demi-tour, il en avait pour quatre heures. Les patrouilles de la 3e brigade n'allaient pas tarder à leur filer le train. Il soupesa le bidon aux trois quarts vide : à peine assez pour finir la journée, même s'ils attendaient dans un coin d'ombre — et ils ne pouvaient pas se permettre d'attendre.

Il n'eut pas à réfléchir plus longtemps. Le ronronnement d'un moteur d'avion vibrait au nord. Il fixa sur le ciel un regard désespéré, avec la résignation d'un lapin sous les ailes d'un faucon.

— Vol de reconnaissance.

Alternativement, le bruit s'éloignait et s'amplifiait à nouveau.

— Ils quadrillent toute la région.

Au même instant il distingua l'appareil. Beaucoup plus proche qu'il ne le pensait, et bien plus bas. Il força Sally-Ann à se baisser et jeta le tapis de sol sur elle avant de se glisser à ses côtés. La machine approchait.

Le vrombissement se fit assourdissant. Le pilote les avait repérés. Craig risqua un coup d'œil.

— Piper Lance, murmura Sally-Ann.

Il arborait les cocardes d'Air Zimbabwe. Le pilote était blanc, curieusement, mais le Noir à sa droite portait le sinistre béret rouge bordeaux. Le Piper exécuta un virage serré, pointa son aile vers eux comme une menace. Le bruit de moteur s'éloigna et se perdit dans le silence du désert.

Craig releva Sally-Ann.

— Tu peux marcher?

Elle hocha la tête en repoussant les mèches poissées de sueur qui collaient à son front. Des cloques gonflaient ses lèvres crevassées de fentes où luisait une pulpe rougeâtre.

— La route de la frontière ne devrait pas tarder maintenant. Si on pouvait tomber sur une patrouille du Botswana...

La route était à peine une piste, deux ornières parallèles dans un axe nord-sud qui faisaient un écart de loin en loin pour contourner une colonie de gerbilles ou une lagune. Les douaniers du Botswana y patrouillaient régulièrement.

Craig et Sally-Ann l'atteignirent au milieu de l'après-midi. Ils avaient abandonné armes et munitions pour ne garder que l'essentiel. Craig avait envisagé d'enterrer son manuscrit en lieu sûr. Il pesait quatre kilos au moins, mais Sally-Ann l'en avait dissuadé d'une voix rauque.

Le bidon était vide. Leur dernière gorgée d'eau chaude datait d'avant midi. Ils parcouraient un mile à l'heure, à peine. Craig ne suait plus. Sa langue gonflée semblait occuper toute sa bouche, et sa gorge se serrait.

Ils atteignirent la route, les yeux rivés sur l'horizon noyé de brume et de chaleur, toute leur volonté mobilisée pour soulever péniblement un pied et le placer devant l'autre.

Ils la traversèrent sans la voir, et s'enfoncèrent dans le désert. Ils n'étaient pas les premiers à manquer leur seule chance de survie pour continuer aveuglément vers la soif, la déshydratation et la mort. Au bout de deux heures de progression obstinée, vacillante, Craig s'arrêta.

— On aurait dû passer la route depuis longtemps.

Il vérifia une fois encore l'aiguille de la boussole.

— Détraquée. Elle n'indique plus le nord, c'est pas possible. Saloperie! On oblique vers le sud, décréta-t-il.

Et ils entamèrent la première boucle désorientée de ceux que le désert a piégés, la spirale sinistre qui descend vers la mort.

Une heure avant le coucher du soleil, Craig s'empêtra dans une ronce qui s'accrochait au sable gris. Un fruit unique poussait sur les branchages desséchés, vert pâle, de la taille d'une orange. Il s'agenouilla et le cueillit religieusement, comme s'il s'était agi du diamant Cullinan. En grommelant entre ses lèvres craquelées il fendit le fruit d'un coup de baïonnette.

— *Tsama.* Le melon du désert.

Sally-Ann le fixait sans comprendre.

Il écrasa la pulpe blanche et appliqua le bord du fruit à la bouche de la jeune fille. Sa gorge pompa douloureusement le jus clair, chaud. Extatique, elle savoura la douceur du liquide sur sa langue tumescente.

Lui-même sentait son gosier se contracter. Sally-Ann paraissait reprendre des forces à vue d'œil, et quand la dernière goutte franchit ses lèvres elle se rendit brusquement compte de son sacrifice.

— Toi ? murmura-t-elle.

Il pressa la croûte entre ses mains et suça ce qui restait de chair.

— Bientôt froid. Nuit.

Ils continuèrent leur chemin en boitillant.

Le temps se distordait dans l'esprit de Craig. En regardant le soleil couchant, il croyait voir l'aube se lever.

— Détraquée. Mauvaise direction.

Il balança rageusement la boussole. Elle atterrit mollement à quelques mètres à peine. Il fit demi-tour, en traînant Sally-Ann à sa suite.

Des ombres, des formes obscures dansaient sous son crâne. Il leur lançait des insultes en espérant les faire fuir. En vain. Il reconnut Ashe Levy sur le dos d'une hyène ébouriffée, qui brandissait son nouveau manuscrit, et ses lunettes cerclées d'or flamboyaient au soleil.

« Un bide ! Personne n'en veut, mon pauvre vieux. Tu es foutu. »

Et ce n'était plus son manuscrit qu'il tenait mais la carte des vins du *Four Seasons.*

— Il n'y a que les sorciers qui chevauchent les hyènes ! braillait Craig. Je le savais, tu es...

Avec un gloussement démoniaque l'éditeur éperonnait sa monture en envoyant voler le manuscrit. Les pages descendaient en tourbillonnant. Quand Craig s'agenouilla pour les ramasser, elles se transformèrent en sable gris, et il était incapable de se relever. Sally-Ann s'écroula près de lui. Ils s'accrochaient l'un à l'autre quand la nuit se referma sur eux.

Il ouvrit les yeux au matin. Sally-Ann refusait de se réveiller. Un souffle grinçant, râpeux, sortait de son nez et de sa bouche ouverte.

Il creusa un trou pour confectionner un condensateur solaire, et rassembla laborieusement une brassée d'épines et de broussailles. Les sarments grêles ne paraissaient pas contenir la moindre trace d'humidité quand il les hacha menu avec sa baïonnette pour les tasser au fond du trou.

Après quoi il découpa le fond du bidon d'aluminium pour le placer au centre. Le moindre geste exigeait des trésors de concentration. Il étendit le tapis de sol au-dessus de la fosse et cala chaque coin sous un tas de sable. Au milieu, il déposa une cartouche pour incurver le plastique vers le récipient d'aluminium. Puis il rampa jusqu'à Sally-Ann et se pencha sur elle pour lui faire de l'ombre.

— Ça ira. On va la trouver, cette route.

Aucun son ne sortait de sa gorge mais il ne s'en rendait pas compte. D'ailleurs, à quoi bon ? Elle ne l'aurait pas entendu.

— Ce petit enfoiré de Levy n'est qu'un menteur. Je le finirai, mon bouquin. Je paierai toutes mes dettes. On décrochera un contrat de cinéma. Je rachèterai King's Lynn. Ça s'arrangera, mon amour. Tout s'arrangera.

Il patienta courageusement dans la fournaise et n'ouvrit son condensateur qu'à midi. Sous le tapis de sol le soleil avait fait du trou un véritable four. L'évaporation des plantes hachées s'était déposée sur le plastique pour dégouliner jusqu'au renflement de la cartouche et, de là, tomber goutte à goutte dans le fond de la gourde.

Il avait récupéré un quart de litre. Il tremblait si violemment qu'il faillit tout renverser en glissant une gorgée dans sa bouche. C'était un nectar chaud, vaguement sucré et il dut faire appel à toute sa volonté pour s'empêcher de l'avaler.

Penché sur Sally-Ann, il plaqua sa bouche sur ses lèvres noires cuirassées de sang séché et y injecta précautionneusement un jet de liquide.

— Bois, ma belle. Bois.

Il se surprit à glousser comme un dément en la regardant déglutir péniblement.

Gorgée par gorgée, il recommença l'opération jusqu'à la dernière goutte, qu'il laissa enfin glisser dans son gosier parcheminé. L'eau lui monta droit à la tête comme un alcool. Il resta assis, un sourire béat sur ses lèvres écaillées, lourdes, noircies, le visage enflé, les joues couvertes d'un glacis de larmes salées, ses yeux injectés encombrés de mucosités encroûtées.

Il reconstruisit son alambic et revint près de Sally-Ann pour couvrir son visage d'un pan de chemise déchiré.

— S'arranger. Mon amour. Pas peur.

Mais il savait qu'ils vivaient leur tout dernier jour.

Le soir, le condensateur leur offrit une autre demi-pinte d'eau distillée. Puis ils sombrèrent dans un sommeil épais, sans fond, dans les bras l'un de l'autre.

Quelque chose réveilla Craig. Le vent? Il se redressa laborieusement et tendit l'oreille, attentif à ce bruit de fond fluctuant qui bourdonnait à ses tympans comme une hallucination. L'aube approchait. Sous les draperies d'un ciel de velours l'horizon traçait une mince ligne noire.

Et brusquement la rumeur s'affirma. Il identifia le son caractéristique du quatre-cylindres Land-Rover. La 3e brigade n'avait pas abandonné.

Au loin, une paire de phares dansait dans le désert. Il tâtonna à la recherche de son AK 47. Pas là. Ashe Levy l'avait volé, cet enfant de putain.

Ils approchaient. Dans la lumière, une petite silhouette menue sautillait, marionnette jaune endiablée. Il reconnut un Bochiman, les frères pygmées du désert du Kalahari. Un pisteur bochiman. La 3e brigade avait engagé un pisteur bochiman pour les traquer. Lui seul pouvait caracoler toute une nuit sur leurs traces et relever leurs empreintes dans les phares d'une Land-Rover.

Ebloui, Craig cligna des yeux. La main qu'il cachait derrière son dos empoignait fermement sa baïonnette.

« Je vais m'en payer un. »

La voiture s'était arrêtée à quelques mètres. Le petit Bochiman claquait la langue, gazouillait dans son incroyable langage. Une portière claqua. Un homme approchait. « Le général Peter Fungabera. »

« Merci, Seigneur, merci de me le livrer avant de mourir. » Craig crispait les doigts sur son arme. « Dans la gorge. Au moment où il se baissera. Maintenant ! » Il bandait toutes ses forces. « Lui enfoncer la pointe dans la gorge ! » Mais rien ne se passait. Ses membres n'obéissaient plus. C'était foutu. Foutu.

— Je suis dans l'obligation de vous arrêter, monsieur, dit le général Fungabera. Pour entrée illégale sur le territoire du Botswana.

Mais il avait changé sa voix. Il parlait maintenant d'un ton doux, caressant, avec un accent épouvantable.

— Vous avez de la chance. Nous sommes sur votre piste depuis hier, 3 heures. Il y en a plein, des gens qui meurent dans le désert.

Et il portait l'uniforme de la police du Botswana.

Déjà tout petit, avant la grande guerre patriotique, le colonel Nikolaï Bukharin accompagnait son père à la chasse au loup, traquant les hardes qui terrorisaient leur village pendant les longs mois d'hiver de l'Oural.

Ces expéditions dans les profondeurs sinistres de la taïga avaient développé en lui la passion de la chasse. Il adorait la solitude des grands espaces, l'exaltation de ses sens exacerbés tendus tout entiers à la poursuite de la bête. L'odorat, la vue, l'ouïe — tous les instincts du chasseur qui lui permettaient de déjouer les ruses et les dérobades de sa proie —, à soixante-deux ans, le colonel n'avait rien perdu de tout cela. Ajoutées à une mémoire fabuleuse, ces qualités lui avaient permis d'exceller dans sa carrière, et l'avaient propulsé à la tête de son département au 7e commissariat où il traquait en professionnel le gibier le plus dangereux de tous : l'homme.

Quand il chassait l'ours dans les grands domaines que l'Administration réservait aux hauts dignitaires du GRU ou du KGB, il épouvantait les gardes en dédaignant les abris d'où ses pairs tiraient en toute sécurité, préférant s'enfoncer seul dans les fourrés pour débusquer l'animal. La proximité du danger comblait chez lui un besoin vital, quasiment physique.

Quand cet ordre de mission avait été aiguillé dans ses bureaux au deuxième étage du QG de la place Dzerzhinsky, il avait immédiatement flairé le potentiel du projet. Dès les premiers travaux d'approche, l'affaire ouvrait des perspectives prometteuses. Et maintenant que le moment était venu de rencontrer le sujet sur le terrain, le colonel avait choisi de situer leur rendez-vous dans un décor conforme à ses goûts.

Les Russes faisaient l'objet d'une hostilité suspicieuse dans la nouvelle république du Zimbabwe. Pendant la *Chimurenga*, la guerre d'indépendance, Moscou avait misé sur le mauvais cheval en appuyant la ZIPRA de Joshua Nkomo, l'aile matabélé de la révolution. Pour le gouvernement de Harare, les Russes incarnaient maintenant l'héritage colonialiste alors que la Chine et la Corée du Nord apparaissaient comme les vrais amis du nouveau régime.

Raisons pour lesquelles le colonel Nikolaï Bukharin était entré dans le pays avec un passeport finlandais, et sous un faux nom. Il parlait couramment finnois. Anglais aussi, bien sûr, ainsi que trois autres langues.

Le colonel trouvait très amusant de jouer au négociant en bois exotiques et de donner libre cours à son amour de la chasse en pratiquant ce plaisir décadent réservé habituellement aux grands bourgeois du capitalisme : le safari.

D'autant que le gouvernement soviétique ne sortait pas un kopeck pour financer cette extravagance. Le sujet lui-même, un homme ambitieux et puissant, se chargeait de régler les frais. C'était en effet le général Fungabera qui payait l'addition de l'expédition : cinq mille dollars par jour.

Planté au milieu de la petite clairière, le Russe examinait son homme. Et quelque part dans les fourrés, le buffle blessé se terrait.

Nikolaï était un tireur hors pair. A trente mètres, il aurait facilement pu loger sa balle dans l'œil de la bête. Mais il avait préféré la blesser, délibérément — au ventre, à deux doigts des poumons pour ne pas étouffer l'animal, et suffisamment loin de l'arrière-train pour ne pas non plus le gêner au moment de la charge.

C'était un mâle de toute beauté, avec une couronne de cornes noires qui s'incurvaient sur plus d'un mètre, d'une pointe à l'autre. Beau trophée, et comme il avait tiré le premier coup c'était à lui qu'il revenait de droit. Il souriait à Peter Fungabera en versant une rasade de vodka dans le bouchon d'argent de sa flasque.

— *Na Zdorovye!*

Il salua Peter, éclusa l'alcool sans sourciller et en remplit un autre bouchon pour le lui tendre.

Peter arborait une tenue de treillis soigneusement repassée, une écharpe de soie kaki à son cou. Il accepta la vodka et observa le Russe. Grand, mince, droit comme un i. Les yeux bleu pâle luisaient d'un éclat cruel. Le visage était creusé de cicatrices, criblé comme un paysage lunaire. Les cheveux argent qui pointaient sur son crâne rasé rutilaient dans le soleil comme un tapis de fibres de verre.

Peter Fungabera appréciait le bonhomme. Il aimait cette impression de puissance qui émanait de lui, qui l'enveloppait comme un manteau impérial. Il aimait cette cruauté viscérale dans laquelle il reconnaissait quelque chose de typiquement africain. Il aimait sa fourberie, cet enchevêtrement de mensonges, de vérités et de demi-vérités qui formaient un tout inextricable. L'impression de danger qui se dégageait de lui l'excitait prodigieusement. « Nous sommes de la même race », pensa-t-il en répondant à son toast. Il avala d'un trait. Puis, respirant lentement pour ne pas trahir le moindre signe de malaise, il lui rendit son gobelet.

— Vous buvez comme un homme, fit Nikolaï Bukharin. Voyons maintenant comment vous chassez.

C'était donc bien cela : un test, tout comme ce buffle blessé à l'aine.

Le Russe fit signe au chasseur professionnel qui se tenait respectueusement à l'écart.

C'était un Blanc d'une trentaine d'années qui arborait toute la panoplie du guide, depuis le chapeau de brousse au gilet kaki en passant par la cartouchière en bandoulière. Son visage s'ornait d'une barbe et d'une grimace affligée, comme on peut s'y attendre de la part d'un homme qui s'apprête à suivre un buffle blessé dans un fourré d'épines.

— Le général Fungabera prendra la 458, dit le colonel, et le chasseur hocha la tête d'un air misérable.

Comment avait-il fait, ce vieux bougre, pour foirer un coup aussi simple ? Il tirait comme un champion olympique, jusqu'ici ! Bordel ! Ce taillis n'avait pas l'air sympathique. Le chasseur réprima un frisson, et claqua des doigts pour demander à son porteur de lui donner la deuxième carabine.

— Non, dit le Russe, très calme. Vous attendrez ici.

— Monsieur ! Je ne peux pas vous laisser seul. C'est un coup à perdre ma licence. Il faut...

— Suffit !

Les yeux bleu pâle l'effrayaient plus encore que la perspective de perdre sa licence.

Le colonel prit la 458, actionna le verrou pour vérifier que l'arme était chargée en semi-blindée, et la tendit à Fungabera. Le Noir prit l'engin, le soupesa, et le rendit au porteur. Le Russe suivit la manœuvre en arquant un sourcil méprisant, un sourire moqueur sur ses lèvres minces. Peter s'adressa au porteur en shona.

— *Hé Hé mambo !*

L'homme courut vers ses compagnons, et revint lui porter une autre arme d'un air respectueux.

C'était une sagaie très courte. La hampe était en bois dur, habillée de fil de cuivre. Le fer faisait presque un mètre de long et dix centimètres de large. Doucement, Peter rasa les poils du dessus de sa main avec le tranchant de la pointe. Puis il se débarrassa de sa veste, de son pantalon et de ses jungle-boots.

Vêtu d'un simple short vert olive, il brandit sa lance.

— A l’africaine, colonel.

Le Russe ne souriait plus.

— Mais je pardonne à un homme de votre âge de s’en tenir à la carabine.

Bukharin hochait la tête. Il venait de perdre la première manche, mais ce moujik nègre pousserait-il plus loin ses vantardises ? Il examina les traces. Des empreintes larges comme des assiettes creuses, ponctuées de sang et d’un liquide jaunâtre qui dégouttait des tripes déchirées de la bête.

— Je vais le lever. Suivez-moi.

Ils s’éloignèrent, le Russe en avant, penché sur la piste sanguinolente et, derrière, Peter Fungabera qui balayait le maquis d’un long regard noir, à la recherche d’un indice, l’éclat jaune d’un mufle humide ou la pointe d’une grande corne.

Puis les fourrés se refermèrent sur eux, rideau vert, épais, moite, qui les isolait comme dans une serre. Les feuilles pourries étouffaient leurs pas, empuantissaient l’atmosphère. Dans le silence oppressant, le frottement d’une ronce sur les guêtres du Russe résonnait comme un rugissement. Il suait. Entre ses omoplates la transpiration dessinait des auréoles sombres. On entendait son souffle, rauque, profond, vibrant non pas de peur, mais de l’excitation sauvage du chasseur.

Fungabera ne la partageait pas, cette excitation. A la place de la peur, il avait appris à cultiver une froideur impavide. Cette mise en scène avec la sagaie n’avait d’autre but que d’impressionner son bonhomme. Pour le reste, il anesthésiait toute passion sous une tension nerveuse qu’il entretenait soigneusement, ses muscles bandés, ses nerfs tendus comme un arc.

L’animal dont ils suivaient la tracc ćtait lc gibier le plus dangereux du continent africain, et le plus rusé. A part, peut-être, le léopard. Mais le buffle avait en plus la force brute, aveugle, d’une centaine de léopards. Le lion, lui, rugit avant de charger ; l’éléphant fuit devant les balles — mais le buffle du Cap fond sur vous en silence et rien ne l’arrête. Sauf la mort.

Une grosse mouche d'un bleu iridescent se posa sur les lèvres du général pour grimper dans ses narines. Telle était sa concentration qu'il ne s'en aperçut même pas.

Le vieux colonel scrutait le sol, examinait les marques du fauve, son allure, et les dépôts d'écume rougie qui jonchaient sa retraite. Là, l'animal avait observé une pause. Peter Fungabera l'imaginait, masse noire formidable, ses petits yeux tournés vers les chasseurs, avec la douleur qui lui vrillait les tripes et le liquide qui sourdait de ses intestins lacérés dégoulinant le long de ses cuisses. Il était resté planté là, il avait entendu leurs voix, et la haine bouillait en lui, la colère, la rage, l'envie de tuer prenaient possession de lui. Puis il avait baissé la tête pour repartir, l'échine tendue contre la brûlure de son estomac torturé.

Le Russe se tourna vers Peter. Sans un mot, ils reprirent la piste à l'unisson.

Le fauve obéissait à des règles ataviques : depuis la première galopade vers l'abri des fourrés, la halte, et maintenant le trot, sa façon d'obliquer sous le vent pour humer l'odeur de ceux qui le traquaient, sa grande tête cuirassée balançant de gauche à droite comme il cherchait l'endroit où s'embusquer — tout cela participait d'une loi immuable.

L'animal traversa une clairière étroite, se força un chemin dans un mur de feuilles vernissées qu'il peignit de rouge au passage, et continua sur une cinquantaine de mètres. Puis il décrivit une courbe parfaite, s'insinua dans les ronces et s'arrêta en retrouvant l'orée de la clairière.

Masqué tout entier par un imbroglio de feuillages et d'épines, il resta paralysé, brusquement statufié. Il laissait les mouches grouiller sur sa blessure sans un frémissement, sans un mouvement. Ses yeux même ne cillaient pas, rivés sur sa propre piste. Il attendait.

Le Russe pénétra dans la clairière, et son regard alla droit aux branches rougies de sang qui marquaient l'endroit où la bête avait crevé l'écran des arbustes. Il s'avança. Peter Fungabera le suivait. Sous sa peau luisante de sueur, sa musculature jouait au moindre geste.

Il vit l'œil du fauve. C'était comme une pièce rutilante,

qui accrochait la lumière. Il claqua des doigts, et le Russe se figea.

Fungabera fixait la prunelle de la bête, sans trop savoir ce que c'était. Une seule chose était sûre : si le buffle était revenu sur ses pas, c'était là qu'il devait être.

Et brusquement tout devint clair. Là où il voyait une branche il devina le contour d'une corne. Il distingua la bosse du front et plongea le regard dans les yeux du fauve — il eut l'impression de plonger en enfer.

La bête chargeait. La forêt éclata sous sa masse dans un craquement de branches, les feuilles secouées comme par un ouragan, et le mâle déboula. Il arrivait en chassant de l'arrière, dans une feinte caractéristique qui avait trompé plus d'un chasseur, avant la ruée finale en ligne droite.

Il était large et bossu comme un kopje de granite, son dos et ses épaules croûtés de boue, le garrot quadrillé de cicatrices qu'avaient laissées les griffes des lions.

D'épais filets de bave traînaient à sa gueule ouverte, et les larmes traçaient des sillons humides sur ses joues velues. Dans les plis de sa gorge nichaient des grappes de tiques bleues, et la puanteur âcre de son grand corps bovin envahissait l'air fétide de la clairière.

Il déboulait, majestueux, meurtrier, enragé, et Peter Fungabera s'avança. Le Russe détourna le mufle camard de son fusil en le voyant s'interposer. Peter coupa en diagonale la course oblique du fauve. Déconcerté, l'animal lui expédia un coup de corne au passage, comme fait un boxeur au moment où il décroche, sans calculer, au hasard, et le Noir esquiva d'une rotation du tronc avant de se détendre d'un coup de reins pour estoquer la bête, alors qu'elle lançait sa tête vers le ciel, emportée par son élan.

A cet instant précis le buffle s'offrait à sa lance, ouvert, depuis sa mâchoire massive aux fanons épais de son poitrail, et Peter Fungabera jeta tout son poids derrière le fer.

Le mâle s'enfila sur la sagaie. Elle le pénétra avec le bruit de succion d'un pied qui s'enfonce dans la vase. Serrés sur la hampe, les doigts du chasseur suivirent la pointe dans la plaie. Une giclée de sang l'inonda jusqu'à l'épaule. Il lâcha prise, et se dégagea d'une pirouette comme l'animal trébuchait, les pattes raidies, tentait de suivre son meurtrier et se figeait brusquement à mi-course, les yeux vitreux.

Devant lui Peter Fungabera prenait la pose, les bras gracieusement levés.

Le buffle fit deux pas en avant, et quelque chose éclata à l'intérieur de son corps. Une éruption de sang fusa de ses naseaux béants. Il ouvrit la gueule, mugit, et un graillonnement envahit sa gorge. Le sang débordait sur son poitrail dans une cascade d'écume écarlate. L'animal vacillait. Tombait. La terre vibra sous le choc.

Le général Fungabera s'agenouilla. Au creux des mains il recueillit le sang qui coulait à flots de la gueule du fauve et but à grands traits comme si c'était du vin. Son menton, ses bras dégoulinaient de ruisseaux rouges. Et même le Russe se sentait vaguement mal à l'aise quand la bête arqua son dos bossu dans un dernier spasme.

Peter riait.

Après sa douche, Peter Fungabera s'était mis en tenue de soirée. Pantalon noir orné d'une bande de soie rouge, spencer du même rouge bordeaux — couleur distinctive de son régiment — et revers de soie noire. Un nœud papillon fermait le col d'un plastron immaculé, et il portait une double rangée de décorations.

Les serviteurs avaient dressé le couvert sous les frondaisons d'un mahoba-hoba, en bordure d'un *vlei*[1] d'herbe verte, loin des tentes du camp. Une bouteille de Chivas Regal, une bouteille de vodka, un seau de glace et deux verres de cristal trônaient sur la table.

Le colonel Bukharin arborait un pantalon de cosaque, une chemise très ample ceinturée à la taille et des bottes de cuir souple. Il tendit un verre à Peter.

Cette fois, pas de toast, pas de défi. Ils burent lentement,

1. *Vlei :* cavité déblayée par déflation, qui s'emplit d'eau pendant la saison des pluies *(N.d.T.)*.

devant un ciel africain qui brasillait d'or et de pourpre. Leur silence consacrait l'accord complice de deux hommes qui avaient risqué leur vie côte à côte, qui s'estimaient maintenant dignes l'un de l'autre, dignes de s'allier — ou de se battre jusqu'à la mort.

Le colonel Bukharin reposa enfin son verre en claquant la langue.

— Alors. Dites-moi ce que vous voulez.

— Je veux cette terre.

— Le Zimbabwe ?

— Plus que le Zimbabwe.

— Et vous aimeriez qu'on vous aide.

— Exact.

— En échange ?

— Mon amitié.

— Un très beau sentiment, l'amitié. Surtout si elle est éternelle. Mais quels gages tangibles nous donnerez-vous de cette amitié ?

Peter sourit. Ils parlaient bien le même langage, tous les deux.

— Un pauvre petit pays comme le mien, quelques minerais sans importance — nickel, chrome, titanium, béryllium ; quelques malheureuses onces d'or. Et puis, quand je serai le *Monomatapa* du Zimbabwe, mes yeux chercheront plus loin, bien sûr.

— Bien sûr.

Le Russe observait son homme. Il n'aimait pas les Noirs. Comme beaucoup de ses compatriotes, il n'aimait ni leur couleur ni leur odeur. Mais celui-là !

— Mes yeux, par exemple, pourraient se tourner vers le Sud, continuait Peter.

Le colonel cacha sa jubilation sous une moue sceptique.

— Et que diable verrez-vous dans le Sud ? camarade général ?

— Je verrai un peuple enchaîné, mûr pour la révolte.

— Et quoi d'autre ?

— Je verrai l'or du Witwatersrand et les champs aurifères de l'Orange, les diamants de Kimberley, l'uranium, le platine, le cuivre, l'argent — une des plus riches cavernes d'Ali Baba du monde.

— Vraiment ?

— Je verrai une plate-forme au cœur du monde occidental, qui contrôle à la fois l'Atlantique Sud et l'océan Indien, une pointe qui coupe la route du pétrole, entre les pays du Golfe et les Américains.

— Et quelles conclusions tirez-vous de ces considérations ?

— Que mon devoir exige de promouvoir cette grande république au rang qu'elle mérite dans la communauté des nations, sous la tutelle du plus désintéressé, du plus sûr garant de toutes les libertés : l'Union des républiques socialistes soviétiques.

Le Russe ne le quittait pas des yeux. Oui, celui-là voyait loin. L'Afrique du Sud : c'était bien là le but ultime de l'opération. Ils avaient déjà commencé à la prendre en tenaille. A l'est, le Mozambique leur était tout dévoué. A l'ouest, l'Angola — et bientôt la Namibie tomberait elle aussi sous leur coupe. Il ne manquerait plus que le Nord, pour étrangler leur proie. Le Zimbabwe, comme un pouce sur la trachée-artère du Cap.

— Technique à suivre ?

— Chaos économique, rivalités tribales, écroulement du gouvernement central.

Fungabera comptait sur ses doigts.

— Pour ce qui est du marasme économique, le régime actuel s'engage lui-même au-devant du désastre, remarqua le Russe, et vous avez prouvé votre savoir-faire en attisant les haines tribales...

— Merci, camarade.

— Cependant il est bon que les paysans meurent de faim, si on veut les manipuler plus facilement.

— Je pousse le cabinet à nationaliser les ranches qui appartiennent aux Blancs. Sans les fermiers blancs, je peux vous assurer une petite famine tout à fait spectaculaire.

— J'ai entendu dire que vous aviez déjà montré l'exemple sur cette voie, et je vous félicite pour l'acquisition de votre domaine — King's Lynn ? C'est bien le nom, n'est-ce pas ?

— Vous êtes bien informé, colonel.

— Je fais en sorte de l'être, oui. Mais j'ai encore deux questions, camarade général.

— Lesquelles ?

— La première est indigne de gens comme nous — l'argent. Mes commanditaires ne tiennent plus en place. Nos dépenses excèdent considérablement les livraisons d'ivoire et de peaux que vous nous avez fournies...

Il leva la main pour couper court à toute argumentation. C'était une main de vieillard, tavelée de taches brunes et sillonnée de veines proéminentes.

— Je sais que nous n'agissons que pour l'amour de la liberté, que l'argent est une monstruosité capitaliste, mais rien n'est parfait en ce bas monde. En clair, camarade général, vous arrivez au bout du crédit que Moscou vous a alloué.

— Votre seconde question ?

— La tribu matabélé. Je sais que vous avez été forcé de stimuler leur hostilité, d'alimenter les tensions et de fomenter les troubles, pour attirer sur le régime actuel les foudres des puissances occidentales sur les opérations de répression au Matabeleland. Mais cette tribu ne peut que vous attirer des ennuis. Comment comptez-vous les museler quand vous serez au pouvoir ?

— Aux deux questions, je réponds par un seul nom.

— Quel nom ?

— Tungata Zebiwe.

— Vous l'avez liquidé, je présume ?

— Faux. Il est détenu en grand secret dans un centre de réhabilitation près d'ici.

— Alors ?

— Tout d'abord l'argent : Tungata Zebiwe détient la clé d'une fortune qui excède certainement les deux cents millions de dollars.

Le Russe arqua un sourcil argenté, dans un geste qui commençait à irriter prodigieusement Peter.

— En diamants.

— Des diamants ? Mais l'URSS est un des plus grands producteurs du monde...

— Je ne parle pas de pierres industrielles, non, ni de carbonado, mais de gemmes superbes, énormes, parmi les plus belles qui aient jamais été sorties de terre.

Le colonel paraissait pensif.

— Si c'est vrai...

— Rien n'est plus vrai. Mais il est encore trop tôt pour en parler.

— Bien. Si je peux déjà jeter un genre de garantie dans les pattes crochues des comptables de mon département... Et ma deuxième question ? Les Matabélé : vous n'espérez pas les rayer de la carte, hommes, femmes et enfants ?

— Malheureusement non. L'opinion occidentale ne me le permettrait pas. Là encore, je réponds : Tungata Zebiwe. En arrivant au pouvoir, je le ferai miraculeusement réapparaître. Ressusciter. Les Matabélé l'accueilleront comme le Messie. Ils le suivront les yeux fermés, et j'en ferai mon vice-président.

— Il n'acceptera jamais. Il cherchera à se venger.

— Pas quand je l'aurai envoyé faire un séjour chez vous. Vous avez des cliniques spéciales pour les cas difficiles, n'est-ce pas ? Des instituts où les malades mentaux retrouvent la raison — une certaine forme de raison.

Le Russe étrangla un gloussement et se versa une vodka, secoué par un rire qu'il avait du mal à étouffer. Quand il regarda Peter, quelque chose qui ressemblait fort à du respect brillait dans ses yeux pâles.

— A ta santé, *Monomatapa* du Zimbabwe. Et puisses-tu régner pour les siècles des siècles.

Il reposa son verre, et contempla le *vlei* qui descendait en pente douce. Au loin, un troupeau de zèbres s'aventurait nerveusement vers le trou d'eau. Ils s'enfoncèrent dans la vase jusqu'aux genoux, alignés comme à la parade, et plongèrent de la tête à l'unisson pour former une frise de masques noir et blanc identiques, qui s'échelonnaient à l'infini comme un jeu de miroirs, jusqu'à ce que le vieux mâle posté en sentinelle s'ébroue d'un air alarmé — leur bel arrangement explosa dans une volée d'éclaboussures et de sabots.

— Le traitement auquel vous faites allusion est radical.

Le colonel suivait des yeux la harde de zèbres qui cavalcadait vers la forêt.

— Certains patients n'y survivent pas. Les autres en sortent... métamorphosés.

— Leur cerveau est détruit, résuma Peter.

— Pour parler crûment, oui.

— Je n'ai pas besoin de son cerveau, mais de son corps. C'est une marionnette qu'il me faut, pas un être humain.

— Cela peut s'arranger. Quand voulez-vous nous l'envoyer ?

— D'abord les diamants.

— Bien sûr, bien sûr. Vous dites qu'il est détenu près d'ici ? J'aimerais le voir.

Cela ressemblait plus à un ordre qu'à une requête.

Tungata Zebiwe se tenait debout dans la blancheur cruelle, implacable, du soleil au zénith. Devant lui, un grand mur blanc renvoyait les rayons aveuglants comme un miroir gigantesque. Il était là depuis l'aube, quand la gelée raidissait encore l'herbe rare et brunie du terrain de manœuvres.

Il était nu, comme les deux hommes à ses côtés. Tous les trois affichaient une maigreur qui modelait leurs côtes et faisait de leurs vertèbres un chapelet osseux qui bosselait leur dos. Les paupières mi-closes, Tungata fixait obstinément une marque sur le plâtre du mur pour combattre le vertige qui faisait vaciller, osciller ses camarades. Ils s'étaient écroulés plus d'une fois ce matin, et seuls les coups de fouet des gardes les maintenaient debout.

— Courage, frères, chuchota-t-il en ndébélé. Que ces chiens de Shona ne vous voient pas vaincus.

Déterminé à ne pas s'évanouir, il se concentrait sur un point. C'était la trace d'une balle, qu'on avait repeinte à la chaux. Ils chaulaient le mur après chaque exécution — très méticuleux.

— *Amanzi*, gémit l'homme à sa droite. De l'eau !

— Pense à autre chose. N'en parle pas, ou tu vas devenir fou.

La chaleur tombait du mur en vagues qui les fouettaient douloureusement.

— J'y vois plus rien, grognait l'autre.

La lumière aveuglante avait cautérisé ses pupilles.

— Il n'y a rien d'autre à voir que les visages hideux des babouins shona.

Brusquement une voix aboya un ordre, et un bruit de pas traversa le terrain de manœuvres.

— Les voilà, geignit l'aveugle, et Tungata se sentit envahi d'un regret infini.

Ils venaient donc enfin.

Chaque jour à midi, il entendait le piétinement du peloton d'exécution. Mais cette fois, c'était pour lui. Il n'éprouvait aucune peur devant la mort. Non, plutôt de la tristesse. Sa vie s'achevait avant d'avoir donné tous ses fruits. Il se revit au côté de son grand-père, devant un champ de maïs que l'ouragan avait versé.

— Tant de travail pour rien. Quel gâchis!

Et Tungata répétait les mots de son grand-père à voix basse, pendant qu'on l'empoignait pour le pousser vers un poteau de bois fiché devant le mur. Quel gâchis!

Ils lui lièrent les poignets au pieu, et il ouvrit les yeux en grand. La torture du soleil avait cédé la place à une vision guère plus réjouissante : un alignement d'hommes en armes lui faisait face.

Ils amenèrent ses deux compagnons de souffrance. L'aveugle s'effondra à genoux, et ses tripes se vidèrent dans un gargouillis. Les gardes riaient.

— Debout! ordonna Tungata.

L'homme se releva péniblement.

— Marche jusqu'au poteau. Un peu plus à gauche.

Le malheureux tâtonnait en titubant. On l'attacha à son tour.

Ils étaient huit, dans le peloton d'exécution. Leur commandant était un capitaine de la 3e brigade. Il passa les armes en revue en grognant des plaisanteries que Tungata ne saisit pas. Les hommes s'esclaffaient. Ils avaient ce rire incontrôlé de ceux qui ont bu. La violence et la mort étaient pour eux une drogue, et on allait leur donner leur dose.

Le capitaine sortit de sa poche de poitrine une feuille de papier racornie, souillée, qu'il avait déjà visiblement beaucoup manipulée. Il commença à lire laborieusement, dans un anglais scolaire à peine intelligible.

— ... ennemi du peuple et de l'Etat, ânonnait-il, et condamné comme irrécupérable. Votre condamnation a été approuvée par le vice-président de la république du Zimbabwe...

Tungata Zebiwe s'était mis à chanter. Sa voix montait, vibrante, et couvrait le bafouillement du Shona.

Les taupes se cachent sous la terre
Elles sont mortes ? demandent les filles de Mashobané

Il entonnait le chant de combat ancestral de sa tribu, et à la fin du premier couplet il cracha aux deux hommes à ses côtés :

— Chantez ! Que les chacals shona entendent le rugissement du lion matabélé.

Ils se joignirent à lui pour continuer :

Comme le mamba noir tapi sous la pierre
Nous semons la mort avec un croc d'acier

Devant eux, le peloton s'était avancé d'un pas pour lever ses fusils. Galvanisés par l'exemple de Zebiwe, les deux condamnés se dressaient en chantant devant les canons. D'autres voix s'élevaient dans les huttes, des centaines de prisonniers qui les aidaient à faire face à la mort.

Le capitaine leva la main droite. Dans les derniers instants de sa vie, Tungata sentait sa tristesse s'évanouir pour faire place à la fierté, l'orgueil d'appartenir à une race qui bravait ses bourreaux.

Le capitaine baissa la main en aboyant :

— Feu !

La salve éclata. Les soldats oscillèrent sous le recul brutal des armes. Zebiwe entendit le claquement sourd des balles dans la chair. Du coin de l'œil, il vit ses compagnons tressauter sous les coups d'un fouet invisible et s'affaler, pendus à leurs liens. Le chant s'éteignit sur leurs lèvres. Et pourtant Tungata chantait toujours.

Les tueurs baissèrent les armes en se poussant du coude, comme des gamins farceurs. Des huttes montait maintenant le hululement sinistre du deuil, et Tungata se tut.

A côté de lui, les deux Matabélé étaient criblés de balles. Déjà les mouches grouillaient sur leurs blessures.

Les genoux de Tungata pliaient brusquement sous son poids. Il sentit son sphincter lâcher. Il se crispa, banda toutes les ressources de sa volonté contre la faiblesse de ce corps qui le trahissait, et reprit peu à peu le contrôle de ses muscles.

Le capitaine shona se planta devant lui.

— Bonne farce, hein ? On rigole, mon vieux, on rigole !

Puis il se tourna vers ses hommes pour crier :

— De l'eau, vite !

On lui apporta une cuvette émaillée. Tungata sentait l'eau. Les Bochimans prétendent qu'ils peuvent flairer l'eau à des kilomètres, et jusqu'ici il ne le croyait pas. Sa gorge se contracta dans un réflexe de déglutition convulsive. La cuvette embaumait, comme un melon d'hiver fraîchement coupé. Il n'arrivait pas à en détacher les yeux.

Le capitaine se rinça bruyamment la bouche, et cracha par terre. Lentement, délibérément, avec un sourire cruel, il présenta la cuvette à Tungata et la bascula délicatement. L'eau tomba dans la poussière en éclaboussant ses pieds. Chaque goutte piquait sa peau comme un éclat de glace, chacune des cellules de son corps réclamait cette eau avec une force qui confinait à la folie.

— On rigole, répéta le capitaine d'un air sinistre, et il s'éloigna avec ses hommes, laissant Tungata seul avec les mouches et les cadavres.

Ils vinrent le chercher au coucher du soleil. Quand on trancha ses liens, il laissa échapper un gémissement sous la douleur insupportable du sang qui refluait dans ses mains gonflées, et tomba à genoux. On dut le soutenir jusqu'à sa cellule.

A part un pot de chambre sans couvercle et deux bols, posés sur le sol de terre battue, la pièce était nue. L'un des bols contenait un demi-litre d'eau, l'autre une ration de semoule de maïs empoisonnée de sel. Demain, la soif lui ferait regretter amèrement d'avoir eu faim.

Il s'étendit par terre. La chaleur emmagasinée par le toit de tôle s'abattait sur lui, mais tout à l'heure il frissonnerait dans la nuit glacée. Les tempes battantes, il lui semblait que son crâne allait éclater comme une gousse de baobab trop mûre.

Dans la forêt, les hordes de hyènes se disputaient leur festin. Leurs cris et leurs braillements résonnaient comme un hymne dantesque à la voracité triomphante, ponctué par le craquement des os entre leurs mâchoires sanguinolentes.

Tungata réussit à dormir quand même. Il s'éveilla à l'aube, au son des bottes et des coups de gueule d'un quelconque sergent. Il se hâta d'ingurgiter ce qui restait d'eau, et s'accroupit sur son pot de chambre. Hier son corps avait bien failli lui jouer un mauvais tour.

La porte valsa contre la cloison.

— Dehors, chien !

Ils le traînèrent au mur. Trois autres prisonniers l'y avaient précédé. Une nouvelle couche de chaux immaculée renvoyait la lumière blême de l'aube.

On fusilla les trois Matabélé à midi. Cette fois, Tungata fut incapable de chanter. Son gosier refusait d'articuler le moindre son. Au milieu de l'après-midi des taches sombres et des éclairs acérés de lumière blanche fragmentaient sa vision. A chaque fois que ses jambes se dérobaient, les cordes qui sciaient ses poignets le rappelaient à l'ordre.

La soif était épouvantable.

Les taches noires s'élargissaient, la douleur ne réussissait plus à le réveiller. Dans l'ombre qui s'abattait sur lui, des paroles résonnèrent.

— Mon pauvre ami, vous oubliez votre fierté.

La voix de Peter Fungabera le fouetta. Il se redressa, pointa le menton en avant et se força à ouvrir grands les yeux. Le visage du général le remplissait d'une passion haineuse sur laquelle il s'appuyait, qu'il cultivait, qu'il choyait, comme une force qui le rattachait à la vie.

Tungata ne connaissait pas l'homme qui l'accompagnait.

Il était grand, mince et vieux. Son crâne était rasé de près, sa peau creusée de cicatrices et ses yeux d'un bleu pâle glacial, hostiles et répulsifs comme le regard d'un cobra. Il détaillait Tungata avec un intérêt purement clinique.

— Malheureusement, vous ne voyez pas le camarade ministre au meilleur de sa forme. Il a perdu beaucoup de poids. Pas partout, remarquez.

Du bout de son stick, Peter Fungabera soulevait la lourde grappe noire de ses attributs génitaux.

— Il y en a là assez pour trois, gloussait-il.

Tungata le foudroyait du regard, impuissant.

Le Russe eut un geste impatient. Peter acquiesça.

— Vous avez raison. Nous perdons du temps.

Il consulta sa montre, et se tourna vers le capitaine qui attendait, à la tête de son peloton de tueurs.

— Conduisez le prisonnier jusqu'au fort.

Il fallut le porter.

Les quartiers du général Fungabera, dans le bunker du kopje central, affichaient un dénuement très spartiate. Le sol de terre battue avait été fraîchement arrosé et soigneusement balayé. Le maître des lieux s'installa, avec le colonel Bukharin, à la table à tréteaux qui tenait lieu de bureau. En face, un banc de bois flanquait un mur.

Les gardes y assirent Tungata. Il les repoussa pour se lever. Sur un ordre de Fungabera, le capitaine apporta une couverture grise râpée et la jeta sur les épaules du prisonnier. Un autre ordre, et il revint avec vodka, whisky, eau et glaçons, sur un plateau où tintaient deux verres.

Tungata ne regardait pas. Il lui fallut mobiliser toute sa volonté mais il garda les yeux fixés sur le visage des deux hommes.

Le général servit une vodka à son hôte, et quand les glaçons sonnèrent contre les verres Tungata grimaça.

— Un peu d'histoire, commença le Shona. Rejeton de la maison de Kumalo, notre ami Tungata est apparenté aux chefs pillards matabélé qui ont terrorisé pendant plus d'un siècle les occupants légitimes de cette terre, le peuple mashona.

Il sirota une gorgée de whisky.

— Mon histoire commence au moment où un dénommé Mzilikazi, fuyant devant la vindicte du roi zoulou Chaka, chassé par l'armée des Boers, débarque au nord du Limpopo à la tête d'une horde de guerriers sans foi ni loi. Il est intéressant de noter, pour l'anecdote, que cet individu réunissait déjà toutes les qualités de la tribu qu'il allait fonder : la cruauté, l'avarice et la couardise. Tueur, voleur et trouillard.

Il dévisageait Tungata, un sourire railleur aux lèvres.

— Tel était Mzilikazi, le père de la nation matabélé.

Il agita paresseusement les glaçons dans son verre et continua :

— Sur les rives du Limpopo, notre fuyard et ses soudards découvrirent une terre d'herbe tendre et de ruisseaux d'eau claire, peuplée par une race hospitalière et civilisée. Je vous laisse deviner la suite. Exploités, massacrés, violés, pillés, les paisibles Mashona ployèrent bientôt sous le joug des barbares. Mais vous savez sans doute déjà tout ça.

— Je connais les faits, fit le vieil homme, mais pas l'interprétation que vous en donnez. Ce qui prouve que l'histoire n'est rien d'autre qu'un instrument de propagande à l'usage des vainqueurs.

Peter éclata de rire.

— Reprenons notre récit. En 1868, selon le calendrier des Blancs, Mzilikazi mourut. Détail amusant : ses fidèles devaient conserver son corps pendant cinquante-six jours avant de le mettre en terre. Pour lui permettre, sans doute, de puer autant dans la mort qu'il avait empesté dans sa vie. Autre qualité des Matabélé : leur odeur.

Il attendit les protestations de Tungata et continua, déçu :

— Un de ses fils lui succéda. Lobengula, « Celui qui file comme le vent », aussi obèse, aussi débauché que son père, et tout aussi sanguinaire. Cependant, au moment même où il montait sur le trône germaient les deux graines d'une plante qui allait étouffer cette nation de charognes.

Il marqua une pause, en conteur averti, et commença à énumérer sur ses doigts :

— Tout d'abord, au sud, les Blanc avaient trouvé un caillou brillant sur un kopje désolé au cœur du veld. Deuxièmement, un jeune homme malingre venait de débarquer d'un bateau en provenance d'une île lointaine des mers du Nord, pour soigner ses poumons malades au grand air de l'Afrique.

» Le kopje allait devenir un trou gigantesque, creusé par des milliers de fourmis blanches. Les Anglais l'appelèrent Kimberley, du nom du ministre qui avait officiellement cautionné le vol du terrain aux tribus locales.

» Le jeune homme malingre se nommait Cecil Rhodes. Il allait se révéler plus fourbe, plus vénal et plus hypocrite que tous les rois matabélé. A force d'escroqueries, de meurtres, de mystifications et de mensonges, il allait s'approprier tout le filon et devenir, tout simplement, l'homme le plus riche du monde.

» Seul problème : l'extraction des cailloux demandait une main-d'œuvre colossale. Et quand il faut retrousser ses manches en Afrique, à qui les Blancs viennent-ils s'adresser ?...

Fungabera gloussa, et laissa sa question sans réponse.

— Cecil Rhodes offrait le gîte, le couvert, un fusil sans grande valeur et quelques pièces de cuivre contre trois ans de la vie d'un ouvrier noir. Naïfs, les indigènes firent de leur maître un multimillionnaire.

» Parmi les Noirs qui venaient à Kimberley, on trouvait quelques jeunes *amadoda* matabélé. Envoyés par Lobengula, le voleur — mais je l'ai déjà dit, je crois. Ils avaient pour mission de lui rapporter les pierres. Bientôt, des dizaines de milliers de Matabélé firent le voyage jusqu'aux mines pour revenir chargés de diamants.

» Ils ramassaient les plus gros, les plus brillants. Combien ? La police en coinça un avec 348 carats de pierres sur lui. Un autre s'était greffé dans la cuisse une gemme qui pesait ses 200 carats !

Le vieil homme blanc, qui suivait jusqu'ici le récit sans

grand intérêt, se pencha en avant pour river ses regards aux lèvres de Peter Fungabera.

— Et il ne s'agit là que de ceux que la police a pris ! Dites-vous bien qu'aux premiers jours de l'exploitation les ouvriers circulaient librement. Et quand ils partaient, les cailloux partaient avec eux — dans leurs cheveux, dans les talons de leurs chaussures neuves, dans leur bouche, dans leur ventre, fourrés dans leur anus, enfournés dans le vagin de leurs femmes. Les diamants disparaissaient par milliers et par milliers.

» Evidemment ça ne pouvait pas durer. Rhodes instaura le système des camps de travail, pour endiguer l'hémorragie. Pendant les trois ans de leur contrat, les ouvriers étaient enfermés derrière les barbelés. Avant leur départ on les déshabillait, on les plaçait en quarantaine pendant dix jours, on leur rasait la tête, le pubis, on sondait leurs intestins ; chaque cicatrice était examinée, et éventuellement réouverte d'un coup de scalpel.

» On leur administrait de l'huile de ricin à haute dose, on tendait des tamis sous les latrines pour laver, trier leurs excréments comme du minerai précieux. Mais les Matabélé trouvaient encore le moyen de sortir les gemmes. Le fleuve de diamants n'était plus qu'un ruisseau, mais il coulait toujours vers le nord pour enrichir le trésor de Lobengula.

» Un exemple : le cas d'un Matabélé du nom de Bazo (la Hache) qui quitta Kimberley avec une ceinture de pierres autour de la taille. Vous avez entendu parler de Bazo, cher Tungata. Bazo, fils de Gandang : c'était votre arrière-grand-père. La légende raconte que sa ceinture pesait l'équivalent de dix œufs d'autruche. En faisant la part du merveilleux, on peut encore estimer le prix de son butin à plus de cinq millions de livres sterling.

» On sait que Lobengula possédait dix jarres de pierres de la première eau. C'est-à-dire dix gallons de diamants. Assez pour déstabiliser le marché central de De Beer, à Londres.

» On raconte aussi que dans l'ombre de sa grande hutte, le roi se déshabillait pour que ses femmes l'enduisent de graisse de bœuf. Dans cette graisse, elles collaient les gemmes de son trésor jusqu'à ce que son corps bouffi soit couvert d'une mosaïque de pierres, sculpture vivante cuirassée de diamants.

» Pendant ce temps, à Kimberley, Rhodes regardait vers le nord en rêvant d'agrandir son empire. Il prit contact avec Lobengula, et négocia une licence pour prospecter et exploiter le sous-sol de ses terres — terres qui, je vous le rappelle, appartenaient de droit aux Mashona.

» Avec la bénédiction de la reine d'Angleterre, il expédia ensuite une armée de mercenaires pour occuper les concessions. Lobengula ne s'attendait pas à ça ! Quelques trous, oui, quelques ouvriers et quelques mineurs, mais pas une invasion d'aventuriers sanguinaires !

» Il protesta. En vain. Sous la pression des événements, il en vint alors à commettre une erreur fatale. Il assembla ses *impis,* et se livra à une démonstration de force.

» Rhodes et ses reîtres n'attendaient que ça. Ils écrasèrent Lobengula, décimèrent ses *impis* à coups de mitrailleuse, dévastèrent la nation tout entière. Avec le courage qu'on lui connaît, le roi n'hésita pas à prendre la fuite. Il embarqua ses femmes, ses troupeaux, ses diamants dans une débandade éperdue vers le nord, escorté par les débris de son armée.

» Quelques unités de l'armée blanche s'étaient lancées sur ses traces mais la saison des pluies arrivait, et bientôt le veld ne fut plus qu'un marécage bourbeux. Lobengula réussit à s'échapper. Il erra quelque temps avec sa troupe et un jour, découragé, décida d'en finir.

» Dans un endroit désolé, il appela Gandang, son demi-frère, et lui confia le destin de la nation. Trouillard jusqu'à la fin, il réclama ensuite une potion à son sorcier, et quitta la vie avec le secours du poison.

» Gandang cacha le corps dans une caverne. Tout autour, il plaça les possessions les plus chères du défunt : ses sagaies, ses parures de plumes et de fourrures, sa natte, son appuie-tête, ses fusils, ses couteaux, ses pots à bière — et ses diamants. Le cadavre fut assis par terre, enveloppé dans la peau d'un léopard, et à ses pieds on déposa les jarres de pierres. L'entrée de la caverne fut alors soigneusement dissimulée et Gandang ramena piteusement les siens vers les Blancs.

» Tout cela est vieux, dites-vous. Mais non : l'histoire se passe pendant la saison des pluies, en 1894. Il y a à peine quatre-vingt-dix ans.

» Où ? Très près d'ici. A moins de vingt miles de l'endroit où nous sommes, probablement : Lobengula n'avait pas atteint le Zambèze.

» Quelqu'un connaît-il le site exact de la caverne ? La réponse est : oui.

Peter Fungabera s'interrompit.

— Oh ! Très cher Tungata, vous voudrez bien m'excuser j'espère, j'ai totalement oublié de vous offrir un rafraîchissement.

Il réclama un troisième verre, l'emplit d'eau et de glace et le porta au prisonnier. Tungata but lentement, une gorgée à la fois. Le général réintégra son siège.

— Où en étions-nous ?

— La caverne... fit le vieux Blanc, fébrile.

— Ah ! Donc il semble qu'à sa mort, Lobengula ait chargé son demi-frère, le fameux Gandang, de veiller sur les diamants. La tradition lui fait dire : « Viendra un jour où mon peuple aura besoin de ce trésor. Toi, puis ton fils, et le fils de ton fils : c'est vous qui garderez le secret. » C'est ainsi que la famille Kumalo, cette soi-disant lignée royale des Matabélé, se transmit le mystère des diamants de génération en génération.

Fiévreux, affaibli, soûlé par l'eau glaciale qui clapotait dans son estomac vide, Tungata revivait le pèlerinage qu'il avait fait avec son grand-père à la tombe de Lobengula.

C'était sa première année à l'université de Rhodésie. Il était rentré chez lui pour passer les vacances d'été avec son grand-père. Gédéon Kumalo enseignait à l'école missionnaire de Khami, dans les faubourgs de Bulawayo.

— Je t'emmène en voyage, *Vundla*[1].

Les yeux du vieillard luisaient derrière les verres épais de ses lunettes. Il y voyait encore un peu à l'époque.

1. *Vundla :* le lièvre.

Ils prirent le car vers le nord, changèrent une demi-douzaine de fois à des carrefours déserts, attendirent jusqu'à vingt-quatre heures au hasard de pistes désolées. Une véritable équipée, que le grand-père transformait en partie de plaisir.

Il connaissait des histoires merveilleuses, le vieux Gédéon. Des fables, des légendes, des récits que Tungata ne se laissait pas d'écouter : l'épopée du grand Mzilikazi, *l'umfecane* — sa guerre contre les Boers, et l'aventure des « Taupes », *l'impi* que son arrière-grand-père Bazo la Hache avait mené à la victoire dans des batailles mémorables. Il apprit les chants de guerre en rêvant qu'à une autre époque il aurait lui-même pu commander ses braves, avec le bandeau de fourrure de taupe du commandement et les parures de plumes.

Le vieil homme et l'adolescent avaient ainsi voyagé pendant cinq jours, jusqu'à ce qu'un car bringuebalant les dépose devant une piste inégale à l'orée d'une forêt.

Ils s'enfoncèrent en direction du nord, en suivant un itinéraire ponctué de repères que le vieillard lui faisait mémoriser sous forme de comptine. Tungata s'en rappelait encore :

D'abord le lion qui dort. Tu suivras son regard
jusqu'au gué de l'éléphant...

Le pas tranquille de Gédéon les amena à destination au bout de trois jours de marche, au terme d'une escalade qui s'acheva enfin devant la tombe du vieux roi.

Tungata se souvenait de s'être agenouillé, d'avoir entaillé son poignet pour asperger la pierre de sang et d'avoir prononcé le serment avec une révérence mêlée d'effroi. Il n'y était pas question de diamants, bien sûr, et son grand-père n'avait pas une seule fois mentionné un trésor quelconque. Tungata jurait simplement de garder secret l'emplacement du tombeau, et de le transmettre à son fils jusqu'au jour où « pleureront les enfants de Mashobané et s'ouvrira la pierre. Alors l'esprit jaillira comme le feu — le feu de Lobengula ! »

Après la cérémonie, Gédéon, épuisé, s'était endormi jusqu'à la nuit à l'ombre d'un grand ficus. Tungata avait examiné la tombe. A certains signes, il avait cru pouvoir tirer des conclusions qu'il n'osa pas confier à son grand-père sur la route du retour.

La voix de Fungabera le tira brutalement de sa rêverie.

— En fait, nous avons devant nous le gardien du secret, l'honorable camarade ministre Tungata Zebiwe, descendant du vieux pillard !

Les yeux bleus du Russe le détaillaient cruellement. Tungata toussa. Le peu d'eau qu'il venait de boire avait décrispé sa gorge, et c'est d'une voix à peine éraillée qu'il cracha :

— Tu te berces d'illusions, Fungabera.

Il prononçait son nom comme une insulte. Le général sourit.

— Ma patience est sans bornes. Les diamants attendent depuis quatre-vingt-dix ans. Quelques semaines de plus n'y changeront rien. J'ai fait venir un médecin pour superviser ton traitement. Nous verrons jusqu'où ton fameux courage matabélé te soutiendra. En revanche, à tout moment tu pourras mettre un terme à tous ces désagréments : il te suffit de nous conduire à la tombe de Lobengula, et je t'expédie en avion vers la destination de ton choix.

Il marqua une pause avant d'ajouter d'un ton doucereux :

— En compagnie de cette jeune fille qui t'a si courageusement défendu devant le tribunal.

Sarah ! Tungata pria pour qu'elle soit en lieu sûr. Fungabera appelait le capitaine.

— Ramenez le prisonnier.

Le colonel Bukharin attendit qu'ils soient seuls.

— Il ne se laissera pas faire facilement.

— Avec le temps...

— Je n'en suis pas sûr. Il y a des hommes qui ne plieront jamais. Cette fille, dont vous parliez, vous la tenez vraiment ?

Peter hésita.

— Pas encore. Là aussi, simple question de temps.

Expert en manipulation, le colonel sentit qu'il avait l'avantage.

— Cette histoire de diamants ne me convainc guère. On dirait un conte pour enfants. Vous m'imaginez, à Moscou, en train d'annoncer que vous cherchez un trésor?

— Un mois, plaida Fungabera. Donnez-moi juste un mois.

— Ecoutez. Nous sommes aujourd'hui le 10. Je vous laisse jusqu'au 30 pour nous fournir l'argent, et l'homme.

— Trop court...

— Je reviens au début du mois prochain. Si l'affaire n'est pas réglée, je me verrai dans l'obligation de recommander à mes supérieurs de jeter ce projet aux oubliettes.

La vipère faisait près de deux mètres de long, et paraissait grosse, dodue comme une mère truie. Elle était roulée dans un coin de la cage grillagée et les dessins de ses écailles combinaient l'ocre, l'or, le roux, le beige, toutes les couleurs de l'automne enchâssées dans des croisillons noirs.

Sa tête hideuse fascinait. De la taille d'une calebasse mais allongée, fuselée, en forme d'as de carreau, avec un mufle triangulaire fendu de narines minces. Les yeux brillaient comme deux perles de jais. Une langue bifide, alerte, glissait entre ses lèvres émaciées.

— Ne me remercie pas, dit Peter Fungabera. Ce bon docteur est seul responsable de notre petit cadeau. Bien du temps a passé depuis notre dernière entrevue, et franchement ma patience s'épuise. Il me faut ta réponse aujourd'hui, ou jamais. Demain, camarade Zebiwe, tu seras inutile.

Tungata était attaché à une robuste chaise de teck rouge. La cage se trouvait devant lui.

— Tu auras reconnu la *Bitis gabonica,* continuait Peter. L'un des serpents les plus venimeux d'Afrique. On dit aussi que sa morsure est épouvantablement douloureuse, que ses victimes, avant de mourir, souffrent un martyre qui les rend souvent folles.

Il effleura le grillage du bout de son stick, et la bête se détendit comme un ressort. Les anneaux puissants propulsèrent sa tête monstrueuse à travers la cage dans un éclair de mouvement qui fit flotter son long corps squameux dans l'air. Les mâchoires béantes découvraient les coussinets jaunes qui tapissaient sa bouche, les longs crochets courbes luisaient d'un éclat immaculé, et l'animal cogna contre le grillage avec une force qui secoua la table.

— J'ai horreur des serpents. Ils me donnent la chair de poule. Pas toi, camarade ministre ?

— Vous ne m'intimiderez pas.

La voix de Tungata était à peine un souffle. Il avait passé des journées entières devant le mur blanc. Son corps paraissait rétréci, recroquevillé, trop petit pour sa tête immense. Sa peau grisâtre semblait parcheminée, poudreuse.

— Vous ne pouvez pas vous permettre de laisser cette bête me mordre, reprit-il. Vous avez dû enlever ses glandes.

— Docteur ?

Le major quitta la pièce immédiatement. Il revint, les mains protégées par des gants épais qui montaient jusqu'aux coudes. Dans sa poigne, un grand rat de brousse gigotait en braillant. Il ouvrit la trappe en haut de la cage et laissa tomber l'animal. Le rat fureta autour de sa prison en agitant les moustaches. Il fit un bond affolé en voyant la vipère, et se tassa dans un coin.

Le reptile commençait à se dérouler. Ses écailles coulissaient avec une souplesse silencieuse sur le sable de la cage. Une transe hypnotique paralysait le rongeur.

La vipère se figea à deux pieds de sa proie. Son cou s'arqua dans un « S » tendu. Et brusquement, avec une rapidité que l'œil ne pouvait pas suivre, elle frappa.

Le rat fut catapulté contre le grillage. Le serpent se retirait déjà, se repliait en anneaux concentriques. Des perles de sang luisaient sur la fourrure rousse du rongeur et son corps se mit à trembler. Ses petits membres tressautaient, vibraient. Puis il poussa un cri suraigu, déchirant, et bascula sur le dos dans un dernier spasme.

Le docteur sortit le cadavre avec une paire de pinces en bois.

— Evidemment, remarqua Fungabera, ton corps est bien

plus gros que celui de ce pauvre rat. Avec toi, l'agonie durera plus longtemps.

Le major s'était planté derrière lui, flanqué de deux soldats.

— Je te l'ai dit, ce bon docteur a conçu le divertissement qui va suivre. Vu le manque de matériel, je trouve qu'il s'est très bien débrouillé.

Ils rapprochèrent sa chaise du serpent. L'un des soldats portait une cage un peu plus petite que celle de l'animal. Elle avait la forme d'un masque d'escrime disproportionné, et s'adaptait au visage du prisonnier pour se refermer sur sa gorge. A l'avant, s'emmanchait un tube grillagé, comme la trompe tronquée, grotesque, d'un éléphant difforme. Le docteur shona adapta l'appareillage à l'entrée de la cage.

— Quand on lèvera la grille, tu partageras ce charmant deux-pièces avec la plus belle représentante de la famille *Bitis*. Bien sûr, il suffit que tu parles pour qu'on arrête immédiatement l'expérience.

— Ton père était un mange-merde, chuchota haineusement Tungata.

— Nous allons pousser la vipère vers ta cage. Un peu de bon sens, camarade. Conduis-nous à la tombe de Lobengula.

— Le tombeau du roi est sacré...

Le prisonnier s'interrompit. Sa concentration faiblissait. Jusqu'ici, il avait obstinément nié l'existence de la sépulture.

— Eh bien, voilà : maintenant au moins nous sommes d'accord. Emmène-nous là-bas et tu verras que...

— Je te crache à la gueule, Fungabera. Et je crache sur la putain vérolée qui t'a mis au monde.

— Ouvrez la cage.

La grille grinça dans ses glissières. Tungata regardait dans le tunnel de grillage comme dans le canon d'un fusil. La vipère se tapissait à l'autre bout de sa prison et fixait sur lui ses petits yeux noirs.

— Allez-y.

Un des soldats plaça un brasero fumant sur la table. De

sa chaise, Tungata sentait des bouffées de chaleur lui fouetter le visage. La vipère siffla, et commença à dérouler son corps visqueux vers la porte.

— Fais vite, camarade. Il te reste quelques secondes encore. Parle, et je descends la grille.

La sueur couvrait le front de Tungata, et dégoulinait en torrents dans son dos. Il aurait voulu cracher une insulte, vomir sa haine, mais le sang battait à ses oreilles en pulsations assourdissantes.

Le reptile hésitait à l'entrée du tunnel. Ses yeux le fixaient, à cinquante centimètres à peine. Un nouveau sifflement gicla, comme un pneu qui se dégonfle, un crachement vibrant. Le soldat plaqua le brasero contre la cage et la bête se coula dans le tube. Ses écailles glissaient sur le grillage avec un bruit râpeux.

— Il n'est pas trop tard.

Fungabera venait de sortir son pistolet. Il colla la mire contre l'entrée du tunnel.

— Parle, et je lui fais exploser la tête.

— Je te souhaite de rôtir dans l'enfer puant de ceux de ta race, mangeur de bouse.

Tungata sentait la bête maintenant, une odeur insidieuse, relents de moisissure fade et doucereuse qui lui soulevaient le cœur. Un flot de vomissures brûla sa gorge. Il le ravala péniblement, et commença à tirer sur les courroies qui l'entravaient. La cage sautait sur ses épaules. Inquiète, la grande vipère banda ses muscles et arqua son cou dans la posture en « S » de l'attaque.

Tungata se força à rester immobile. Un rideau de sueur coulait sur sa peau, chatouillait ses flancs glacés et s'étalait sous lui sur le siège.

L'animal se décrispa peu à peu, et rampa vers son visage. A quelques centimètres de ses yeux. Tungata baignait dans un bain de sueur, d'horreur et de dégoût. La bête était si proche qu'il ne distinguait qu'une masse vague, floue, et brusquement il sentit sur sa peau la langue fourchue qui explorait son visage.

Tous les nerfs de son corps étaient tendus à se rompre. Son sang irriguait son organisme affaibli d'une surdose d'adrénaline qui menaçait de le suffoquer. Il mobilisa toutes ses forces pour s'accrocher à la réalité, pour ne pas sombrer dans le gouffre de l'inconscience.

La vipère continuait lentement ses investigations. Le contact froid de ses écailles caressait sa joue, son cou, se glissait derrière son oreille, et dans une convulsion horrifiée il se rendit compte soudain que le reptile s'enroulait autour de sa tête, l'enveloppait, couvrait son nez, sa bouche.

— Elle t'aime bien.

La voix de Peter Fungabera résonnait, tendue par l'excitation.

— Te voilà adopté.

Tungata roula des yeux vers lui. Il le vit tendre la main vers le brasero, et remarqua qu'une aiguille d'acier avait été enfouie dans les braises. L'extrémité rougie brillait d'un éclat incandescent.

— C'est ta toute dernière chance. Si tu ne parles pas maintenant, je touche la vipère avec ce petit tisonnier. Elle ne va pas apprécier.

Il attendit une réponse.

— Ah ! Evidemment tu ne peux pas parler. Alors cligne des yeux, et je saurai que tu acceptes.

Tungata rivait sur lui un regard où il espérait faire passer tout son mépris.

— Bien. J'aurai fait mon possible.

Il glissa l'aiguille à travers le grillage, et toucha la vipère. Il y eut un chuintement de chairs cautérisées, et la bête devint folle furieuse.

Tungata sentit les anneaux se resserrer sur son crâne, palpiter, se gonfler — le grand corps visqueux fouettait la cage en spasmes désordonnés. Il s'entendit hurler, suffoquant de terreur.

La tête du serpent bloquait soudain son champ de vision. Les mâchoires s'ouvrirent, démesurées, la gorge béante offerte à ses yeux horrifiés, et l'animal mordit. La force du coup l'étourdit. Les crochets s'étaient plantés dans sa joue, sous l'œil, dans un choc qui le secoua tout entier d'une convulsion électrisée. Ses dents s'entrechoquèrent. Il se mordit la langue. Le sang emplissait sa bouche. Les longs crocs acérés fouillaient sa chair, creusaient, tiraient comme des hameçons — et un manteau d'ombre s'abattit sur lui. Tungata s'affala, inconscient, dans les courroies qui le maintenaient.

⁂

— Vous l'avez tué, imbécile !

La panique faisait trembler la voix de Peter Fungabera.

— Mais non, mais non.

Le docteur s'affairait calmement. Il dégagea Tungata de son casque. Un des soldats expédia la vipère contre un mur et lui écrasa la tête sous la crosse de son AK 47.

— Il s'est évanoui, c'est tout.

Ils l'allongèrent sur le lit de camp qui flanquait la cloison du fond. Le major vérifia son pouls.

— Il va bien.

Il aspira le contenu d'une ampoule dans une seringue, et planta l'aiguille dans l'épaule luisante de sueur de son patient.

— Un petit stimulant et... Ah ! voyez : il revient déjà à lui.

Il épongeait la lymphe qui coulait des deux plaies sur la joue du prisonnier.

— Evidemment, il y a toujours un risque d'infection. Je vais lui injecter un antibiotique.

Tungata gémissait, grommelait. Il commença à s'agiter mollement. Les soldats l'aidèrent à se redresser. Ses yeux dansaient sur Peter Fungabera.

— Bienvenue au pays des vivants, camarade. Tu pourras maintenant te vanter d'être revenu indemne du royaume des morts.

Le docteur s'activait toujours sur lui, mais le regard de Tungata ne quittait pas le général.

— Evidemment, tu te poses des questions. Vois-tu, ce bon major avait réellement enlevé les glandes de la bête ; tu avais raison.

Tungata secouait la tête, incapable d'articuler un son.

— Le rat, me diras-tu ? Oui, bien sûr, le rat. Eh bien,

voilà : le docteur lui a fait une petite piqûre. Il avait testé le dosage pour calculer le délai nécessaire à sa mise en scène. Malin, non ? Car tu ne te trompais pas, cher Tungata. Nous ne pouvons pas nous permettre de te perdre. Pas tout de suite. La prochaine fois peut-être, ou celle d'après, qui sait ? Sans compter que nous pouvons aussi fort bien rater notre coup ! Imagine par exemple que cette vipère ait eu un reste de venin dans ses crochets... Combien de temps tiendras-tu, camarade, avant de craquer ?

— Autant de temps qu'il le faudra, graillonna Tungata dans un souffle.

— Pas de vantardises. Pour notre prochain divertissement, je pensais faire appel à mes petits chiens — tu sais : les fameux chiens de Fungabera. Tu les entends toutes les nuits. Je ne suis pas sûr de bien les contrôler. On a vite fait de perdre un bras, ou une jambe, avec eux. Un coup de dents malheureux et c'est fini.

Il leva la main.

— Non, non, prends ton temps si tu veux parler. Nous allons t'accorder quelques jours de mur pour récupérer des forces. Après, on verra.

Tungata perdait la notion du temps. Combien de jours avait-il passés face au mur ? Combien d'hommes exécutés à ses côtés ? Combien de nuits interminables à écouter le hurlement des hyènes ?

Une seule chose occupait son esprit : sa prochaine ration d'eau.

Le docteur avait estimé très précisément la quantité nécessaire à le maintenir en vie. La soif ne le quittait plus. Même dans son sommeil. L'eau hantait ses rêves — lacs et torrents qu'il n'atteignait jamais, pluies qui ne le touchaient pas et la soif, brûlante, tenace, insupportable.

Ajoutée à cela, la menace des hyènes pesait sur lui comme une obsession, pourrissait son imagination, et minait son esprit chaque jour un peu plus. L'eau et les hyènes — deux tortures qui le poussaient insidieusement vers la folie. Il lui fallait se répéter comme une litanie que le tombeau de Lobengula constituait sa seule chance de survie. Tant qu'il gardait le secret ils n'oseraient pas le tuer. Quant à la promesse de Fungabera de l'expédier à l'étranger quand il leur aurait révélé où trouver la sépulture, il n'y croyait pas une seconde.

Il fallait qu'il vive. Il fallait qu'il espère. Il fallait qu'il lutte, même si la mort lui apparaissait comme une délivrance.

Dans la pénombre glacée de l'aube, son corps refusait de bouger. Aujourd'hui ils allaient devoir le porter jusqu'au mur. Comme il se haïssait, de leur montrer sa faiblesse !

Le camp s'éveillait. Bruits de pas cadencés, aboiements de sous-officiers, cris de ceux qu'on traînait au poteau d'exécution.

Ils n'allaient pas tarder. Tungata tendit la main vers son bol et se rappela brusquement, désespéré, qu'il n'avait pas pu se retenir de tout boire hier soir. Il lécha la tôle émaillée comme un chien, dans l'espoir fou qu'il resterait quelques gouttes.

Les loquets ferraillèrent, et la porte s'ouvrit brutalement. Il tenta de se lever, se hissa laborieusement sur les genoux. Un garde déposait quelque chose sur le seuil. Puis les gonds grincèrent, et le prisonnier se retrouva seul.

Stupéfié, il attendit qu'il se passe quelque chose. Rien. Dans les autres cellules on emmenait les détenus. Le silence retomba.

La lumière augmentait. Prudemment, Tungata examina l'objet que le garde avait laissé. C'était un seau de plastique, et dans les rayons de l'aube la surface chatoyait.

De l'eau. Cinq litres d'eau, au moins. Il rampa jusqu'au seau et regarda de plus près, en refusant d'y croire. On lui avait déjà fait le coup un soir, en versant du sel et de la poudre d'alun dans son bol. Il avait déliré toute la nuit, dévoré par une soif épouvantable, tremblant comme une feuille.

Il trempa un doigt, et goûta prudemment. C'était de l'eau douce, claire. Un gémissement étranglé retentit dans sa gorge. Il plongea son bol dans le seau, et avala le précieux liquide avec voracité. Il buvait comme un forcené, sûr que la porte allait s'ouvrir d'un moment à l'autre et qu'un garde allait basculer son seau d'un coup de botte. Il but jusqu'à ce que son ventre, ballonné, soit traversé d'élancements douloureux. Après quoi il s'accorda quelques minutes de répit, tout au délice de sentir ses tissus déshydratés s'irriguer progressivement, et il recommença à se gorger consciencieusement d'eau. Trois heures plus tard il urinait dans son pot pour la première fois depuis une éternité.

Quand ils vinrent enfin le chercher à midi, il se tenait debout sans aide, et put les régaler d'une sélection d'insultes fleuries.

On le conduisit au mur. Il était presque joyeux. Avec son ventre gonflé d'eau, il pouvait leur résister pendant des heures. Le poteau d'exécution s'inscrivait dans une routine qui ne l'effrayait plus.

En traversant le terrain de manœuvres il s'aperçut d'une nouveauté. Ils avaient construit une cabane face au mur. Un abri contre le soleil, avec un toit de chaume. Au-dessous, sur une table, le couvert était mis.

Il reconnut la silhouette détestée de Peter Fungabera, assis sur une des deux chaises. Son courage s'évanouit. Il sentit ses genoux ployer, et trébucha. Qu'est-ce qu'ils avaient inventé pour aujourd'hui ? Si seulement il avait pu savoir ! L'incertitude était encore la torture la plus horrible.

Peter ne leva même pas les yeux quand le prisonnier passa devant lui. Il mangeait avec ses mains, à l'africaine, pétrissant des boulettes de semoule gluante et les moulant en creux d'un coup de pouce, pour puiser une sauce de légumes bouillis et de poisson *kapenta* du lac Kariba. L'arôme de la nourriture déclencha un flot de salive dans la bouche de Tungata, mais il continua d'avancer vers les poteaux d'exécution.

Il n'y avait qu'une victime aujourd'hui. Les yeux plissés dans la lumière éblouissante du mur blanc, Tungata se rendit brusquement compte que c'était une femme.

Elle était nue. Et jeune. Sa peau luisait d'un éclat satiné dans le soleil. Son corps était gracieux, ses seins fermes, symétriques, les mamelons dressés. Ses jambes s'étiraient, longues et fines. Les poignets liés, elle ne pouvait pas se couvrir. Tungata devinait sa honte à exhiber son sexe nu, renflement noir et bouclé, niché comme un petit animal à la jonction de ses cuisses. Il croisa son regard, et le désespoir s'abattit sur lui.

C'était fini. Les gardes le lâchèrent. Il tituba jusqu'à la jeune femme. Les yeux agrandis de terreur, elle chuchota d'une voix tremblante :

— Mon prince, qu'est-ce qu'ils t'ont fait ?

— Sarah.

Il mourait d'envie de la toucher, de caresser son visage, mais le regard lubrique des soldats l'en empêchait.

— Ils t'ont trouvée. Mais... comment ?

Il se sentait vieux, frêle, fragile. C'était fini.

— J'ai suivi tes ordres. Je me suis cachée dans les montagnes. Et un jour un message m'est parvenu. Un de mes élèves était en train de mourir — dysenterie, et pas de médecin. Je ne pouvais pas rester sans rien faire.

— Evidemment, c'était un piège.

— Les soldats shona m'attendaient à l'école. Pardonne-moi, mon prince.

— Ça n'a plus d'importance.

— Ne trahis pas pour moi. Je saurai supporter la souffrance.

Il secoua tristement la tête, et osa enfin effleurer ses lèvres. Sa main tremblait comme celle d'un ivrogne. Sarah embrassa ses doigts. Tungata baissa le bras et se retourna, voûté, défait, vers l'abri de chaume où Peter Fungabera continuait son déjeuner. Les soldats s'écartèrent devant lui.

Le général l'invita à s'asseoir d'un geste. Le prisonnier s'écroula dans le fauteuil de toile.

— D'abord vous allez la détacher, et l'habiller.

Peter cria un ordre. Les gardes couvrirent la jeune fille et l'entraînèrent vers les huttes. Elle leur résistait comme une diablesse, et tourna vers Tungata un regard éploré en s'éloignant.

— Mon prince...

— Il ne lui sera fait aucun mal.

Fungabera poussa devant lui un bol de semoule. Tungata fit mine de ne pas le voir.

— Vous allez l'envoyer à Francistown, et la remettre aux mains d'un représentant de la Croix-Rouge.

— Il y a un avion qui attend à la base missionnaire. Mange, camarade. Tu auras besoin de forces.

— Une fois en sûreté elle devra me donner de ses nouvelles — radio ou téléphone — et prononcer un message codé que je lui fournirai avant son départ.

Le général lui servit une tasse de thé fort et sucré.

— Accordé.

— Maintenant vous allez nous laisser seuls, pour qu'on convienne d'un message.

— A une condition : vous serez au milieu du terrain de manœuvres, entourés par un cordon de soldats. De loin, bien sûr. Il y aura une mitrailleuse braquée sur vous. Je te donne très exactement cinq minutes. Pas une de plus.

— Je t'ai trahi...

Tungata avait oublié combien elle était belle. Son corps tout entier vibrait d'un désir douloureux.

— Non. C'était inévitable.

— Mon prince, qu'est-ce que je peux faire maintenant?

— Ecoute : certains de mes amis ont échappé à la 3e brigade. Tu dois retrouver leur trace. Je crois qu'ils sont au Botswana.

Il lui énuméra des noms qu'elle répéta fidèlement.

— Dis-leur...

Elle mémorisa son message, et le récita sans omettre un seul mot.

Du coin de l'œil, Tungata vit le cordon des gardes qui se resserrait. Leurs cinq minutes s'achevaient.

— Quand tu seras en sûreté, ils te permettront de communiquer avec moi par radio. Si tout va bien, tu me diras : «Ton bel oiseau s'est posé.» Répète.

— Mon prince...

— Répète!

Elle obéit, et se jeta dans ses bras. Ils s'accrochèrent l'un à l'autre dans une étreinte désespérée.

— Est-ce que je te reverrai un jour ?
— Non. Oublie-moi.
— Jamais ! Jamais, mon prince...
Les soldats les séparèrent. Une Land-Rover s'avança. Ils y poussèrent Sarah.
Il garda pieusement d'elle une dernière vision, son visage qui s'encadrait dans la lunette arrière — ce beau visage qu'il aimait tant.

***

Le troisième jour on vint chercher Tungata dans sa cellule pour le conduire au PC du général Fungabera sur le kopje central.
— La fille est en ligne. Tu vas lui parler, mais en anglais. Nous enregistrons votre conversation.
Peter indiqua le magnétophone branché sur l'émetteur-récepteur.
— N'essayez pas de passer un message en ndébélé, il sera traduit plus tard par nos soins.
— Notre mot de passe est en ndébélé. Il faudra qu'elle le répète.
— Entendu. Mais rien d'autre.
Il examina le prisonnier d'un air critique.
— Je suis ravi de te voir en si bonne forme, camarade. Un peu de repos, un peu de nourriture et te voilà comme neuf.
Tungata portait des treillis délavés. Il affichait toujours une maigreur épouvantable, mais sa peau avait perdu son aspect morbide et ses yeux avaient retrouvé leur éclat. Sur sa joue, une croûte couvrait encore la morsure de la vipère.
Avec un hochement de tête à l'adresse du capitaine, Fungabera pressa sur le bouton « record » du magnétophone.
— Mon prince, c'est Sarah.
L'appareil cafouillait, mais il aurait reconnu cette voix n'importe où.
— Je suis à Francistown. La Croix-Rouge m'a recueillie.
— Le message... ?
Elle répondit en ndébélé :

— Ton bel oiseau s'est posé.

Et ajouta :

— Ne désespère pas. J'ai retrouvé les autres.

— Très bien. Il faudrait que...

— Mille excuses, camarade, mais c'est moi qui paie.

Le général porta le micro à ses lèvres.

— Terminé, dit-il, avant de couper la transmission.

Puis il se tourna vers son capitaine.

— Donnez cette bande à un de nos collaborateurs matabélé, et apportez-moi tout de suite la traduction.

Ils attendirent. Tout en fixant Tungata, Fungabera tambourinait sur la table.

— Tes vacances se terminent, camarade. Il va falloir te rendre utile maintenant.

Combien de temps pourrait-il faire traîner les recherches ? Chaque heure qui passait était une heure supplémentaire gagnée sur la mort ; une heure d'espoir.

— Je ne me souviens plus de l'itinéraire à suivre. Ma mémoire...

— Ta mémoire est excellente, camarade. Tu oublies que je t'ai vu discourir sans notes à l'Assemblée.

Pourtant, sur ces pistes où il avait cahoté avec son grand-père dans des bus antédiluviens vingt ans auparavant, Tungata ne parvenait vraiment pas à retrouver le repère qui signalait la route du sanctuaire — le rempart de roches qui dégringolait vers la rivière asséchée, et le kopje en forme de tête d'éléphant.

Ils passèrent trois jours à chercher. Fungabera s'impatientait, menaçait. Ils s'arrêtèrent dans un village minuscule, dernier point de référence dans les souvenirs de Tungata.

— Hau ! la vieille piste. Oui, le pont a été emporté il y a des années. On ne passe plus par là maintenant. La nouvelle route prend sur la gauche...

Il dénicha enfin le chemin, enfoui sous la végétation, et ils arrivèrent au lit de la rivière quatre heures plus tard. Du pont, il ne restait qu'un amas de béton disloqué envahi par les lianes, mais les murailles de roc de la rive étaient exactement comme Tungata se les rappelait. Brusquement le vieux Gédéon lui parut terriblement proche. Si proche qu'il jeta un coup d'œil alentour, et esquissa un geste désolé de la main.

— Pardonne-moi *Baba*, pardonne à ton enfant qui va trahir le serment.

Bizarrement, la présence de l'ancien était pleine d'indulgence, bienveillante, comme lui-même l'avait toujours été.

— Par ici, le chemin.

Ils laissèrent la Land-Rover devant les ruines du pont et continuèrent à pied.

Tungata ouvrait la marche, deux soldats en armes sur les talons. Il maintenait une allure indolente qui exaspérait Fungabera.

Pour lui c'était un peu aussi un pèlerinage. Il s'imaginait cent ans auparavant dans la peau de Gandang, son arrière-arrière-grand-père, loyal et fidèle jusqu'au bout, jusqu'à la déroute, jusqu'à l'exode. Il revivait le désespoir d'un peuple vaincu, sa terreur de voir apparaître à tout moment les Blancs, avec leurs machines à trois pattes qui crachaient la mort. Il entendait les lamentations des femmes, les pleurs des enfants, le mugissement des troupeaux qui progressaient lentement, trébuchaient sur le terrain accidenté.

A la mort du dernier bœuf, Gandang avait ordonné aux soldats de son fameux régiment inyati de haler le chariot du roi. Un roi obèse, malade, pris dans les rouages de l'histoire, écrasé par le destin.

« Et maintenant l'ultime affront, pensa Tungata. Je guide ces chiens de Shona vers son tombeau. Même ses restes n'ont pas droit au repos. »

A trois reprises, il emprunta délibérément une fausse piste. La troisième fois, Peter Fungabera le fit déshabiller, lui attacha poignets et chevilles et s'acharna sur lui avec un fouet de cuir d'hippopotame, le redoutable *kiboko* dont les marchands d'esclaves arabes ont introduit l'usage en Afrique.

C'est l'humiliation, plutôt que la douleur, qui poussa Tungata à revenir en arrière pour reprendre le bon chemin.

Il vit apparaître la colline devant eux avec la même surprise qu'à son premier voyage.

Ils suivaient une gorge de falaises noires vertigineuses, polies par le bouillonnement tourbillonnant des millénaires. Dans les flaques vertes qui ponctuaient le fond, des poissons-chats moustachus troublaient l'eau bourbeuse pour happer des mouches à la surface. Toute une population de papillons iridescents flottait dans l'air vibrant de chaleur, bijoux rouge et turquoise à longue queue d'hirondelle.

Ils tournaient un méandre du défilé, frayant leur route entre des blocs de roche grise comme à travers un troupeau d'éléphants, quand la falaise s'ouvrit brusquement. La forêt se repliait. Devant eux, monument gigantesque qui ridiculisait les pyramides des pharaons, se dressait la colline de Lobengula.

Colline, ou plutôt piton formidable, grandiose, festonné de lichens de vingt nuances différentes, de jaune, d'ocre et de malachite.

Une tribu de vautours colonisait le sommet, planait gracieusement dans les courants thermiques, et plongeait pour remonter en spirales, aspirée vers le haut dans des volutes interminables.

— Voilà, murmura Tungata. *Thabas Nkosi*, la colline du roi.

Le sentier suivait un affleurement de calcaire qui creusait un méplat dans la façade de roches. Ployant sous les armes et les paquetages, les soldats s'accrochaient nerveusement à la falaise en coulant des regards inquiets vers l'abîme, mais Peter Fungabera et Tungata gravissaient la pente d'un pas sûr, et distançaient leur escorte.

« Je pourrais le balancer dans le vide, si j'arrive à le prendre par surprise. » Tungata regarda en arrière. Peter le suivait à huit mètres. Il avait son pistolet Tokarev dans la main droite, et souriait comme un mamba.

— Non.

Il n'eut pas besoin d'en dire plus. Tungata mit en sourdine ses espoirs de vengeance, et continua de grimper. Au détour d'un lacet ils débouchèrent sur le palier supérieur du piton, à deux cents mètres au-dessus des gorges.

Couverts de sueur, ils englobèrent d'un coup d'œil la grande faille de la vallée du Zambèze. Sur l'horizon, les eaux du lac de Kariba luisaient d'un éclat satiné à travers le brouillard de chaleur et la fumée bleue des premiers feux de brousse de la saison. Les soldats prenaient pied sur le sommet avec un soupir de soulagement. Peter Fungabera se tourna vers son prisonnier.

— Nous sommes prêts, camarade.

— On arrive.

De l'autre côté de la crête le roc se fragmentait en blocs chaotiques, remparts démantelés, coupés de crevasses où les arbres plongeaient leurs racines, tissaient un imbroglio de nœuds qui se tordaient sur les rochers comme des serpents en rut et dressaient leurs troncs torturés par la sécheresse.

Ils descendirent dans l'embouchure d'une ravine. Un très vieux *Ficus natalensis* gardait l'entrée, le figuier « étrangleur », avec ses bras contorsionnés marbrés de jaune, chargés de fruits amers. A leur approche une colonie de perroquets bruns, leurs ailes vertes parsemées de cocardes jaunes, explosa dans un carrousel de plumes, dérangée dans son festin. A la base du figuier la falaise se fissurait, et les racines s'insinuaient dans les craquelures pour s'agripper à la pierre.

Tungata restait planté là, immobile. Exaspéré, Fungabera le vit remuer doucement les lèvres, comme habité par une prière silencieuse. Il regarda la roche de plus près, et se rendit compte brusquement que les fissures étaient trop régulières pour être l'œuvre de la nature.

— Ici !

Il appela ses soldats, leur montra sa découverte et commença à s'acharner sur l'une des craquelures à grands coups de baïonnette en dégageant les gravats à mains nues.

Après quinze minutes de travail et d'efforts ils avaient dégagé le bloc. La falaise apparaissait maintenant, de toute évidence, comme un mur de pierres minutieusement scellées. Dans les profondeurs du trou qu'ils venaient de pratiquer on devinait une deuxième cloison de maçonnerie plus grossière.

— Amenez le prisonnier. Il va travailler en première ligne.

Quand la nuit tomba ils avaient déblayé une ouverture à

peine assez large pour permettre à deux hommes de s'insérer à travers le premier mur, pour s'attaquer à la cloison du fond. Tungata voyait peu à peu se confirmer les soupçons qu'il avait conçus lors de sa première visite — les signes qu'il avait cachés à son grand-père étaient plus apparents encore sur la maçonnerie intérieure.

A contrecœur Peter Fungabera décréta l'arrêt des travaux pour la nuit. Les mains de Tungata étaient douloureuses, écorchées, et il avait perdu un ongle dans le glissement de deux blocs de pierre. Malgré la paire de menottes qui l'enchaînait à un garde, il sombra dans un sommeil cataleptique d'où on le tira le lendemain matin à grands coups de pied dans les côtes.

L'aube pointait tout juste. Ils engloutirent leur maigre ration de galettes de maïs et burent le thé en silence.

A peine avaient-ils avalé la dernière gorgée que Peter Fungabera leur ordonnait de se remettre au travail. Rouges, ankylosés, les doigts du prisonnier lui obéissaient mal. Son garde-chiourme se tenait derrière lui pour le harceler de coups de *kiboko* cinglants quand il faisait mine de relâcher son effort.

Le soleil illuminait le sommet du piton, et bientôt ses rayons dorés éclairèrent la falaise. Muni d'une branche morte, Tungata conjuguait ses forces à celles d'un soldat pour faire levier sur un bloc, et comme il commençait à jouer sur sa base on entendit un grondement, un crissement retentissant, et la cloison intérieure s'abattit sur eux. Ils s'écartèrent d'un bond sous le nuage de poussière qui retombait en volutes épaisses. Toussant, pleurant, ils jetèrent un coup d'œil dans l'ouverture.

L'air de la caverne puait comme la bouche d'un pochard, et leur expédia un souffle aigre et pestilentiel. Un gouffre d'ombre menaçante béait devant eux.

— Toi d'abord, ordonna Fungabera, et Tungata hésita sur le seuil, envahi par une crainte superstitieuse. Allez !

Le général lui-même, visiblement, ne se sentait pas trop rassuré. Il tenait sa torche comme une arme. Tungata se fraya un chemin dans l'éboulis.

Il resta immobile à l'entrée pendant que ses yeux s'habituaient à l'obscurité. Peu à peu il distingua la configuration du sanctuaire. Sous ses pieds le sol descendait dans une pente abrupte. La caverne avait manifestement servi de refuge pendant des millénaires à des générations d'hommes primitifs avant de devenir la sépulture d'un roi.

Fungabera promenait le faisceau de sa lampe sur la roche. La voûte était croûtée de suie et les murailles couvertes de fresques déployaient l'art des petits Bochimans jaunes qui avaient vécu là. Les scènes de chasse alignaient les troupeaux de buffles noirs, les girafes mouchetées, immenses, les rhinocéros et les antilopes cornues dans un éventail de couleurs et de teintes variées. Les artistes avaient aussi représenté ceux de leur peuple, silhouettes menues, affublées de fesses rebondies et d'érections impressionnantes. Armés d'arcs et de flèches, ils poursuivaient inlassablement le gibier sur les murs de la caverne.

La torche creusa un tunnel de lumière dans les profondeurs du gouffre. A son extrémité le couloir se rétrécissait pour former un goulet étroit qui s'incurvait en coude et plongeait dans l'ombre.

— Avance !

Tungata s'aventura prudemment sur la pente.

Passé le goulet, ils durent se baisser pour continuer leur chemin dans un passage exigu.

Cinquante mètres plus loin ils débouchaient sous un dôme qui s'arrondissait à dix mètres au-dessus de leurs têtes. Sur le mur du fond la torche isola une estrade où s'empilait un bric-à-brac indistinct.

Il fallut un moment avant que Tungata ne reconnaisse la forme d'une roue de chariot antique, une roue plus haute que les bœufs qui la tiraient. Puis il distingua le plateau, le cadre. On avait démonté le véhicule pour le transporter jusqu'ici.

— Le chariot de Lobengula, chuchota-t-il. Celui que les guerriers ont tiré quand l'attelage s'est écroulé...

Peter Fungabera enfonça le canon de son Tokarev dans sa chair, et ils s'avancèrent sur le sol jonché de pierrailles.

Il y avait des carabines, rigoureusement rangées en épi, de vieilles Lee-Enfields, une partie du paiement que Cecil

Rhodes avait versé pour la concession. Des carabines, et cent souverains d'or par mois — le prix d'une nation en esclavage. D'autres objets s'entassaient sur l'estrade, sacs de sel, tabourets, couteaux, perles, ornements, tabatières de corne et sagaies.

— Grouillez-vous ! Il faut trouver le corps. Les diamants sont certainement à côté du mort.

Des os — ils luisaient doucement dans la lumière de la torche. Un fouillis d'ossements, sous le chariot.

— Un crâne !

Il arborait un sourire sans joie, coiffé d'une touffe de laine ternie.

— Le voilà ! jubilait Peter Fungabera.

Il tomba à genoux devant le squelette. Tungata ne bronchait pas. Il avait reconnu l'ossature d'un individu malingre, de petite taille, à peine plus grand qu'un enfant, avec des trous noirs qui dégarnissaient la dentition du haut. Lobengula était un homme grand, et toutes les légendes s'accordaient à glorifier son sourire. Le squelette croulait encore sous la panoplie macabre des arts occultes : coquilles, perles, ossements, cornes pleines de médecines et de poudres, et crânes de reptiles accrochés en ceinture à sa taille décharnée. Fungabera s'aperçut enfin de son erreur.

— Ils ont dû sacrifier son sorcier pour qu'il garde la tombe.

Sa torche explorait la caverne en zigzags surexcités.

— Où est-il ? Tu dois le savoir. On a dû te le dire.

Tungata gardait le silence. Au-dessus du sorcier une niche se découpait dans la muraille. Les possessions du monarque, le sacrifice humain, la grotte tout entière semblaient s'organiser autour de cette niche. C'était là, logiquement, qu'aurait dû se trouver la dépouille du roi. Et c'est là qu'atterrit finalement le rond de lumière, braqué par Peter Fungabera.

La niche était vide.

— Il n'est pas là, siffla le général. Le corps de Lobengula a disparu.

Les indices que Tungata avait relevés sur les murs extérieurs, ces endroits où les pierres descellées paraissaient réajustées plus grossièrement, ne l'avaient donc pas trompé : la sépulture avait été visitée. Le ou les profanateurs avaient subtilisé le corps et refermé derrière eux pour dissimuler les traces de leur méfait.

Fungabera se hissa sur la corniche et tomba à quatre pattes pour poursuivre frénétiquement ses recherches. Impassible, Tungata s'émerveillait de voir ce que l'appât du gain peut faire d'un homme, aussi puissant fût-il. Le général poussait des grognements incohérents en filtrant la poussière du sol à travers ses doigts.

— Regardez ! Regardez !

On reconnaissait un débris de poterie, décoré d'une frise traditionnelle de l'art matabélé.

— Un pot à bière.

Le général tournait fébrilement le fragment de terre cuite entre ses doigts.

— C'est là-dedans qu'étaient entreposés les diamants. Cassé.

Il gratta furieusement le sol, soulevant un brouillard poudreux qui ondoyait dans le faisceau de la torche.

— Là !

Il avait trouvé quelque chose. Quelque chose qu'il saisit entre le pouce et l'index, de la taille d'une petite noix, et qui fragmentait l'éclat de la lampe en spectres irisés.

— Un diamant ! fit-il dans un souffle émerveillé.

Entre ses doigts la pierre jetait des flèches de lumière, lames iridescentes qui projetaient sur son visage leurs reflets changeants.

Le cristal était un octaèdre naturel parfait, clair comme un torrent de montagne.

Le visage de Peter Fungabera perdait peu à peu toute trace d'émerveillement.

— Un seul ! Un seul caillou, alors qu'il devrait y en avoir cinq pleines jarres.

Ses yeux glissèrent en direction de Tungata. La torche découpait des ombres fantomatiques sur ses traits, donnait à son regard une profondeur démoniaque. Les lèvres déformées dans un rictus haineux, il cracha :

— Tu le savais !

***

— Des blancs-becs ! pesta Morgan Oxford. Voilà ce que vous êtes ! Et comme si ça ne suffisait pas, vous nous avez foutus dans la mélasse jusqu'au cou.

En apprenant qu'une patrouille du Botswana avait récupéré Craig et Sally-Ann en plein désert, l'attaché culturel avait sauté dans un avion.

— L'ambassadeur américain n'est pas près d'oublier la note que Mugabe lui a expédiée, croyez-moi, et les British non plus. Ils sont tous en train de s'arracher les cheveux là-bas. Rendez-vous compte, Craig : vous êtes un citoyen britannique et le haut-commissariat n'a jamais entendu parler de vous ! S'ils vous tenaient, ils vous pendraient haut et court sur-le-champ.

Planté devant le lit d'hôpital, il refusa la chaise que Craig s'obstinait à lui offrir.

— Quant à vous, mademoiselle l'emmerdeuse, l'ambassadeur m'a chargé de vous coller dans le premier avion pour les Etats-Unis.

— Je ne me laisserai pas faire. Nous ne sommes pas en Russie soviétique, que je sache. Je suis une citoyenne libre, majeure et vaccinée.

— Vous ne resterez pas libre longtemps, si Mugabe vous met la main dessus. Meurtre, insurrection armée...

— C'était un coup monté !

— On a retrouvé des piles de cadavres derrière vous, comme des canettes de bière après un pique-nique. Mugabe a engagé une procédure d'extradition auprès du gouvernement du Botswana...

— Nous sommes des réfugiés politiques.

— Bonnie et Clyde, ma poulette. Voilà comment on parle de vous à Harare.

— Sally-Ann, intervint Craig, conciliant. On t'a recommandé de ne pas t'énerver...

— Pas m'énerver ! Je me fais voler, tabasser, j'échappe de justesse au viol collectif, je frise le peloton d'exécution — et voilà le représentant officiel des Etats-Unis d'Amérique, un pays auquel je suis censée appartenir, je te signale, qui débarque dans ma chambre pour nous traiter de criminels !

— Je ne vous traite de rien du tout. Je vous préviens simplement qu'il vaut mieux remuer vos jolies petites fesses et déguerpir d'Afrique en vitesse pour rentrer dare-dare chez maman.

— Non content de nous traiter de criminels, il vient m'infliger son paternalisme sexiste de phallocrate primaire...

— Ne nous emballons pas.

Oxford leva la main d'un air las.

— On recommence au début. Vous avez des gros ennuis — nous avons de gros ennuis. Tâchons de trouver une solution.

— Vous voulez vous asseoir, maintenant ?

Craig poussa la chaise vers lui. L'Américain s'effondra, et alluma une Chesterfield.

— Au fait, comment ça va ?

— Il serait temps de vous en occuper ! fit la jeune fille, cinglante.

— Déshydratation. Ils craignaient une défaillance rénale mais elle est sous perfusion depuis trois jours et de ce côté-là tout va bien. L'hématome qu'elle a sur le crâne a eu l'air aussi de leur donner des inquiétudes, mais les radios n'ont rien décelé. Dieu merci ! Elle doit sortir demain.

— Donc elle peut prendre l'avion ?

— Ah ! Je me disais aussi...

— Ecoutez, Sally-Ann. Nous sommes en Afrique. Si les autorités du Zimbabwe vous coincent, on ne pourra rien faire pour vous. C'est pour votre bien. Vous devez filer, et vite. L'ambassadeur...

— L'ambassadeur, je me le mets au cul. Et vous aussi, monsieur Oxford.

L'attaché culturel eut son premier sourire.

— Pour Son Excellence je ne sais pas, mais en ce qui me concerne on peut commencer quand vous voulez.

Même Sally-Ann éclata de rire. Voyant que l'atmosphère se dégelait, Craig hasarda :

— Morgan, faites-moi confiance. Je veillerai qu'il ne lui arrive rien de grave...

Et immédiatement la jeune fille se rengorgea sur ses oreillers, prête à pourfendre l'hydre phallocrate. Craig lui adressa un signe de tête discret qui calma son humeur belliqueuse. Oxford s'était tourné vers lui.

— Dites-moi, comment ont-ils su que vous travailliez pour la C.I.A. ?

— Ah ! Parce que je... ! Eh bien, voyez-vous, moi-même je ne le savais pas !

— Et qui est Henry Pickering, d'après vous ? Le Père Noël ?

— Henry est vice-président de la Banque mondiale...

— Des blancs-becs ! Des gamins, je vous dis ! En tout cas c'est fini. Terminé, votre contrat.

— Je lui ai envoyé un rapport circonstancié il y a trois jours à peine...

— Ah ! Parlons-en ! Vous présentez Peter Fungabera comme un suppôt de Moscou. Fungabera est shona. Les Rouges n'oseraient jamais l'approcher ! Mettez-vous bien ça dans le crâne : le général Fungabera a toujours haï les Russes, et nous entretenons d'excellents rapports avec lui. Compris ?

— Mais enfin, Morgan ! Il joue un double jeu ! C'est son adjoint lui-même qui me l'a dit, le capitaine Nbebi !

— Lequel est mort, comme par hasard. Si vraiment ça vous fait plaisir, on mettra votre rapport en mémoire dans un fichier quelconque — avec un coefficient de crédibilité zéro. Henry Pickering vous remercie bien.

Sally-Ann intervint :

— Morgan, vous avez vu mes photos des massacres. Les villages incendiés, les enfants éventrés, les atrocités commises par la 3e brigade...

— Pas d'omelettes sans casser des œufs. C'est ce qu'on dit, n'est-ce pas ? Evidemment, nous n'apprécions pas beaucoup la violence, mais Fungabera est antisoviétique. Les Matabélé sont prosoviétiques. Il faut qu'on soutienne les régimes qui combattent le communisme, même s'ils utilisent pour ça des méthodes discutables — il y a des milliers de femmes et de gosses qui agonisent au Salvador. Ça ne nous empêche pas d'appuyer la droite. Vous voudriez qu'on leur tape sur les doigts parce qu'ils se torchent avec la convention de Genève ? Allons, Sally-Ann ! Arrêtez de rêver. Il faut grandir un peu.

Un silence accueillit cette tirade, ponctué par le craquement de la tôle ondulée sous le soleil de midi. Sur la pelouse parcheminée de l'hôpital, des malades promenaient leur uniforme rose orné de l'écusson de l'Assistance publique du Botswana.

— C'est pour nous dire ça que vous êtes venu ?

— Ça ne vous suffit pas ?

Morgan écrasa sa cigarette, et se leva.

— Autre chose, Craig. La Land Bank of Zimbabwe a retiré sa garantie pour votre prêt. Henry Pickering m'a chargé de vous annoncer qu'il allait vous tomber dessus pour le remboursement du capital et des intérêts. J'ignore de quoi il parle, mais...

— Moi non. Malheureusement.

— Bon. Il va essayer de trouver un arrangement avec vous dès votre retour à New York. En attendant ils ont dû bloquer tous vos comptes et exiger de votre éditeur une délégation sur le versement de vos droits à venir.

— Logique.

Craig le raccompagna à sa Ford verte immatriculée « Corps diplomatique ».

— Vous pourriez me rendre un dernier service ?

Morgan eut une grimace soupçonneuse.

— Si je le peux, oui.

— Il s'agit de faire parvenir un paquet à mon éditeur à New York.

Voyant que l'attaché culturel restait sur ses gardes, il ajouta :

— C'est seulement la fin de mon manuscrit, parole d'honneur.

— OK, soupira l'Américain.

Craig récupéra son sac British Airways à l'arrière de la Land-Rover de louage qu'il avait garée dans le parking.

— Prenez-en soin. C'est la chair de ma chair. Et mon seul espoir.

Il regarda s'éloigner la Ford, et rentra dans l'hôpital.

— Qu'est-ce que c'est que cette histoire de banque? demanda Sally-Ann.

Craig s'assit au bord de son lit.

— Quand je t'ai demandée en mariage, commença-t-il, j'étais millionnaire. Maintenant, au contraire, je suis comme on est quand on n'a aucune garantie, et deux millions de dollars de dettes sur le dos : fauché.

— Tu as ton nouveau livre. Ashe Levy y croit comme un fou.

— Ma belle, si je pondais un best-seller tous les ans jusqu'à ma mort, j'arriverais tout juste à renflouer les intérêts de ce que je dois à Pickering.

Elle fixait sur lui un regard interloqué.

— En d'autres termes, voilà ce que je voulais te dire : ma demande originale est à revoir. Si tu veux changer d'avis, vas-y. Tu n'es pas obligée de m'épouser...

— Craig, ferme la porte et boucle les volets.

— Tu plaisantes! Pas ici! Pas maintenant! C'est sûrement passible de prison dans ce pays. Conduite immorale, que sais-je?

— Ecoutez, cher ami. Quand votre tête est mise à prix pour meurtre et insurrection armée, un peu de pelotage illicite avec votre futur mari — même indigent, même déshérité — ne pèse pas très lourd sur la conscience.

Craig passa prendre Sally-Ann à l'hôpital le lendemain matin. Elle portait le même jean, la même chemise et les mêmes chaussures que le jour de son admission.

— La bonne sœur me les a fait raccommoder et...

Elle s'interrompit en voyant la Land-Rover.

— Qu'est-ce que c'est que ça? Je croyais qu'on était fauchés!

— L'ordinateur ne connaît pas encore la bonne nouvelle. Résultat : on honore encore ma carte de l'American Express.

— Tu n'as pas honte?

— Quand on a un trou de cinq millions dans ses finances,

chère amie, deux cents malheureux dollars ne pèsent pas bien lourd sur la conscience.

Il mit le contact.

— Toutes mes excuses, monsieur Hertz.

Ils cahotèrent sur les voies ferrées qui coupaient la rue principale de Francistown.

— La « perle du Nord ». Population : deux mille habitants. Principale activité : absorption de boissons alcoolisées. Raisons de vivre : incertaines.

Il se gara devant le seul et unique hôtel de la ville.

— Et comme tu peux le voir, population entière en villégiature permanente au bar.

Seule la jeune Bechuana de la réception semblait à jeun.

— Monsieur Mellow ? Il y a une dame qui vous attend.

Craig ne la reconnut pas tout de suite, mais Sally-Ann se jeta en courant dans ses bras.

— Sarah !

Des lits jumeaux meublaient la chambre, ainsi qu'une chaise en bois. Un tapis élimé, d'inspiration vaguement persane, s'étalait sur le sol de ciment rouge. Les deux filles s'installèrent sur les lits.

— A la Croix-Rouge ils m'ont dit que la police vous avait retrouvés dans le désert, commença Sarah. J'hésitais à venir vous voir. Après le procès…

Elle leva les yeux vers Craig.

— Tungata avait peur pour vous, monsieur Mellow. Il savait qu'en venant vous installer au Zimbabwe vous couriez au-devant des ennuis. Il disait que vous étiez trop fragile pour les événements qui se préparaient. *Pupho*, il vous appelait : le rêveur. Le doux rêveur. Il disait aussi que vous étiez têtu, obstiné. Il voulait vous épargner de nouvelles souffrances. Je l'ai même entendu dire : « Par amitié, je suis forcé de me faire son ennemi. »

Craig se rappelait son entrevue orageuse avec le ministre. Difficile de croire qu'il lui ait vraiment joué la comédie. Sa colère paraissait si vraie, sa fureur si convaincante.

— Excusez-moi, monsieur Mellow. Je vous dis les choses telles qu'elles sont, même si elles vous paraissent peu flatteuses. Mais Tungata vous aimait bien.

— Quelle importance maintenant? Pauvre Sam! A l'heure qu'il est il doit être mort.

— Non!

Sarah élevait la voix pour la première fois, avec une véhémence pathétique.

— Non, ne dites pas ça. Il est vivant. Je l'ai vu, je lui ai parlé.

La chaise craqua bruyamment quand Craig se pencha d'un air soudain tendu.

— Vous l'avez vu? Quand?

— Il y a deux semaines.

— Où? Où ça?

— Tuti... au camp de Tuti.

— Sam, vivant!

Il paraissait métamorphosé. Ses épaules se carraient, son allure retrouvait une fierté qui semblait l'avoir abandonné. Ses yeux se firent plus brillants, plus vifs. Il fixait sur le mur un regard intense en tâchant d'organiser le flot d'émotions et de pensées qui se bousculaient sous son crâne, et il ne vit pas que Sarah pleurait à chaudes larmes.

Sally-Ann passa un bras protecteur autour de ses épaules. La jeune Noire sanglotait.

— Tungata, mon prince... Qu'est-ce qu'ils lui ont fait? Affamé, supplicié... On dirait un chien errant. Il n'a plus que la peau sur les os, il marche comme un vieillard...

Sally-Ann la berçait sans un mot. Craig avait bondi de son siège pour arpenter le ciment — la pièce était si petite qu'il la traversait en quatre enjambées —, et pivotait nerveusement pour recommencer son manège.

— Le Cessna sera prêt pour quand?

Son va-et-vient s'accélérait. La jambe artificielle cliquetait à chacun de ses pas.

— Il est prêt depuis la semaine dernière. Je te l'avais dit, je crois.

Sally-Ann avait tiré un mouchoir en papier de sa poche pour essuyer les yeux de Sarah.

— Combien de places?

— Le Cessna? On s'est entassés à six dedans, une fois. Mais il est prévu pour...

Elle s'interrompit, se tourna lentement et fixa sur lui un regard effaré.

— Au nom du ciel, Craig ! Qu'est-ce que tu as dans la tête ?

— Autonomie de vol ?

— Douze mille miles, en pilotant à l'économie. Mais tu plaisantes... !

— Bon. Je peux charger deux bidons dans la Land-Rover. Tu te poseras près de la frontière pour refaire le plein. Je connais un endroit près de Panda Matenga, à cinq cents kilomètres au nord. C'est le point le plus proche...

— Craig, tu... tu sais ce qui nous pend au nez si jamais ils nous attrapent.

L'émotion la faisait bafouiller. Sarah tenait son mouchoir à la main, ses yeux faisaient un va-et-vient incessant comme elle suivait attentivement leur dialogue.

— Des armes, grommelait Craig. Il nous faut des armes. Morgan Oxford ? Non. Cet imbécile nous a rayés de sa liste.

— Des fusils ?

Le mouchoir étouffait la voix de Sarah.

— Des fusils, des grenades... des explosifs aussi. Tout ce qui peut nous tomber sous la main.

— Je peux vous avoir des fusils par le biais des réfugiés matabélé immigrés au Botswana...

— Quel genre ?

— Des « fusils bananes », des grenades...

— Kalachnikov. Sarah, tu es une fée.

— Mais... juste nous deux ?

Sally-Ann pâlissait en le voyant s'obstiner.

— A deux contre la 3e brigade, c'est ça que tu nous prépares ?

— Non. Je viens avec vous.

Sarah rangea son mouchoir.

— On sera trois.

— Trois ? Fantastique ! Deux femmes et un doux rêveur contre une armée de tueurs. Génial !

Craig interrompit son manège pour se planter devant les lits.

— Primo : on dessine un plan du camp de Tuti.

Il recommença à tourner comme un ours en cage, incapable de rester immobile plus longtemps.

— Secundo : on rencontre les amis de Sarah, et on voit en quoi ils peuvent nous être utiles. Tertio : Sally-Ann prend l'avion pour Johannesburg et rapatrie le Cessna. Ça te prendra combien de jours ?

— Disons trois. Si toutefois je marche dans votre combine.

— Bien ! Eh bien, voilà.

Craig se frottait gaillardement les mains.

— On peut s'attaquer à la carte.

Il commanda à dîner et une bouteille de vin à la réception, et ils travaillèrent jusqu'à 2 heures du matin. Puis Sarah les quitta sur la promesse de revenir le lendemain matin au petit déjeuner. Craig roula précieusement la carte et rejoignit Sally-Ann dans un des lits étroits. Ils étaient tous les deux incapables de dormir.

— Parle-moi de Zebiwe, murmura-t-elle en se blottissant contre lui.

Elle l'écouta sans rien dire égrener les souvenirs de leur vieille amitié.

— Alors tu es sérieux ? Pour cette expédition...

— Tout à fait sérieux. Tu ne veux toujours pas venir ?

— C'est de la folie. Complètement cinglé. Mais allons-y.

Les balises de chiffons graisseux que Craig avait allumées dressaient deux colonnes de fumée noire, gluante, dans le ciel cristallin du désert. Debout sur le capot de la Land-Rover, il regardait avec Sarah en direction du sud. A perte de vue s'étendait un paysage désolé. Le Zimbabwe commençait à trente miles à l'est, trente miles de plaines désespérément plates, arides, semées d'épineux et marbrées de plaques lépreuses qui signalaient les lagunes salées.

Le mirage ondoya. Les arbres rachitiques sur l'autre rive du lac paraissaient nager, changer de forme, comme un troupeau d'amibes sous la lentille d'un microscope. Une vrille de poussière blanche jaillit à la surface de la lagune, tournoya, tangua en ondulations sinueuses comme une danseuse du ventre, grimpa à deux cents pieds dans l'air torride et s'évanouit aussi brutalement qu'elle était apparue. La rumeur du Cessna montait et retombait dans les vagues de chaleur.

— Là !

Sarah pointait le doigt vers une crotte de mouche sur l'horizon. Craig vérifia une dernière fois son terrain d'atterrissage improvisé d'un coup d'œil anxieux. Entre les deux balises il avait testé la solidité du sol avec la Land-Rover. Cinquante mètres plus loin à peine, la surface devenait dangereusement mouvante.

Sally-Ann piquait au ras des baobabs, s'alignait sur la piste. Elle la survola prudemment une première fois en penchant la tête par la fenêtre, exécuta un demi-tour et toucha en douceur pour rouler jusqu'à la voiture.

— Tu as été partie une éternité.

Craig la prit dans ses bras comme elle sautait du cockpit.

— Trois jours.

— C'est une éternité, dit-il en plantant un baiser sur ses lèvres.

Il la posa enfin par terre et l'entraîna vers la voiture. Deux Matabélé restaient accroupis dans l'ombre. Ils se levèrent pour la saluer.

— Jonas et Aaron. Ils nous ont conduits à l'endroit où étaient cachées les armes.

C'étaient des jeunes gens réservés, sévères, les yeux prématurément vieillis par des visions inavouables.

Ils pompèrent le contenu des bidons de deux cents litres à l'arrière de la Land-Rover pour le déverser directement dans les réservoirs des ailes. Pendant ce temps Craig démontait les sièges à l'arrière du cockpit pour réduire le poids et faire de la place à leur cargaison. Puis ils commencèrent les opérations de chargement. Sally-Ann pesait toutes les pièces sur le peson à ressort dont elle s'était munie pour l'occasion et les additionnait au fur et à mesure.

C'étaient les munitions qui pesaient le plus lourd. Huit mille cartouches de 7,62×39. Craig avait réparti le tout dans des sacs-poubelle de plastique noir et s'était débarrassé des caisses, pour gagner de la place et du poids. Après plusieurs années passées sous terre, elles étaient dans un triste état. Craig les avait triées patiemment, et en avait testé quelques exemplaires au hasard.

Les fusils aussi avaient subi les ravages de la rouille. A la lumière des lampes à gaz, Craig avait passé ses nuits à démonter, lubrifier, intervertir des pièces, pour finalement aligner vingt-cinq armes fiables. S'y ajoutaient cinq pistolets Tokarev et deux caisses de grenades défensives qui paraissaient avoir mieux supporté l'épreuve. Il avait prélevé un engin dans chaque caisse pour le balancer dans un trou de tamanoir et pulvériser les galeries de la pauvre bête dans un nuage de poussière. Résultat : positif. Restaient donc quarante-huit grenades qu'il fourra dans des havresacs achetés pour la circonstance chez un quincaillier de Francistown.

Il était sorti du magasin avec un véritable attirail : pinces, cisailles, cordes de nylon, *pangas,* torches électriques, piles, cantines, bidons et autres ustensiles aussi utiles que variés. Consacrée infirmière de l'expédition, Sarah était ressortie de la pharmacie avec sa propre panoplie. Les rations de nourriture obéissaient à une frugalité spartiate : fécule de maïs en sacs de cinq kilos — le meilleur rapport calories-poids possible —, et quelques sacs de gros sel.

— Ça suffit, décréta Sally-Ann. Encore un gramme et on ne décollera pas. Pour le reste il faudra attendre le deuxième voyage.

A la nuit tombante ils s'assirent autour du feu de camp et se régalèrent des steaks et des fruits que Sally-Ann rapportait de Johannesburg.

— Mangez, braves gens. Profitez-en tant qu'il y en a.

Après quoi Craig l'entraîna loin du feu, et ils firent l'amour sur le sable chaud du désert, douloureusement conscients que c'était peut-être la dernière fois.

Il faisait encore nuit quand ils prirent le petit déjeuner. Le croissant argenté de la lune s'effaçait à peine dans les premières lueurs de l'aube. Ils laissèrent Jonas et Aaron près de la Land-Rover. Quand le Cessna roula en bout de piste il faisait à peine assez jour pour distinguer le terrain.

Malgré la fraîcheur de l'air l'appareil surchargé mit un

temps infini à décoller ses roues du sol et ils grimpèrent laborieusement vers le rougeoiement du soleil levant.

— La frontière du Zimbabwe, murmura Sally-Ann, et je n'arrive toujours pas à y croire.

Craig s'était perché près d'elle sur les sacs de munitions. Sarah se lovait à l'arrière par-dessus la cargaison comme un anchois saumuré.

L'avion piqua légèrement du nez comme Sally-Ann vérifiait sa route sur la carte. Elle avait tracé un itinéraire qui traversait la voie ferrée à quinze miles au sud de Wankie et coupait la grand-route un peu plus bas, pour éviter toute trace d'habitation. Le paysage se modifiait rapidement sous les ailes, le désert disparaissait, se peuplait de forêts denses trouées d'herbe jaune. Au nord, quelques cumulus placides dérivaient à haute altitude.

— La voie ferrée.

L'appareil dégringola à cinquante pieds au-dessus des arbres et passa les rails en vrombissant pour débouler quelques minutes plus tard à la verticale de la grand-route. Loin devant, un camion se traînait sur le ruban de bitume. Sally-Ann fit la grimace.

— Espérons qu'on n'a pas attiré son attention. Il doit y avoir pas mal de trafic aérien dans la région.

Elle consulta sa montre.

— Arrivée prévue dans quarante minutes.

— Bon, dit Craig. Résumons une dernière fois. Tu nous déposes, et tu repars immédiatement. Retour à la lagune. Nouveau chargement, nouveau plein. Dans deux jours, tu reviens. Si tu vois un signal de fumée tu descends. Pas de signal : tu fais demi-tour. Encore deux jours, et tu tentes un dernier essai. Si tu ne vois toujours pas de fumée, c'est râpé. Tu mets le cap sur le Botswana, et tu ne te risques plus jamais par ici.

Elle lui saisit la main, et la garda pour le reste du voyage.

— Tiens, regarde.

La Chizarira s'étirait comme un python vert émeraude à travers le paysage brunâtre.

Au passage, ils jetèrent un coup d'œil ému en direction

de Zambezi Waters, là-bas, où le relief bleuté découpait l'horizon.

Sally-Ann descendit au ras des arbres et décrivit lentement une large boucle en prenant soin de s'abriter des bâtiments de Zambezi Waters derrière l'écran des collines.

— Ils sont toujours là.

De l'index Craig désigna une trouée dans les arbres où luisait un amas d'os blanchis, les squelettes de ses rhinocéros nettoyés par les vautours et décolorés par le soleil.

Sally-Ann présenta l'appareil en finale dans l'axe de la clairière étroite où elle avait atterri la dernière fois le long de la gorge.

— Pourvu que les phacochères n'aient pas trop bousillé le terrain !

Le Cessna surchargé ballottait mollement et l'avertisseur de décrochage clignotait en couinant pour signaler le défaut de portance.

Il sauta brutalement la lisière des arbres et toucha dans une secousse retentissante. L'appareil cahotait, bondissait dans les trous, mais les freins, aidés par l'herbe épaisse qui frottait sur le fuselage, arrêtèrent rapidement leur course. Elle laissa fuser un long soupir.

— Merci mon Dieu !

Ils déchargèrent avec une hâte frénétique, empilèrent leur cargaison en tas et déployèrent par-dessus le filet de nylon vert dont Craig avait fait l'emplette à Francistown, et qui sert normalement à protéger les pépinières du soleil.

Sally-Ann le regardait d'un air catastrophé.

— Allez, file, dit-il. Du vent.

Ils s'embrassèrent fiévreusement, puis elle se libéra et courut vers l'avion. Elle roula jusqu'au bout de la clairière, fit demi-tour et fonça pleins gaz sur ses propres traces. Allégé, l'appareil bondit en l'air, et Craig saisit d'elle une dernière vision de peau blême sous la verrière, et le rideau des arbres s'interposa.

Il attendit que s'éteigne la dernière vibration du moteur, que se referme sur lui le grand silence de la brousse, avant d'empoigner son fusil et de balancer son havresac sur l'épaule. Il regarda Sarah. Elle portait un jean et des tennis de toile bleue, leur sac de nourriture sur le dos et un Tokarev à la ceinture.

— Prête ?

Elle hocha la tête, lui emboîta le pas et soutint l'allure forcenée qu'il lui imposait. Ils atteignirent le kopje en début d'après-midi. Craig jeta un coup d'œil vers les huttes de Zambezi Waters, plus haut sur la rivière.

C'était maintenant l'étape la plus dangereuse. Il alluma son feu et entraîna Sarah sur la piste pour se poster en embuscade au cas où son signal attirerait des visiteurs indésirables.

Pendant trois heures ils n'ouvrirent pas la bouche. Seuls leurs yeux s'activaient, balayaient les pentes et scrutaient la brousse.

Ce qui ne les empêcha pas de se faire surprendre. La voix était un souffle rauque, brutal, en ndébélé, incroyablement proche.

— Ah ! *Kuphela.* Je croyais que tu nous avais oubliés.

Le masque scarifié du camarade Qui-vive les fixait, à dix mètres à peine.

— Tu as apporté l'argent ?

— De l'argent, non, mais une mission difficile et dangereuse.

Il y avait trois hommes avec lui. Individus émaciés au regard de loup. Ils éteignirent le feu et se déployèrent en voltigeurs dans le maquis, pour couvrir leur cortège.

— Il faut partir, expliqua Qui-vive. Le *kanka* [1] shona nous harcèle. Depuis notre dernière rencontre nous avons perdu beaucoup d'hommes. Des braves. Le camarade Dollar, entre autres, a été pris.

— Je sais.

Craig se souvenait du malheureux, harassé, torturé, témoignant contre lui pendant cette nuit terrible à King's Lynn.

1. *Kanka :* chacal.

Ils marchèrent deux heures encore après la tombée de la nuit, droit au nord, à travers les escarpements déchiquetés qui longeaient la faille du grand fleuve. Invisibles, leurs éclaireurs ouvraient la route. Seuls leurs cris d'oiseaux les guidaient dans la forêt.

Ils débouchèrent enfin sur le camp des guérilleros. Des femmes s'affairaient à des feux de cuisine qui ne fumaient pas, et l'une d'elles, en reconnaissant Sarah, courut l'embrasser.

C'était un camp inconfortable et sinistre, une collection de trous creusés dans la rive abrupte d'une rivière à sec sous l'écran des feuillages. Tout y semblait provisoire. On n'y voyait rien qui ne pût s'empaqueter en cinq minutes et disparaître sur le dos d'un homme. Les femmes souriaient aussi rarement que les guerriers.

— Il faut toujours déménager, expliqua Qui-vive. Le *kanka* nous repère tout de suite si on reste trop longtemps. On a beau ne jamais marcher aux mêmes endroits pour aller aux chiottes, nos pieds forment vite des sentiers — et c'est ça qu'ils cherchent. Bientôt il faudra repartir.

Les femmes leur apportaient de la nourriture, et Craig se rendit brusquement compte qu'il mourait de faim et de fatigue. Pourtant, avant de manger, il ouvrit son paquetage pour en tirer les cartouches de cigarettes dont il s'était muni. Et pour la première fois il vit ces hommes traqués esquisser un sourire en se passant un mégot de main en main.

— Combien êtes-vous ?

— Vingt-six.

Qui-vive exhala un long nuage de fumée et tendit la cigarette à son voisin.

— Mais il y a un autre groupe non loin d'ici.

Vingt-six : ça suffisait. En tablant sur la surprise, ils pourraient s'en tirer.

Ils plongèrent leurs doigts dans la casserole commune, et le balafré accorda à ses hommes une deuxième cigarette.

— Alors, *Kuphela.* Tu parlais de nous donner du travail.

— Le camarade ministre Tungata Zebiwe est prisonnier des Shona.

— C'est terrible. Un coup de poignard dans le cœur de

mon peuple — mais nous savions cela depuis des mois déjà. C'est pour nous annoncer une nouvelle aussi peu fraîche que tu es venu jusqu'ici ?

— Il est vivant. Prisonnier, à Tuti.

Cette révélation déclencha un tollé général. Tout le monde parlait en même temps.

— On dit pourtant qu'il est mort...

— Boniments.

Craig héla Sarah, qui restait assise à l'écart avec les femmes. Elle s'approcha.

— Raconte-leur.

Ils l'écoutèrent en silence. Son récit terminé, elle se leva tranquillement pour rejoindre ses compagnes, et Qui-vive eut un geste du menton vers un de ses guerriers.

— Ton avis ?

Pour inaugurer les débats il avait choisi le plus jeune, le plus inexpérimenté. Les autres parleraient ensuite par ordre d'ancienneté. C'était le protocole antique des conseils de tribu, et il fallait s'y conformer. Craig prit son mal en patience.

Il était minuit passé quand Qui-vive résuma leurs délibérations.

— Nous connaissons cette femme. Nous lui faisons confiance. Le camarade Tungata est notre père à tous. C'est le sang des rois qui coule dans ses veines. Là-dessus nous sommes d'accord.

Il marqua une pause avant de reprendre :

— Mais il y en a parmi nous qui voudraient l'arracher aux griffes des Shona, et d'autres qui pensent que nous ne sommes pas assez nombreux. Nous avons un fusil pour deux, et cinq cartouches par fusil.

Il leva les yeux vers Craig.

— Qu'est-ce que tu dis de tout ça, *Kuphela ?*

— Je dis que je vous ai apporté huit mille cartouches, vingt-cinq fusils et cinquante grenades. Je dis que le camarade Tungata est mon ami. Je dis que si vous êtes trop trouillards pour venir avec moi, je partirai seul avec cette femme, Sarah, et je trouverai des hommes ailleurs.

Le visage de Qui-vive se crispa sous l'affront dans une

grimace indignée que sa balafre tirait obstinément vers le sourire, mais le ton de sa voix ne laissait aucun doute.

— Ne prononce plus jamais le mot « trouillard », *Kuphela*. Ne prononce plus un seul mot. Faisons ce qu'il y a à faire, et partons.

Ils allumèrent le signal dès que le Cessna s'annonça au loin, et l'étouffèrent quand Sally-Ann fit clignoter ses feux. Les hommes de Qui-vive avaient fauché l'herbe de la clairière, comblé les trous et nivelé les bosses, ce qui lui permit d'exécuter un atterrissage parfait.

Les maquisards déchargèrent le reste des armes et des munitions en silence, efficaces, disciplinés, mais ils parvenaient mal à cacher leurs sourires en manipulant les sacs de cartouches et de grenades, outils de base du métier qu'ils s'étaient choisi. La cargaison disparut prestement dans la forêt.

Quinze minutes plus tard, Sally-Ann et Craig se retrouvaient seuls sous l'aile du Cessna.

— Tu sais ce que j'ai demandé dans mes prières ? fit-elle. J'ai demandé que tu n'arrives pas à localiser les maquisards. Que si par malheur tu les trouvais, ils refusent de te suivre, que ton projet se casse la figure et que tu sois forcé de rentrer avec moi.

— Pas brillant, comme prière.

— Ça va s'améliorer, avec un peu d'entraînement. Parce que j'ai l'impression que je vais souvent avoir l'occasion de prier, dans les jours qui viennent.

— Cinq jours, précisa Craig. Tu reviens mardi matin.

— Je sais. Je dois décoller la nuit pour arriver au-dessus du terrain d'atterrissage de Tuti à l'aube — à 5 h 22, très exactement.

— Mais tu ne te poses pas tant que je ne t'envoie pas le signal. Et surtout, pour l'amour de Dieu, ne gaspille pas ton essence en tournant vainement au-dessus du terrain. Garde suffisamment de carburant pour rentrer seule si les choses tournent mal. Si c'est raté, ça ne sert à rien de s'obstiner.

— J'aurai trois heures d'autonomie. Autrement dit, vous avez jusqu'à 8 h 30 pour vous manifester.

— 8 h 30, entendu. Allez, maintenant, file. Il est temps.

— Je sais, dit-elle, sans esquisser un geste.

Il la prit dans ses bras et découvrit qu'elle tremblait.

— Reviens-moi, Craig. Je ne veux pas vivre sans toi. Promets-moi que tu reviendras.

— Je promets.

Il planta un baiser sur ses lèvres.

— Tu vois ? Je me sens déjà mieux.

Elle lui offrit un de ses sourires les plus bravaches, mais qui se décomposait curieusement aux angles. Puis elle se hissa dans le cockpit et lança le moteur.

— Je t'aime.

Ses lèvres formaient les mots que le vacarme engloutissait. Elle fit pivoter le Cessna dans un vrombissement pétaradant et partit sans un regard en arrière.

Sur la carte il n'y avait guère que soixante miles, et vu d'avion le terrain paraissait facile — mais sur place c'était différent.

Ils coupaient par le travers la montagne russe des plissements tectoniques, laissant le bassin d'écoulement basculer sur leur gauche vers l'entaille du Zambèze. Il leur fallait grimper l'ondulation des crêtes, plonger dans les vallées et remonter encore inlassablement.

Les rebelles, qui avaient caché leurs femmes en sûreté, acceptaient mal de voir Sarah accompagner l'expédition. Pourtant elle portait sa part du fardeau et soutenait l'allure infernale à laquelle Qui-vive les menait.

La pierre chauffée à blanc leur renvoyait des vagues de chaleur étouffantes comme ils escaladaient des pentes abruptes et s'enfonçaient dans les vallées. Les descentes étaient aussi éprouvantes que les montées. Les paquetages pesants secouaient leurs vertèbres, torturaient les tendons de leurs jarrets. Les pistes à éléphants qu'ils empruntaient étaient ravinées par les pluies, jonchées de cailloux ronds qui roulaient sous leurs semelles comme des billes et faisaient du moindre pas une entreprise périlleuse.

Un des maquisards tomba. Sa cheville enflée ne lui permettait plus de remettre sa chaussure. Ils se partagèrent son chargement et le laissèrent retrouver seul le chemin qui le ramènerait vers les femmes.

Les « bêtes à mopane », abeilles minuscules, les harcelaient à longueur de journée, s'amassaient à leurs narines, sur leurs bouches, pour pomper la moindre trace d'humidité, et pendant la nuit les moustiques qui infestaient les vallées prenaient le relais. Leur itinéraire coupait une frange de la « fly belt » et la mouche tsé-tsé se joignit à la danse, avec ses pattes si fines, si discrètes que sa victime ne se rendait compte de rien, jusqu'à ce qu'un dard brûlant perce sa chair.

Et toujours, la peur de l'embuscade. De loin en loin, un éclaireur donnait l'alerte. Ils plongeaient alors à l'abri et attendaient, le doigt sur la détente, que l'ordre de repartir passe de bouche à oreille le long de la colonne.

Il leur fallut deux jours. Deux jours d'efforts et de marche forcée, de l'aube glaciale au crépuscule — en passant par la fournaise de midi — pour atteindre le village du père de Sarah : Vusamanzi — c'était son nom —, grand magicien, devin et faiseur de pluie de la tribu matabélé.

Comme tous ceux de sa caste il vivait à l'écart, avec ses femmes et sa famille. Les humbles mortels évitaient la fréquentation des sorciers. Poussés par la nécessité, ils venaient leur demander conseil, payaient la chèvre ou le prix demandé, et se hâtaient de repartir en bénissant les dieux.

Le village était à quelques miles au nord de la base missionnaire de Tuti. C'était une petite communauté prospère avec beaucoup de femmes, de chèvres, de poulets et de champs de maïs.

Sarah avait été envoyée en éclaireur pour avertir les villageois. Elle revint au bout d'une heure, et repartit, accompagnée cette fois de Craig et de Qui-vive.

Vusamanzi avait mérité son nom — « Déchaîne les eaux » — en s'attribuant la réputation de commander au Zambèze et à ses affluents. Nettoyé par une crue gigantesque, le village d'un chef qui osait se dispenser de le payer avait inauguré ses exploits. Depuis, ses ennemis se noyaient mystérieusement en traversant un gué ou en s'aventurant trop près d'un marigot. On racontait qu'à la demande de Vusamanzi les mares les plus paisibles se soulevaient en vagues vertigineuses pour engloutir la victime marquée par le sorcier. Personne ne pouvait témoigner du phénomène, bien sûr, mais le bonhomme n'avait plus aucun problème pour se faire régler par ses clients.

Ses cheveux formaient une calotte de laine immaculée et il portait une petite barbe, blanche elle aussi, peignée en éventail à la manière des Zoulous. Vêtu d'un simple pagne qui lui ceignait les reins, il affichait une beauté très digne, très patricienne, et son corps élancé se tenait impeccablement droit. Sa voix, quand il salua Craig, était courtoise, grave et ferme.

Sarah lui vouait manifestement un respect sans bornes. Elle prit son pot à bière des mains de sa plus jeune épouse et s'agenouilla pour le lui présenter.

Elle-même, d'ailleurs, tenait aussi une place importante dans le cœur du vieil homme. Quand elle s'assit à ses pieds, il lui caressa doucement la tête en écoutant Craig lui exposer les motifs de leur visite. Puis il l'envoya rejoindre les femmes qui portaient de la nourriture et de la bière aux guérilleros, et se tourna vers le Blanc.

— L'homme que tu appelles Tungata Zebiwe, Samson Kumalo, descend en droite ligne de Mzilikazi, le père de notre peuple. C'est lui que désignent les prophéties des Anciens. La nuit où les Shona l'ont pris, je l'avais convoqué pour l'initier aux secrets des rois et lui rappeler ses responsabilités. Tant qu'il sera vivant, c'est le devoir de tous les Matabélé de faire leur possible pour le libérer. En lui repose l'avenir de la tribu. Dis-moi ce que tu veux, et je t'aiderai.

— J'ai besoin de renseignements.

— Parle, *Kuphela*.

— La route qui va de la mission au camp des prisonniers passe près d'ici, n'est-ce pas ?

— Derrière les collines.

— Sarah me dit qu'il y passe un convoi de nourriture toutes les semaines, destiné aux soldats et aux prisonniers.

— C'est vrai. Tous les lundis, en fin d'après-midi, les camions chargés de sacs de maïs prennent la route. Le lendemain ils reviennent vides.

— Combien de camions ?

— Deux. Parfois trois.

— Combien de soldats ?

— Deux sur le siège avant, à côté du chauffeur, trois ou quatre à l'arrière. Il y en a un sur le toit, avec un gros fusil.

« Une mitrailleuse », traduisit Craig.

— Ils sont passés, lundi dernier ?

— Comme d'habitude.

Vusamanzi hochait sa calotte blanche. Il fallait donc supposer que le convoi continuerait son manège, et prendre le risque de monter toute l'opération sur ce pari.

— Quelle distance, d'ici à la mission ?

— De là, à là.

Le sorcier balaya d'un geste une portion de ciel, à peu près quatre heures de la course du soleil. En tablant sur la vitesse d'un homme à pied, on pouvait calculer une quinzaine de miles.

— Et d'ici au camp des soldats ?

— Pareil.

Craig déroula sa carte, et fit une estimation approximative de leur position. Il gribouilla quelques calculs dans la marge avant de relever les yeux.

— Nous avons une journée à attendre. Les hommes en profiteront pour se reposer.

— Mes femmes leur donneront à manger, approuva le vieillard.

— Bien. Et lundi, j'enrôlerai la population du village pour nous aider.

— Mais il n'y a que des femmes ici, lui rappela le sorcier.

— C'est justement de femmes que j'ai besoin — des femmes jeunes, et si possible appétissantes.

Le lendemain Craig et Qui-vive partirent à l'aube, accompagnés d'un coureur, pour reconnaître la route qui serpentait derrière les collines. Conformément aux souvenirs de Craig, c'était une piste grossière creusée d'ornières profondes par les convois. De chaque côté, la 3e brigade avait déblayé les fourrés pour réduire les risques d'embuscade.

Ils atteignirent l'endroit où Peter Fungabera s'était arrêté le jour de leur visite au camp, la levée où la route bifurquait sur un pont de bois au-dessus de la rivière, et où ils avaient mangé ce déjeuner d'épis de maïs.

Les souvenirs de Craig ne l'avaient pas trompé. Pour descendre la pente qui dégringolait dans la vallée, s'engager sur la levée et aborder le pont, les camions devaient ralentir et rétrograder. L'endroit rêvé pour tendre un piège. Il envoya le coureur au village, avec mission de ramener les hommes. En les attendant ils révisèrent leur plan et l'adaptèrent aux impératifs du terrain.

L'attaque principale aurait lieu au niveau du pont. Pourtant, en cas d'échec, il leur fallait prévoir un moyen d'empêcher le passage du convoi. A l'arrivée de leurs troupes, Craig expédia Qui-vive de l'autre côté de la rivière, à la tête d'un groupe de cinq hommes. A l'abri d'un virage, ils abattirent un grand mahoba-hoba en travers de la piste. Qui-vive commanderait le barrage, pendant que Craig mènerait l'assaut à l'entrée du pont.

— Qui parle shona parmi tes hommes ?

— Celui-là parle couramment. Celui-ci un peu moins bien.

— Il faut les tenir à l'écart. On ne peut pas se permettre de les perdre. Nous aurons trop besoin d'eux en arrivant au camp.

— Entendu.

— Maintenant les femmes.

Parmi ses demi-sœurs, Sarah avait sélectionné trois créatures de rêve, entre seize et dix-huit ans.

C'étaient les plus jolies de la nombreuse progéniture du vieux sorcier. Quand Craig leur expliqua leur rôle, elles éclatèrent en gloussements effarouchés, la main devant la bouche, la tête baissée, et passèrent par tous les stades de la timidité collégienne. Mais l'aventure les émoustillait visiblement beaucoup.

— Elles ont compris ? demanda Craig. Ce sera dangereux. Il faut qu'elles respectent exactement les consignes.

— Je serai là, assura Sarah. Je resterai tout le temps avec elles, même ce soir. Surtout ce soir.

Cette dernière remarque s'accompagnait d'un regard appuyé en direction des filles. Sarah n'avait rien manqué des échanges de clins d'œil entre les guérilleros et ses demi-sœurs. Elle les rapatria, gloussant et pouffant de rire, vers l'abri d'épines qu'on leur avait bâti pour la nuit, et se carra d'un air décidé devant l'entrée.

— Ces épines pourraient repousser l'assaut d'un lion, confia-t-elle à Craig. Mais il y a des aiguillons que toutes les épines du monde n'arrêteraient pas. J'ai l'impression que je ne vais pas beaucoup dormir.

Pour sa part, Craig passa une nuit épouvantable. Les rêves étaient revenus. Ces rêves affreux qui l'avaient rendu fou pendant sa convalescence, après l'amputation de sa jambe. Il était piégé dans ses cauchemars, incapable de se réveiller. Ce fut Sarah qui le secoua finalement. Il tremblait si violemment que ses dents claquaient. La sueur trempait sa chemise comme s'il sortait de la douche.

Sarah s'agenouilla près de lui, compréhensive, et dans l'obscurité silencieuse ils se mirent à discuter à voix basse, à échanger leurs idées, leurs espoirs.

— Quand je serai mariée au camarade ministre, je pourrai parler pour toutes les femmes du Matabeleland. Trop longtemps les hommes les ont traitées comme du bétail.

Craig portait déjà une grande affection à la jeune institutrice, il découvrait maintenant qu'elle méritait aussi son respect. Peu à peu leur conversation tranquille chassa les dernières brumes de ses rêves et la nuit passa si rapidement qu'il fut surpris en consultant sa montre.

— 4 heures. Il faut y aller.

Le soleil était haut. Craig était allongé sur la rive entre deux rochers noirs. Devant lui, le canon de son AK 47 couvrait la levée et les berges, de part et d'autre du pont de madriers. Il avait arpenté la distance qui le séparait de sa cible. Cent vingt mètres. D'ici, il faisait mouche sans problème.

« Pourvu qu'ils ne me forcent pas à tirer », pensa-t-il, et il engloba une fois encore ses troupes d'un coup d'œil anxieux. Il y avait quatre hommes sous le tablier du pont, nus jusqu'à la taille, et équipés d'arcs à éléphants. Arme peu efficace, jugeait-il, jusqu'à ce qu'on lui fasse une démonstration. Le bois était taillé dans un duramen robuste, élastique, bardé de lanières en peau de koudou qui, séchée sur place, rétrécie, était devenue dure comme du fer. Des tendons tressés constituaient la corde, d'une solidité à toute épreuve. En déployant toutes ses forces, Craig n'avait même pas pu tendre l'arc jusqu'au bout de sa course. L'arme devait développer une poussée voisine des cinquante kilos. Pour la bander, il fallait des doigts cuirassés de cals, et des bras, une poitrine d'hercule.

Les pointes des flèches étaient forgées dans un acier très pur, très aiguisées, et à trente mètres un guérillero s'était amusé à tirer dans le tronc ligneux d'un baobab ventru. Il avait fallu couper la tige d'un coup de hache. La même flèche aurait volé au travers d'un homme adulte sans dévier, ou aurait percé de part en part le thorax d'un grand éléphant.

Donc il y avait maintenant quatre archers sous le pont, et dix hommes accroupis dans l'eau sous le couvert de la rive, à l'abri des roseaux.

Le bruit des moteurs vibra. Ils changeaient de vitesse en négociant le haut de la côte, avant de redescendre dans la vallée. Craig avait fait la même route à pied tout à l'heure, pour vérifier qu'ils ne laissaient aucun signe susceptible de les trahir.

— C'est maintenant, chuchota Sarah.

Elle était accroupie au milieu de ses sœurs, derrière les rochers. Elle avait raison — trop tard pour faire machine arrière. C'était maintenant.

— Allez-y.

Elle se leva, et découvrit ses épaules pour laisser sa chemise de toile bleue glisser au sol. Les trois autres filles suivirent son exemple. Leurs pagnes dégringolèrent à leurs chevilles.

A part le minuscule tablier de perles qui pendaient à leur taille, elles étaient nues. Les perles cachaient à peine leur pubis, et valsèrent pour révéler une toison de crins bouclés quand elles détalèrent vers la rivière. Leurs derrières rebondis s'incurvaient, tentateurs, sous les fossettes de leurs reins.

— Riez ! cria Craig. Jouez dans l'eau !

Elles s'éclaboussèrent joyeusement à grand renfort d'éclats de rire surexcités. Les gouttelettes luisaient sur leur peau satinée.

Les guérilleros restaient de marbre. Ils ne tournaient même pas la tête pour jeter un coup d'œil sur le spectacle. C'étaient des professionnels au travail, tout entiers concentrés sur leur mission.

Le premier camion s'annonçait sur la crête. Un cinq-tonnes Toyota du même modèle que celui qui les avait poursuivis dans le désert. Il y avait un soldat derrière la mitrailleuse qui coiffait la cabine. Plus loin, un deuxième camion se profilait, lourdement chargé.

— Pas un troisième, par pitié, souffla Craig, en calant la crosse du AK 47 contre son épaule.

Des guirlandes de feuilles et d'herbe déguisaient le canon. Son propre visage, ses mains étaient maculés de glaise noirâtre.

Il n'y avait que deux camions. Ils déboulèrent en brimbalant sur la levée. Sarah et ses sœurs s'étaient plantées dans l'eau à mi-cuisses, sous le parapet du pont. Elles saluèrent l'arrivée des véhicules en agitant les mains. Le premier Toyota ralentit, et les filles balançaient des hanches en roucoulant. Leurs seins dégoulinants d'eau ballottaient en cadence.

Il y avait deux hommes dans la cabine, dont un officier — Craig distinguait l'insigne de son béret et les galons sur sa manche à travers le pare-brise poussiéreux. Il souriait. Ses dents étaient presque aussi blanches que son insigne. Il adressa quelques mots au chauffeur, et le véhicule pila à l'entrée du pont dans un grincement de freins. Le deuxième camion fut forcé de l'imiter.

Le jeune officier ouvrit la portière, et resta perché sur le marchepied. A l'arrière, les bidasses se tordaient le cou et souriaient de toutes leurs dents en lançant des commentaires égrillards. Les filles s'étaient baissées dans l'eau en minaudant, pour cacher leur bas-ventre, et répondaient aux gaudrioles des soldats en jouant les coquettes, les yeux baissés. Du deuxième Toyota, quelques hommes sautaient à terre pour se joindre à la fête.

La plus jeune des naïades fit un geste obscène de l'index et du pouce, qui déclencha sur la rive un grondement de clameurs approbatrices. Le jeune officier répondit d'un signe plus précis encore, et le reste de sa troupe quitta les camions pour se masser derrière lui. Seuls les servants des deux mitrailleuses restaient fidèles à leur poste.

Craig lança un regard sous le pont. Les archers rampaient vers la rive, en prenant soin de garder entre eux et leurs cibles l'écran des madriers.

Sarah s'était levée. Elle avait défait le cordon de son tablier, et balançait maintenant les perles du bout du doigt avec un art consommé de la provocation. Elle s'avança vers les soldats, les pieds pataugeant dans la vase. L'eau tourbillonnait autour de ses cuisses, et les rires s'étranglèrent. Elle marchait lentement, délibérément. Le courant exagérait les ondulations de son pelvis. Elle était superbe, luisante comme une otarie ; le soleil habillait sa peau de reflets, l'auréolait d'un nimbe surnaturel, et on sentait l'euphorie rigolarde des soldats se teinter de désir, étouffer sous l'appel du rut.

Sarah s'arrêta, moula ses seins au creux de ses paumes et les souleva pour pointer les mamelons droit vers eux. Ils braquaient tous les yeux sur elle.

Derrière, les quatre archers s'étaient glissés sous l'abri de la levée. Ils ne se trouvaient pas à plus de dix mètres du premier camion quand ils se levèrent à l'unisson. Leurs arcs se tendirent, leurs bras droits se plièrent, leurs muscles mouillés bosselèrent leurs dos et les flèches s'envolèrent l'une après l'autre.

Il n'y eut pas un bruit, pas même le plus léger sifflement, mais un des servants glissa lentement pour s'affaler sur la cabine, la tête pendante, les bras ballants. Le deuxième creusa les reins, bouche bée, sans un son, et tenta d'atteindre par-dessus son épaule la pointe qui perçait entre ses deux omoplates. Un autre trait l'atteignit, quelques centimètres plus bas, et il disparut dans une convulsion.

Les archers changèrent de cibles. Les flèches volèrent dans la masse des soldats — et un homme poussa un cri. Au même instant, alors que les Shona pivotaient pour faire face aux archers, les rebelles cachés sous la berge jaillirent des roseaux. Ils expédièrent leurs *pangas* d'un coup d'épaule, comme un tennisman décochant un service. Craig vit le béret rouge de l'officier s'envoler sur un fer sanglant, le crâne fendu jusqu'au menton.

Sarah rassemblait ses sœurs pour les pousser vers la rive. La plus jeune hurlait en pataugeant frénétiquement.

Il n'y avait eu qu'un coup de feu. Tous les soldats étaient effondrés, éparpillés sur la berge. Les guérilleros s'acharnaient encore sur eux, cognant, taillant, sectionnant.

— Sarah ! Emmène les filles dans les buissons !

Craig courait sur le pont, son fusil à la main.

Les rebelles s'affairaient déjà à piller les cadavres. Ils travaillaient avec dextérité, d'abord les montres, et après les poches.

— Quelqu'un a été touché ?

Ce coup de feu l'inquiétait. Mais non, pas de blessé. Craig leur donna deux minutes pour en finir avec les soldats et dépêcha une patrouille sur la crête pour éviter les mauvaises surprises. Maintenant il fallait s'occuper des corps.

— Enterrez-les !

Ils avaient creusé le charnier la veille. Ils y entassèrent les Shona, dûment débarrassés de leur uniforme.

Une traînée de sang maculait le flanc du camion, à l'endroit où le servant s'était abattu.

— Lavez-moi ça. Et lavez aussi les uniformes.

Ils seraient secs dans moins d'une heure. Sarah réapparut. Elle avait récupéré ses vêtements.

— J'ai renvoyé les filles au village.

— Parfait.

Craig grimpa dans le premier camion. La clé pendait au tableau de bord.

Les fossoyeurs ressortaient des fourrés, et il rappela les sentinelles. Derrière, l'équipe chargée du deuxième camion démarrait le moteur. Le reste des hommes bondit sur le plateau. Les deux Toyota franchirent le pont, et rugirent sur la pente de l'autre rive. En tout, l'opération n'avait pas pris plus de trente-cinq minutes. Ils arrivèrent au mahoba-hoba qui barrait la piste, et Qui-vive apparut pour les aiguiller dans le maquis. Craig se gara. Immédiatement, un groupe de rebelles couvrit les deux véhicules de branches coupées, pendant qu'une deuxième équipe commençait à décharger la cargaison et déblayait le barrage.

Il y avait des sacs de fécule de maïs de cent kilos, des caisses de viande en conserve, des couvertures, des médicaments, des cigarettes, des munitions, du savon, du sucre, du sel — autant de trésors sans prix pour les guérilleros. Ils firent disparaître le butin, et Craig savait qu'à la première occasion ils trouveraient le moyen de venir récupérer le tout. Il y avait aussi une douzaine de havresacs, une mine inestimable d'uniformes de la 3e brigade, et même, en prime, deux des fameux bérets rouge bordeaux.

Pendant que les maquisards se déguisaient, Craig regarda l'heure. Il était 5 heures passées de quelques minutes.

Il avait remarqué que l'opérateur radio du camp de Tuti démarrait son générateur et commençait l'émission de son rapport quotidien à 7 heures tous les soirs. Il examina la radio du camion : quinze watts en sortie. C'était plus qu'assez pour atteindre le camp, mais pas suffisant pour communiquer avec le QG de Harare. Tant mieux.

Il appela Sarah et Qui-vive, et ils révisèrent encore une fois leurs notes. Sally-Ann tournerait au-dessus de la mission de 5 h 20 à 8 h 30 demain matin. En comptant trois heures pour couvrir la route, il fallait donc qu'ils décrochent du camp entre 2 h 30 et 5 heures, dernier carat.

Ce qui fixait leur arrivée à la grille du camp à minuit. Une heure et demie pour enlever la position, refaire le plein des camions, libérer les prisonniers, trouver Tungata et filer.

— On va faire une dernière répétition. D'abord toi, Sarah.

— Je prends mes deux hommes, les cisailles, et je fonce aux baraques n° 1.

Il lui avait donné deux hommes. Tungata serait peut-être trop faible pour marcher seul. Le groupe des baraques n° 1 se dressait à l'écart des autres, derrière un réseau renforcé de barbelés, et servait manifestement de quartier de haute sécurité. C'est de là que Sarah les avait vus sortir Tungata pour leur dernière rencontre sur le terrain de manœuvres.

— Dès qu'on l'a trouvé, on le ramène au point de rendez-vous à l'entrée principale. S'il est capable de marcher seul, j'envoie mes deux hommes ouvrir les cellules et libérer les prisonniers.

— Très bien. Le deuxième groupe... ?

Le camarade Qui-vive récita ses instructions. Craig se leva.

— Parfait. Encore une chose. Je l'ai déjà dit cinquante fois, mais je le répète. Il faut absolument qu'on détruise la radio avant qu'ils aient une chance d'émettre. Pour ça, nous avons cinq minutes à partir du premier coup de feu : deux minutes pour que l'opérateur se rende compte de ce qui se passe, deux minutes pour enclencher le générateur, une minute pour contacter Harare et donner l'alerte. Si par malheur il réussit, nous sommes des hommes morts.

Il consulta sa montre.

— 7 h 5. On va les appeler maintenant. Où est passé ton homme qui parle shona ?

Lentement, il lui expliqua ce qu'on attendait de lui. A son grand soulagement, le maquisard eut vite fait de comprendre.

— Je leur dis que le convoi est retardé. Un camion est en panne, et nous tâchons de réparer.

— C'est ça.

— S'ils commencent à poser des questions, je réponds : « Message mal reçu. Signal brouillé. Réception perturbée. » Et je répète : « Retard prévu sur l'heure d'arrivée. » Après ça je décroche.

Anxieux, Craig écoutait attentivement les aboiements

shona incompréhensibles de l'opérateur du camp de Tuti, mais rien dans le ton de sa voix entrecoupée d'interférences ne semblait trahir la moindre suspicion. Le maquisard reposa le micro.

— C'est entendu. Ils nous attendent au milieu de la nuit.

— Parfait. Maintenant on va pouvoir manger un morceau et se préparer.

Mais il était incapable d'avaler quoi que ce soit. L'appréhension lui nouait les tripes. La violence de l'embuscade près du pont lui laissait encore un goût amer dans la bouche. Il avait pourtant l'habitude de voir la mort sous ses traits les plus hideux depuis la guerre d'indépendance. Mais décidément, il ne s'y habituerait jamais.

« Trop de lune », pensa Craig en lorgnant par-dessus la bâche.

C'était une lune montante, qui découpait des ombres nettes sur le sol. Le camion cahotait, faisait des embardées sur la piste. L'air était dense, tapissait les gorges d'une couche de poussière.

Même avec le visage noirci, Craig n'avait pas osé monter dans la cabine. Qui-vive avait endossé la tenue de l'officier pour s'asseoir à l'avant. L'homme qui parlait shona tenait le volant. Deux Matabélé officiaient aux mitrailleuses, et huit autres, affublés d'uniformes, étaient assis sur les bancs. Le reste de la troupe se terrait avec Craig sous la bâche.

— Jusqu'ici tout va bien, murmura Sarah.

— Presque trop.

Trois coups retentirent sur la tôle de la cloison. Qui-vive donnait le signal. Ils arrivaient en vue du camp.

— Les dés sont jetés.

Craig risqua un coup d'œil par la fente qu'il avait taillée dans la toile. Il distingua les miradors, dressés comme des derricks sur le ciel, une portion de barbelés... et brusquement tout s'illumina. Les projecteurs braquaient des flots de lumière blanche sur le camp tout entier.

— Le générateur! Bon sang! ils ont branché le générateur.

Première erreur. Il avait tout prévu pour une attaque de nuit, avec les gardes éblouis par les phares des camions. Il aurait pourtant dû s'attendre à ce qu'ils éclairent le convoi, pour faciliter le déchargement.

Trop tard. Il ne leur restait qu'à s'avancer dans le faisceau des projecteurs, et Craig était cloué sous sa bâche, incapable même de communiquer avec Qui-vive, isolé dans la cabine. Il gardait l'œil rivé à son judas en maudissant sa bêtise.

Les barrières ne s'ouvraient pas, et Craig voyait le canon de ce bon sang de nid de mitrailleuse sur le côté de la guérite pivoter lentement pour couvrir leur approche. L'équipe de garde apparaissait — trois soldats et un sous-officier qui s'égrenaient hors de leur cabane. Planté devant le camion, le sergent leva la main. Le Toyota s'arrêta et il s'avança jusqu'à la fenêtre pour poser une question en shona. Le chauffeur répondit calmement. Immédiatement, pourtant, le ton du sous-officier se crispa. Manifestement la réponse ne lui convenait pas. Sa voix monta, se fit hachée, stridente. Les gardes empoignaient leurs fusils, se déployaient en cercle. Leur supercherie capotait avant même de commencer.

Craig frappa la jambe du maquisard en uniforme à ses côtés. C'était le signal. Le rebelle balança la grenade dégoupillée qu'il tenait à la main. L'engin traça une parabole pour piquer droit dans le nid de mitrailleuse. Au même moment, Craig chuchota tranquillement :

— Tuez-les.

Les deux hommes à ses côtés braquèrent le mufle de leur AK 47 par les meurtrières aménagées dans la bâche, et tirèrent. Les deux rafales fauchèrent les gardes avant même qu'ils lèvent leurs armes. Le sergent courait vers sa guérite mais Qui-vive se pencha par la fenêtre en crispant les deux poings sur la crosse de son Tokarev, bras tendus, et lui expédia deux balles dans le dos.

La grenade éclata au même instant derrière les sacs de sable. Le canon de la mitrailleuse bascula vers les étoiles, neutralisé, tandis que les shrapnels déchiquetaient le servant.

— Fonce !

Craig avait jailli par la fente de la bâche et hurlait à la portière.

— Fonce dans la barrière !

Le moteur Diesel rugit et le camion s'arracha. Il y eut un choc grinçant. La machine frissonna, renâcla, et bondit dans le camp illuminé en remorquant un fouillis de barbelés et de piquets pulvérisés. Craig se hissa près de la Goryunov Stankovy.

— A gauche.

Il pointa la mire sur les baraquements d'adobe et de chaume près de l'entrée. Le servant lâcha une volée de balles dans la grappe de soldats à moitié nus qui s'encadraient dans la porte.

— Mirador à droite.

Ils se faisaient arroser par deux tireurs dans leur nid d'aigle. Le servant vira son engin, haussa le canon, et les bandes à maillons s'enclenchèrent dans la culasse pour égrener des chapelets brillants de douilles vides de l'autre côté. Des éclats de bois et de verre volaient des murs et des vitres de la tour, et la rafale cueillit les deux Shona pour les propulser en arrière.

— Baraques n° 1, droit devant, cria Craig.

Sarah s'éjecta, les cisailles à la main. Ses deux hommes couraient devant elle en louvoyant, zigzaguant, crispant à la hanche une arme qui crachait un feu meurtrier. Craig glissa sur le marchepied et s'accrocha à la portière.

— Le kopje ! Il faut prendre la radio !

Le terrain de manœuvres, immense, baigné de lumière, les séparait du fortin.

Il jeta un coup d'œil en arrière. Sarah et ses hommes avaient taillé une brèche dans la clôture du quartier de sécurité. Le deuxième camion couvrait le périmètre du camp en vrombissant, arrosant copieusement chaque mirador au fur et à mesure. Il leur en restait deux à neutraliser.

Près des baraquements qui flanquaient l'unité centrale, un commando largué par le deuxième camion rampait sous les fenêtres pour balancer un déluge de grenades à l'intérieur, et s'élancer vers les cellules des prisonniers au moment où leur feu d'artifice embrasait les bâtiments.

Quelques minutes, et déjà ils contrôlaient tout le camp. Les miradors, les deux baraquements étaient entre leurs mains. Tout — sauf le kopje.

Une ligne blanche de balles traceuses jaillit des hauteurs cuirassées de sacs de sable du piton rocheux. On aurait dit des perles phosphorescentes qui approchaient lentement, accélérant miraculeusement en fin de course — et brusquement la poussière vola. Autour d'eux retentissaient le sifflement des ricochets et le ferraillement sourd de la tôle trouée de balles.

Le camion fit une embardée. Craig s'arrimait désespérément au rétroviseur.

— Fonce ! Il nous faut cette radio !

Le Noir s'escrimait sur le volant récalcitrant qui bondissait, ruait entre ses doigts, et jeta le véhicule en direction du kopje au moment où la deuxième rafale le fauchait. Le pare-brise vola en éclats. Le chauffeur fut propulsé contre la portière, la poitrine déchiquetée. Le Toyota ralentit comme son pied glissait de l'accélérateur.

Craig ouvrit la portière en catastrophe. Le cadavre roula du siège et bascula par-dessus bord. Il se carra à sa place, écrasa la pédale, et le véhicule bondit.

A côté de lui, le AK 47 de Qui-vive crachait la mort à travers le pare-brise béant. Au-dessus, la mitrailleuse barattait dans un vacarme assourdissant. Les lignes de traceuses s'entrecroisaient dans un carrousel féerique au-dessus du terrain de manœuvres et Craig vit brusquement quelque chose de nouveau.

Une masse noire, de la taille d'un ananas, volait vers eux, propulsée par une queue de comète. Il n'eut pas même le temps de crier que déjà la roquette RPG 7 les heurtait de plein fouet.

Le Toyota encaissa le choc dans le radiateur. Le bloc-moteur amortit l'impact mais le camion s'immobilisa aussi sûrement que s'il avait carambolé une falaise, culbuta par-dessus son train avant démantelé et expédia Craig par la portière.

Il se ramassa sur les genoux. La mitrailleuse du fortin coupait en diagonale sur lui. Une pluie de terre gicla et il s'aplatit au sol.

Blessés, étourdis, les rebelles se relevaient autour de l'épave du cinq-tonnes. Un autre, coincé sous l'acier, braillait comme un putois dans un collet.

— Le mur ! cria Craig.

Il s'élança, suivi par une poignée de maquisards. La mitrailleuse revint à la charge, faucha celui qui courait devant lui. L'homme roula sur le dos et lui lança son AK 47 au passage.

— Prends, *Kuphela.* Je suis mort.

Craig happa l'arme. Le servant de la mitrailleuse devait lui en vouloir : un rideau d'éclaboussures poudreuses refluait devant lui. Droit devant, Qui-vive atteignait l'abri du mur.

Craig fonça sur son but les pieds en avant, dérapant comme un joueur de base-ball qui réintègre sa position, dans une pétarade de coups de feu. Ils n'étaient que deux avec Qui-vive. Les autres étaient écrasés sous le camion, ou agonisaient à découvert.

— Il faut dégommer cette mitrailleuse, hoqueta-t-il, et le balafré lui décocha son sourire le plus tordu.

— Après toi, *Kuphela.* Nous sommes prêts à t'applaudir.

Une deuxième roquette fouetta le mur dans un tonnerre assourdissant, et les noya sous un brouillard blanc. Craig vérifia le magasin de son AK 47. Plein. Il pêcha un chargeur supplémentaire dans le havresac de Qui-vive, tâta le Tokarev à sa ceinture et les deux grenades qui gonflaient ses poches avant de risquer un coup d'œil de l'autre côté du mur.

Immédiatement, une volée de balles claqua sur la brique. Une centaine de mètres à peine les séparaient du kopje, mais il aurait tout aussi bien pu s'agir de cent années-lumière. Ils étaient coincés. De là-haut, le tireur couvrait le camp tout entier. Sous le feu des projecteurs personne ne pouvait bouger le petit doigt sans déchaîner l'enfer.

Craig chercha des yeux le deuxième camion. Heureusement, le chauffeur avait dû se garer à l'abri des baraques quand le lance-roquettes était entré en action. Les rebelles ne donnaient plus signe de vie.

« Ça ne peut pas finir comme ça, il faut faire taire cette mitrailleuse ! »

C'est alors qu'il entendit les voix qui s'élevaient dans le silence, d'abord doucement, et graduellement plus fortes, plus nombreuses.

Pourquoi pleurer, veuves de Shangani
Alors que le fusil à trois pattes rit aux éclats ?

Puis le chant de combat ancestral monta de la nuit, jailli de centaines de gorges.

Pourquoi pleurer, petits-fils de la Taupe
Puisque nos pères n'ont fait qu'obéir au roi ?

Et ils sortaient des prisons, armée pitoyable de silhouettes désespérément nues. Certains titubaient, à bout de forces, d'autres au contraire couraient avec des pierres, des briques, des poutres arrachées au toit de leur cellule. Une poignée d'entre eux — mais si peu — avait ramassé les armes des gardes, et tous chantaient avec une fierté sauvage en s'avançant sur le fortin.

— Seigneur ! gémit Craig. Ça va être une hécatombe !

Au premier rang de la multitude un grand diable squelettique brandissait un AK 47, comme une caricature allégorique de la Mort en personne, et les légions de crève-la-faim et de gueux se ralliaient à lui. Même dans cet état, Craig aurait reconnu Tungata Zebiwe n'importe où.

— Sam ! Cache-toi.

Mais il s'obstinait, impassible, et Qui-vive murmura d'un ton placide :

— Ils vont leur tirer dessus. Ce sera le moment de foncer.

Il avait raison. Il fallait en profiter, pour que leur sacrifice ne soit pas vain.

— Attends !

Craig empoigna le bras du balafré.

— Il va bientôt recharger.

Les deux hommes attendirent que le servant shona arrive au bout de sa bande. Les traceuses arrosaient les rangs des prisonniers comme une lance à incendie, les couchaient les uns après les autres, mais la marée humaine n'arrêtait pas de monter à la tuerie, comblait les vides au fur et à mesure, et Zebiwe continuait d'avancer, miraculeusement debout au milieu du massacre, face à cette mitrailleuse qui finit enfin par se taire.

— En avant ! hurla Craig. En avant ! En avant !

Ils se jetèrent en avant comme des coureurs qui s'éjectent de leur starting-block, et le sol parut s'ouvrir devant eux dans un gouffre qui dégringolait jusqu'au tréfonds du globe.

Une autre roquette hulula au-dessus de leurs têtes, vola au travers du terrain de manœuvres et atterrit sur la citerne à mazout près des baraquements des gardes. L'explosion vomit un cratère de flammes. Craig sentit un souffle chaud le fouetter, et accéléra l'allure.

Il perdait du terrain sur Qui-vive : sa patte folle l'entravait — mais tout en courant, il alignait frénétiquement les chiffres dans sa tête. Il fallait prévoir dix secondes pour recharger la mitrailleuse. Depuis qu'ils avaient quitté leur abri il s'en était écoulé sept. Huit, neuf, dix — c'était maintenant ! et il lui restait vingt mètres à couvrir.

Qui-vive atteignait les premiers sacs de sable, il escalada le remblai et disparut.

C'est alors que quelque chose heurta Craig. Une secousse qui le faucha net, et les balles piaulaient autour de lui. Il boula sur le côté pour se relever d'un coup de jarret. Le servant l'avait vu tomber — maintenant il pointait sa mitrailleuse sur la foule des prisonniers.

Craig courait toujours. Il n'en revenait pas : c'est sa jambe qui avait encaissé, sa jambe artificielle. Il en riait presque. Une trouille pareille, qui se soldait par un dénouement aussi ridicule !

Le pied du fortin. Il sauta, s'agrippa aux sacs et se hissa pour rouler de l'autre côté.

— La radio. Il nous faut la radio !

Il bondit dans la tranchée. Au détour d'un virage il tomba

sur Qui-vive. A ses pieds gisait le cadavre de l'artilleur qui manœuvrait le RPG.

— Occupe-toi de la mitrailleuse. Je prends la radio.

Il enfila la tranchée qui grimpait au sommet, passa devant la niche qu'on lui avait attribuée la dernière fois — première à gauche. Il plongea dans la porte, écarta d'un geste le rideau de toile. Au bout du couloir retentissaient des hurlements frénétiques.

Trop tard ! En slip et maillot de corps, l'opérateur crispait les deux mains sur son micro et donnait l'alerte d'une voix hystérique. Craig hésitait à l'entrée, l'estomac noué par un spasme désespéré, et la réponse en anglais fit vibrer les haut-parleurs.

— Message reçu. Tenez bon. On envoie des renforts...

Il expédia dans le poste une giclée de balles qui déchiqueta la façade et expulsa un fouillis de fils et de diodes du boîtier. L'opérateur avait abandonné son micro pour se plaquer au mur en roulant des yeux vers son visiteur, articulant des borborygmes terrifiés. Craig braqua son arme sur lui, mais ne réussit pas à tirer.

La rafale provint du couloir derrière lui, et le malheureux resta cloué aux sacs de sable par un pointillé sanglant, avant de se ratatiner sur le sol.

— Tu as toujours été trop tendre, *Pupho,* fit une voix grave.

Craig se retourna. Il engloba d'un coup d'œil la silhouette famélique qui se dressait au-dessus de lui, le visage couturé de croûtes, momifié, le regard noir, perçant.

— Sam ! Bon Dieu ! Ça fait du bien de te voir !

Son train avant pulvérisé, le premier Toyota était inutilisable. Le second ne valait guère mieux, ses roues arrière déglinguées par les ravages de la mitrailleuse. Dans les deux camions, la jauge d'essence tendait vers le zéro.

— Il n'y a pas d'autre véhicule, dit Tungata. Fungabera a pris la Land-Rover il y a deux jours.

— On peut s'arranger pour démonter les roues, mais du gas-oil ! Sam, il nous faut du gas-oil.

Ils jetèrent un coup d'œil vers la citerne. Des nuages de fumée noire, grasse, roulaient sur le terrain de manœuvres. Dans la lumière des flammes des cadavres pendaient, pliés aux fenêtres. Echarpés, réduits en bouillie sanglante par les prisonniers, aucun des gardes n'avait survécu. Combien de victimes ? Craig préférait ne pas y penser. Il se sentait responsable de chaque mort.

Vêtu de fripes étriquées glanées au hasard des vestiaires, Tungata l'observait. La puanteur rance de la prison lui collait encore à la peau.

— Tu n'as pas changé, *Pupho.* Déjà à l'époque, quand il fallait tuer un éléphant, tu ne pouvais rien avaler pendant des jours.

— Je vais voir ce qu'on peut récupérer dans les réservoirs, et j'attelle une équipe sur les roues. Mais trouve-nous du gas-oil, Sam, nom d'une pipe !

Il s'éloigna en boitillant, heureux d'échapper à l'intuition redoutable de Zebiwe.

Qui-vive l'attendait.

— On a perdu quatorze hommes. *Kuphela.*

Que répondre à cela ? Mais le balafré avait préparé son oraison funèbre.

— Il fallait bien qu'ils meurent un jour. Qu'est-ce qu'on fait maintenant ?

Ils enrôlèrent une horde d'hommes en guenilles pour soulever l'arrière du camion et caler le châssis sur des étais. Pendant qu'on changeait l'essieu, Craig remonta son pantalon pour examiner sa jambe. La balle avait troué le tibia d'aluminium, crevé le mollet, mais l'articulation de la cheville était intacte. Il aplatit les échardes de métal d'un coup de marteau et reboucla la prothèse en place.

— Voilà, ma vieille. Ne me lâche pas tout de suite, je ne t'en demande pas plus.

Puis il empoigna la clé à son tour. Qui-vive avait déjà débloqué deux boulons.

Une heure plus tard Tungata réapparut. Les prisonniers

redescendaient laborieusement le châssis sur son nouvel essieu.

— Plus de gas-oil.

Craig était noir de cambouis. Il se redressa en essuyant son front du revers de la manche.

— J'ai dû récupérer une quinzaine de litres. De quoi faire les deux tiers du chemin.

Il consulta sa montre.

— 3 heures. Dans deux heures Sally-Ann débarque. On n'y arrivera pas.

— Ce qui ne nous empêchera pas d'essayer.

Tungata se hissa sur le capot du Toyota. Les Matabélé se massaient autour de lui, visages tendus dans la lumière crue des projecteurs.

— Le *kanka* shona va arriver. Cachez-vous. Emportez des armes, de la nourriture, et prenez le maquis.

Il désigna le petit groupe de rebelles qui entourait Qui-vive.

— Suivez ces hommes, et attendez mon retour. Car je dois vous quitter maintenant. Mais si je pars, c'est pour mieux revenir, et je jure devant tous de conduire un jour — bientôt — la lutte qui nous ouvrira les portes de la justice et de la liberté.

Il crispa les deux poings dans une bénédiction guerrière.

— Allez en paix, amis.

Les mains se tendaient vers lui. Certains pleuraient comme des enfants. Puis ils commencèrent à s'égrener par petits groupes pour se perdre dans la nuit.

Le camarade Qui-vive fut le dernier à quitter le camp. Il offrit à Craig son éternel sourire carnassier.

— Tu étais en première ligne, *Kuphela,* et pourtant je ne t'ai pas vu tuer un seul Shona.

— Pour ça je te laisse faire, camarade. A chacun sa spécialité.

— Tu es un drôle de bonhomme, et je ne suis pas près de t'oublier, *Kuphela.* Si je vis assez vieux pour avoir des petits-enfants, ils entendront souvent le récit des combats où tu nous a menés aujourd'hui.

— Au revoir, ami.

Ils se serrèrent longuement la main, paume contre paume,

pouces croisés, puis Qui-vive chaloupa dans la nuit en traînant son fusil derrière lui.

Sarah, Craig et Tungata observèrent un long silence, écrasés par leur soudaine solitude.

Craig parla le premier :

— Sam, est-ce qu'il y a une caserne entre ici et Harare ?

— Pas que je sache. A part le poste de Karoi, mais ils n'ont pas suffisamment d'effectifs pour envoyer des renforts, si c'est à ça que tu penses.

— Bon. Donc ils partiront de Harare. Disons qu'il leur faut une heure pour rassembler les troupes et s'organiser. Ajoutons-y cinq heures de route...

Il consulta Tungata d'un regard interrogateur, auquel le Noir répondit d'un hochement de tête silencieux.

— Ils débouleront à la mission vers 6 heures. Sally-Ann devrait les précéder d'une heure, ça sera juste. Surtout si on doit couvrir les derniers kilomètres à pied. Allez, filons.

En grimpant dans la cabine, Craig engloba d'un dernier coup d'œil le camp dévasté. Des écharpes de fumée dérivaient sur l'hécatombe. Indifférents, les projecteurs continuaient d'illuminer la scène.

— Les projecteurs... Hé !

Il bondit au volant.

— Sam, le générateur !

Il lança le moteur et exécuta un demi-tour sur les chapeaux de roue. La salle des machines s'abritait dans le complexe central qui flanquait le kopje, sous une casemate de sacs de sable. Craig gara le Toyota à l'entrée et dégringola les marches.

Le générateur était un Lister de vingt-cinq kilowatts, un gros engin vert et trapu. Au-dessus, une citerne vissée dans la roche sur des potences d'acier l'alimentait en gas-oil. Craig administra une claque sur la tôle.

Un son mat, rassurant retentit : la citerne était pleine.

La route se tordait comme un python agonisant et le Toyota, le réservoir plein à ras bord, répondait mal dans les virages. Craig s'accrochait à deux mains au volant pour négocier les lacets à tombeau ouvert. Le camion vide bondissait, ferraillait en avalant les ornières.

Il faillit rater l'entrée du pont. Les roues arrière mordirent la levée, et ils s'arrachèrent de justesse pour brimbaler sur les madriers.

— L'heure ? demanda Craig, et Sarah consulta sa montre à la lueur du tableau de bord.

— 4 h 43.

Les phares creusaient un tunnel de lumière. Au-delà, la cime des arbres crénelait le ciel de l'aube. Arrivé en haut de la côte, Craig arrêta le véhicule pour allumer la radio. Il explora les fréquences, mais seul le crachotement des interférences peuplait les ondes.

— S'ils sont dans le coin, ils ne font pas beaucoup de bruit !

En bas, le paysage émergeait, grande plaine couverte de forêts qui s'étendait jusqu'à la mission.

— Dix miles, dit Tungata.

— Encore une demi-heure, observa Craig, et il poussa le Toyota dans les dernières descentes.

Il faisait maintenant assez clair pour couper les phares.

— Inutile d'attirer l'attention.

Il se redressa brusquement. Le régime du moteur avait changé. La mécanique ronflait, s'emballait.

— Oh ! Non, pas ça ! souffla-t-il, avant de se rendre compte qu'il entendait en fait le ronronnement d'un deuxième moteur, quelque part dehors.

Il baissa la vitre, et mit la tête à la portière. Le Cessna de Sally-Ann pétaradait au-dessus d'eux, éclair bleu et argent dans les premiers rayons de soleil.

Il agita frénétiquement la main en poussant des beuglements enthousiastes. Dans le cockpit, Sally-Ann lui répondit. Un foulard rose ceignait son front.

L'appareil les dépassa en vrombissant, grimpa et mit le cap sur le terrain d'atterrissage, sa voilure agitée d'un léger roulis dans la brise.

Ils débouchèrent de la forêt pour traverser en trombe les champs de maïs qui entouraient le village de la mission. Les toits de tôle de l'église et de l'école étincelaient. Quelques paysans à moitié endormis sortaient en bâillant pour les regarder passer. Sarah baissa sa vitre pour se pencher.

— Des soldats ! Attention ! Cachez-vous, ils arrivent !

Craig n'avait pas pensé à ça. Les représailles de la 3e brigade allaient être effroyables. Il accéléra. Un kilomètre encore jusqu'au terrain. La manche à air en lambeaux ondulait sur son mât. Le Cessna avait sorti son train d'atterrissage.

— Regarde ! fit Tungata.

Un deuxième appareil arrivait sur leur gauche, un bimoteur qui filait au ras des arbres dans un ronflement de coléoptère. Craig le reconnut immédiatement.

C'était un vieux Dakota, un vétéran de la guerre des Sables. On l'avait repeint en gris antireflet pour les missiles, et on l'avait affublé des cocardes de la Zimbabwe Air Force. La soute était ouverte, et des hommes s'encadraient dans la trappe.

— Paras ! cria Craig, et le Dakota piqua sur eux pour redresser si près que le souffle des hélices secoua les maïs.

Comme l'appareil les rasait, Craig et Tungata reconnurent simultanément le premier sauteur.

— Fungabera !

Tungata ouvrait déjà la portière pour se hisser derrière la mitrailleuse. Il réussit à expédier une rafale avant que le Dakota ne soit hors de portée. Les traceuses filèrent sous les ailes du bimoteur et le pilote, inquiet, grimpa pleins gaz.

— Il va se mettre en palier pour les lâcher !

Fungabera avait dû reconnaître le Cessna. Devinant que le camion fonçait au rendez-vous il avait décidé, au lieu d'atterrir, de larguer ses hommes pour investir le terrain et empêcher Sally-Ann de repartir.

Le bimoteur se stabilisa. Cinq cents pieds, estima Craig. C'était court, mais pas pour eux. Ils allaient se distribuer sur toute la longueur du terrain.

A l'autre bout Sally-Ann se présentait en finale au-dessus de la clôture. Le Cessna toucha, et enfila la piste à plein régime à la rencontre du camion bâché.

Au-dessus d'eux le Dakota venait de laisser tomber une

silhouette minuscule, et le parachute de soie verte s'épanouit presque instantanément. Suivit tout un cordon de paras qui dépotaient en cadence. Le ciel s'emplit d'une forêt de champignons sinistres d'un vert livide qui ballottaient doucement dans la brise du matin, et tombaient droit sur l'herbe parcheminée du terrain d'atterrissage.

Le Cessna poussa jusqu'en bout de piste et pivota dans un virage serré à cent quatre-vingts degrés. A ce moment-là seulement, Craig comprit que Sally-Ann avait eu l'intelligence d'évaluer le danger : elle avait pris le risque de se présenter vent arrière en acceptant les impondérables d'une inclinaison moins forte et d'une distance de roulage plus importante, pour pouvoir immédiatement se positionner face au vent dans la perspective d'un décollage en catastrophe sous l'assaut des paras, avec trois passagers supplémentaires à son bord.

Sur le toit, Tungata mitraillait au hasard par rafales courtes, serrées, qui visaient plus à intimider qu'à tuer qui que ce soit. Un homme qui se balance aux suspentes d'un parachute fait une cible presque impossible.

Sally-Ann se penchait par la porte du cockpit. Elle poussait déjà son moteur à plein régime en bloquant les roues de l'appareil.

Ils cahotèrent sur la bordure de la piste, et Craig jeta le Toyota en biais d'un coup de frein strident qui les amena le long de l'avion au terme d'un dérapage spectaculaire, de façon à protéger leur embarquement.

— Descends ! hurla-t-il à Sarah.

Elle bondit, détala jusqu'au Cessna, empoigna la main que Sally-Ann lui tendait et se propulsa sur le siège arrière.

Perché sur la cabine, Tungata expédia une dernière giclée de balles. Les trois premiers paras prenaient pied, leurs parachutes verts gonflés par la brise. La rafale souleva un nuage de poussière. Craig vit l'un des soldats tomber et dériver, sans vie, amorphe, pendu à ses suspentes. Il s'empara de son AK 47, prit le sac de munitions et cria :

— Vite Sam ! On décampe !

Ils coururent jusqu'à l'appareil. Affaibli, malade, Tungata

trébucha sur le marchepied. Craig le releva, et le poussa dans le cockpit.

Sally-Ann lâcha les freins avant même qu'ils soient installés. Le Cessna s'ébranla, prit de la vitesse. Craig courait comme un dératé. Tungata s'affala enfin à l'arrière au côté de Sarah, et Craig sauta pour s'accrocher à la carlingue. Empêtré dans la courroie de son arme, gêné par son sac, il réussit à se hisser sur le siège avant.

— Ferme ! hurla Sally-Ann sans un regard pour lui, concentrée sur la piste qui défilait derrière le pare-brise.

Les harnais s'étaient coincés dans la porte. Il s'escrima à les débloquer pendant que la machine gagnait en vitesse de rotation, parvint finalement à les libérer et claqua la porte. Quand il leva les yeux, ce fut pour voir des parachutistes couper en travers de la piste.

Pas besoin de l'étoile qui brillait à son casque pour reconnaître le général Fungabera. La carrure de ses épaules, le port de sa tête, la souplesse féline de sa course le rendaient immédiatement identifiable. Ses hommes se déployaient derrière lui, droit devant l'avion, à quatre cents mètres à peine.

L'appareil se cabra, s'ébroua et s'enleva. Fungabera et ses troupes disparurent sous le nez du Cessna. Ils devaient être juste au-dessous, à quelques centaines de pieds.

— Maman ! (Sally-Ann gardait un flegme olympien.) On est bons.

Au même instant le tableau de bord devant Craig explosa, le saupoudrant d'éclats de verre minuscules, comme du sucre cristallisé. Un liquide huileux aspergea sa chemise.

Une volée de balles troua la porte et traversa la tôle du plafond, entraînant dans son sillage un tourbillon de courants d'air qui emplit la cabine d'un vent glacial.

A l'arrière, Sarah cria. La carcasse de l'appareil était secouée, malmenée par un festival de rafales et de détonations. Craig sentit son siège se bosseler sous l'impact d'une grêle de balles, et remercia l'armature en acier. Une ligne de trous déchiqueta l'extrados, à deux doigts de sa fenêtre.

Sally-Ann poussa le manche, et le Cessna bascula, pour piquer droit sur le terrain dans une glissade vertigineuse qui les mit à couvert du tir de barrage et leur fournit un moment de répit. L'herbe brunie montait vers eux à toute allure. Sally-Ann rattrapa sa manœuvre suicidaire et remit pleins gaz, mais les roues heurtèrent le sol et ils firent un bond échevelé de trente pieds en l'air. Craig vit deux paras plonger sur le côté, effarés.

Sally-Ann profita de l'accélération que leur avait donnée leur dégringolade pour braquer le Cessna dans une courbe en épingle à cheveux. L'aile basse frôla le sol. Le visage crispé, les muscles de ses bras noués par l'effort, la jeune fille s'efforçait de maintenir le nez dans l'axe, et d'éviter que le virage ne s'engage en piqué. Droit devant eux, sur le flanc gauche du terrain, à quelque cent mètres de la piste, un marula solitaire dressait ses frondaisons immenses.

Elle stabilisa l'appareil et fonça sur l'arbre. Le bord des ailes toucha presque les branches. Elle vira pour redresser immédiatement en ligne droite, dans une manœuvre qui plaçait très exactement le marula en écran dans l'axe des paras.

Puis elle se cantonna à ras de terre, frisant les épis des champs de maïs qui s'étendaient devant eux, en jetant de temps en temps un coup d'œil dans le rétroviseur à sa droite pour vérifier qu'ils ne déviaient pas de la trajectoire qui les maintenait à l'abri des balles.

— Où en est le Dakota ?

Craig s'égosillait pour se faire entendre, à travers le sifflement du vent dans la cabine.

— Il s'apprête à atterrir, cria Tungata.

En se tordant sur son siège, Craig aperçut le grand insecte gris, qui rasait la cime des arbres derrière eux pour entamer sa descente sur le terrain.

— Le train ne remonte pas.

Sally-Ann appuyait désespérément sur la commande, mais les trois vertes de l'indicateur refusaient de s'éteindre.

— On a un problème. Il est coincé.

Au-delà des champs de maïs la forêt se rapprochait à toute allure, et au moment où elle bascula le manche pour élever le Cessna au-dessus des arbres, une conduite du circuit hydraulique claqua sous le capot criblé de balles, et couvrit le pare-brise d'une pellicule visqueuse.

— J'y vois plus rien !

Elle ouvrit sa fenêtre, pour naviguer au jugé en se repérant sur l'angle de l'horizon sous ses ailes.

— Plus d'instruments, fit Craig en inspectant le tableau de bord. Plus de badin, plus de variomètre, plus d'horizon artificiel, plus d'altimètre, plus de gyrocompas...

— Le train d'atterrissage, coupa Sally-Ann. Il va nous freiner. On n'aura jamais assez de carburant... On n'y arrivera pas.

Elle grimpait toujours et amorçait lentement sa courbe, en se guidant à la boussole qui baignait sur un lit d'huile, dans le boîtier au-dessus de sa tête, quand le moteur toussa, s'étouffa — et repartit de plus belle à plein régime.

Elle s'empressa d'ajuster les gaz et le pas, vérifia les indicateurs de pression...

— Ça ressemble fort à un défaut d'alimentation. Ils ont dû toucher une conduite d'essence.

Elle bascula le sélecteur pour brancher les deux réservoirs, glissa un coup d'œil vers Craig et sourit.

— Salut, héros. Tu m'as drôlement manqué.

— Et à moi donc.

Il lui pinça affectueusement le genou.

— L'heure ?

Son ton très « femme d'affaires », à nouveau.

— 5 h 17.

La piste de Tuti serpentait, brunâtre, en direction du nord. Ils survolaient la première ligne de crêtes. Le village de Vusamanzi devait se cacher quelque part au-dessous, à quelques miles de la route.

Le moulin cafouilla. Sally-Ann fit la grimace.

— Quelle heure maintenant ?

— 5 h 27.

— On doit se trouver hors de vue du terrain de la mission, non ?

— Ils ont un hélicoptère à Victoria Falls.

Tungata se penchait sur leur dossier.

— Si jamais ils devinent qu'on met le cap sur le Botswana, ils l'enverront sûrement nous couper la route.

— On peut facilement distancer un hélico, fit Craig.

— Pas avec le train sorti, dit Sally-Ann.

Et sans prévenir le moteur se tut brusquement.

Le silence avait quelque chose de surnaturel, peuplé seulement par le sifflement du vent dans les trous du fuselage. L'hélice moulina mollement quelques secondes encore, et mourut dans une dernière secousse pour pointer vers le ciel comme une figure de proue.

— Et voilà ! Plus la peine de se poser de questions. Moteur en carafe. On dégringole.

Le geste sec, précis, Sally-Ann s'affairait à préparer leur atterrissage forcé. Le Cessna s'inclinait en finesse vers le paysage de vallonnements disloqués et de forêts qui défilait sous leurs ailes. Elle sortit les volets.

— Attachez vos harnais, les enfants.

Elle coupait l'essence, le contact général...

— Tu vois un coin où on pourrait atterrir ? demanda-t-elle à Craig en lorgnant désespérément à travers le pare-brise barbouillé d'huile.

— Rien du tout.

La forêt était dense, compacte, un vrai matelas de verdure.

— Je vais tâcher de choisir deux arbres assez solides pour nous couper les ailes, ça devrait amortir le choc. Mais préparez-vous à encaisser un carambolage maison, conclut-elle en s'escrimant sur la vitre de sa fenêtre.

— Ecartez-vous.

En trois coups de poing brusques, ramassés, Tungata déboîta la feuille de multiplex de son joint. Sally-Ann sortit la tête, les yeux plissés contre le vent.

Le sol grimpait vers eux de plus en plus vite. Les collines grandissaient à vue d'œil, et se dressèrent au-dessus de l'appareil comme Sally-Ann exécutait un virage en douceur pour se couler dans la vallée, volets braqués au maximum. A travers le rideau graisseux du pare-brise, Craig devinait l'ombre des arbres.

— Portes déverrouillées et ouvertes ! ordonna Sally-Ann. Gardez vos harnais jusqu'à la fin du roulage. Dès qu'on s'arrête, éjectez-vous aussi vite que possible, et détalez comme des zèbres !

Elle tira sur le manche. L'appareil remonta, flotta, et

piqua du nez comme une pierre. Elle avait calculé son coup au centième de seconde. Avant de récupérer de la vitesse, l'avion heurta les arbres. Les branches écharpèrent les ailes, et le choc les projeta contre les harnais avec une force qui laissa des bleus tumescents à l'emplacement des courroies. La carcasse mutilée de la machine continuait sa dégringolade dans la forêt, cognant, ballottant au hasard des obstacles. Malaxés, pétris, ils dansaient sur leurs sièges, et au terme d'un dernier dérapage le flanc du fuselage s'enroula sur un tronc pour finalement s'arrêter pour de bon.

— Dehors ! hurla Sally-Ann. Ça sent l'essence !

Les portes avaient été arrachées de leurs gonds. Ils se débarrassèrent de leurs harnais, se tordirent les pieds dans la rocaille, et détalèrent.

Craig rattrapa Sally-Ann. Elle avait perdu son foulard, et ses longues tresses noires flottaient dans son sillage. Il la prit par l'épaule, la guida vers une ravine escarpée et ils restèrent plaqués au sol, accrochés l'un à l'autre.

— Il va prendre feu ? hoqueta-t-elle.

— Sûrement.

Ils étaient tendus, attendant l'explosion des réservoirs, mais il ne se passait rien. Ils chuchotèrent dans le silence pesant de la brousse :

— Tu as volé comme un ange.

— Un ange aux ailes brisées.

Ils se serraient convulsivement en gloussant nerveusement, habités par un fou rire que le reflux de la peur rendait hystérique.

— On risque un coup d'œil ?

Elle riait encore. Ils se redressèrent prudemment. Le fuselage était complètement embouti, la peau de métal du Cessna froissée comme une feuille d'aluminium — mais pas trace de flammes.

— Sam !... Sarah !...

Ils sortaient timidement de leur cachette, derrière un rocher.

— Pas trop de casse ?

Sarah arborait une estafilade sur la joue et son nez saignait abondamment, mais à part quelques bleus et contusions diverses ils paraissaient tous s'être tirés relativement indemnes de l'aventure.

Ils pillèrent la dépouille du Cessna — caisse à outils, trousse de secours, torche, bidon, couvertures de survie et rations de malt, pistolet, AK 47 et munitions. Puis Craig dévissa la boussole du plafond de la cabine.

Pendant une heure, ils s'affairèrent à camoufler tout ce qui pouvait signaler la présence de l'épave à un avion de reconnaissance. Avec Tungata, Craig s'attela aux ailes déchiquetées pour les tirer dans la ravine et les recouvrir de broussailles. Renonçant à déplacer le fuselage, ils enfouirent la tôle sous un amas de branches et de feuilles.

A deux reprises, la rumeur d'un avion interrompit leur travail. La pulsation sourde des deux moteurs jumeaux était immédiatement reconnaissable.

— Le Dakota, dit Sally-Ann.

— Ils nous cherchent.

— Ils n'ont pourtant pas pu deviner qu'on s'était écrasés !

— Non, mais ils savent qu'on a pris une sacrée dérouillée ! remarqua Craig. A mon avis, ils doivent se douter qu'on n'est pas allés loin. Les patrouilles ne vont pas tarder à quadriller la région à pied, et à questionner les villageois.

— Autrement dit, plus vite on décampe...

— Oui, mais de quel côté ?

— Si je peux faire une suggestion... intervint Sarah d'une voix timide. Je crois que je peux retrouver le village de mon père. Il pourra nous cacher, en attendant qu'on décide d'un plan précis.

Craig consulta Tungata du regard.

— Pas idiot. Des objections, Sam ? OK, allons-y.

Il resta en arrière pour prendre Sally-Ann à part.

— Tu dois être désolée. C'était un bel avion...

— A quoi bon s'attendrir sur la mécanique ? C'est vrai, c'était un chouette petit zinc, mais le voilà dans un triste état ! Non, je préfère garder mes sentiments pour des voluptés plus animales.

Elle lui serra affectueusement la main.

— Il est temps de déguerpir, tu ne crois pas?

Ce soir-là, ils creusèrent un trou pour trouver de l'eau dans le lit d'une rivière asséchée, et sucèrent une ration de malt avant de s'enrouler dans les feuilles thermiques des couvertures de survie. Les filles prirent les deux premiers quarts de veille, et Tungata et Craig tirèrent à pile ou face les deux derniers.

Le lendemain matin très tôt, ils coupèrent une piste que Sarah reconnut immédiatement. Deux heures plus tard ils se retrouvaient dans les champs cultivés qui tapissaient la vallée sous le nid d'aigle de Vusamanzi. Elle grimpa la pente pour prévenir son père, pendant que les trois autres se cachaient dans le maïs. Quand elle revint une heure plus tard le vieux sorcier l'accompagnait, une sacoche en bandoulière.

Il tomba sur ses genoux gonflés d'arthrite pour se prosterner devant Tungata.

— J'ai l'œil sur toi, fils de roi. Bourgeon du grand Mzilikazi, branche des puissants Kumalo, je suis ton esclave.

— Relève-toi, vieil homme.

Tungata le hissa sur ses pieds en le gratifiant du titre de *kehla,* « guide très honoré ».

— Vous n'êtes pas en sécurité ici. Les Shona grouillent partout. Je vais vous conduire dans un endroit sûr. Suivez-moi.

Il les entraîna à une allure de gazelle sur ses longues jambes maigres. Il leur fallait presser le pas pour ne pas le perdre de vue. Leur course dura deux heures, à travers des maquis inextricables et des éboulis de rocailles chaotiques. Il n'y avait pas le moindre sentier, pas le moindre soupçon de piste. Le silence saturé de chaleur crispait leurs nerfs. Les montagnes se refermaient sur eux comme une menace.

— Ce coin ne me plaît pas, souffla Tungata. Pas d'oiseaux, pas d'animaux...

Craig jeta un coup d'œil alentour. La pierre avait l'aspect torturé des scories de hauts-fourneaux et les arbres décharnés dressaient sur le ciel leurs silhouettes tordues où un rayon de soleil, ici et là, allumait des reflets d'un blanc lépreux. Des lichens habillaient les branches de barbes d'un vert chloré, livide. En effet, aucun chant d'oiseau ne venait troubler le silence. Craig frissonna, malgré la chaleur torride.

— Sinistre, non?

Quand ils regardèrent devant eux, le vieil homme avait disparu, avalé par la roche noirâtre.

— Par ici.

La voix du sorcier résonnait, sépulcrale.

— Avancez encore un peu.

La falaise faisait comme un pli, où se cachait une faille étroite. Une fissure insignifiante, à peine assez large pour qu'un homme s'y infiltrât. Craig se glissa dans la fente, et laissa ses yeux s'habituer à la pénombre.

Sur une saillie du roc, Vusamanzi avait trouvé une lampe-tempête. Il remplissait le réservoir avec la paraffine d'une bouteille qu'il avait apportée dans sa sacoche. Bientôt, une lueur vacilla.

— Suivez-moi.

— Ces montagnes sont truffées de cavernes et de passages secrets, expliqua Sarah avant d'ajouter d'un ton très docte : Formations dolomitiques.

Cent cinquante mètres plus bas, le couloir débouchait dans une salle. A travers une faille dans la voûte filtrait une lumière d'aquarium. Sur le sol couvert de cendres, un amas de blocs calcaires formait une cheminée. Au-dessus, une traînée de suie grasse montait se perdre dans le dôme du plafond. Un tas de rondins flanquait l'âtre.

— Nous sommes dans un endroit sacré, dit Vusamanzi. C'est ici que les magiciens pratiquent l'initiation de leurs élèves. C'est ici que mon père m'a appris les prophéties des ancêtres, et les secrets de mon art.

Il leur fit signe de s'asseoir.

— Ici, vous ne craignez rien. Dans une semaine, un mois, ils se fatigueront de vous chercher. Alors vous pourrez partir. Mes femmes vous apporteront des vivres tous les deux jours.

Et en effet, avant la nuit, deux des demi-sœurs de Sarah s'encadrèrent dans le couloir avec de lourds paquets perchés sur la tête. Elles s'employèrent immédiatement à préparer le repas. Leurs babillages et leurs rires mettaient une note de gaieté dans cette caverne lugubre, et bientôt l'odeur de la nourriture et du feu de bois acheva de dégeler l'atmosphère.

— Il faut que tu manges avec les femmes, expliqua Craig à Sally-Ann. Sinon le père de Sarah...

— J'ai compris. On dirait un vieux monsieur charmant, mais dans le fond, c'est un phallocrate éhonté — comme les autres.

Les trois hommes se passèrent le pot à bière. Au centre de leur cercle trônait un bol où ils piochaient à tour de rôle. Entre deux bouchées, Vusamanzi s'adressa à Tungata :

— Les esprits ont empêché notre première rencontre, *Nkosi.* Mais ils ont voulu que maintenant nous soyons enfin réunis.

Il décocha vers Craig un regard significatif.

— Il y a des choses très importantes dont nous devons discuter.

— Tu dis que les esprits ont voulu cette réunion, répondit Tungata. Peut-être, mais sans mon ami blanc elle n'aurait pas eu lieu. Avec sa femme, ils ont risqué leur vie pour me sauver.

— Bien sûr, concéda le vieux. Mais c'est tout de même un Blanc.

— Sa famille habite ce pays depuis plus de cent ans.

— Tu te portes garant de lui, *Nkosi?*

— Parle, *kehla.* Nous sommes entre amis.

Le sorcier soupira, expédia une boule de semoule dans sa bouche, et riva brusquement le regard sur Tungata.

— Tu es le gardien de la tombe du vieux roi, n'est-ce pas ?

Les yeux de Tungata se voilèrent.

— Que connais-tu de ces choses-là, vieil homme?

— Je sais qu'on amène les fils de la maison de Kumalo à la sépulture, quand ils sont en âge, et qu'on leur demande de jurer le secret.

— Peut-être...

— Tu connais la prophétie?

— « Quand la tribu en aura besoin, l'esprit du roi apparaîtra pour lui venir en aide?»

— «L'esprit jaillira comme le feu», corrigea le sorcier.

— Le feu de Lobengula, oui.

— Et la suite? Connais-tu la suite, fils de Kumalo? La prophétie dit : «Le fils du léopard commencera par briser un serment, puis il brisera ses chaînes. Il commencera par voler comme l'aigle, puis il nagera comme le poisson. Quand se réaliseront ces merveilles, alors le feu de Lobengula jaillira des profondeurs pour secourir son peuple.»

Un moment de silence gêné accueillit ce rébus.

— La peau de léopard est l'apanage de la maison royale, rappela Vusamanzi.

Tungata émit un grognement peu convaincu.

— J'ignore si tu as brisé un serment, continuait le vieux, mais tu as brisé les chaînes des Shona.

— Hé, hé!

Le «fils du léopard» restait impassible.

— Tu t'es échappé dans un *indeki,* comme un aigle.

Nouveau grognement de la part de Tungata, qui se pencha vers Craig pour murmurer en anglais :

— L'avantage de ces prophéties, c'est qu'on peut les adapter à n'importe quel événement. Elles s'enrichissent de nouvelles significations à chaque fois. Merveilleux!

Il revint au ndébélé pour continuer :

— Tu es sage, *kehla.* Pourtant, je dois te prévenir que je ne sais pas nager. Non seulement ça, mais la seule chose que je craigne vraiment, c'est l'eau! Il te faudra chercher un autre poisson.

Vusamanzi essuya la graisse sur ses lèvres d'un air parfaitement satisfait.

— Autre chose, poursuivit Tungata : j'ai visité la tombe de Lobengula. Elle est vide. La prophétie n'a donc plus aucun sens depuis longtemps.

Le vieux sorcier ne parut absolument pas déconcerté par cette révélation. Le plus calmement du monde, il défit le bouchon de la corne à tabac qui pendait à son cou.

— Si tu as visité la tombe, alors tu as brisé ton serment, souligna-t-il, un éclair malicieux dans ses yeux. Je me trompe?

Sans attendre la réponse, il versa une rasade de tabac dans sa paume et aspira bruyamment la poudre rouge dans ses narines. Puis il éternua, un sourire extatique plissa son vieux visage et des larmes coulèrent sur la peau ridée de ses joues.

— Si les esprits ont voulu que tu brises le serment, *Nkosi,* tu n'as rien à te reprocher. Maintenant, laisse-moi t'expliquer pourquoi la tombe était vide.

Il marqua une pause, et parut changer radicalement de sujet.

— Avez-vous entendu parler d'un homme qui s'appelait Taka-Taka ?

— Sir Ralph Ballantyne, fit Craig en hochant la tête. L'un des lieutenants de Cecil Rhodes, et chef du premier gouvernement de Rhodésie.

— Taka-Taka était un célèbre soldat blanc, dit Tungata. Il s'est battu contre les *impis* de Lobengula. Tu as devant toi son arrière-petit-fils, mon ami *Pupho.*

Il assortit le surnom d'un signe de tête vers Craig.

— C'est bien lui.

Vusamanzi essuyait ses larmes d'un geste du pouce.

— Taka-Taka, le pilleur de sanctuaires. Celui qui a volé les oiseaux de pierre du Grand Zimbabwe. Celui qui a pénétré dans les collines pour profaner la sépulture de Lobengula, et pour s'approprier les pierres de feu.

Craig se pencha, étonné.

— J'ai lu le récit de la vie de Taka-Taka, écrit de sa propre main. Et nulle part il ne parle de la tombe du roi...

Le vieux l'interrompit en claquant la langue.

— Pas si vite, *Pupho.* Dis-nous, fils de Kumalo, que sais-tu des pierres de feu ?

— Pas grand-chose, dit Tungata, prudent. On m'a parlé d'un trésor immense, cinq jarres remplies de diamants...

Craig était sur des charbons ardents.

— Un trésor que Sir Ralph aurait volé ?

Vusamanzi le fusilla du regard.

— Tu devrais rejoindre le coin des femmes, *Pupho.* Tu pourrais bavarder tout ton soûl.

Craig ravala son sourire, et se tut bien sagement. Le vieux arrangea dignement sa cape avant de continuer :

— Après la mort de Lobengula, un *induna* du nom de Gandang...

— Mon arrière-arrière-grand-père, murmura Tungata.

— Ton arrière-arrière-grand-père, oui, enferma le trésor du roi avec lui dans sa tombe et ramena la tribu vers les Blancs. Pourtant il laissait un homme en arrière, pour garder la sépulture avec ses femmes et ses fils. Un homme qui s'appelait Insutsha, la Flèche, un très grand magicien. C'était mon grand-père.

Le sorcier savoura son petit coup de théâtre.

— Eh oui ! Voyez la marque des esprits : nous sommes tous les trois liés par le sang de nos pères. Gandang, Taka-Taka et Insutsha.

— Invraisemblable ! siffla Craig.

— Or ce Taka-Taka était un fameux gredin, reprit le vieillard avec un regard lourd de sens en direction du trublion. Teigneux comme la hyène, et vorace comme le vautour. Il connaissait la légende des pierres de feu. En rôdant autour des hommes de Gandang, il finit par trouver un traître — un chien qui n'était pas digne de ceux de sa race, et qui se laissa acheter. Je ne souillerai pas ma bouche en prononçant son nom, mais je crache sur sa mémoire.

Le crachat de Vusamanzi heurta les braises dans un sifflement retentissant.

— Le chien accepta de conduire Taka-Taka au tombeau du roi. Mais avant qu'ils puissent se mettre en route, il y eut une grande guerre parmi les Blancs. Taka-Taka monta au nord pour se battre contre Hamba-Hamba, « celui qui marche ici et là et qu'on n'attrape jamais ».

— Von Lettow-Vorbeck, traduisit Craig, commandant des forces allemandes en Afrique en 14-18.

— A la fin de la guerre Taka-Taka rappela sa promesse au traître, et ils s'enfoncèrent dans les montagnes — cinq hommes blancs, et le chien matabélé. Pendant vingt-huit jours ils cherchèrent : le chien ne se souvenait pas de l'endroit exact. Avec son museau de hyène, Taka-Taka finit pourtant par flairer la tombe. A l'intérieur, ils trouvèrent le chariot, les armes, mais pas trace du corps du roi... ni des cinq jarres de pierres.

Tungata, qui s'attendait à des révélations plus fracassantes, interrompit le récit.

— Je te l'ai déjà dit... !

Mais le vieillard poursuivit, comme s'il était sourd :

— On dit que la rage de Taka-Taka était comme une tempête. Qu'il rugissait comme un lion, que son visage devint rouge, bleu, et finalement noir. On dit qu'il piétinait son chapeau, qu'il voulait tuer le traître immédiatement, mais que les autres le retenaient. Il attacha le chien à un arbre, et le battit avec un *kiboko* jusqu'à ce que ses côtes sortent de son dos. Pour finir, braillant comme un éléphant en rut, il quitta les montagnes pour ne plus jamais revenir.

— C'est une belle histoire, fit Tungata en bâillant. Mais il se fait tard...

— L'histoire ne se termine pas là, dit Vusamanzi d'un air vexé.

— Il y a une suite ?

— Plus qu'une suite. C'est en fait ici que l'histoire commence. Mais il nous faut d'abord revenir en arrière, au moment où les Blancs arrivent dans les montagnes pour entamer leurs recherches. Tout de suite, mon grand-père Insutsha s'était méfié. Taka-Taka devait préparer quelque chose. Il envoya donc trois de ses femmes les plus jolies au camp des Blancs avec des présents, des œufs, du lait caillé. A leurs questions, Taka-Taka répondit qu'il venait dans la région pour chasser le rhinocéros.

Vusamanzi s'interrompit, fixa Craig et précisa :

— Taka-Taka avait aussi une réputation de menteur épouvantable. La plus belle des femmes attendit donc le chien matabélé à l'endroit de la rivière où il se baignait. Sous l'eau, elle caressa cette chose dont on dit que plus elle durcit, plus s'amollit la cervelle de celui qui la porte. On dit aussi que plus elle frétille, plus frétille sa langue. Avec les doigts de la femme sur son glaive, le chien déballa des promesses de richesses, de diamants et d'or.

Le vieux sorcier captait à nouveau l'attention de son auditoire.

— En apprenant que Taka-Taka venait profaner le tombeau du roi et piller ses richesses, mon grand-père fut plongé dans la plus grande détresse. Il jeûna, veilla longuement, lança les os, consulta l'oracle des eaux, et appela enfin près de lui ses quatre disciples. L'un d'eux était mon père. A la pleine lune, ils ouvrirent la sépulture, offrirent un sacrifice pour apaiser le fantôme du roi et emportèrent son corps, avant de refermer la tombe. Lobengula fut transféré dans un lieu sûr, avec ses jarres de pierres brillantes. Quoiqu'ils aient brisé un des pots dans leur hâte, c'est ce que racontait mon père, et qu'ils aient ramassé les cailloux dans un sac de peau de zèbre...

— Ils ont aussi oublié un diamant, murmura Tungata.

— Peut-être, fit Vusamanzi en le lorgnant d'un œil matois. Maintenant tu peux aller dormir, *Nkosi.* Quoi ! Tu veux en savoir plus ? Mais il n'y a rien à ajouter !

— A moins, noble et révéré *kehla,* que tu ne connaisses l'emplacement de la nouvelle sépulture ?

Le vieux sorcier eut un sourire finaud.

— C'est un plaisir de trouver tant de respect pour les anciens chez un jeune homme, de nos jours. Eh bien, oui, fils de Kumalo, je connais l'emplacement du corps du roi !

— Tu pourrais nous y conduire ?

— Ne t'ai-je pas dit que l'endroit où nous sommes est sacré ?

Vusamanzi gloussait devant leurs mines déconfites, en serrant ses genoux osseux.

— Demain matin je vous guiderai jusqu'au lieu du tombeau. Mais maintenant j'ai trop parlé. Ma gorge est sèche. Passez donc le pot à bière à un vieil homme qui l'a bien mérité.

Quand Craig ouvrit les yeux, les premiers rayons du jour baignaient le dôme de la grotte d'une luminescence laiteuse que la fumée teintait de bleu. Au-dessus de l'âtre, les filles préparaient déjà le petit déjeuner.

Pendant le repas, il arracha au vieux Vusamanzi la permission de leur raconter les tribulations du corps de Lobengula. Alléchées, elles voulurent se joindre à l'expédition.

— Ce n'est pas la place des femmes, bougonna le vieux.

Mais Sarah lui fit ses sourires les plus doux, chuchota à

son oreille en caressant sa toison blanche, et après une dernière démonstration de mauvaise grâce il finit par céder.

Dans une galerie en cul-de-sac, le vieux sorcier délogea une dalle pour découvrir une cache. Il y pêcha une lampe, deux haches et trois rouleaux de corde de nylon — article dont il était très fier.

— Cette corde a été libérée par nos mains de l'armée de Smithy, fit-il, très digne.

— Une date dans l'histoire de la liberté, murmura Craig, et Sally-Ann le fit taire d'un froncement de sourcil.

Ils s'échelonnèrent en file indienne dans un passage étroit. Craig fermait la marche, une lampe à la main.

Le couloir sinuait, s'amincissait, bifurquait en croisements innombrables où leur guide n'hésitait pas une seconde. Craig marquait soigneusement leur passage en grattant la pierre d'un coup de couteau.

Le réseau de tunnels et de grottes était un labyrinthe en trois dimensions. Les infiltrations, le ruissellement avaient perforé le calcaire, miné les collines pour y creuser un véritable gruyère. Ils escaladaient des éboulis, grimpaient des escaliers que l'eau avait sculptés dans la roche. Craig balisait tous les carrefours, tous les méandres de leur périple. L'air humide, froid, moisi était infesté par l'odeur du guano. Un carrousel d'ailes battait parfois au-dessus de leurs têtes, et le couinement suraigu des chauves-souris résonnait sous les voûtes.

Au bout de vingt minutes, ils arrivèrent à un à-pic de craie si profond que la lampe n'éclairait pas le fond. Vusamanzi noua sa corde à un piton et ils se coulèrent un par un sur un palier, vingt mètres plus bas.

C'était une fracture verticale dans la formation rocheuse où deux blocs, en glissant, avaient entaillé une fissure qui s'ouvrait sur les profondeurs de la terre, si mince qu'on pouvait en toucher les deux parois. A la lumière de sa lampe, Craig distinguait une forêt d'yeux sur le plafond du gouffre : les chauves-souris qui pendaient, inertes, la tête en bas.

Ils déroulèrent la deuxième corde. La faille s'élargissait. Le plafond se perdait dans l'ombre au-dessus d'eux. La falaise dégringolait toujours. En bas, Vusamanzi s'était arrêté sur une dalle. Dans l'auréole de sa lanterne, il ressemblait à un Moïse noir descendu de son Sinaï.

— Qu'est-ce qui se passe ? cria Craig.

— Descends ! ordonna Tungata, et il se laissa glisser sur la pente.

La dalle dominait la surface immobile d'un petit lac souterrain.

— Alors ? demanda Sally-Ann. Qu'est-ce qu'on fait ?

Une étrange émotion vibrait dans sa voix.

Le lac remplissait le fond du gouffre. La face opposée de la faille tombait, oblique, pour se perdre dans le bassin.

Pour la première fois, Craig se servit de sa torche. Il la braqua sur la surface. L'eau était claire comme un torrent à truites. On voyait la dalle s'incliner, et disparaître dans les profondeurs cristallines. Il éteignit sa torche, pour économiser les piles, et posa la main sur l'épaule de Tungata.

— Tu vois, Sam. Voilà une bonne occasion de jouer au poisson.

Le rire de Tungata sonnait étrangement faux.

— Où allons-nous maintenant, *kehla ?*

— A l'époque où mon grand-père et mon père descendirent ici pour sauver le corps du roi, la sécheresse durait depuis des années. Le niveau du lac était beaucoup plus bas. Au fond, par là...

Le vieux eut un geste vague.

— ... commence une autre galerie. C'est là qu'ils ont placé le corps. Depuis, les pluies ont bien voulu bénir notre pays, et chaque année le niveau a monté. La première fois que mon père m'a amené, l'eau atteignait tout juste le rocher pointu...

Craig fit cligner brièvement sa torche, et dans le faisceau de lumière l'arête fracturée d'un bloc calcaire apparut, à dix mètres sous la surface.

— Mais déjà la tombe était noyée.

— Donc tu ne l'as jamais vue ?

— Jamais. Mon père me l'a décrite, c'est tout.

Craig s'agenouilla, et trempa la main dans l'eau. Elle était si froide qu'il frissonna, et la retira précipitamment. Quand il releva les yeux, Tungata l'observait, une lueur amusée dans le regard.

— Je te vois venir, frère Kumalo. Je sais très exactement à quoi tu penses. Eh bien, non ! Ne compte pas sur moi !

— Mais je ne sais pas nager, frère *Pupho.* Et puis si on t'encorde, il ne peut rien t'arriver.

— Tu sais où tu peux te la mettre, ta corde ?

— Ta torche est étanche. Elle te guidera...

— Et voilà ! La règle d'or de l'Africain : quand tout le monde se défile, va voir le Blanc.

— Rappelle-toi : tu as traversé le Limpopo un jour, pour une caisse de bière !

— J'étais soûl.

Craig chercha un appui du côté de Sally-Ann. Mal lui en prit.

— Il y a des crocos dans le Limpopo, remarqua-t-elle, pas ici.

Vaincu, il commença lentement à déboutonner sa chemise. Ils le regardèrent avec intérêt défaire sa prothèse et la ranger soigneusement. Perché sur un pied, il attendait que Tungata lui noue sa corde à la taille.

— *Pupho,* tu tiens vraiment à mouiller ton slip ?

— Sarah, fit Craig, laconique, en coulant vers elle un regard gêné.

— La nudité n'a jamais choqué les Matabélé.

— Laisse-le donc garder ses petits secrets ! protesta la jeune Noire.

Il eut une vision d'elle, nue, sous le pont, et s'assit piteusement sur la dalle pour retirer son slip et le balancer sur la pile de vêtements. Puis il se glissa dans l'eau en grelottant.

— Toutes les soixante secondes, donne deux coups sur la corde. Au bout de trois minutes, tire-moi à la surface. D'accord ?

— D'accord.

Il se laissa flotter et commença à hyperventiler, actionnant ses poumons comme une pompe, les purgeant de leur dioxyde de carbone. C'était un exercice dangereux — un plongeur inexpérimenté pouvait succomber au manque d'oxygène avant que l'accumulation de CO_2 ne déclenche à nouveau le réflexe respiratoire. Il inspira à fond, bascula la tête la première et se coula en souplesse dans l'eau glacée.

Sa vision se déformait. La torche braquée sur le fond, il sentait la pression bloquer ses oreilles, grincer contre ses tympans.

Il atteignit l'arête de calcaire, et continua sa descente. Il coulait plus facilement maintenant ; l'eau comprimait ses poumons. La dalle de craie défilait sous ses yeux dans un brouillard myope, et ne montrait toujours pas la moindre trace d'ouverture.

Une double secousse tendit sa corde : une minute venait de s'écouler. C'est alors qu'il vit l'entrée du tombeau, un peu plus bas. C'était une cavité circulaire percée dans la falaise, comme une orbite béante dans un crâne humain.

Il descendit, et s'accrocha d'une main à l'ouverture pour se hisser dans le trou. L'entrée de la cavité était assez large pour qu'il y pénètre courbé en deux. Il tâta les murs, polis par la caresse de l'eau, couverts d'un mince vernis gluant. C'était sans doute une galerie de drainage qui débouchait en surface, forée par les infiltrations des collines.

Il eut brusquement peur. Il y avait quelque chose de menaçant, d'hostile dans ce couloir obscur. Il leva les yeux vers la surface. Là-haut, la lueur affaiblie de la lampe rayonnait d'un éclat glauque, sous dix mètres au moins d'eau glaciale. Paniqué, il dut se retenir pour ne pas remonter en moulinant frénétiquement des bras. Un premier réflexe d'inspiration s'agita dans ses poumons.

Quelque chose tirait sa taille. Il resta un instant figé, en proie à une vague de terreur invraisemblable, avant de se rendre compte que c'était le signal. Deux minutes — bientôt la limite de sa résistance.

Il se força à pénétrer dans l'entrée. La galerie s'incurvait en douceur vers le haut, comme un siphon. Il nagea quelques mètres. Dans le faisceau de sa torche l'eau devenait trouble, épaisse, peuplée par les sédiments qui se soulevaient en nuages sous ses pieds.

Le passage s'arrêtait brusquement. Il caressa la roche rugueuse du plat de la main. Ses poumons s'affolaient, protestaient, ses oreilles sifflaient, un vertige hypnotique dansait devant ses yeux mais il s'obstinait à inspecter l'impasse, en faisant courir ses doigts sur la pierre.

C'était un mur, un empilement de blocs de calcaire maçonnés pour boucher le passage. Les sorciers avaient scellé la tombe de leur roi, et les quelques secondes qui lui restaient lui permirent tout juste de s'apercevoir qu'ils n'avaient pas fait les choses à moitié.

Ses doigts butèrent contre un objet métallique, au pied du mur. Il le prit, et fit demi-tour en hâte pour s'enfiler vers l'entrée du couloir, habité par une panique grandissante, à la limite de l'étouffement.

Il déboucha dans la grande faille. Au-dessus de lui la lampe brillait. Il se propulsa vers le haut. Ses sens vacillaient comme la flamme d'une bougie, des plaques d'ombre et de lumière défilaient devant ses yeux, et il sentait les premières atteintes d'une léthargie mortelle engourdir ses mains, transformer ses pieds en blocs de plomb.

La corde se tendit brusquement dans une secousse. Trois minutes. Tungata le hissait vers la surface. L'auréole de la lampe tourbillonnait : il remontait en vrille au bout de sa corde. Incapable de se retenir, il inspira — l'eau glacée pénétra ses poumons, trancha dans ses bronches comme un rasoir.

Il explosa à la surface. Dans l'eau jusqu'à la taille, Tungata le cueillit sous les bras et le traîna sur le bord.

Craig s'effondra, plié comme un fœtus, parcouru de frissons violents, expectorant l'eau qui baignait ses poumons en toussant comme un damné.

Sally-Ann le roula sur le ventre pour appuyer les mains sur son dos et peser de tout son poids. Un flot de vomissures diluées jaillit de sa gorge. Puis son souffle se fit plus régulier, et il s'assit enfin en essuyant sa bouche. Sally-Ann avait enlevé sa chemise pour le frictionner vigoureusement. Des marbrures violacées marquaient sa peau.

— Comment tu te sens ?

— En pleine forme ! hoqueta-t-il. Rien de tel qu'un petit plongeon pour vous ravigoter !

— Il va bien, dit Tungata. S'il commence à ronchonner, c'est qu'il va bien.

Les tremblements cessaient peu à peu. Il enfilait son slip sous l'œil goguenard de Sarah quand il remarqua les taches de rouille que ses doigts laissaient sur le tissu. Le bout de métal qu'il avait trouvé au fond gisait sur la dalle.

— Un maillon de chaîne.

Accroupi dans son coin, Vusamanzi n'avait pas encore dit un mot. Il sortit enfin de son mutisme.

— La chaîne de l'attelage du roi. C'est avec elle que mon grand-père a descendu le corps.

— Alors tu as trouvé le tombeau ?

Pour tous, ce bout de métal oxydé rattachait miraculeusement la légende à la réalité.

— Je crois, oui.

Craig s'employait à fixer sa jambe.

— Mais on n'en saura jamais plus.

Ils gardaient les yeux rivés sur lui. Il fut secoué par une quinte, et reprit son souffle avant de continuer :

— Le passage existe, mais il est bouché. De gros blocs de calcaire tassés les uns sur les autres. Sans bouteilles, personne ne saura jamais ce qu'il y a de l'autre côté.

Sally-Ann boutonnait sa chemise mouillée sur son soutien-gorge blanc. Elle s'arrêta, et fixa sur lui un regard de défi.

— On ne va pas abandonner en cours de route, Craig chéri. On ne peut pas classer l'affaire alors qu'on est si près du but. Je m'en voudrais toute ma vie de ne pas avoir été jusqu'au bout.

— J'attends tes suggestions. Qui va nous sortir un scaphandre de sa poche ? Allez ! On peut aussi demander à Vusamanzi d'écarter les eaux. Pas cher : pour le prix d'une chèvre, on se paye notre Moïse et sa mer Rouge !

— Tu n'es pas drôle.

Craig ne répondit pas. Il se planta au bord du bassin, et laissa tomber le maillon rouillé dans le fond.

— Voilà, Lobengula, « Celui qui file comme le vent ». Dors bien. Garde tes cailloux brillants, va. Et *shala gashle,* reste en paix.

La remontée dans le labyrinthe de galeries et de cavités fut une procession silencieuse et déçue. Pourtant Craig vérifiait ses repères, et refaisait des marques à chaque croisement au fur et à mesure qu'ils défilaient.

Dans la grande grotte, il suffit de quelques minutes pour ranimer les braises de leur feu et faire bouillir une casserole d'eau.

Le thé fort, liquoreux, eut raison des derniers frissons de Craig, et leur redonna du courage.

— Je dois rentrer au village, dit Vusamanzi. Si les soldats ne me trouvaient pas, ils auraient des soupçons, ils commenceraient à torturer mes femmes. Il faut que je sois là pour les protéger, car même les Shona craignent ma magie.

Il rassembla sa sacoche, sa cape et sa canne tarabiscotée.

— Restez dans cette grotte. Ne bougez pas. Si vous mettez un pied dehors, ils risquent de vous découvrir. Vous avez de la nourriture, de l'eau, du bois pour le feu, des couvertures et de la paraffine pour les lampes; aucun besoin de sortir. Après-demain mes femmes vous apporteront à manger, et des nouvelles fraîches.

Il s'agenouilla devant Tungata.

— Reste en paix, grand prince Kumalo. Mon cœur me dit que tu es le fils du léopard dont parle la prophétie, et que tu trouveras un moyen pour libérer l'esprit de Lobengula.

— Je rapporterai peut-être un jour les machines nécessaires pour atteindre le tombeau.

— Peut-être, acquiesça Vusamanzi. Je vais offrir des sacrifices et consulter les esprits. Ils me montreront le chemin, si telle est leur volonté.

A l'entrée de la grotte, il se retourna une dernière fois.

— Quand il n'y aura plus de danger, je reviendrai. Restez en paix, mes enfants.

Et il disparut.

— Quelque chose me dit qu'on en a pour un moment, soupira Craig. Et ce moment, j'aimerais mieux le passer ailleurs qu'ici.

En effet, leur refuge devint vite une prison. Rien à lire, rien pour écrire, et pas grand-chose à faire. Pour tromper l'ennui, Sarah entreprit d'apprendre le ndébélé à Sally-Ann. Elle faisait des progrès fulgurants.

Tungata récupérait. Il s'étoffait. Ses croûtes se cicatrisaient. C'était souvent lui qui animait leurs interminables discussions autour du feu, et cet irrésistible sens de l'humour dont Craig avait gardé le souvenir refaisait surface.

— Ne crache pas sur l'apartheid, *Pendula.* (Il avait donné à Sally-Ann un surnom matabélé : « Celle qui trouve toujours le moyen de répondre ».) L'Afrique du Sud détient le seul moyen d'unir toutes les tribus autour d'un même slogan. Il suffit que quelqu'un se lève et crie : « Vive l'apartheid, vive les Boers ! » pour que tout le monde arrête de se taper dessus en proclamant qu'on est tous frères.

— J'aimerais te voir faire ce discours à l'Organisation de l'unité africaine.

— Ça les secouerait un peu. Je vais soumettre un mot d'ordre : embrassez un Afrikander par jour.

Parfois, pourtant, le ton de la discussion se faisait plus austère.

— C'est comme l'Irlande du Nord, ou la Palestine — mais mille fois plus complexe. Ce conflit qui nous oppose aux Shona est un microcosme du mal qui mine l'Afrique tout entière.

— Tu vois une solution ?

— Revenir aux frontières tribales, aux frontières d'avant la colonisation ? Après les drames qui ont ensanglanté la séparation de l'Inde et du Pakistan, il paraît difficile d'envisager cette solution. D'autant que le respect du découpage hérité des Blancs est à la base du credo de l'OUA. Un gouvernement fédéral peut-être, plus ou moins basé sur le modèle américain, avec des Etats autonomes gérant un territoire de provinces ethniques.

Deux jours de suite, leurs conversations furent interrompues par un bruit caractéristique en provenance du monde extérieur : le rugissement haché, puissant, d'un rotor d'hélicoptère qui battait l'air à plein régime. Dehors, la chasse à l'homme était encore ouverte.

Tous les deux jours, ou plutôt toutes les deux nuits, pour éviter de trahir leur manège, les femmes de Vusamanzi leur apportaient des provisions et des nouvelles. Comme promis.

La 3e brigade avait débarqué au village. Impressionnés par

la réputation de Vusamanzi, les soldats n'avaient tué que quelques poulets — mais en jurant de revenir.

Une immense battue quadrillait tout le pays. Des centaines de fugitifs du camp de Tuti avaient ainsi été repris. On les avait vus entassés dans des camions, enchaînés.

Les Shona, apparemment, n'avaient toujours pas repéré l'épave du Cessna.

Nouvelles peu réjouissantes, et Craig devait déployer toutes les ressources de son art de conteur, toutes ses pitreries, pour égayer l'atmosphère sinistre qui régnait dans la grotte. Ils revenaient régulièrement à leur sujet de conversation préféré : le tombeau de Lobengula, et les fabuleux trésors qu'ils y découvriraient si seulement...

Il y avait toujours beaucoup de « si » dans leurs discussions. Sally-Ann en inaugura une nouvelle série en demandant à Tungata :

— Dis-moi, Sam, si vraiment ce trésor existait, et si on pouvait l'atteindre, et si on y découvrait réellement tout ce qu'on espère y découvrir, qu'est-ce que tu en ferais ?

— Je ferais en sorte qu'il soit considéré comme appartenant au peuple matabélé. Il faudrait pour cela le placer sous tutelle, et l'utiliser pour améliorer notre crédibilité politique. En termes plus concrets, un négociateur avec ce genre d'assises financières aurait sûrement moins de mal à se faire entendre du Foreign Office britannique, ou du Département d'Etat américain. Le gouvernement de Harare devrait en tenir compte. Les options qui nous sont maintenant fermées deviendraient accessibles.

— On pourrait l'utiliser aussi pour financer des programmes sociaux, intervint Sarah, oubliant sa réserve habituelle. Santé, éducation, amélioration du statut de la femme...

— Créer une assistance aux petits cultivateurs pour aider aux investissements en machines, mettre sur pied un vrai programme d'élevage, racheter des terres pour agrandir les Tribal Trustlands...

— Craig ?

Sally-Ann posa la main sur sa cuisse.

— Il n'y a aucun moyen d'entrer dans cette tombe, vraiment?

— Ma brunette adorée, pour la centième fois, je pourrais me tuer à l'ouvrage que j'arriverais tout juste à desceller deux, peut-être trois blocs. Au quatrième, je resterais au fond.

— Bon sang, mais c'est pas possible!

Elle se leva d'un bond, et commença à arpenter rageusement la grotte.

— Il faut réagir, nom d'une pipe! Si on ne se remue pas un peu, je sens que je vais devenir folle. J'ai l'impression d'étouffer ici! Il me faudrait un bon bol d'oxygène... On ne peut pas sortir cinq minutes? Non, évidemment.

Cette nuit-là, sur leur matelas d'herbes coupées, Craig n'arrivait pas à dormir. Quelque chose d'impalpable harcelait son subconscient, et les non-événements de la journée cavalcadaient dans sa tête dans un tohu-bohu d'images et de bribes de conversation. Pour finir, il fit appel au vieux truc qui consiste à vider son esprit, imaginer une corbeille à papiers et, à mesure que les pensées viennent, les déchirer, les froisser et les balancer dedans.

— Bon Dieu!

Il s'assit d'un bond. Sally-Ann sursauta et se campa sur un coude en écartant les cheveux de ses yeux.

— Qu'est-ce qui se passe? cria Tungata, à l'autre bout de la grotte.

— Oxygène! Sally-Ann a dit : «Il me faudrait un bon bol d'oxygène!»

— Et alors! fit Sally-Ann, la voix encore pâteuse.

Il la secoua par les épaules.

— Debout, allez! Oxygène : le Cessna est équipé pour le vol en haute altitude, non?

— Seigneur, c'est vrai!

— Gilets de sauvetage : tu en as?

— Oui. On m'en a installé quand je faisais mes vols d'observation sur les flamants au-dessus du lac Tanganyika.

— Et ton inhalateur d'oxygène, il est équipé d'un système de recyclage?

— Oui.

— *Pupho!*

Tungata s'approchait, une lampe à la main, avec Sarah sur les talons, nue, qui le suivait d'un pas traînant comme un chiot ensommeillé.

— *Pupho,* qu'est-ce qui te prend?

Craig enfilait déjà son pantalon.

— Sam, mon pote, on va aller se promener, toi et moi.

— Maintenant?

— Maintenant, oui. Tant qu'il fait encore nuit.

Il y avait assez de lune pour éclairer leur route jusqu'au village de Vusamanzi. Ils laissèrent le kopje sur la gauche. Un chien aboya sur leur passage.

L'aube les surprit en chemin. A deux reprises, il leur fallut se cacher. La première fois ils faillirent foncer tête baissée dans une patrouille en tenue de camouflage. Tungata, qui ouvrait la marche, adressa à Craig le signal du danger. Terrés dans l'herbe à éléphant qui longeait la piste, ils regardèrent les soldats défiler sans un bruit. Après l'alerte, Craig sentit son cœur tambouriner follement. Ses mains tremblaient.

— Je n'ai plus l'âge pour ces choses-là.

La deuxième fois, la pulsation vibrante des rotors d'un hélicoptère les avertit. Ils plongèrent dans une ravine. La machine disgracieuse glissa comme une libellule le long de la pente et continua vers la vallée. Dans l'habitacle, les casques d'un commando de soldats pullulaient comme une colonie de champignons vénéneux.

Ils découvrirent trop tard qu'ils avaient dépassé l'endroit où ils devaient bifurquer vers le Cessna, et perdirent une bonne heure à tâtonner dans la brousse. L'après-midi était bien avancé quand ils abordèrent le site de l'épave.

Ils s'approchèrent prudemment, explorèrent d'abord les environs, s'assurèrent que l'endroit n'avait pas été découvert et ne servait pas d'appât à une souricière, avant de s'aventurer enfin. L'avion était là, exactement dans l'état où ils l'avaient laissé.

Tungata escalada le flanc de la vallée pour monter la garde avec son AK 47 pendant que Craig démontait le matériel qu'ils étaient venus chercher. Les quatre gilets gonflables se trouvaient sous les sièges. D'excellente qualité, en nylon pré-imprégné, avec chacun une cartouche de CO_2 et une valve à sens unique pour bloquer la soupape en fin de gonflage, sur la bavette du col. Un sifflet pendait sur le devant et, béni soit le fabricant, une lampe de secours alimentée par une pile étanche était logée dans le nylon de la bavette. Sous le siège du pilote — autre bénédiction —, il découvrit une trousse de réparation pour les gilets, avec ciseaux, limes et deux tubes de résine époxy.

Les bouteilles d'oxygène étaient boulonnées sur un longeron à l'arrière du cockpit. Il y en avait trois, de deux litres chacune. Des tubes de plastique flexible couraient derrière les panneaux de la cabine pour aboutir à chaque siège, équipés d'un masque à double valve. L'utilisateur inspirait et expirait un mélange de vapeur d'eau, de dioxyde de carbone et d'oxygène qui repartait jusqu'à deux caissons sous le plancher. Dans le premier, un colloïde de silice filtrait la vapeur d'eau. Dans l'autre, un concentré de soude vidangeait le gaz carbonique et recyclait l'oxygène purifié vers les masques. Quand la pression du système atteignait le seuil de l'atmosphère ambiante, les trois bouteilles rétablissaient automatiquement l'équilibre. Un assortiment de canules, coudes et pièces en T en aluminium assurait les branchements.

Craig démantela le circuit et entassa les pièces dans les housses de toile robuste qui recouvraient les sièges, qu'il transforma en sacs pour l'occasion.

Il faisait nuit quand il siffla Tungata. Ils empoignèrent chacun un ballot et reprirent leur chemin en sens inverse.

En débouchant sur la piste, ils passèrent près d'une demi-heure à balayer leurs traces et à dissimuler les signes de leur passage.

— Tu crois que ça ira? fit Craig, peu convaincu.

— On ne peut pas faire mieux.

L'aube venait de se lever quand ils retrouvèrent enfin la sécurité de la grotte.

⁂

Le sergent shona était debout depuis trente-trois heures. Trente-trois heures de patrouille, et pas une seconde de repos. La veille ils avaient échangé quelques coups de feu avec un groupe de détenus évadés. L'accrochage avait duré trois minutes à peine, puis les Matabélé s'étaient dispersés. A la tête de cinq hommes, le sergent en avait pisté une partie toute la journée, et les avait perdus sur l'escarpement du Zambèze. Maintenant il ramenait ses troupes.

Malgré sa fatigue, il gardait tous ses sens en éveil. Il marchait d'un pas élastique en inspectant les abords du chemin, et sous son chapeau de brousse le blanc de ses yeux luisait d'un éclat vif.

D'un geste de la main il donna brusquement l'ordre à ses hommes de se déployer, et tout en braquant son AK 47 pour couvrir son flanc gauche en plongeant à couvert, il entendit ses soldats se tapir en éventail derrière lui. Il examina les signes imperceptibles qui l'avaient alerté. C'était un bouquet d'herbe à éléphant à l'écart de la piste. Les tiges avaient été cassées, et redressées. Certaines commençaient à piquer du nez. Exactement le genre d'indice qui pouvait trahir une embuscade.

Le sergent attendit deux minutes, allongé contre le talus, et comme rien ne se passait il courut dix mètres en avant, plié en deux, plongea à nouveau et roula deux fois sur le côté pour déconcerter un éventuel tireur.

Toujours rien. Il s'avança prudemment jusqu'au bouquet d'herbe, et siffla son pisteur.

Le pisteur fureta, s'éloigna, fouina et revint au rapport quelques minutes plus tard.

— Deux hommes. L'un d'eux marche en tirant légèrement sur la gauche. Ils sont passés entre six et huit heures avant nous.

Au creux d'une des traces, le petit piège conique d'un fourmilion lui permettait de dater approximativement l'empreinte.

— Après, je n'ai pas pu les suivre. Il est passé trop de monde sur le chemin.

— Puisqu'on ne peut pas les suivre, voyons si on peut retrouver d'où ils venaient.

Trois heures plus tard, ils débouchaient sur l'épave du Cessna.

Craig s'accorda quelques heures de sommeil avant de s'attaquer aux modifications qu'il voulait apporter à ses inhalateurs pour les adapter à la plongée. La pièce maîtresse de son système, c'était le « détendeur ». Autrement dit un gilet de sauvetage, gonflé avec l'oxygène des bouteilles.

Tout en s'affairant à brancher la valve sur le tuyau du masque, il expliquait :

— Par dix mètres de fond, la pression est supérieure à deux atmosphères. Rappelez-vous vos cours de physique, à l'école : une colonne d'eau de dix mètres est égale à une atmosphère. Ajoutez-y la pression de l'air en surface, vous avez deux atmosphères. D'accord ?

Un concert de grognements affirmatifs lui répondit.

— Bien ! Donc, pour que je puisse respirer normalement, il faut que l'oxygène arrive dans mes poumons à la même pression que l'eau autour de moi — dans le gilet, il sera forcément à la même pression. *Et voilà*[1] !

— Comme disait mon grand-père : si on en veut, c'est là-dedans qu'il en faut ! fit Sally-Ann en applaudissant.

— Dans ces deux boîtes, les produits filtrent la vapeur d'eau et le gaz carbonique, et renvoient l'oxygène purifié par ce tube.

Il soudait ses branchements à grand renfort d'époxy.

— Au fur et à mesure que mon détendeur se vide, je l'alimente en oxygène avec les bouteilles fixées sur mon dos. Comme ça…

Il assena un coup sur le robinet, et le gaz s'échappa dans un sifflement énergique.

1. En français dans le texte.

— Evidemment, il y a encore quelques problèmes.

Il travaillait à remodeler les masques pour les rendre plus étanches.

— Quel genre de problème? demanda Sally-Ann.

— La flottabilité, par exemple. Plus je viderai mon gilet et plus j'aurai tendance à couler, avec la bouteille qui me tirera vers le fond. Inversement, dès que je l'aurai rempli je grimperai comme un ludion.

— Alors, quel remède?

— Le lest. Il faudra que je me leste avec des pierres pour descendre jusqu'à la tombe. Une fois en bas, je m'attacherai.

Craig bricolait un harnais pour suspendre ses deux boîtes et sa bouteille. Il calcula ses réglages pour pouvoir facilement manipuler le robinet par-dessus son épaule.

— Mais la flottabilité n'est pas le problème le plus grave.

— Ha! Il y en a d'autres?

— Comme s'il en pleuvait, fit-il, les lèvres plissées dans un sourire désenchanté. Tu sais que quand on dépasse sept mètres, l'oxygène pur devient mortel si on le respire trop longtemps? Aussi dangereux que l'oxyde de carbone dans les gaz d'échappement d'une voiture.

— Qu'est-ce que tu peux faire contre ça?

— Pas grand-chose. Limiter la durée des plongées, et rester attentif aux réactions de mon organisme pendant que je travaille sur le mur.

— Tu ne peux pas te fixer un temps limite...?

— Trop compliqué. Il y a trop de paramètres à prendre en compte. La masse de mon corps, la profondeur exacte... Et puis l'effet se cumule d'une plongée à l'autre. A chaque fois ce sera plus risqué.

— Seigneur! Craig...

— Je tâcherai de remonter vite. Et on va convenir d'une série de signaux. Tu donneras un coup sur la corde toutes les minutes. Si ma réponse n'est pas immédiate, tire-moi en surface. L'hypoxie empoisonne graduellement. Ça nous laisse une marge.

Il carra son harnachement près du feu, pour que la résine sèche plus rapidement.

— Dès que les joints auront pris, on fera un essai.
— Dans combien de temps ?
— Pour le séchage de l'époxy, il faut compter vingt-quatre heures.
— Tant que ça ?
— Un peu de repos devrait accroître ma résistance à l'hypoxie. C'est toujours ça de pris.

La forêt était trop dense pour permettre à l'hélicoptère de se poser. Il bourdonna un moment au-dessus des arbres, et le treuil descendit le général Fungabera dans une trouée au cœur d'un moutonnement de verdure.

Peter tournait lentement au bout du câble d'acier. Le souffle des rotors secouait son treillis sur son torse noir. A deux mètres du sol il sauta de l'étrier pour atterrir en souplesse, comme un chat. Il rendit son salut au sergent shona qui l'attendait en bas, inspecta rapidement le décor et jeta un coup d'œil vers le haut comme le treuil descendait de nouveau.

Le colonel Bukharin portait une tenue de camouflage et un casque de para. Son visage exsangue paraissait parfaitement indifférent au soleil africain. Sa peau demeurait aussi pâle que son regard glacial, d'un bleu polaire. Il dédaigna la main que lui tendait le sergent et prit pied sur le sol. Aucun des trois hommes n'articula un mot avant d'atteindre le fuselage démantelé, recroquevillé, du Cessna.

— Il n'y a aucun doute ? demanda le Russe.
— L'immatriculation, ZS-KYA. Souvenez-vous que j'ai voyagé dans cet avion, dit le général en s'agenouillant pour examiner le ventre de l'appareil. Des trous de balles, tirées en rafale à la verticale.
— Aucun cadavre ?
— Non.

Peter Fungabera se redressa, et se pencha sur le cockpit.
— Pas de sang non plus. Et on a dévalisé les équipements de la cabine.
— Les tribus locales, sans doute.

— Peut-être. Mais ça m'étonnerait. Nos pisteurs ont examiné le terrain, et voici leur version des événements : après la chute de l'appareil, il y a douze jours, quatre personnes sont parties d'ici. Quatre personnes dont deux femmes, et un homme à la démarche irrégulière. Ensuite, dans les dernières trente-six heures, deux hommes sont revenus à l'épave. Les deux mêmes — mêmes empreintes, même façon de tirer la jambe gauche.

Bukharin hocha la tête.

— C'est à ce moment-là que l'avion a été dépouillé de ses inhalateurs d'oxygène et des housses de ses sièges. Les deux hommes sont repartis plus chargés qu'à l'arrivée, pour rejoindre le chemin qui coupe dans la vallée à six miles d'ici. Et là on perd leurs traces.

— Je vois.

Le Russe l'observait attentivement.

— Vos conclusions ?

— Il y a deux Noirs, et deux Blancs. Hommes et femmes. Le Noir est sans aucun doute possible Tungata Zebiwe — je l'ai reconnu.

— Votre désir de mettre la main sur lui vous joue peut-être des tours...

— Je le reconnaîtrais n'importe où.

— Même d'un avion ?

— N'importe où.

— Continuez.

— Je n'ai pas reconnu ses trois compagnons, mais l'appareil était vraisemblablement piloté par une certaine Mlle Jay, citoyenne américaine. Le Blanc est probablement son amant, un Anglais, auteur de romans populaires, qui a une jambe artificielle — ce qui expliquerait les empreintes. La femme noire m'est inconnue. Mais tous les trois sont sans importance. L'essentiel, c'est que Tungata Zebiwe soit vivant. Et désormais nous le savons.

— Nous savons aussi qu'il vous a filé entre les doigts.

— Ça ne durera pas.

Il se tourna vers le sergent.

— Tu as très bien fait. Très bien.

— *Mambo !*

— Ces chiens doivent se terrer dans le coin. Chez l'habitant, probablement.

— *Mambo !*

— Quel est le village le plus proche ?

— Le village de Vusamanzi, à deux vallées d'ici.

— Tu vas les encercler. Personne ne doit s'échapper. Pas un enfant, pas même une chèvre.

— *Mambo !*

— Et quand tu les tiendras, je viendrai surveiller les interrogatoires.

Il leur fallut trois voyages pour descendre au bassin l'équipement de Craig, les bouteilles de rechange, les lampes récupérées sur les gilets de sauvetage, quelques rondins et des couvertures pour réchauffer le plongeur, et une petite réserve de provisions.

Il était convenu que les deux filles se relaieraient en haut dans la grotte pour accueillir les messagères de Vusamanzi, et donner l'alerte si une patrouille shona tombait par malheur sur l'entrée de leur cachette.

Avant de faire un premier essai de plongée, les deux hommes explorèrent les galeries adjacentes pour chercher une position où ils pourraient se retrancher, au cas où une attaque des Shona les obligerait à se replier dans les profondeurs du labyrinthe.

Ni l'un ni l'autre n'osèrent le dire à voix haute, mais il n'y avait rien, aucune autre issue que les eaux glacées du bassin.

Sans un mot, Tungata rendit publique cette triste évidence en enveloppant quatre balles de 7,62 mm dans un lambeau de cuir et en fourrant le paquet dans une fissure du calcaire au bord du lac. Les deux filles suivaient ses gestes avec une fascination morbide, et bien que Craig s'efforçât de montrer une indifférence royale en vérifiant son équipement d'un air dégagé, le message était clair : ces balles étaient l'assurance finale contre la torture, la mutilation lente — une pour chacun d'entre eux.

— OK ! Voyons maintenant si cette machine infernale est aussi dangereuse qu'elle en a l'air.

Tungata souleva le harnachement. Craig s'accroupit, et passa la tête dans l'empiècement du col, comme dans un joug. Sally-Ann et Sarah installèrent la bouteille et les boîtes du système de recyclage sur son dos, et sanglèrent le tout avec des bandes de tissu taillées dans les housses. Craig tâta les nœuds. Si cet engin ne fonctionnait pas, il fallait qu'il puisse s'en débarrasser en vitesse.

Il pénétra enfin dans l'eau en frissonnant, boucla le masque sur son visage et remplit son détendeur à moitié. Puis, après avoir salué son public d'un signe du pouce, il se laissa glisser sous la surface.

Comme prévu, la flottabilité était le problème n° 1. La bouée d'oxygène qui se gonflait à son cou le roulait sur le dos comme un poisson crevé, et sa seule et unique jambe ne lui permettait pas de se rétablir. Il pataugea jusqu'à la dalle, et commença une interminable série d'expérimentations avec des pierres pour s'assurer un lest efficace. Impossible. La meilleure solution était encore de s'encombrer d'un bloc énorme qui l'expédierait au fond la tête la première. Une fois en bas, il suffirait qu'il le lâche pour remonter.

— En tout cas, mes joints sont étanches, annonça-t-il en émergeant. Et l'arrivée d'oxygène se fait bien. La flotte entre dans le masque, mais j'ai un truc pour le vidanger.

Il fit une démonstration en maintenant le nez de l'inhalateur, pour souffler comme un phoque dans la partie inférieure. L'eau cascada le long du caoutchouc.

— Tu comptes descendre à la tombe bientôt ?

— Maintenant, j'en ai bien peur.

— Comprenez-moi, fit Peter Fungabera avec un sourire doucereux. J'aimerais être un père pour vous. Pour moi, vous êtes comme mes enfants.

— Je ne comprends pas plus ton charabia shona que le caquetage des babouins, répondit Vusamanzi d'un air parfaitement courtois — et Fungabera se tourna vers le sergent en tapant du pied.

— Où est cet interprète ?

— Il arrive, *Mambo.*

En claquant sa badine sur sa cuisse, le général passa en revue les rangs dépenaillés de villageois que ses soldats avaient arrachés à leur sarclage dans les champs de maïs ou délogés des huttes. A part le vieux, il n'y avait que des femmes et des enfants. Certaines étaient aussi âgées que le sorcier, avec des calottes de cheveux blancs sur le crâne et des mamelles fanées qui s'étiraient jusqu'aux hanches, d'autres étaient encore assez jeunes pour enfanter, avec leur progéniture potelée sanglée sur leur dos ou accrochée à leurs jambes, les narines croûtées de morve, et les lèvres, le coin des yeux grouillant de mouches, et qui braquaient sur le général des regards insondables. Peter distribuait des sourires attendris.

— Mes petits canaris matabélé, nous allons vous entendre chanter avant la fin de la journée, promit-il d'une voix douce en tournant les talons.

A pas lents, il rejoignit le Russe qui attendait à l'ombre des huttes.

— Vous ne tirerez rien du vieux.

Bukharin ôta son fume-cigarette d'ébène d'entre ses dents et toussota en se couvrant la bouche.

— Il est desséché, au-delà de la douleur, au-delà de la souffrance. Regardez ses yeux. Fanatiques.

— Je sais. Ces *sangoma* sont capables de s'auto-hypnotiser.

Peter remonta la manche de son treillis d'un geste sec, et consulta sa montre.

— Mais où est cet interprète ?

Il fallut encore une heure avant que le renégat matabélé du camp de réhabilitation soit poussé sur le chemin qui montait de la vallée. Il tomba à genoux devant Fungabera en exhibant ses menottes.

— Debout ! Qu'on lui enlève les menottes. Amenez le vieux.

On tira Vusamanzi au centre du village.

— Dis-lui que je suis son père.

— *Mambo,* il répond que son père était un homme, pas une hyène.

— Dis-lui que je l'aime beaucoup, que j'aime beaucoup son peuple, mais qu'ils me déçoivent terriblement.

— *Mambo,* il répond qu'il est ravi.

— Dis-lui qu'il a menti à mes hommes.

— Il espère pouvoir recommencer.

— Je sais qu'il protège des ennemis cachés de l'Etat. Dis-lui.

— *Mambo,* il répond que Votre Honneur se trompe. L'Etat n'a pas d'ennemis cachés.

— Très bien. Adresse-toi aux autres maintenant. Explique-leur que je veux connaître la cachette des traîtres. Que si quelqu'un m'y conduit, il ne leur sera fait aucun mal.

Planté devant un auditoire silencieux, l'interprète débita son discours. Quand il eut terminé, ils le fixèrent d'un air buté. Un gosse se mit à brailler. Sa mère le cala sous son bras pour presser un mamelon gonflé dans sa bouche. Le silence retomba.

— Sergent !

Peter Fungabera aboya quelques ordres. On ficela les mains de Vusamanzi dans son dos. Un soldat fit un nœud coulant au bout d'une corde de nylon, qu'il balança sur la poutre d'un silo à maïs surélevé, au coin de la place. Ils campèrent le sorcier sous le silo, et glissèrent la boucle à son cou.

— Il suffit que quelqu'un collabore avec nous pour que ce supplice s'arrête immédiatement. Dis-leur.

L'interprète commença sa harangue, mais avant qu'il ait terminé, Vusamanzi couvrit sa voix.

— Je maudis quiconque adresse la parole à ce porc. Je vous ordonne de vous taire, quoi qu'il arrive. Au-delà de la tombe, celui qui enfreint cet ordre aura affaire à moi, Vusamanzi, maître des eaux. J'ai dit.

— Allez-y !

Le sergent tira doucement la corde. La boucle se referma sur le cou du vieillard, et l'amena petit à petit à se hisser sur la pointe des pieds.

— Suffit !

Ils nouèrent la corde.

— Maintenant qu'elles viennent. Allez ! Qu'elles parlent.

L'interprète parcourut les rangs des femmes en les adjurant, en les suppliant d'obéir, mais Vusamanzi les tenait sous son regard farouche.

— Cassez-lui un pied.

Le sergent se carra devant le sorcier en empoignant le canon de son fusil. En utilisant la crosse comme un pilon à maïs, il lui broya le pied gauche en une douzaine de coups. L'ossature frêle craquait dans un bruissement sec, comme du petit bois. Les femmes se mirent à hululer dans une longue plainte modulée.

— Parlez ! criait Fungabera.

Debout sur une jambe, le cou tordu par le nœud coulant, Vusamanzi ne bougeait pas. Son pied mutilé commençait à enfler comme une baudruche, la peau s'étirait, noire et luisante, comme un fruit trop mûr sur le point d'éclater.

— Parlez !

Les lamentations des femmes noyaient la voix du général.

— L'autre pied !

La crosse concassa les petits os du pied droit. Vusamanzi s'était affalé en biais, pendu à la corde, et le sergent recula pour observer les contorsions du malheureux qui s'escrimait à soulager le tiraillement du nœud coulant en prenant appui sur ce qui restait de ses pieds.

Les femmes hurlaient. Les enfants soutenaient le chœur déchirant de leurs mères de braillements suraigus. Une des vieilles, l'épouse la plus âgée du sorcier, se détacha des autres pour courir vers l'homme dont elle avait partagé la vie pendant cinquante ans. Deux gardes s'avançaient pour lui couper la route.

— Laissez-la !

Elle essayait de soulever son mari en pleurant son amour, mais ses forces ne lui permettaient pas de hisser le corps émacié du supplicié suffisamment haut. Elle ne réussissait qu'à prolonger son agonie en ralentissant l'étranglement. La bouche du malheureux était ouverte, pompait désespérément de grandes goulées d'air, et une écume blanche moussait à ses lèvres. Il émettait des graillonnements rauques, grinçants, et les efforts pathétiques de la vieille femme étaient grotesques.

— Ecoutez le criaillement du vieux coq, et le caquètement de sa poule !

Les soldats de Fungabera s'esclaffèrent bruyamment.

Il fallut longtemps, mais quand finalement Vusamanzi se figea, la tête tordue vers le ciel, sa femme s'effondra à ses pieds et, agitée d'un balancement hypnotique, commença le long hululement des pleureuses.

Peter Fungabera revint vers le Russe. Bukharin alluma une cigarette en murmurant :

— Violent... et rigoureusement inutile.

— Ce vieil imbécile vivant, on n'avait aucune chance d'arriver à quoi que ce soit. Il fallait d'abord se débarrasser de lui, et mettre un peu d'ambiance.

Il épongea son menton, son front, du bout de son écharpe.

— Pas rigoureusement inutile, colonel. Regardez leur grimace.

Il remit son écharpe dans son col et s'éloigna vers les femmes.

— Demande-leur où sont cachés les traîtres.

Mais au moment où l'interprète ouvrait la bouche, la pleureuse se releva d'un bond.

— Votre maître est mort sans un mot ! Vous avez entendu son ordre ! Vous savez qu'il reviendra !

Peter Fungabera resserra sa poigne sur son stick et, sans effort apparent, enfonça la pointe sous les côtes de la vieille. Elle poussa un hurlement déchirant, et s'évanouit. Gonflée par une malaria endémique, sa rate venait de crever sous le coup.

— Emportez-la.

Un soldat l'agrippa par les chevilles et la traîna derrière une hutte.

— Demandez-leur où sont cachés les traîtres.

Peter inspectait lentement les rangs, scrutant les visages, évaluant le degré de terreur qu'il voyait luire dans les yeux. Il prit son temps pour opérer sa sélection et revint enfin à la plus jeune des mères, à peine une adolescente, son enfant noué dans son dos par un imprimé à dessins bleus.

Il se planta devant elle, la toisa longuement, et quand il jugea le moment venu la saisit par le poignet pour la conduire doucement vers le centre de la place, où fumaient encore les tisons du feu de veille.

Il rassembla les braises du bout de sa botte et, sans lâcher la main de la fille, attendit que les flammes reprennent. Puis il lui tordit le bras, et la força à s'agenouiller. Le silence s'installait sur la foule des femmes. Elles suivaient la scène avec une fascination horrifiée.

Peter Fungabera dénoua le linge, et souleva l'enfant. C'était un garçon. Un bébé joufflu avec une peau couleur de miel sauvage, un petit ventre rebondi gorgé de lait. Des plis dessinaient des bracelets de graisse à ses chevilles et à ses poignets. Peter le balança paresseusement en l'air, et lui empoigna une jambe au passage. Le marmot hurlait, pendu la tête en bas au poing du général.

— Où sont cachés les traîtres ?

Le visage de l'enfant bleuissait, se gonflait de sang.

— Elle dit qu'elle ne sait pas.

Il plaça l'enfant au-dessus des flammes.

— Où sont cachés les traîtres ?

Et chaque fois qu'il répétait sa question, le bébé baissait de quelques centimètres vers le feu.

— Elle dit qu'elle ne sait pas.

Il plongea brutalement le petit corps au cœur du brasier. Les couinements du gosse avaient maintenant quelque chose de bestial. Peter le souleva, et le fit osciller devant les yeux de sa mère. Les flammes avaient grillé ses cils, et roussi la toison de boucles serrées qui couvrait sa petite tête.

— Dis-lui que je vais le rôtir comme un porcelet, et que je la forcerai à le manger.

La fille tenta d'attraper son bébé, mais les soldats la maintenaient. Elle se mit alors à hurler une phrase suraiguë qu'elle répétait inlassablement, entrecoupée de sanglots, et les autres femmes se couvrirent les yeux en poussant un soupir épouvanté.

— Elle dit qu'elle va vous guider jusqu'à eux.

Fungabera lui rendit l'enfant, et s'avança lentement vers le Russe. Le colonel Bukharin inclina légèrement la tête, admiratif.

Par treize mètres de fond, Craig flottait devant le mur de la tombe. Il avait ancré la courroie de sa taille à un éperon de calcaire et, à la lueur jaune d'une des lampes de secours, examinait la maçonnerie en cherchant une faille pour entamer son travail de démolition. Les blocs qui constituaient l'assise du mur étaient les plus gros. Il décida de commencer par le haut.

Il crispa les doigts dans un joint, et s'arc-bouta pour faire jouer la pierre. L'eau avait amolli ses mains. Un minuscule nuage de sang flotta pour se dissoudre lentement. L'arête du bloc venait de fendre sa peau, mais le froid anesthésiait la douleur.

Presque immédiatement, un voile obscurcit la galerie. Toute la saleté, tous les débris qui s'étaient déposés au cours des années dégorgeaient dans l'eau sous ses efforts. Au bout de quelques secondes il était aveuglé par un rideau de gravats en suspension. Il éteignit sa lampe, pour ménager la pile. Des particules plâtreuses piquaient ses yeux. Il ferma les paupières et continua son travail en tâtonnant.

Il y a des degrés dans l'obscurité. Là, elle était totale. Les ténèbres paraissaient avoir de la substance, du poids, elles l'écrasaient, elles s'ajoutaient à l'épaisseur minérale de la roche, à la pression de l'eau qui pesait sur lui. L'oxygène qui s'engouffrait dans sa bouche avait une saveur chimique, synthétique, et de temps en temps une giclée trouvait le moyen de s'infiltrer sous le joint mal ajusté de l'inhalateur. Il suffoquait en se forçant à ravaler la toux qui le secouait, car la moindre quinte risquait de déloger son masque.

Le froid était comme une tumeur mortelle qui gagnait inexorablement son organisme tout entier, sapait son énergie, monopolisait ses pensées, affectait ses réactions, rendait de plus en plus difficile la mobilisation de son attention contre les dangers de l'hypoxie, et il paraissait s'écouler une éternité entre chacun des signaux qui venaient de la surface. Mais il s'acharnait sur le mur avec une détermination forcenée, en maudissant feu les ancêtres de Vusamanzi d'avoir bâti une muraille aussi solide.

A la fin de la première demi-heure il avait débloqué une bonne pile de caillasses, suffisamment pour dégager dans la maçonnerie un tunnel de un ou deux mètres qui lui permettait tout juste de s'y glisser avec son appareillage, mais rien ne lui laissait deviner sur quelle épaisseur le mur continuait après ça.

Il déblaya les gravats, balança les pierres dans le grand vide qui s'ouvrait à la sortie de la galerie et se détacha de son ancre. Avec un soulagement immense, il commença la longue remontée vers la surface.

En prenant pied sur la dalle, il se sentait faible comme un nouveau-né. Tungata l'aida à s'extirper de l'eau. Il le libéra de son carcan pendant que Sarah versait généreusement du sucre brun dans un bol de thé noir, avant de le lui tendre.

— Sally-Ann ?

— *Pendula* est de garde en haut.

Craig referma ses mains sur le bol fumant et se rapprocha du feu, secoué de frissons.

— J'ai entamé le haut du mur, mais ça n'avance pas vite.

Au fur et à mesure que l'engourdissement du froid se dissipait, une migraine épouvantable prenait possession de son crâne. Il savait que c'était la réaction de son organisme à l'oxygène liquide, les premiers symptômes de l'empoisonnement. C'était comme un étau, une pince qui broyait son cerveau, et il réprima un gémissement sourd. Dans la trousse de secours, il dénicha trois comprimés de calmants et engloutit du thé brûlant par-dessus.

Tassé sur lui-même, il attendit que la migraine se passe. La perspective de retourner en bas lui nouait l'estomac, minait sa volonté. Il se surprit à chercher un prétexte pour retarder le deuxième voyage, n'importe quoi pour repousser à plus tard ce froid horrible, ce piège où les ténèbres et l'eau se refermaient sur lui.

Tungata l'observait en silence, au-dessus des flammes. Craig fit glisser la cape de fourrure de ses épaules, et tendit le bol à Sarah. Il se releva. Son mal au crâne s'était transformé en un élancement sourd qui battait derrière ses yeux.

— Allons-y.

Encore une fois, Tungata posa le harnachement sur son échine. Au passage, il lui pressa amicalement le bras.

Craig se crispa au contact de l'eau glaciale. Mais il se força à y entrer, et sa pierre l'entraîna rapidement au fond. Dans son imagination, l'entrée de la tombe ne ressemblait plus à une orbite, mais à la gueule édentée d'une créature infernale de la mythologie africaine, qui s'ouvrait en grand pour l'engloutir.

Il se coula dans la galerie, remonta le coude et s'ancra devant le trou encombré de gravats qu'il avait percé dans le mur. Les sédiments s'étaient décantés, et dans la lueur de sa lampe les replis de la roche et les ombres le menaçaient. Il lutta contre une nouvelle attaque de claustrophobie. Bientôt, le même brouillard de plâtras le rendrait complètement aveugle. Il tendit la main. Sous ses doigts abîmés la pierre était incroyablement dure, râpeuse, hostile. Il délogea un éclat de calcaire, et un flot de sédiments bouillonna autour de sa tête. Il éteignit sa lampe, et s'attela à nouveau à son travail dans le froid et la nuit.

Les signaux qui secouaient la corde étaient son seul contact avec la réalité. Ils l'aidaient à contrôler la terreur qui montait en lui. La peur de l'isolement absolu. Vingt minutes, et son mal au crâne perçait à travers l'effet analgésique des cachets. Il avait l'impression qu'on enfonçait un clou rouillé dans sa tempe à coups de marteau, et que la pointe chatouillait ses globes oculaires.

« Je ne tiendrai pas dix minutes de plus. Je remonte. »

Il commença à faire demi-tour, et réussit à se retenir de justesse.

« Cinq minutes. Encore cinq minutes, pas plus. »

Il s'enfila jusqu'à la taille dans l'ouverture, et la bouteille d'oxygène sonna contre la roche comme un coup de tocsin. Puis il empoigna le bord d'un bloc triangulaire qui déjouait ses efforts depuis un bon moment déjà. Une fois encore, il regretta de ne pas avoir un pied-de-biche pour forcer le joint et lever ce maudit caillou. Ses doigts douloureux faisaient mal l'affaire. Il les glissa sous la pierre, s'arc-bouta contre la paroi du trou et commença à travailler le bloc à grands coups réguliers en poussant un peu plus fort à chaque fois, jusqu'à ce que les muscles de son dos le tiraillent, et que ses abdominaux demandent grâce.

Quelque chose céda. Il entendit le roc craquer. Il exerça une dernière poussée : la fissure s'écrasa sur ses doigts, et il hurla dans son masque. Galvanisé par la douleur il balança toutes ses forces sur la roche, qui bascula en arrière dans un grondement sourd, un tonnerre d'éboulis et de rocaille effondrée.

Prostré dans son trou, il blottit ses doigts contre sa poitrine en gémissant sous son inhalateur, à demi noyé par l'eau qui envahissait les tuyaux.

« Maintenant je monte, c'est décidé. Ça suffit comme ça. »

Il commença à ramper hors du tunnel, tendit une main pour se propulser en arrière... et ne rencontra que le vide. Il resta immobile, avec l'eau qui clapotait sous son masque, en tâchant de prendre une décision. Quelque chose lui disait que s'il remontait maintenant, jamais il ne trouverait le courage de redescendre.

Il fit une nouvelle tentative en tâtonnant devant lui, se hissa de quelques centimètres, recommença. La corde qui le reliait à son ancre le gênait. Il la dénoua, rampa à nouveau, et le harnachement sur son dos se coinça contre la roche. Un trémoussement maladroit le libéra. Devant lui, toujours rien. Il avait traversé le mur, et une crainte superstitieuse s'empara de lui.

Il recula. Le harnachement heurta le plafond à nouveau, et cette fois il était bloqué. Encastré dans la pierre. Il se débattit. Sa respiration s'emballait, débordait la régularité mécanique des valves de son système d'alimentation, pompait désespérément, son cœur tambourinait à grands coups sourds qui résonnaient à ses tympans en coups de boutoir assourdissants.

Impossible de reculer. Sa jambe valide gigota. Son moignon se posa contre la roche. Il y prit appui, poussa et, comme un nouveau-né qui se propulse dans le monde, déboucha brutalement de l'autre côté.

Ses gesticulations désordonnées fouettèrent un mur, mais sa bouée l'entraînait inexorablement vers le haut. Il leva les mains, pour protéger son crâne quand son ascension viendrait buter contre le plafond du tombeau. Sous ses doigts gourds le roc glissait comme une savonnette, et à mesure qu'il grimpait le volume d'oxygène augmentait dans son détendeur et précipitait le mouvement. Seule la corde du signal entravait l'accélération de sa course folle vers le haut. Le gaz dilaté vomissait des cascades de bulles sous son masque, et la panique le submergea. Il s'abandonna à la force qui l'emportait en aveugle dans un tourbillon terrifiant, au cœur de l'obscurité la plus totale.

Brusquement, il creva la surface et se retrouva allongé sur le dos, dansant sur l'eau comme un bouchon. Il arracha son masque, et aspira goulûment. Jamais il n'avait tant apprécié l'odeur de crotte de chauve-souris.

La corde se tendit. Six coups. Tungata demandait si tout allait bien. Son ascension précipitée avait dû débiter quelques rouleaux de nylon entre ses doigts, et il s'inquiétait. Craig le rassura. Il palpa sa lampe, et trouva l'interrupteur.

Après le noir absolu où il avait été plongé pendant ce qui semblait une éternité, la lueur sourde du voyant l'aveugla. Les scories que charriait l'eau lui brûlaient encore les yeux. Il promena un regard myope autour de lui.

La galerie s'élevait au-dessus de lui à la verticale. C'était un puits, où les sorciers qui portaient le corps de Lobengula avaient taillé des niches pour caler une échelle de bois brut. Les longerons se perdaient vers le haut, dans une obscurité que sa lampe n'arrivait pas à percer.

Il pataugea jusqu'aux premiers échelons, et secoua l'ouvrage. Le bois craquait, mais il devait pouvoir supporter son poids. A condition bien sûr d'abandonner son harnachement en bas.

Avant de se risquer à grimper, Craig s'accorda quelques instants de repos. La douleur qui taraudait ses tempes était à peine supportable. Il enfouit sa tête dans ses mains, et s'efforça de se détendre.

A ce moment-là, la corde fut secouée violemment — trois

coups répétés. Le signal du rappel urgent — celui du danger mortel. Quelque chose n'allait pas, et Tungata réclamait désespérément de l'aide.

Craig plaqua le masque sur son visage et renvoya un signal à son tour : tirez-moi !

La corde se raidit, et il se laissa couler en souplesse sous la surface.

***

On avait permis à la jeune femme de garder son bébé ficelé dans son dos, mais une paire de menottes l'attachait au sergent de la 3e brigade.

Peter Fungabera avait renoncé à utiliser l'hélicoptère. Mieux valait surprendre les fugitifs en arrivant à pied, en silence. Il commençait à connaître son gibier. Le vacarme d'un moteur aurait vite fait de les alerter, et ils leur fileraient encore une fois entre les doigts. Discrétion — c'était la raison pour laquelle il n'emmenait que très peu d'hommes avec lui. Dix soldats triés sur le volet, à qui il avait prodigué ses conseils.

— Il nous le faut vivant. Les autres, peu importe. Mais Zebiwe, je le veux vivant. Même si nous devons tous le payer de notre sang.

Quand ils les auraient piégés, l'hélicoptère débarquerait un renfort de trois cents hommes pour boucler la région.

La petite troupe avançait vite. En pleurant de honte, la fille décryptait les méandres d'une piste à peine tracée, sous les coups du sergent shona.

— Les villageois doivent les ravitailler régulièrement, murmura Peter au colonel russe. On commence à deviner un chemin.

— L'endroit rêvé pour une embuscade.

Bukharin désigna les pentes qui dégringolaient sur eux.

— Ils ont peut-être gardé une escorte de prisonniers.

— Une embuscade, oui. Je prie pour qu'on ait enfin l'occasion de se frotter à ces chiens.

Une fois encore, le Russe se félicita d'avoir choisi un tel homme. En voilà un qui avait des tripes. Il suffisait que le vent tourne un peu, que la chance change de camp, et Moscou avait un pied en Afrique australe.

En revanche, il faudrait le surveiller de près. Ce Fungabera n'était pas un fantoche qu'on manipule au bout d'un fil. Pour le maîtriser, il allait falloir déployer des trésors de finesse et de rouerie, toute une stratégie dont Bukharin savourait à l'avance la mise en œuvre avec un plaisir presque aussi vif, presque aussi intense que celui de la chasse à l'homme à laquelle il participait en ce moment.

Il sourit. Quel trophée, pour couronner sa carrière! Les Matabélé, les Shona, et leurs terres. Et dans la souplesse du général, dans le port de sa tête, dans la sueur qui tachait sa tenue de camouflage, oui, dans son odeur même, il lui semblait reconnaître le parfum fauve de l'Afrique.

Le relief se faisait plus torturé, les arbres plus rares, plus rabougris. La roche reculait pour laisser émerger des formations dolomitiques, et brusquement la fille se mit à hurler. Sa voix, rebondissant en échos fragmentés sur les falaises, éclaboussait le silence vibrant de chaleur de cette étrange vallée.

En deux enjambées, Peter Fungabera la rejoignit. Il moula le menton de la jeune fille au creux de la paume droite, cala son avant-bras à la base du cou et tira sa tête en arrière d'un coup sec, précis. Sa nuque se brisa dans un craquement sourd, et les cris se bloquèrent dans sa gorge.

Peter lâcha le corps, et pivota pour distribuer des ordres. Quand ses soldats furent en position, il lança un regard au colonel russe. Bukharin se glissa à ses côtés. L'arme au poing, ils s'avancèrent de front.

La piste menait à la base de la falaise, pour disparaître dans une fissure étroite. Ils se plaquèrent sur le calcaire, de part et d'autre de la faille.

— Le terrier du renard, gloussa Peter. Enfin. Je le tiens.

— Les Shona!

L'appel venait de l'entrée de la grotte, étouffé par le repli de la roche.

— Vite ! Ils sont là ! Les Shona...

Une voix de femme, brutalement coupée.

Sarah bondit et courut vers la galerie du fond, renversant au passage le trépied d'acier qui soutenait la marmite au-dessus du feu. Elle empoigna une lampe, et s'enfonça dans le labyrinthe.

Arrivée à la grande descente, elle jeta son cri d'alerte en direction du bassin.

— Les Shona ! Ils arrivent !

Et la réverbération amplifiait sa voix en résonances d'outre-tombe.

— Je viens !

Tungata émergea dans la lueur de sa lampe.

— Où sont-ils ?

— À l'entrée. Il y a eu un cri — une voix de femme, et...

— Descends. Tu aideras *Pendula* à remonter *Pupho.*

— Mon prince, on ne peut pas s'échapper, n'est-ce pas ?

— Nous nous battrons. Et c'est peut-être dans la lutte que la solution nous apparaîtra. Va, descends. *Pupho* te dira ce qu'il faut faire.

Il disparut dans le couloir qui menait à la grande grotte, son AK 47 à la main. Sarah dégringola la rampe, s'empêtra au pied du dernier palier et s'écorcha le genou sur la roche.

— *Pendula !*

— Ici, Sarah. Aide-moi !

Quand elle déboucha sur la dalle qui surplombait le bassin, Sally-Ann était dans l'eau jusqu'à la taille et tirait de toutes ses forces sur la corde.

— Aide-moi, il est coincé !

Elle sauta à ses côtés, et empoigna le filin.

— Les Shona sont là.

— Je sais, on t'a entendue.

— Qu'est-ce qu'on va faire, *Pendula ?*

— Sortons déjà Craig de là. Il trouvera quelque chose.

Tout d'un coup la corde lâcha. Il venait de se dégager du tunnel, et les deux filles le hissèrent en conjuguant leurs efforts, une main après l'autre.

Une éruption de bulles éclata à la surface et elles virent Craig remonter dans l'eau limpide, monstre marin grotesque encombré d'un arsenal de tuyaux. Il émergea enfin, et se débarrassa de son masque en toussant, éternuant, s'époumonant comme un damné.

— Qu'est-ce qui se passe? hoqueta-t-il en prenant pied sur la dalle

— Les Shona sont là.

— Bon Dieu.

Il s'appuya à la roche d'un air découragé.

— Bon sang! Mais c'est pas vrai!

Le froid, la douleur qui battait sous son crâne le paralysaient sur place.

Tout d'un coup, l'air fut ébranlé par une vibration sourde, comme s'ils étaient à l'intérieur d'une grosse caisse.

— Ça y est, dit Craig en se tenant les tempes. Sam a ouvert le feu.

— Il pourra les retenir combien de temps?

— Ça dépend s'ils utilisent des grenades, ou des gaz...

Il se redressa en frissonnant violemment, et fixa sur elles un regard accablé. Comme intimidées, elles se détournèrent. Sarah jeta un coup d'œil vers la faille où étaient cachées les quatre cartouches du Tokarev.

— Où est le pistolet?

— Non. Pas ça.

Il secoua son désespoir, et se reprit.

— Sally-Ann, tu t'es déjà servie d'un scaphandre?

Elle secoua la tête.

— Bon. Puisqu'il faut une première fois à tout...

— Je ne peux aller là-dedans!

Elle lançait vers le bassin des regards effarés.

— Tu peux, puisque tu n'as pas le choix. Ecoute, j'ai trouvé une galerie qui remonte en surface. Il faut trois ou quatre minutes pour déboucher de l'autre...

— Non!

— Je m'occupe d'abord de t'aider à passer, et après je reviendrai chercher Sarah.

— J'aimerais mieux mourir, *Pupho,* fit la jeune Noire, horrifiée.

— Alors tu vas être comblée.

Il changeait déjà sa bouteille d'oxygène.

— Sally-Ann, tu vas mettre tes bras autour de moi et tu vas respirer calmement, tranquillement. Inspire, garde ton souffle un moment et expire tout doucement. Tu verras, le trou du mur n'est pas bien gros, mais tu t'y glisseras plus facilement que moi.

Il souleva son équipement au-dessus de la jeune fille, et le déposa sur ses épaules.

— Je passe le premier, et je te tire derrière moi. Une fois de l'autre côté, on remonte tout droit. Un conseil : en grimpant, souviens-toi de vider tes poumons. Plus on approche de la surface et plus l'oxygène se dilate. Si tu n'expires pas correctement, tu vas éclater comme un sac en papier. On y va ?

— Craig, j'ai peur.

— Tiens donc ! J'ai bien cru que tu ne connaissais pas ce mot-là !

Ils s'enfoncèrent dans l'eau jusqu'à la taille, et il ajusta l'inhalateur sur sa bouche.

— Laisse-toi aller. Ferme les yeux, et détends-toi. Je vais te remorquer. Ne gigote pas, pour l'amour du ciel ne bouge pas !

Bâillonnée par le masque, elle répondit d'un hochement de tête affirmatif. Encore une fois, le grondement retentissant d'une rafale roula sous les voûtes. Ils approchaient.

— Sarah ! Passe-moi ma jambe.

Elle lui tendit sa prothèse. Il la fixa à sa ceinture.

— En attendant que je remonte, fourre toute la nourriture que tu pourras dans les sacs de toile. Mets aussi les lampes et les piles — dans dix minutes je reviens te chercher.

Il commença à hyperventiler, en plaquant contre sa poitrine la pierre qui allait les expédier au fond. Sally-Ann referma ses bras sur lui, le ceinturant sous les aisselles.

— Inspire un bon coup et fais la morte, ordonna-t-il, et il engouffra lui-même une dernière provision d'air.

Il s'abattit dans l'eau avec Sally-Ann sur le dos, et ils s'enfoncèrent tous les deux sous la surface.

A mi-chemin du mur, Craig entendit le cliquetis des valves dans le masque de la jeune fille. Il sentit sa poitrine palpiter, se gonfler contre ses omoplates, et il attendit la quinte de toux. Il n'y en eut pas.

En arrivant à l'entrée de la galerie, il balança sa pierre et se retourna doucement, rivé à la paroi. Avec précaution, calmement, il dénoua les mains de Sally-Ann en s'efforçant d'afficher un flegme rassurant, se coula dans le tunnel et la hala derrière lui.

Il entendait sa respiration régulière sous le caoutchouc de l'inhalateur.

« Bravo. »

Son carcan se bloqua un moment sous la pierre. Il réajusta la bouteille, tira, et elle glissa vers lui.

Elle était passée.

Dernière étape, maintenant. Direction : la surface. Ils accéléraient. La pression miaulait à leurs tympans. Il administra un coup de coude dans les côtes de Sally-Ann, et entendit les bulles bouillonner comme elle vidait l'oxygène de ses poumons.

« Bien vu. » Il lui pressa la main. Elle répondit.

Leur ascension dura si longtemps qu'il commençait à croire qu'ils étaient fourvoyés dans une autre galerie. Brusquement, ils crevèrent la surface et il aspira à pleins poumons.

— Excellente élève, dit-il dans un souffle. Mention très bien.

Il la remorqua au pied de l'échelle, et la débarrassa de son équipement.

— Grimpe vite. Tiens, je te laisse ma jambe. Attache-la à un échelon, je reviens tout de suite.

Sans même prendre la peine d'enfiler son harnachement, il cala les tuyaux sous son bras.

Cette fois il n'avait pas de pierre pour lester sa descente. Il appuya sur la valve et vida son détendeur. L'appareillage le tirait vers le fond. Accroché aux longerons de l'échelle, il actionna sa poitrine comme un soufflet, et bascula dans l'eau la tête la première.

Arrivé au mur, il s'enfila dans l'ouverture et glissa l'équipement derrière lui. Comme une lettre à la poste. A l'entrée de la grande faille, il ouvrit le robinet d'oxygène de la bouteille. Le gaz siffla dans la bouée, la gonfla, et elle l'emporta immédiatement vers le haut.

Perchée au bord de la dalle, Sarah avait déjà préparé les sacs.

— Allez ! hoqueta Craig. On y va.

— *Pupho,* je ne peux pas.

— Magne-toi, allez !

— Tiens. Prends les sacs. Je reste.

Il lui attrapa la cheville, la délogea de son perchoir, et elle s'abattit dans l'eau en s'agrippant à lui.

— Tu sais ce que les Shona vont te faire, hein ? Tu le sais ?

Il enfourna brutalement sa tête dans le carcan. Au-dessus d'eux il y eut une volée de détonations. Les ricochets piaulèrent dans les hauteurs du gouffre.

Craig pressa l'inhalateur sur le visage de la jeune Noire.

— Respire !

Elle s'exécuta docilement.

— Tu vois comme c'est facile ?

Elle hocha la tête.

— Alors voilà : tu tiens le masque en place avec tes deux mains. Souffle calmement, lentement. Je vais te porter. Ne bouge pas. Pas un geste !

Nouveau hochement de tête. Il sangla les sacs de toile à sa taille, et ramassa une pierre pour le lest. Puis il commença à hyperventiler.

Là-haut résonna l'écho étouffé d'un lance-grenades. Quelque chose dégringola dans le puits, et la faille tout entière fut envahie par l'éclat bleu électrique du phosphore.

Avec son caillou sous un bras et Sarah sous l'autre, Craig plongea. Quelques mètres plus bas, il sentit Sarah qui essayait de respirer. Il sut tout de suite que les problèmes ne faisaient que commencer. Elle avalait de l'eau, étouffait, éternuait dans son masque. Son corps était agité de convulsions. Elle se mit à se débattre, à se tordre. Il la maintenait plaquée contre lui avec difficulté, surpris par la force qui habitait sa musculature gracile pour s'arracher à son étreinte.

Ils arrivaient à l'entrée de la galerie. Craig abandonna son lest, et leur flottabilité s'accrut brusquement. Sarah virevolta devant lui, et lui expédia un coup de coude en pleine figure. Etourdi, il desserra son étau un instant. Elle se libéra, et commençait déjà à remonter en battant frénétiquement des pieds et des mains.

Il réussit tout juste à l'arrimer par la cheville. Puis, s'enracinant à la roche de l'entrée, il la tira vers le bas. Dans la lueur de sa lampe, il vit qu'elle avait arraché son masque. L'inhalateur crachait son oxygène en s'agitant sauvagement au bout du tuyau.

Il la hala péniblement jusqu'au mur, et elle le griffait en distribuant des coups de genou perfides vers son bas-ventre. Il réussit à la faire pivoter, et la poussa dans le trou. Elle se débattait avec la force hystérique de la panique, terrifiée. Il l'avait enfournée dans le tunnel jusqu'à mi-corps quand le tuyau s'accrocha dans un repli de la pierre, et les bloqua.

Pendant qu'il secouait le maudit tube, Sarah faiblissait. Ses mouvements n'étaient plus que des spasmes désordonnés. Elle se noyait.

Craig s'agrippa au plastique à deux mains. Il s'arc-bouta du pied contre la roche, et tira de toutes ses forces — le tuyau lacéra le détendeur dans une secousse. La déchirure vomit une éruption de bulles argentées. Sarah était libre.

Il la poussa hors du trou et commença à pédaler vers le haut. Sa jambe unique parvenait à peine à contrer le poids des sacs de toile qui pesaient à sa taille.

L'agitation déployée pour débloquer Sarah avait consumé toutes ses réserves. Ses poumons étaient en feu, son thorax s'agitait en convulsions violentes. Il continuait inlassablement ses battements de pied. Sarah s'amollissait dans ses bras, et il eut le sentiment désespérant que tous ses efforts ne les poussaient plus, qu'ils pendaient lamentablement entre deux eaux, qu'ils se noyaient tous les deux lentement. Peu à peu, l'envie de respirer le quittait. A quoi bon ? Il était beaucoup plus simple de se laisser aller, et advienne que pourra. Graduellement, une douleur sourde perçait à travers son engourdissement. Il se demanda vaguement ce que ça pouvait être, mais c'est seulement en débouchant à la surface qu'il se rendit compte que quelqu'un le tirait par les cheveux.

Dans son hébétude, il devina que Sally-Ann avait dû apercevoir la lueur de sa lampe sous la surface et que, devinant leurs difficultés, elle avait plongé pour empoigner sa tignasse.

En cherchant sa respiration, il s'aperçut aussi qu'il agrippait toujours Sarah par le bras. La jeune Noire flottait sur le ventre, le visage dans l'eau.

Dans un hoquet, il réussit à éructer :

— Aide-moi ! Il faut la sortir.

Ils la dépouillèrent de son équipement, désormais inutilisable, et la hissèrent sur le premier échelon de l'échelle, la tête posée sur les genoux de Sally-Ann. La malheureuse restait affalée, sans un sursaut, comme un chaton noyé.

Craig enfourna le doigt dans sa bouche, dégagea la langue et appuya à l'entrée du gosier. Sarah dégorgea un mélange d'eau et de vomi, et ses membres furent parcourus de tics nerveux désordonnés.

Il essuya ses lèvres et y plaqua sa bouche, pour forcer son souffle à pénétrer dans sa gorge pendant que Sally-Ann maintenait tant bien que mal son corps amorphe sur le perchoir bancal de l'échelle.

— Elle recommence à respirer.

Craig décolla sa bouche. Il se sentait malade, nauséeux, épuisé par la noyade à laquelle il avait lui-même échappé de justesse.

— L'inhalateur est bousillé. Tuyau foutu.

Il tâta dans l'eau autour de lui, mais le harnachement avait déjà coulé.

— Sam. Faut que je retourne...

— Craig, non. Tu en as fait assez. Tu vas te tuer.

— Sam. Chercher Sam.

Il détacha les courroies des sacs de toile d'un geste maladroit, et les pendit aux échelons. Accroché au longeron, il inspira aussi profondément que le lui permettait la douleur qui déchirait ses poumons. Sarah éternuait, toussait, tentait de s'asseoir avec des gestes de somnambule. Sally-Ann la berçait comme une enfant.

— Reviens vite, supplia-t-elle.

— Tu parles !

Il s'accorda encore une demi-douzaine d'inspirations asthmatiques avant de se pousser loin de l'échelle, et l'eau glacée se referma à nouveau sur sa tête.

Dès l'ouverture de la galerie, on devinait l'éblouissement du phosphore qui irradiait la grande faille, treize mètres plus haut. A mesure que Craig montait, l'intensité de la lumière augmentait pour baigner l'eau d'un chatoiement bleu phosphorescent, comme le jaillissement des feux d'une batterie de lampes à arc.

A la surface, il découvrit que la fumée envahissait la grotte en tourbillons bleutés. Il aspira avidement une grande goulée d'air — et une brûlure aiguë vrilla ses bronches. Ses yeux le piquaient cruellement.

« Lacrymogènes. »

Les Shona gazaient les galeries.

Il aperçut Tungata dans l'eau jusqu'à la taille, accroupi sous l'abri de la dalle. Il avait déchiré un pan de sa chemise pour bâillonner sa bouche, et ses yeux rougis dégoulinaient de larmes.

— La grotte est bourrée de soldats, annonça-t-il d'une voix étouffée, et il s'interrompit comme un stentor désincarné faisait résonner les voûtes dans un anglais distordu par le mégaphone.

— Rendez-vous. Il ne vous sera fait aucun mal.

Comme pour ponctuer cette promesse, on entendit le « poc » d'un lance-grenades et une grenade lacrymogène vola dans le puits, rebondit sur le sol de calcaire en vomissant des nuages de gaz blancs.

— Ils sont déjà dans la descente. Je n'ai pas pu les stopper.

Tungata bondit comme un diable de derrière son abri, expédia une rafale rageuse vers le puits — les balles claquèrent sur la roche, hurlèrent dans la galerie, puis le AK 47 se tut — et il réintégra sa position.

— Dernier chargeur.

Il balança le fusil vide dans l'eau, et tâta sa ceinture pour empoigner le pistolet.

— Viens, Sam. Il y a une sortie au fond du bassin.

— Sais pas nager.

Il vérifiait le pistolet nerveusement. Puis il logea un chargeur dans la crosse d'un coup de paume et recula la glissière pour armer le chien.

— J'ai fait passer Sarah...

Dans les nuages de gaz, Craig respirait avec difficulté.

— Toi aussi, tu peux passer.

Tungata se tourna enfin vers lui.

— Fais-moi confiance, Sam.

— Sarah est en sûreté ?

— Mais oui, je te jure !

Il hésitait, luttait contre sa peur de l'eau.

— Tu ne peux pas te laisser prendre. Pense à Sarah, pense à ton peuple !

C'était peut-être le seul argument qui puisse le convaincre. Il fourra le pistolet dans sa ceinture.

— Alors, dis-moi comment je dois m'y prendre.

Rigoureusement impossible d'hyperventiler dans l'air chargé de gaz.

— Inspire autant que tu peux, et garde ton souffle. Bloque tes poumons, force-toi à ne pas respirer avant de déboucher de l'autre côté, haleta Craig.

Les gaz lacrymogènes brûlaient sa poitrine, et il sentait ses veines envahies d'une léthargie mortelle, glaciale, comme si du plomb liquide irriguait son organisme.

— Tiens !

Tungata le poussa vers le sol.

— De l'air frais !

Il restait une poche d'air respirable, sous l'angle de la dalle. Craig en gorgea goulûment ses poumons. Puis il plaça les mains de Tungata à sa taille.

— Accroche-toi !

Ils disparurent sous la surface, et descendirent rapidement.

Le mur. Cette fois-ci ils n'avaient pas de harnachement pour les entraver, et Craig tira Tungata avec ce qui lui restait de forces. Mais il s'affaiblissait terriblement, ralentissait, perdait encore une fois l'envie même de respirer — symptôme d'anoxie, de manque d'oxygène.

Ils venaient de franchir le tunnel, et il n'arrivait pas à décider de ce qu'il fallait faire maintenant. Il était désorienté, indécis, son cerveau ne lui obéissait plus. Il se surprit à rire, gloussements bêtifiants qui s'échappaient de ses lèvres en chapelets de bulles. La lueur de la lampe les teintait d'un merveilleux vert émeraude, qui se fragmentait en spectres irisés. Magnifique. Il admirait le spectacle dans une béatitude imbécile, s'abandonnait dans l'eau, roulait sur le dos. C'était tellement paisible, tellement beau, exactement comme cette chute amortie vers l'oubli après une injection de penthotal. L'air s'écoulait de ses lèvres, et les bulles brillaient comme des pierres précieuses. Il les regardait s'échelonner lentement vers la surface.

« La surface ! pensa-t-il, apathique. Il faut que je remonte. »

Et il tricota paresseusement des jambes, pour se propulser faiblement vers le haut.

Brusquement, il vit les pieds de Tungata s'agiter en battements puissants, comme les pistons d'une locomotive à vapeur. Dans la lumière trouble de sa lampe, il les regarda disparaître, avalés par l'obscurité. Il eut une dernière pensée : « Si vraiment c'est ça la mort, alors la publicité mentait » — et il se laissa glisser vers elle avec un fatalisme cataleptique.

Une douleur le réveilla. Il tenta de retourner au confort douillet de la mort, mais il sentait des mains le frictionner, l'étriller, et le bois mal équarri des échelons qui rentrait dans sa chair. Et puis ses poumons, qui brûlaient épouvantablement. Ses yeux, qui paraissaient baigner dans un concentré d'acide. Son système nerveux s'enflamma tout d'un coup, enregistra les picotements cruels de ses mille et une égratignures, son épiderme littéralement décapé, et le tiraillement de tous ses muscles.

Et puis il y avait la voix. Il s'efforça de ne pas l'entendre.

— Craig ! Craig, mon amour ! Réveille-toi !

Et le claquement douloureux d'une main mouillée sur sa joue. Il roula la tête, pour s'en écarter.

— Il revient à lui !

***

Ils étaient comme des rats piégés au fond d'un puits, à moitié submergés, agrippés à une échelle branlante, et grelottants de froid.

Les deux filles étaient perchées sur l'échelon du bas. Craig était sanglé aux longerons, une courroie sous les aisselles, et Tungata pataugeait dans l'eau à côté de lui en lui maintenant la tête.

Au prix d'un effort surhumain, Craig cligna des yeux vers lui avec un sourire somnambulique.

— Sam, tu disais que tu ne pouvais pas nager... Eh bien, j'ai presque failli te croire !

— On ne peut pas rester ici.

Sally-Ann claquait violemment des dents.

— Pour sortir, il n'y a qu'une direction possible...

Tous les regards inspectèrent le puits sinistre qui s'élevait au-dessus d'eux.

L'écorce qui avait servi aux sorciers pour fixer les barreaux de leur échelle était pourrie. Après soixante ans de bons et loyaux services elle pendait en filaments cassés, effilochés. L'ouvrage tout entier semblait s'affaisser sur le flanc, comme bâti par un charpentier borgne qui aurait oublié son fil à plomb.

La question qui leur brûlait les lèvres, ce fut finalement Sarah qui la posa à voix haute :

— Vous croyez que ça pourra nous supporter tous ?

Craig avait un mal fou à rassembler ses idées. Un rideau d'épuisement et de nausée voilait ses yeux.

— Un à la fois, marmonna-t-il. D'abord les moins lourds. Sally-Ann, et après Sarah...

Il se remua enfin, et détacha sa jambe de l'échelon où elle pendait.

— Emmène la corde. Quand tu arriveras en haut, tu hisseras les sacs et les lampes.

Docilement, Sally-Ann enroula la corde à son épaule et commença l'escalade.

Elle progressait doucement, légèrement, mais l'échelle craquait en tanguant sous son poids. A mesure qu'elle montait, sa lampe repoussait le cercle d'ombre plus haut dans le puits. Bientôt, on ne distingua plus d'elle qu'une lueur éloignée, qui disparut d'un coup.

— Sally-Ann !

— Tout va bien !

Sa voix résonnait, sépulcrale.

— Il y a une plate-forme ici !

— Grande ?

— Assez, oui. Je vous balance la corde.

Elle dégringola en ondulant vers eux, et Tungata y attacha les sacs.

— C'est bon !

Le fardeau grimpa en sursauts réguliers au bout de son filin.

— OK. A Sarah maintenant.

La jeune Noire disparut à son tour dans l'ombre, et ils entendirent les chuchotements des deux filles au-dessus de leurs têtes. Puis un appel :

— Au suivant !

— A toi, Sam.

— Tu es moins lourd que moi.

— Bon Dieu ! Tu crois que c'est le moment de se faire des politesses ?

Tungata se lança à l'assaut du puits. Le bois émettait des craquements sinistres. Un barreau lâcha sous ses pieds.

— Attention, au-dessous !

Craig plongea la tête sous l'eau, et le bâton fouetta la surface dans un tonnerre d'éclaboussures.

Tungata avait disparu. Sa voix retentit :

— Fais doucement, *Pupho !* L'échelle tombe en morceaux !

Craig s'extirpa de l'eau, s'assit sur le dernier échelon et ajusta sa prothèse.

— Ah ! On se sent déjà mieux !

Il la tapota affectueusement, et s'essaya à quelques mouvements.

— Ça y est ! J'arrive !

Il était à peine à mi-chemin quand il sentit l'ouvrage vaciller sous son poids, et il se hâta de poursuivre son ascension — un peu trop brutalement.

L'un des longerons craqua, dans un écho sec comme un coup de mousquet, et l'échelle tout entière gîta sur le côté. Craig empoigna les montants fébrilement. Sous ses pieds, un, puis deux, puis trois échelons cédèrent pour heurter la surface de l'eau dans une série de clapotis retentissants. Ses jambes pendaient dans le vide, et au moindre mouvement qu'il tentait pour chercher une prise dans la muraille l'édifice s'affaissait dangereusement.

— *Pupho !*

— Suis coincé. Si je bouge, c'est tout l'échafaudage qui se casse la gueule.

— Attends !

Quelques secondes de silence, puis de nouveau la voix de Tungata :

— Je t'envoie la corde. Il y a une boucle au bout.

Elle vint se balancer à deux mètres de lui.

— Un peu plus à gauche, Sam.

Le nœud coulant s'approchait.

— Encore ! Plus bas, un peu plus bas !

Ça y était.

— Tiens bon.

Il enfila son bras dans le nœud, lâcha les longerons et se balança dans le vide, impuissant, trop faible pour se hisser plus haut.

— Remonte-moi !

Lentement, il se sentit happé vers le haut, en remerciant le ciel d'avoir doté son ami Tungata d'une musculature à toute épreuve. Sans lui, il était perdu.

Il vit la lueur de la lampe se refléter sur le mur, et la tête de Sally-Ann qui dépassait à l'aplomb de la plate-forme.

— Tu y es presque. Tiens bon.

Il émergea au niveau de la saillie. Tungata se plaquait contre la muraille, son dos et ses épaules sanglés par le filin, ses deux mains crispées sur le nylon, les tendons de sa gorge gonflés à se rompre, la bouche ouverte, grognant sous l'effort. Craig s'accrocha au bord du palier, et fit un rétablissement laborieux.

Il lui fallut une éternité, vautré sur le ventre, avant de pouvoir enfin s'asseoir et regarder autour de lui. Ils se blottissaient tous les quatre, frissonnants, trempés, sur une étroite saillie de calcaire.

Au-dessus, la galerie continuait à la verticale, goulot poli qui n'offrait aucune prise à l'escalade et qui se perdait dans l'obscurité. L'échelle des sorciers n'allait pas plus loin. Dans le silence, on entendait le goutte-à-goutte de l'eau retentir quelque part, et le couinement des chauves-souris dérangées par ces visiteurs inhabituels. Sally-Ann brandit la lampe à bout de bras, mais le sommet du puits gardait son mystère.

Craig inspecta le palier d'un coup d'œil. Il faisait presque trois mètres de large, et sur le mur du fond débouchait une cavité étroite qui forait dans la roche un boyau horizontal.

— On dirait bien que c'est la seule issue, chuchota Sally-Ann.

Personne ne répondit. Ils étaient tous épuisés et frigorifiés jusqu'à la moelle des os.

— On ne va pas rester là ! insista la jeune fille, et Craig s'ébroua enfin.

— Allons-y. On laisse ici les sacs et la corde.

Les gaz lacrymogènes râpaient encore sa gorge, et sa phrase s'acheva dans une toux caverneuse. Il osait à peine se risquer à se relever. Il se sentait faible, vacillant, et le puits béant qui s'ouvrait à quelques centimètres de lui l'emplissait d'un vertige nauséeux. Il rampa à quatre pattes jusqu'à l'ouverture qu'ils venaient de découvrir.

— Passe-moi la lampe.

Sally-Ann la lui tendit, et il se glissa dans le boyau à plat ventre.

Quelques mètres plus loin le couloir s'élargissait. Craig put se redresser, et continuer son exploration, plié en deux. Les autres le suivaient. Quelques mètres encore, et il franchit un seuil de pierre au-delà duquel le plafond s'envolait soudain vers des hauteurs invisibles. Craig se déplia, et resta paralysé d'émerveillement. Derrière lui la petite troupe le bousculait pour se frayer un passage, et il bronchait à peine, sous le charme du décor invraisemblable qui s'offrait à ses yeux.

— Incroyable ! souffla Sally-Ann.

Elle prit la lampe des mains de Craig et la leva devant elle.

Ils venaient de pénétrer dans un labyrinthe de lumière, une caverne de cristal. Au fil des siècles, les infiltrations avaient habillé les voûtes d'un manteau de calcite étincelant, une parure féerique qui tombait en guirlandes jusqu'au sol.

La calcite avait ciselé des sculptures merveilleuses, irisées de reflets chatoyants. Des dessins ornaient les murs, comme des tentures de dentelle de Venise, d'un motif si délicat que le faisceau de la lampe jouait au travers comme si c'était de la porcelaine. Il y avait des corniches, des piliers, dont la splendeur monolithique supportait le plafond colossal, des éblouissements de couleurs qui frémissaient dans l'air comme les ailes déployées d'un ange. D'immenses stalactites bardées de festons acérés tombaient des plafonds comme de flamboyantes épées de Damoclès, ou comme la dentition immaculée d'un requin monstrueux. Ici, c'étaient des chandeliers monumentaux, là, des tuyaux d'orgue gigantesques. Des forêts de stalagmites se dressaient en rangs serrés, et dans leurs profondeurs on devinait des armées de formes fantasmagoriques, des moines encapuchonnés de robes de nacre, des hordes de loups et de monstres bossus, des chevaliers en armure de vermeil, des ballerines et des lutins, gracieux et grotesques, et tous étincelant d'un million de reflets cristallins dans le faisceau de la lampe.

Les visiteurs hésitaient à s'avancer. Lentement, pas à pas, ils se frayaient un chemin parmi les statues de calcite, trébuchaient sur des pointes de calcaire cassées, stalactites tronquées qui jonchaient le sol comme un tapis de flèches brisées.

Craig s'arrêta brusquement, et derrière lui le cortège se figea.

Au centre de la grotte s'ouvrait un espace dégagé. Des mains avaient construit une estrade, une scène, un autel païen de calcaire immaculé. Sur l'autel, les jambes repliées sur la poitrine, drapé dans les plis dorés d'une peau de léopard, trônait le corps d'un homme.

— Lobengula.

Tungata tomba à genoux.

— Celui qui file comme le vent.

Les mains du cadavre étaient nouées sur ses tibias, momifiées, noires et recroquevillées. Ses ongles avaient continue à pousser après sa mort. Ils étaient longs, courbes, comme les serres d'un rapace. La parure de plumes et de fourrures qu'il avait dû porter sur la tête gisait maintenant sur l'autel à ses pieds.

Les sorciers — ou peut-être le hasard — avaient placé la dépouille sous une infiltration, et de loin en loin une goutte venait éclabousser le front du vieux roi pour sinuer sur son visage comme une larme. A travers les années l'eau avait déposé une couche de calcite chatoyante sur la tête momifiée.

Lobengula se calcifiait, se fondait dans la pierre. Déjà son crâne était couvert d'un casque translucide, d'où le calcaire gouttait comme la cire d'une chandelle pour remplir ses orbites d'un sédiment nacré, souligner ses lèvres flétries et festonner sa mâchoire. Dans son masque de pierre, la dentition parfaite du vieux monarque leur souriait.

L'effet était terrifiant, surnaturel.

Devant lui, sur l'autel de pierre, se détachaient cinq formes sombres. Quatre jarres, quatre poteries d'argile peintes d'une frise géométrique, dont l'ouverture était scellée par une vessie de chèvre. Le cinquième objet était un sac, une grande poche taillée dans le cuir d'un fœtus de zèbre et cousue avec des nerfs d'animaux.

— Sam, c'est...

La voix de Craig se brisa. Il s'éclaircit la gorge, et reprit :

— C'est toi son descendant. Toi seul as le droit de toucher à quoi que ce soit ici.

Tungata était toujours à genoux. Il ne répondit pas. Il fixait la momie calcifiée, et ses lèvres frémissaient dans une prière silencieuse. S'adressait-il au Dieu des chrétiens, se demanda Craig, où à l'esprit de ses ancêtres ?

Seul le claquement des dents de Sally-Ann troublait le silence de la grotte. Craig serra les deux filles contre lui. Elles tremblaient toutes les deux de terreur et de froid.

Tungata se relevait lentement pour s'avancer vers l'autel.

— J'ai l'œil sur toi, grand Lobengula. Moi Samson Kumalo, de ton totem et de ton sang, je te salue au-delà des années !

Il utilisait à nouveau son nom tribal, il proclamait son lignage en continuant d'une voix ferme :

— Si je suis le fils du léopard de ta prophétie, ô mon roi, alors je demande ta bénédiction. Mais si ce n'est pas moi, frappe ma main sacrilège, qu'elle se flétrisse en touchant les trésors de la maison de Mashobané.

Lentement, il plaça sa main droite sur l'une des poteries d'argile.

Malgré lui Craig retenait son souffle, comme s'il s'attendait à entendre la voix du vieux roi vibrer dans sa gorge de statue.

Le silence s'éternisait. Tungata plaça son autre main sur la jarre, et la souleva solennellement comme un calice.

Il y eut un craquement sec et l'argile se fissura. Un torrent de reflets chatoyants jaillit du pot pour rebondir sur l'autel en cascade de lumière, s'empiler en pyramide et brûler d'un feu ardent sous la lampe.

— Des diamants ! fit Sally-Ann dans un murmure. Je n'arrive pas à y croire. On dirait des cailloux. De jolis cailloux qui brillent, mais des cailloux quand même.

Ils avaient déversé le contenu des quatre jarres et de la peau de zèbre dans le sac de toile qui renfermait leurs provisions et, abandonnant les poteries vides aux pieds de la momie, s'étaient retirés près de l'entrée.

— Pour commencer, observa Craig, la légende exagérait. Ces pots n'ont jamais contenu cinq litres. En comptant un demi-litre chacun, on serait plus près de la vérité.

— Ce qui nous laisse tout de même deux litres et demi de diamants, objecta Tungata. Ça vaut mieux qu'un coup de corne de rhinocéros dans le derrière.

Ils avaient prélevé une douzaine de barreaux en haut de l'échelle pour allumer un feu dans la grotte. Dans la chaleur des flammes, leurs vêtements mouillés dégorgeaient des nuages de vapeur moite.

— Si toutefois ce sont des diamants, fit Sally-Ann, obstinément sceptique.

— Là-dessus aucun doute, décréta Craig. Regarde.

Il choisit une pierre dans le tas, un cristal dont l'un des côtés taillait une facette naturelle, et tira un trait sur le verre de lampe. Le crissement strident leur fit grincer les dents. Un sillon blanc traversait le verre en diagonale.

— Il te faut une autre preuve?

— Ils sont tellement énormes!

Sarah sélectionna le plus petit qu'elle put dénicher.

— Même celui-là est encore plus gros que les phalanges de mon petit doigt!

— Les ouvriers matabélé choisissaient leurs pierres dans le premier tri, expliqua Craig. Ils tombaient donc forcément sur les plus belles. Mais souviens-toi que les gemmes perdent soixante pour cent de leur masse au moment de la taille et du polissage. Au bout du compte, ton diamant sera sans doute à peine plus gros qu'un petit pois.

— Les couleurs, chuchota Tungata. Tant de couleurs différentes!

Certains étaient d'un jaune translucide, ambré, et d'autres parfaitement incolores, limpides comme des torrents de haute montagne, avec des facettes luminescentes qui reflétaient les flammes du brasier.

— Regarde un peu.

La pierre que Sally-Ann tenait à la main avait l'éclat violacé du Mozambique quand le soleil des tropiques sonde la profondeur de ses eaux.

— Et celle-là!

Une autre, d'un rouge vif comme un flot de sang jaillissant d'une artère.

— Et celle-là!

Vert éclatant, d'une beauté irréelle, qui changeait au moindre vacillement de la lumière.

Elle les alignait une par une devant elle, en éventail, classait, triait, sélectionnait par couleur, par gradation.

— «Le diamant peut adopter n'importe quelle couleur primaire. Il semble prendre plaisir à imiter les teintes propres aux autres gemmes.» C'est John Mandeville, grand voyageur du XIVe siècle, qui a écrit cela.

Craig tendait ses mains vers les flammes.

— Et il peut se cristalliser dans n'importe quelle forme, depuis le carré parfait jusqu'à l'octaèdre, au dodécaèdre...

— Ben dis donc, mon pote, t'as l'air drôlement culturé! fit Sally-Ann, gouailleuse.

— J'ai écrit un livre — tu ne te rappelles pas? Et la moitié du bouquin parlait de Rhodes et des diamants de Kimberley. Je peux continuer, si tu veux : le diamant réfléchit presque parfaitement la lumière, seul le chromate de plomb possède un indice de réfraction plus important et seules les chrysolithes...

— Assez!

— Son éclat ne ternit jamais, mais les Anciens ne connaissaient pas le truc qui consiste à le tailler pour révéler sa véritable splendeur. C'est pourquoi les Romains faisaient plus de cas des perles, par exemple, et même le Koh-i Nor n'avait été que grossièrement poli par les lapidaires des Indes. Les malheureux! S'ils savaient que la taille a réduit la masse de leur caillou de huit cents carats à deux cent soixante-dix-neuf, ils seraient fous!

— Huit cents carats, ça représente quoi? demanda Sarah.

Craig sélectionna une gemme dans l'éventail déployé devant Sally-Ann. Elle était de la taille d'une balle de golf.

— Celle-ci fait probablement trois cents carats. On pourrait en tirer un parangon, c'est-à-dire une première eau de plus de cent carats. Après quoi les hommes lui donneraient un nom, le Grand Mogol, l'Orlov, et les légendes commenceraient à tisser leur toile.

— Le Feu de Lobengula, suggéra Sarah.

— Pourquoi pas?

— Combien donnerais-tu de tout ça? s'enquit Tungata. Dis-moi un prix, pour ce joli tas de cailloux.

— Aucune idée. Tu en as là-dedans qui ne valent pas un clou...

Il choisit un bloc gris, opaque, où on distinguait à l'œil nu des fêlures et des crapauds noirs, et où des jardinages fissuraient l'intérieur de longs reflets argentés.

— En voici un qui est de qualité industrielle. On l'utilisera sur des machines-outils, ou dans la confection de trépans pour les puits de forage, mais les autres... Leur prix devra se négocier au spécimen. Ils vaudront ce que l'acheteur voudra y investir. Car il serait impossible de les vendre en bloc : le marché n'absorberait pas une telle avalanche.

— Combien, *Pupho ?* insista Tungata. Donne-moi au moins une fourchette.

— Impossible.

Il ramassa une autre pierre dont les facettes givreuses et les glaces masquaient le feu.

— Des techniciens hautement qualifiés pourraient travailler sur celle-ci pendant des semaines entières, des mois même, disséquant les défauts, polissant une fenêtre pour examiner l'intérieur au microscope. Et enfin, le moment venu de « faire » la pierre, un maître tailleur aux nerfs d'acier « posera » les facettes en suivant les plans de clivage. Un coup de marteau malheureux, et la gemme explosera en éclats sans valeur. On raconte que celui qui a taillé le Cullinan s'est évanoui de soulagement en arrivant au bout de ses peines.

Craig soupesait la pierre pensivement.

— Si tout se passe bien, et si la couleur obtient la cotation « D », on peut en tirer... disons un million de dollars.

— Un million de dollars ! s'exclama Sarah.

— Peut-être plus.

Sally-Ann puisa une pleine poignée de diamants dans ses mains jointes, et les laissa s'écouler rêveusement entre ses doigts.

— Si un seul caillou vaut ce prix-là, combien pour tout le lot ?

— Entre cent et cinq cents millions, fit Craig d'une voix tranquille.

Et le montant astronomique de la somme, loin de les remplir de joie, semblait les précipiter dans des abîmes de mélancolie.

Abandonnant ses pierres comme si elles lui avaient brûlé les doigts, Sally-Ann croisa frileusement les bras en frissonnant. Ses cheveux mouillés pendaient sur son visage en mèches visqueuses et le feu soulignait les cernes de ses yeux. Ils paraissaient tous épuisés, exténués.

— Autrement dit, soupira Tungata, à l'heure qu'il est nous sommes probablement les êtres humains les plus riches au monde, mais je donnerais n'importe quoi pour un rayon de soleil.

— Parle-nous, *Pupho,* supplia Sarah. Raconte-nous des histoires.

— C'est vrai, fit Sally-Ann, c'est ton boulot. Des histoires de diamants, par exemple.

— D'accord, acquiesça Craig, et pendant que Tungata alimentait le feu il réfléchit un moment. Malheureusement, les diamants les plus célèbres ont tous une histoire sanglante. Celle du Sancy, par exemple, que son propriétaire avait envoyé à Henri de Navarre pour enrichir le trésor de la couronne de France. C'est un des serviteurs de monsieur de Sancy qui était chargé de le lui remettre. Mais une troupe de brigands attendait le pauvre homme dans la forêt. Ils le fouillent de la tête aux pieds : rien. Ils décousent ses vêtements, éventrent ses bagages : toujours rien. Fous de rage, ils le tuent, l'enterrent en hâte et prennent la poudre d'escampette. Des années plus tard, monsieur de Sancy devait retrouver la tombe dans la forêt, et ordonner qu'on exhume le corps décomposé de son serviteur. Le diamant légendaire était dans l'estomac du cadavre.

— Horrible ! fit Sally-Ann en grelottant.

— Il y a plus horrible encore. Les diamants ont inspiré des milliers d'intrigues, des centaines de guerres. On a tué, torturé, empoisonné pour se les approprier. Des palaces ont été pillés, des temples profanés. Chaque pierre a laissé derrière elle un sillage sanglant de barbarie et de cruauté. Et pourtant, mutilés, affamés, déchus, jamais les hommes n'ont cessé de les convoiter. C'est le cas de Shah-Shuja par exemple. Après des mois de faim, de soif et de souffrances abominables, humilié, ruiné, brisé par les supplices qui l'avaient forcé à dévoiler la cachette du Grand Mogol, traîné devant Runjeet Singh, le « lion du Pendjab ». Et comme celui qui avait été son meilleur ami lui demandait en refermant le poing sur la pierre : « Dis-moi, Shah-Shuja, quel prix accordes-tu à ce caillou ? », Shah-Shuja, au seuil d'une mort ignoble, eut encore la force — ou la folie ? — de répondre : « Le prix de la fortune. Car à ceux qui le portaient en sautoir, le Grand Mogol a toujours apporté la gloire. »

Tungata salua la fin du conte d'un grognement.

— Reste à savoir quel genre de gloire nous réservent les nôtres.

Craig était à court d'histoires. Ils retombèrent dans le silence, grignotèrent leurs galettes de maïs sans un mot et s'amassèrent autour du feu. Incapable de fermer l'œil, Craig écoutait dormir les autres.

La seule façon de sortir de cette impasse, c'était de redescendre dans le bassin et de remonter de l'autre côté par la grande faille. Mais combien de temps les Shona resteraient-ils postés là ? Et combien de temps pourraient-ils survivre dans cette grotte ? Il y avait des provisions pour un jour ou deux, les infiltrations de la caverne leur fourniraient de l'eau à profusion, mais la lumière de leurs deux lampes devenait terne, pâle. Les piles faiblissaient. Le bois de l'échelle alimenterait leur feu pour quelques jours encore... et après ? Le froid, l'obscurité. Combien de temps tiendraient-ils avant de devenir cinglés ? Combien de temps avant d'entreprendre la grande plongée dans l'eau glaciale, pour se faire cueillir en arrivant en haut par un bataillon de la 3ᵉ brigade... ?

Ces méditations moroses furent brutalement interrompues. Sous son corps, la roche frissonna, tressauta, et Craig se leva d'un bond affolé.

Dans les hauteurs insondables du plafond une grande stalactite — vingt tonnes de calcaire vernissé d'eau — claqua comme la queue d'un fruit mûr et s'écroula au sol à dix mètres à peine de leur feu. Un épais nuage de craie envahit la grotte. Sarah s'éveilla dans un hurlement terrifié, et Tungata émergea de son sommeil en battant furieusement des bras à grand renfort de cris.

La terre cessa de trembler. Le silence des profondeurs les recouvrit à nouveau.

— Bon sang ! fit Sally-Ann. Mais qu'est-ce que c'était que ce truc-là ?

Craig hésitait à répondre. Il regarda Tungata.

— Les Shona, dit le Noir d'une voix calme. Ils ont dû dynamiter la grande faille.

— Seigneur !

Sally-Ann couvrit sa bouche à deux mains.

Sarah formula leurs pensées à voix haute.

— Enterrés vivants.

Depuis la plate-forme où ils s'accrochaient jusqu'à la surface de l'eau, le puits dégringolait sur trente-deux mètres. Tungata l'avait sondé avec la corde de nylon, avant que Craig ne commence la descente. Quiconque tombait dans le vide signait son arrêt de mort.

Ils calèrent un piquet en travers du boyau qui menait à la grotte des cristaux, y nouèrent solidement la corde et Craig descendit en rappel, reprit une fois encore le chemin du gouffre. En arrivant aux derniers vestiges de l'échelle il s'y percha prudemment, et plongea.

Il ne fit qu'un voyage. C'était suffisant pour confirmer leurs pires craintes. Un éboulis bloquait le tunnel qui menait à la grande faille. Impossible même d'arriver au mur. Colmatée par un chaos de blocs qui s'étaient détachés du plafond, la galerie menaçait de crouler. En tâtonnant, Craig déclencha une avalanche de rocailles instables.

Il recula jusqu'au puits, et se propulsa à la surface. Accroché aux montants de l'échelle, il reprit son souffle en haletant.

— *Pupho,* ça va ?

— Ça va ! Mais tu avais raison : le tunnel est dynamité. Plus question de sortir !

Quand il reprit pied sur la plate-forme, tout le monde l'attendait, les traits tendus dans la lueur du feu.

— Qu'est-ce qu'on va faire ? demanda Sally-Ann.

— Explorer minutieusement la grotte. Le moindre coin, le moindre tunnel, la moindre ouverture. On va s'organiser par équipes de deux. Sam et Sarah à gauche — doucement avec les lampes, essayez de ménager les piles.

Trois heures s'étaient écoulées à la Rolex de Craig quand

ils se retrouvèrent autour du feu. Les ampoules distribuaient tout juste un halo fatigué.

— On a trouvé un boyau qui prenait derrière l'autel, résuma Craig. Pendant un moment ça paraissait prometteur, et brusquement : cul-de-sac. Et vous ?

Il nettoyait une égratignure sur le genou de Sally-Ann.

— Rien, avoua Tungata.

Un lambeau de chemise lui servit à bander la blessure.

— Et maintenant ?

— On mange, et on dort. Pas question de se laisser abattre.

Ce n'était rien d'autre qu'un expédient pour fuir leurs problèmes, il le savait bien, mais il réussit tout de même à succomber au sommeil. Quand il s'éveilla Sally-Ann se blottissait contre lui, la poitrine agitée d'une toux râpeuse, rauque. Il se coula contre la roche en prenant soin de ne pas la déranger. De l'autre côté des braises, Tungata ronflait. Il émit un grognement sourd, se retourna et se tut.

Seul le goutte-à-goutte des infiltrations résonnait maintenant dans la grotte, et de temps en temps, à peine perceptible, un chuchotement si lointain que Craig l'interpréta comme l'écho du silence dans ses oreilles. Un son insidieux, chuintant, qui le harcelait obstinément.

« Evidemment ! Des chauves-souris ! »

Il se souvint de les avoir entendues plus clairement en arrivant pour la première fois sur la plate-forme. Lentement, il dégagea la tête de Sally-Ann de son épaule. Un borborygme éraillé roula dans sa gorge. Elle se lova sur le flanc, et se détendit à nouveau.

Equipé d'une lampe, Craig remonta le boyau qui débouchait sur la plate-forme. Il expédia un maigre faisceau de lumière vers le haut une ou deux fois, et s'appuya le dos au mur dans l'obscurité pour tendre l'oreille.

Il y avait de longs moments de silence, ponctués par le tintement de l'eau sur la roche, et brusquement un chœur de gloussements étouffés qui résonnait dans le puits, avant de retomber dans le néant.

Craig fit clignoter sa lampe. 5 heures. Difficile de savoir s'il s'agissait du matin ou du soir, mais si les chauves-souris nichaient encore là-haut c'est qu'il faisait jour. Il s'accroupit et attendit une heure, en consultant sa montre de loin en loin. Il y eut un nouveau brouhaha de piaillements lointains. Non plus les petits cris ensommeillés de tout à l'heure, mais une vraie bacchanale de glapissements excités, comme des milliers de bestioles s'élançaient vers leur terrain de chasse nocturne.

Le bruit s'estompa lentement. 6 h 35. Craig imaginait, quelque part en surface, la bouche d'une grotte qui vomissait des nuages d'ailes noires dans le ciel du crépuscule, comme une cheminée d'usine.

Il se risqua au bord de la plate-forme et, accroché à la roche, se démancha le cou pour examiner les hauteurs du puits en brandissant sa loupiote à bout de bras. Le halo jauni ne servait qu'à rendre l'ombre plus opaque encore.

Le puits creusait une cheminée en demi-cercle d'une largeur de trois mètres environ. Il renonça à tenter de percer le secret des sommets pour se concentrer sur la paroi qui lui faisait face.

Elle était lisse comme du verre, polie par les eaux qui l'avaient taillée. Pas une prise, pas une niche, rien à part...

Il s'aventura un peu plus avant au-dessus du vide. Il y avait une marque sombre sur la pierre à l'extrême limite de son champ de vision, juste en face, loin au-dessus de sa tête. Une strate du calcaire, une fissure, ou tout bonnement une illusion d'optique ? Impossible de le savoir, et la lumière faiblissait.

— *Pupho !*

La voix de Tungata résonna à ses côtés au moment où il se reculait.

— Qu'est-ce que c'est ?

Craig éteignit sa lampe.

— La seule issue, si on veut remonter un jour à la surface.

— Quoi ? Cette cheminée ?

— Les chauves-souris. Elles sont perchées quelque part là-haut.

— Mais les chauves-souris ont des ailes.

Après un long silence, Tungata ajouta :

— A ton avis, elles sont loin ?

— Aucune idée. Mais il y a peut-être une fissure, ou une arête en saillie le long de la paroi. Passe-moi l'autre lampe, la pile est plus puissante.

Ils se penchèrent tous les deux pour scruter l'ombre.

— Qu'en penses-tu ?

— Il y a quelque chose...

— Si seulement je pouvais traverser !

— Comment ?

— Laisse-moi réfléchir.

Ils se tassèrent contre la roche. Au bout d'un moment Tungata murmura :

— Craig, si jamais on s'en sort... Les diamants... Tu auras droit à ta part de...

— Ferme-la, par pitié.

Suivirent quelques minutes de silence, et puis enfin :

— Sam, le plus grand des montants de l'échelle... Tu crois qu'il serait assez long pour atteindre l'autre côté ?

Ils allumèrent un feu sur le palier. Le reflet des flammes vacillait sur la paroi. Une fois encore, Craig se laissa couler le long de la corde jusqu'aux vestiges de l'échelle, en examinant minutieusement chacune des perches qui composaient l'ouvrage. Les sorciers les avaient taillées suffisamment courtes pour pouvoir les manier facilement dans le labyrinthe des galeries, mais celles qui formaient les montants atteignaient tout de même des dimensions respectables. La plus longue était à peine plus grosse que le poignet de Craig. C'était le tronc élancé d'un jeune *leadwood*[1], l'un des bois les plus durs et les plus résistants du Sud-Est africain.

Il attacha sa corde à l'extrémité du tronc, en criant vers la plate-forme pour expliquer la manœuvre, puis il trancha la ficelle d'écorce qui liait l'échafaudage. La perche se libéra pour pendre au bout de son filin et osciller comme un pendule, entraînant Craig dans un balancement terrifiant au cœur du vide, pendant que la structure tout entière, privée de son support, s'effondrait lentement pour s'écrouler dans un fracas de craquements.

1. *Leadwood :* combretum imberbe *(N.d.T.)*.

Craig se hissa à la force du poignet le long de la corde et remonta jusqu'au palier.

— C'est maintenant qu'on va commencer à s'amuser, fit-il dans un souffle.

Ils entreprirent, attelés au filin, de tracter leur fardeau centimètre par centimètre, jusqu'à ce que le poteau pointe le nez au ras de la plate-forme. Ils l'ancrèrent solidement, et Craig se coula à plat ventre pour glisser un nœud coulant à l'autre extrémité. Maintenant qu'ils le tenaient par les deux bouts, ils pouvaient le manœuvrer tant bien que mal et le balancer en travers du puits.

Après une heure d'efforts, de grognements et de jurons, ils appuyaient enfin leur perche à la paroi opposée.

— Il faut la soulever, expliqua Craig pendant qu'ils reprenaient leur souffle, et tâcher de la caler dans cette bon sang de fissure... si toutefois c'en est une.

A deux reprises, le poteau leur échappa pour s'abattre dans le puits. A chaque fois la corde tenait bon, mais il leur fallait tout reprendre à zéro.

La Rolex de Craig indiquait minuit quand ils parvinrent à leurs fins.

— Tire encore un peu sur la droite, haleta Craig. Là. Voilà.

Ils sentirent le tronc rouler doucement entre leurs mains, et se loger dans la cassure de la roche avec un bruit mat. Ils tombèrent dans les bras l'un de l'autre pour se taper dans le dos en riant comme des gosses.

Sarah alimenta le feu, et ils examinèrent leur œuvre à la lumière des flammes. Ils disposaient maintenant d'un pont en travers du puits, un madrier qui traçait une diagonale abrupte, calé d'un côté contre la paroi de la plate-forme, et de l'autre dans la fissure étroite qui craquelait la muraille.

— Il faut maintenant que quelqu'un se risque là-dessus.

La voix de Sally-Ann était curieusement fluette, mal assurée.

— Et de l'autre côté, qu'est-ce qui se passe? demanda Sarah.

— On le saura quand on y sera, répondit Craig.

— Laisse-moi y aller, fit Tungata d'une voix douce.

— Tu as déjà fait de la varappe ?

Le Noir secoua la tête.

— Bon, alors c'est tout vu. Donne-moi seulement deux heures pour récupérer. Dormir, avec un peu de chance.

Mais il fut incapable de fermer l'œil. Son délai de deux heures n'était pas écoulé qu'il commençait déjà à expliquer à Tungata comment l'assurer, les deux pieds bien calés, la corde fixée à la taille et sanglée par-dessus l'épaule.

— Ne me laisse pas trop de mou, mais ne tire pas non plus. Si je dévisse, bloque la corde comme ça et accroche-toi tant que tu peux. D'accord ?

Il se ficela une lampe autour du cou avec un lambeau de toile. Puis il enfourcha la perche et, les mains entre les cuisses, il commença à se propulser sur le rondin. Anneau par anneau, Tungata déroulait la corde.

Craig ne tarda pas à se rendre compte que la pente était trop raide. Il lui fallut s'allonger sur le bois, l'enlacer étroitement et ramper en nouant ses membres au poteau. Au-dessous, le vide béant avait quelque chose de fascinant, d'hypnotique. La perche pliait à chacun de ses mouvements de reptation. Il entendait l'extrémité gratter contre la roche, de plus en plus près, et enfin ses doigts touchèrent la paroi.

Il tâtonna fébrilement à la recherche de la crevasse. Elle était là. Elle courait à la verticale le long du puits. Une craquelure étroite qui brisait l'uniformité désespérante du calcaire.

— C'est bien une fissure, cria-t-il. Je vais voir jusqu'où elle mène.

— Fais attention, Craig !

Il enfourna les doigts dans la cassure, et referma vigoureusement son poing. Sa main gonflée, crispée, se bloqua dans la roche comme un verrou de chair qui le maintenait fermement à la paroi.

Il se hissa sur la perche, replia son genou et, de sa main libre, abaissa le loquet de blocage de sa cheville artificielle. L'articulation était maintenant rigide.

Il inspira profondément pour murmurer dans un souffle :

— OK, allons-y.

Fourrant sa main droite dans la faille, il se fit un deuxième verrou et déploya la force de ses deux bras pour se tracter sur les genoux, en équilibre sur le poteau.

Il desserra sa main gauche et la glissa hors de la crevasse pour la pousser plus haut dans la roche et gonfler son poing à nouveau. Ça y est, il était debout, plaqué au calcaire.

La jambe levée au maximum, il glissa son pied artificiel en biais dans la fissure et pesa de tout son poids. Le pied de métal bascula, et s'ancra sur les deux faces de la crevasse. Il quitta l'appui de la perche et s'éleva d'un pas.

— Bonne vieille patte folle ! grogna-t-il.

Jamais son autre jambe n'aurait supporté son poids dans des conditions pareilles, sans chaussures d'escalade pour affermir sa prise.

Il coinça une main dans la roche, puis l'autre, se souleva à la force des bras, et recommença son manège quelques centimètres plus haut. Suspendu tour à tour à ses « verrous » et à sa prothèse, il progressait lentement contre la paroi. La corde glissait derrière lui.

Il s'élevait dans l'ombre. L'abîme paraissait vouloir le happer comme il calculait patiemment le chemin parcouru à chaque traction, et il avait franchi quinze mètres seulement quand la cassure commença à s'élargir. Il lui fallait pousser sa main un peu plus loin à chaque fois pour s'assurer une prise, et chacune de ses étapes se raccourcissait, exigeait de ses muscles des efforts herculéens.

Le roc avait décapé la peau de ses phalanges, et transformait son ascension en un supplice épouvantable. Ses cuisses, ses abdominaux n'étaient plus que des nœuds de douleur brûlante.

Il n'irait pas beaucoup plus loin. Il se surprit à se plaquer au mur, le front collé au calcaire comme un pénitent. C'était l'attitude de la défaite et du désespoir. Ne jamais s'arrêter : la règle d'or de la grimpe. Craig le savait, mais il ne pouvait rien faire pour s'en empêcher.

Il n'arrivait pas à ravaler les sanglots qu'il sentait monter en lui. Il dégagea une main de la fissure, l'agita pour faire revenir le sang dans ses doigts gourds et lécha doucement la chair lacérée.

— *Pupho!* Pourquoi t'es-tu arrêté?

La corde ne se déroulait plus. Ils se posaient des questions, en bas.

— Craig, tiens bon, mon amour!

Sally-Ann avait deviné son désespoir. Il y avait quelque chose dans sa voix qui lui redonna du courage.

Progressivement, il se détacha de la muraille, reprit son équilibre, porta son poids sur sa jambe et recommença patiemment à grimper, main gauche, main droite, poings serrés, traction, jambes pliées — encore et encore, le même supplice toujours recommencé. Dix-huit mètres, vingt mètres — il continuait sa progression dans la nuit.

Allonger le bras droit, et... Et rien. Le vide.

Il tâta frénétiquement en cherchant la fissure. Rien. Puis ses doigts retrouvèrent la roche plus loin sur le côté. La crevasse s'ouvrait en V sur une niche assez large pour y loger son corps.

«Merci Seigneur. Oh! merci, merci!...»

Craig se hissa dans l'anfractuosité, y cala ses hanches, ses épaules, et blottit ses mains abîmées contre sa poitrine.

— Craig!

Le cri de Tungata résonna dans le puits.

— Tout va bien. J'ai trouvé une niche. Je fais une pause.

Il savait qu'il ne pouvait pas se permettre d'attendre trop longtemps, s'il ne voulait pas que ses mains s'ankylosent.

— OK! Je repars.

Il se leva en tâtonnant dans le noir.

Apparemment sa niche s'allongeait, se prolongeait vers le haut dans une cheminée profonde qu'il entreprit d'escalader en bloquant ses épaules d'un côté, ses pieds de l'autre, et en progressant, lentement, centimètre par centimètre. Et brutalement la cheminée s'arrêta. Elle s'achevait sur une craquelure si étroite qu'il n'arrivait même pas à y glisser les doigts.

Il tendit le bras vers le puits pour palper la muraille. Sous sa main le calcaire ne présentait qu'une surface plane, désespérément régulière.

— Terminus, chuchota-t-il, et brusquement tous les

muscles de son corps se contractèrent en spasmes douloureux.

Une fatigue épouvantable s'abattit sur lui. Jamais il ne trouverait l'énergie pour redescendre par la voie qu'il venait d'ouvrir, et jamais il n'aurait la force de rester indéfiniment recroquevillé dans cette goulotte de pierre.

Et brusquement une chauve-souris émit un criaillement strident au-dessus de lui, si proche que la surprise manqua le faire dévisser. Il se reprit de justesse et, les jambes tremblant sous l'effort, se coula en crabe à la limite du puits. La bestiole piailla à nouveau, et une centaine d'autres lui répondirent. Déjà l'aube, sans doute, et les chauves-souris réintégraient leur perchoir.

Craig chercha à tâtons la lampe qui pendait sur sa poitrine au bout de son collier de toile, puis il se démancha le cou, se trémoussa jusqu'à l'angle de la paroi et, à la limite du déséquilibre, risqua un coup d'œil en braquant la lumière vers les sommets du puits.

Immédiatement, un charivari de couinements effrayés retentit, rythmé par le clappement d'une infinité d'ailes — et au-dessus de sa tête, irrémédiablement hors d'atteinte, il y avait une lucarne dans la falaise d'où les sons jaillissaient comme du pavillon d'une trompette. Il tenta désespérément d'y accrocher ses doigts, en dépit de tous ses efforts il parvenait à peine à trente centimètres du rebord.

Le halo jaune de sa lampe s'évanouit. Quelques secondes encore les filaments brûlèrent d'un éclat rouge dans leur ampoule de verre, puis la nuit se referma sur lui, et il se retira dans la cheminée.

Vaincu, il balança rageusement cette satanée lampe dans le vide. Elle rebondit sur la roche et dégringola dans un vacarme qui se répercutait en échos de plus en plus éloignés pour finalement heurter la surface de l'eau dans un clapotis lointain, une éternité plus tard.

— Craig !

— Ça va, ça va ! J'ai jeté la lampe.

Sa voix était amère, désabusée. Une fois encore il tenta d'atteindre le replat au-dessus de lui. Ses ongles griffèrent vainement la pierre, et il abandonna pour redescendre lentement dans sa niche et se caler au creux de la roche.

— Qu'est-ce qui se passe, Craig?

— Fiasco complet. Il n'y a pas de sortie. A moins que...

Il s'interrompit.

— A moins que quoi?

— A moins qu'une des filles ne grimpe ici.

Il y eut un long silence, que Tungata finit par briser d'une voix sourde.

— J'arrive.

— Pas question. Tu es trop lourd. Je ne pourrai jamais te soutenir.

Nouveau silence, puis la voix de Sally-Ann :

— Dis-moi ce qu'il faut faire.

— Encorde-toi. Nœud de chaise.

— OK.

— Bon. Maintenant grimpe sur la perche. Je t'assure.

En glissant un coup d'œil vers le bas il la voyait se silhouetter contre la lueur du feu. Méthodiquement, il roulait la corde, prêt à encaisser le choc si elle perdait pied.

— Ça y est, j'ai traversé.

— Tu vois la fissure?

— Oui.

— Je vais te tracter. Prends appui sur les pieds, pour m'aider.

— OK.

— On y va.

La corde se tendit brutalement et mordit dans son épaule.

— Pousse! ordonna-t-il.

Elle se hissa d'un mètre.

— Pousse!

Cela semblait durer depuis une éternité, et tout d'un coup elle poussa un cri. La corde laboura son épaule dans un sillon brûlant. Il faillit se dérocher.

Le nylon avait écorché ses paumes. Sally-Ann hurlait encore, et dansait d'un bord à l'autre du puits dans un mouvement d'oscillation régulier.

— Ferme-la! rugit-il. Reprends-toi!

Ses cris s'arrêtèrent, et petit à petit les oscillations se calmèrent.

— J'ai perdu pied...

Sa voix était presque un sanglot.

— Tu peux retrouver la fissure ?

— Oui.

— Bon. Dis-moi quand tu es prête.

— Prête !

— Pousse !

Il crut qu'elle n'en finirait jamais, et brusquement sa main toucha sa cuisse.

— Bienvenue à bord.

Il lui ménagea un peu de place dans sa niche, et l'aida à se rétablir.

Ses premiers mots, quand elle eut récupéré son souffle, furent :

— Pas question que j'aille plus loin.

— Tu as fait le plus dur.

Il ne pouvait pas lui parler de la lucarne. Pas encore.

— Ecoute les chauves-souris. On doit approcher de la surface. Pense au premier rayon de soleil, à la première petite brise...

Il s'efforça de lui soutenir le moral, jusqu'à ce qu'elle dise enfin :

— On peut y aller.

Et il la guida dans la cheminée. Quand le conduit s'élargit il la plaça au-dessus de lui pour l'aider à se hisser en jouant des pieds, des épaules et des fesses.

— Craig ! Craig, ça s'arrête là ! Bloqués ! C'est un cul-de-sac !

La panique menaçait de la submerger. Il la sentait trembler en refoulant ses sanglots.

— Du calme. Encore un effort. Un seul, je te promets.

Il attendit qu'elle s'apaise avant de continuer :

— Il y a une fenêtre dans la falaise juste au-dessus de ta tête, sur la paroi du puits. A peine trente ou cinquante centimètres et...

— Je ne pourrai jamais l'atteindre.

— Mais si ! Je vais te faire un pont avec mon corps.

Debout sur mon ventre, tu y arriveras sans problème. Tu m'entends ? Sally-Ann, réponds-moi !

— Non.

Une petite voix tremblante.

— Je ne peux pas.

— Alors on ne décollera jamais d'ici. C'est la seule issue. Tu grimpes, ou on moisit dans ce cul-de-basse-fosse.

Il se hissa au-dessous d'elle, les abdominaux plaqués contre ses fesses. Puis il se tendit en bandant ses jambes contre la roche, les épaules arc-boutées sur la paroi, formant un brancard de chair sous son poids.

— Laisse-toi aller doucement, siffla-t-il. Assieds-toi sur mon ventre.

— Craig, je suis trop lourde.

— Mais vas-y, nom de Dieu ! Vas-y !

Elle s'affaissa lentement sur lui, et la douleur était insoutenable. Ses tendons, ses muscles brûlaient abominablement, sa vision s'emplissait d'éclairs éblouissants.

— Maintenant, lève-toi, hoqueta-t-il.

Elle se dressa sur les genoux ; ses rotules coupaient dans sa chair comme des clous de crucifixion.

— Debout ! Vite !

Elle se redressa sur la plate-forme de son corps en vacillant.

— Debout !

— Craig, il y a un trou là-haut.

— Tu peux t'y glisser ?

Pas de réponse. Elle affermit son point d'appel, et il cria sous l'effort.

Elle bondit. Son poids le quitta brusquement. Il entendit ses pieds racler la paroi et le frottement du nylon comme elle se hissait dans la lucarne, traînant sa corde comme une queue de singe.

— Craig, c'est une corniche... une grotte !

— Attache ton filin quelque part.

Une minute, puis une autre — il ne tenait plus, ses membres s'engourdissaient, ses épaules...

— Ça y est !

Il fit une boucle à son poignet, et se lâcha des pieds. Pendu comme un pantin, il balança dans le vide.

Laborieusement, douloureusement, il se tracta à la force des poignets pour basculer enfin sur le seuil de la lucarne. Sally-Ann le pressa contre son cœur. Trop vidé, trop ému pour articuler un son, il s'accrochait à elle comme un nourrisson à sa mère.

— Qu'est-ce qui se passe là-haut?

Tungata grillait d'impatience.

— On a trouvé une cavité qui doit déboucher en surface! Il y a des chauves-souris.

— Alors? Qu'est-ce qu'on fait?

— Je vous envoie la corde. Il y a une boucle au bout. D'abord Sarah. Il faut qu'elle traverse sur la perche, et qu'elle s'enfile dans la boucle. On la hissera jusqu'ici.

C'était un message interminable, qui se perdait en résonances dans les profondeurs du puits.

— Compris?

— Compris.

Craig fit ses nœuds et, dans l'obscurité la plus totale, rampa jusqu'au point d'ancrage que Sally-Ann avait choisi. Il le palpa à tâtons. C'était un éperon de calcaire à quatre mètres du ressaut, et le nœud tenait bon. Allongé sur le ventre, il expédia sa corde dans l'abîme. Le rayonnement du feu auréolait vaguement le fond d'un rougeoiement diffus. Il percevait le murmure des voix.

— Qu'est-ce que vous attendez?

C'est alors qu'il distingua une silhouette sombre dans le reflet des flammes, qui progressait sur le longeron. Une silhouette trop massive pour qu'il n'y ait qu'une seule personne, et il comprit que Tungata accompagnait Sarah.

Ils disparurent sous l'aplomb de la paroi.

— *Pupho,* jette la corde un peu plus à gauche.

Il obéit, et sentit se raidir le filin.

— Voilà. Sarah est encordée.

— Explique-lui qu'elle doit s'aider des pieds, quand on commencera à tirer.

Sally-Ann s'était calée derrière Craig, pour empoigner la

corde qui courait sur son épaule. Lui-même bloquait ses semelles sur la roche.

— Tire ! ordonna-t-il, et elle s'adapta rapidement au rythme des tractions.

Sarah ne pesait pas très lourd, mais l'à-pic était long et les mains de Craig dégoulinaient de sang. Il leur fallut cinq bonnes minutes avant de haler leur fardeau sur le ressaut. Ils s'accordèrent un moment de repos.

— D'accord, Sam. A toi !

Ils s'attelaient tous les trois au filin maintenant. Craig entendait les filles hoqueter, gémir sous l'effort.

— Sam, tu peux te coincer un peu dans la cheminée ? Une petite pause.

La corde mollit, et ils se détendirent, adossés contre la roche.

— Allez. On repart !

Tungata paraissait plus lourd encore que tout à l'heure, mais il apparut finalement dans l'encadrement de la lucarne pour s'affaler sur le sol. Ils étaient tous incapables de parler.

Craig fut le premier à retrouver sa voix.

— Merde ! Les diamants ! On a oublié ces foutus diamants !

Il y eut un cliquetis, et la lueur de la lampe que Tungata avait apportée avec lui leur fit cligner des yeux. Il émit un gloussement rauque.

— Pourquoi croyez-vous que j'étais si lourd ?

Il caressait un sac de toile au creux de ses genoux, et les diamants bruissaient les uns contre les autres dans un crépitement sec, comme un écureuil croquant des noisettes.

— Bien vu ! fit Craig, soulagé. Mais éteins vite, il reste à peine quelques minutes d'autonomie dans cette pile.

Ils utilisèrent la lampe par intermittence. Le premier éclair de lumière leur montra que leur lucarne s'ouvrait sur une grotte au plafond bas, qui s'étirait sur les côtés dans une perspective interminable. Le plafond était tapissé d'une masse de poils. Les yeux des chauves-souris brillaient comme une constellation de têtes d'épingles et leurs faciès hideux, roses, nus, pendaient en grappes inertes.

Le sol de la grotte était matelassé de crottes. Un guano

puant comblait les trous, nivelait la roche et s'enfonçait sous leurs pas comme ils s'avançaient en se tenant la main pour ne pas se perdre dans la nuit.

Tungata ouvrait la marche, en faisant cligner sa lampe de loin en loin. Sa corde en bandoulière, Craig fermait le cortège. Peu à peu le sol basculait vers le haut, et le plafond s'abaissait.

— Attends ! dit Sally-Ann. Ne rallume pas tout de suite.

— Pourquoi ?

— Là... Au bout de la pente. Je rêve, ou bien... ?

Les yeux rivés droit devant, ils finirent par percevoir un nimbe opalescent qui diluait l'obscurité, une gradation plus claire dans le noir épais qui les entourait.

— De la lumière... Il y a de la lumière là-haut.

Ils s'élancèrent fiévreusement en se cognant les uns aux autres, courant, poussant, riant au fur et à mesure que le jour grandissant découpait leurs silhouettes. C'était maintenant un flamboiement grandiose, et ils se bousculaient pour grimper la pente visqueuse de guano qui montait vers sa source.

La dalle du toit s'affaissait, les forçait à continuer à quatre pattes, puis à ramper, et la lumière dessinait une lame horizontale dont la minceur éblouissante les guidait. Ils labouraient le sol, pataugeaient dans la crotte, suffoquaient dans la poussière de guano en poussant des braillements enthousiastes et des cris hystériques.

Sarah pleurait à chaudes larmes. Tungata beuglait sa joie à gorge déployée, et Craig l'agrippa par les chevilles au moment même où il émergeait à l'entrée de la grotte.

— Du calme, Sam. Prudence. N'oublie pas les Shona.

Ce nom suffit à les faire taire. Leur euphorie s'évanouit.

— On va passer devant en éclaireurs, décida Tungata en lui collant dans les mains une pierre de la taille d'une batte de base-ball. C'est tout ce que je peux t'offrir comme arme. Les filles, vous ne bougez pas. On vous appellera. Entendu ?

Craig puisa une motte de guano au creux des mains et s'en noircit consciencieusement le visage et les bras. Puis, abandonnant sa corde, il se glissa au côté de Tungata.

A lui de prendre la direction des opérations maintenant. Ils pénétraient dans la brousse, le domaine de l'homme-léopard.

Un rideau d'herbe à éléphant masquait la crevasse horizontale où la grotte s'ouvrait sur le monde. Le soleil matinal cuisait déjà la montagne. Ils s'accordèrent le temps d'habituer leurs yeux à ses rayons.

Puis Tungata se coula dans l'herbe comme un mamba noir.

Craig compta jusqu'à cinquante avant de le suivre. Il déboucha sur une pente où les strates de calcaire dessinaient des contreforts couverts de broussailles, qui s'étageaient en paliers jusqu'à la forêt.

Tungata rampait devant. D'un geste de la main, il lui adressa un signal : « Couvre-moi sur la gauche. »

En jouant des coudes sur le sol desséché, Craig se glissa en position.

« Ouvre l'œil. »

Le geste était sec, l'ordre impératif, et ils scrutèrent la vallée pendant dix bonnes minutes, examinèrent les crêtes, fouillèrent les buissons, les pierres, les sous-bois centimètre par centimètre.

« Rien à signaler. »

Tungata s'ébranla en épousant la pente, vers l'épaule de la colline. Craig restait au-dessus de lui, légèrement en arrière, pour le couvrir.

Un oiseau piqua sur eux, volatile noir et blanc affublé d'un bec jaune dont la courbure disproportionnée lui valait le surnom de « canari yiddish ». Son volettement désordonné se termina sur un fourré, pour reprendre immédiatement dans un caquètement alarmé et l'emporter d'un coup d'aile vers la vallée.

« Danger. » Le signe de Tungata les figea tous les deux sur la pente.

Craig observait le bouquet d'herbes, de roches et de broussailles où quelque chose paraissait avoir tant effrayé l'animal.

Il y eut un mouvement furtif, et le craquement caractéristique d'une allumette sur un grattoir. Un plumet de fumée éthérée dériva du buisson. L'odeur du tabac vint piquer leurs narines. Puis Craig distingua la forme d'un casque, couvert d'un filet, qui oscilla quand son propriétaire tira sur la cigarette.

La vision se précisait, se détachait du décor. Dans sa tenue de camouflage, l'homme était couché derrière le trépied d'une mitrailleuse. Le canon de l'arme était bardé de rubans de toile de jute.

« Combien ? »

Au moment où les doigts de Tungata formulaient leur question muette, il vit le deuxième soldat, adossé à la base du buisson. L'ombre des branchages au-dessus de sa tête s'harmonisait parfaitement aux zébrures de sa tenue. C'était un colosse, nu-tête, avec des chevrons de sergent à son épaule et un pistolet-mitrailleur Uzi à côté de lui.

Craig s'apprêtait à signaler « deux », quand l'homme sortit un paquet de cigarettes de sa poche de poitrine et le tendit. Un troisième larron, qui était allongé sur le dos, se redressa pour attraper le paquet. Il le tapota pour en tirer une cigarette et le balança. Un quatrième soldat roula sur le coude pour le faucher au vol.

« Quatre ! »

C'était un nid de mitrailleuse, qui couvrait les pentes depuis l'arête de la colline. Fungabera avait manifestement prévu l'existence de galeries qui débouchaient en surface. Les montagnes devaient être truffées de postes comme celui-ci.

Le servant fixait la vallée. Après plusieurs jours d'affût, ses compagnons s'ennuyaient ferme.

« Position d'attaque », fit Tungata.

« Quoi ? » Craig n'arrivait pas à croire qu'il avait bien compris. « Quatre », rappela-t-il.

« Attaque à droite. » Et Tungata renforça l'ordre en crispant son poing. « Impératif. »

Craig sentait son sang charrier des torrents d'adrénaline, irriguer ses membres d'une chaleur irradiante. La bouche sèche, il s'agrippait à sa batte de pierre.

Ils étaient si près qu'il distingua le bout mouillé de la cigarette quand le servant l'enleva d'entre ses lèvres. Le nid regorgeait d'ordures : papiers gras, boîtes vides et mégots. Des armes jonchaient le sol. Le soldat allongé sur le dos repliait son coude pour se couvrir les yeux, la cigarette plantée dans sa bouche comme une bougie dans un chandelier. Appuyé à la broussaille, le sergent débitait un morceau de bois avec son coutelas. Le troisième avait déboutonné sa chemise pour dénicher minutieusement la vermine dans les poils de sa poitrine. Seul le servant maintenait un semblant de vigilance.

Tungata se coulait doucement en position au côté de Craig.

« Prêt ? »

« Affirmatif. »

La main de Tungata s'abaissa brutalement : « En avant. »

Craig fonça, roula dans le nid, et frappa l'homme au coutelas d'un coup de caillasse en pleine tempe. Tout de suite, il sut qu'il avait cogné trop fort. L'os craqua.

Le sergent s'affaissa sans un cri et au même instant Craig entendit un bruissement sourd, accompagné d'un grognement, comme Tungata fondait sur le servant de la mitrailleuse. Sans même un coup d'œil en arrière, il attrapa le pistolet-mitrailleur et l'arma.

Le Shona arrêta de chercher ses poux et leva les yeux, bouche bée, sur le démon maculé de guano qui lui collait le mufle d'un Uzi en pleine figure, pressait le métal du canon contre sa joue et le forçait au silence d'un regard dictatorial.

Le coutelas du sergent brandi au-dessus de lui, Tungata s'élança sur le quatrième Shona, enfonça un genou sous ses côtes et lui chatouilla la base de l'oreille de la pointe de sa lame.

— Le premier qui crie, chuchota-t-il, je lui tranche les testicules et je les lui fourre dans la bouche.

L'opération avait duré moins de cinq secondes.

Tungata s'agenouilla près du sergent et palpa sa gorge pour trouver son pouls. En secouant la tête, il commença à dépouiller le mort de son uniforme. Puis il l'endossa. Trop petit. La chemise tirait sur ses pectoraux.

— Prends les vêtements du servant, ordonna-t-il en

empoignant l'Uzi des mains de Craig pour tenir les deux prisonniers en respect.

Le malheureux avait le cou brisé. Tungata avait basculé son casque en arrière et la jugulaire s'était bloquée sous le menton. Sa tenue de camouflage puait la sueur rance et le tabac froid.

Sous la menace du pistolet-mitrailleur, les deux survivants saisirent leurs camarades par les pieds pour les tirer dans l'herbe, remonter jusqu'à l'entrée de la grotte et les balancer sur la pente qui s'enfonçait dans le sanctuaire des chauves-souris.

Horrifiées, les deux filles ne pipaient mot.

— Déshabillez-vous ! ordonna Tungata aux prisonniers.

Ils s'exhibèrent piteusement en short réglementaire kaki. Craig les fit s'allonger sur le ventre, et leur ficela poignets et chevilles dans le dos, dans une posture qui les rendait totalement impuissants. Puis il leur bourra la bouche avec leurs propres chaussettes et saucissonna les bâillons sous un nœud de nylon.

Pendant ce temps les filles enfilaient leurs tenues de camouflage, roulaient les manches, remontaient les jambes de pantalons, trois fois trop grands pour elles.

— Noircis ton visage, *Pendula,* fit Tungata, et elle s'exécuta. Les mains aussi. Et cache tes cheveux.

Il sortit un béret d'une de ses poches et le lui lança avant de commencer à dévaler la pente, son sac de diamants à bout de bras.

— En route !

Il les conduisit jusqu'au nid de mitrailleuse.

Là, il ramassa un havresac, le vida sur le sol pour y fourrer ses diamants, le boucler solidement et le sangler sur son dos.

Craig avait fouillé les paquetages. Il lui passa deux grenades, en enfourna deux autres dans ses poches, dota Sarah d'un pistolet Tokarev et Sally-Ann d'un autre Uzi. Pour lui, il garda un AK 47 avec cinq chargeurs, et ajouta un bidon d'eau à son équipement.

— On va tâcher de descendre dans la vallée sous le couvert des arbres, dit Tungata en distribuant des rations de survie.

Ils se bourrèrent tous de chocolat et commencèrent à dévaler la pente en biais, laissant l'épaulement de la colline sur leur gauche en espérant que les Shona s'étaient contentés d'écumer l'autre versant.

Ils abordaient la lisière de la forêt quand ils entendirent un moteur d'hélicoptère. L'appareil remontait de la vallée, de l'autre côté de la crête.

— Tout le monde à terre ! ordonna Craig, et il administra à Sally-Ann une claque vigoureuse entre les omoplates qui l'expédia dans la poussière.

Mais la pulsation des pales se modifiait, adoptait un rythme plus lent, et le son semblait devenir stationnaire derrière l'écran de la colline.

— Il va atterrir, dit Sally-Ann.

Le bruit des rotors s'étouffa brusquement.

Dans le silence, on entendait claquer des ordres.

— Viens voir un peu, *Pupho*.

Tungata et Craig rampèrent jusqu'à l'arête et risquèrent un coup d'œil de l'autre côté.

A mi-chemin de la vallée, au bord de la forêt, une tente kaki se dressait sur un replat. L'hélicoptère trônait dans un cercle d'herbes à éléphant couchées par le vent. Sous les arbres, des soldats de la 3e brigade s'affairaient. Trois ou quatre hommes se profilaient autour d'une table sous la tente.

— QG de campagne, murmura Craig.

— On dirait qu'ils sont en train de plier bagages.

En effet, un détachement de soldats en tenue de camouflage quittait la forêt en file indienne.

— Ils ont dû patienter quarante-huit heures après le dynamitage de la galcrie, et maintenant ils pensent qu'on est morts et enterrés.

— Combien ? demanda Tungata.

Craig plissa les yeux.

— Pas évident. Au moins vingt, sans compter ceux de la tente. Ni ceux qui doivent quadriller les collines, évidemment.

Tungata recula pour ne pas se silhouetter sur le ciel, et fit signe à Sally-Ann. Elle approcha en rampant.

— Tu connais cet engin-là ?

Il désignait l'hélicoptère.

— Super Frelon, répondit-elle sans hésiter.

— Tu peux piloter un truc comme ça ?

— Je peux piloter n'importe quoi.

— Ce n'est pas le moment de plaisanter. As-tu déjà piloté une machine de ce genre ?

— Pas un Super Frelon, non. Mais j'ai cinq cents heures de vol sur hélico.

— Il te faudrait combien de temps pour décoller, à partir du moment où tu t'installes aux commandes ?

Cette fois elle hésita.

— Deux ou trois minutes.

— Trop long, siffla Craig.

— Et si on faisait diversion pendant qu'elle s'installe aux commandes ? suggéra Tungata.

— Peut-être...

— Alors voilà mon plan : je vais remonter jusqu'au pied des crêtes, dans l'angle de la vallée. Tu descends au replat avec les filles. D'accord ?

Craig hocha la tête.

— Dans quarante-cinq minutes. (Il consulta sa montre.) A 9 h 30 exactement, je balancerai mes grenades en tirant dans tous les sens avec le AK. A priori, tous les Shona devraient se précipiter par là. Au premier coup de feu, fonce à l'hélicoptère. Dès que je vous entends décoller, je cours à découvert. Ici ! (Il désigna un point au creux des deux pentes.) Sous cette dalle de pierre. Les soldats n'auront pas eu le temps de me rejoindre. Vous me cueillerez au passage.

Craig lui passa le AK 47 et les chargeurs.

— Donne-moi l'Uzi. Je garde une grenade.

Il prit le pistolet-mitrailleur des mains de Tungata.

— Tiens. Je te laisse aussi les diamants.

Le Noir déboucla son havresac et le lui tendit.

— A plus tard.

Il se glissa dans les fourrés et Craig entraîna les deux filles le long de l'arête, à l'abri des rocailles. Ils coupèrent enfin la lisière de la forêt et franchirent la crête pour obliquer le long d'une ravine en direction du replat.

— On ne peut pas se risquer plus loin, chuchota Craig, et le petit cortège s'arrêta.

Il déposa son havresac et risqua un coup d'œil vers l'hélicoptère.

Ils étaient à cent cinquante mètres à peine. Accroupi près des patins, à l'ombre du fuselage, le pilote ne bougeait pas. Le Super Frelon était un engin trapu, au mufle court. Craig se baissa.

— Quelle autonomie ? chuchota-t-il.

— Pas sûre, répondit Sally-Ann. Si les réservoirs sont pleins, aux alentours de six cents miles, peut-être.

— Pourvu qu'ils soient pleins.

Il jeta un coup d'œil à sa Rolex.

— Dix minutes.

La transpiration avait raviné le grimage de Sally-Ann. Avec l'eau de sa gourde et un peu de terre, il répara les dégâts. A son tour, elle rafistola son maquillage.

— Deux minutes.

Il glissa un regard vers l'hélicoptère. Le pilote se levait, s'étirait, et grimpait dans l'habitacle.

— Il se passe quelque chose.

L'appareil masquait la tente mais on devinait que de ce côté-là aussi les événements se précipitaient. Un petit groupe émergeait au soleil. Les gardes saluaient, bombaient le torse d'un air martial. Brusquement les rotors de l'hélicoptère se mirent à tourner et le starter ronfla bruyamment. Un nuage de fumée bleue gicla de l'échappement et le moteur principal du Super Frelon s'éveilla dans un rugissement.

Deux officiers traversaient en droite ligne vers l'appareil.

— Problème, marmonna Craig d'un air sombre. Ils décampent.

Et tout à coup il sursauta.

— C'est Peter Fungabera.

Le général arborait le béret rouge avec son insigne d'argent, les rubans lustrés de ses décorations sur sa poitrine et l'écharpe dans l'ouverture de son col, son éternel stick calé sous le bras. Il était en grande discussion avec un Blanc de haute taille, d'un âge avancé, que Craig voyait pour la première fois.

L'homme portait une saharienne kaki. Sa tête était nue, ses cheveux ras, et sa peau d'un blanc cireux avait un aspect particulièrement répulsif. Il portait un attaché-case de cuir noir verrouillé à son poignet par une chaîne d'acier.

A mi-chemin de l'hélicoptère, ils s'arrêtèrent pour argumenter violemment. Le Blanc gesticulait, agitait sa main libre en mouvements véhéments. Il était suffisamment près maintenant pour que Craig distingue ses yeux, si pâles qu'ils lui donnaient le regard aveugle d'un buste de marbre. De vieilles cicatrices criblaient sa peau. Et pourtant, des deux, c'était lui qui dominait l'autre. Fungabera avait les traits décomposés d'un survivant de catastrophe aérienne. Il paraissait abasourdi, pitoyable. Craig avait du mal à le reconnaître.

Sur un geste péremptoire, le Blanc le laissa planté là pour reprendre le chemin de l'hélicoptère. A ce moment-là, la déflagration fracassante d'une grenade retentit plus haut dans la vallée. Les deux hommes tournèrent vivement la tête. Maintenant, c'était la rafale d'un fusil automatique qui déchirait l'air, et bientôt un chapelet d'ordres qui claquaient autour de la tente. Les soldats longeaient le replat, pliés en deux, pour s'enfiler dans la vallée.

Une autre rafale, et tous les regards étaient braqués vers l'ouest. Craig boucla hâtivement le havresac sur son dos.

— On y va !

Ils s'extirpèrent de la ravine.

— Ne vous pressez pas.

D'un pas déterminé, ils se dirigeaient droit sur les deux officiers.

Craig sortit la grenade de sa poche et la dégoupilla entre ses dents pour la serrer dans sa main gauche. Dans la droite, il portait le pistolet-mitrailleur chargé, armé, le sélecteur de tir bloqué en position « rafales ». Ils étaient à cinq mètres de lui quand Peter Fungabera se retourna enfin. Son étonnement avait quelque chose de comique quand il reconnut

Craig sous son masque de boue, et qu'il regarda le canon pointé sur son ventre.

— D'ici je peux te couper en deux. Et si je lâche cette grenade, elle nous expédie tous en enfer !

Il lui fallait crier pour couvrir le fracas du Super Frelon.

Le Blanc s'était tourné vers lui. Un éclat sauvage brillait dans la pâleur glaciale de ses yeux.

— Le pilote, ordonna Craig, et les filles coururent vers l'appareil. Maintenant, vous deux, marchez jusqu'à l'hélicoptère. Pas de gestes brusques. Pas de cris.

Il leur emboîta le pas. Son Tokarev au poing, Sarah débarquait le pilote.

— Dis-leur que le général Fungabera est notre otage, dit Craig. Au moindre geste, il risque sa peau. Compris ?

Le pilote hocha la tête d'un air apeuré.

— Maintenant retourne à la tente. Doucement. Ne cours pas. Ne crie pas surtout.

L'homme obéit docilement, et détala à toutes jambes quand il fut hors de portée.

Peter Fungabera fixait Craig comme s'il allait charger, la tête rentrée dans ses épaules massives.

— Pas de bêtise.

Mais il y avait quelque chose de désespéré dans le regard du général — la rage exacerbée de ceux qui n'ont plus rien à perdre.

— Allez ! Grimpe !

Et Peter Fungabera fonça. D'un bond suicidaire, il se catapulta droit sur le canon de l'Uzi. Craig l'attendait. Le métal cogna contre la tempe du Shona, et il tomba sur les genoux.

Au moment même où il s'écroulait, Craig braqua son P-M sur le Blanc.

— Aide-le.

Encombré par l'attaché-case qui entravait son poignet, l'homme releva Fungabera.

— Fais-le monter maintenant.

Craig l'aiguillonna du bout de son arme, et ils trébuchèrent sur l'échelle comme un vieux couple d'ivrognes.

— Garde-les à l'œil, Sarah.

Il jeta un regard par-dessus son épaule. Le pilote de l'hélico atteignait presque la lisière des arbres.

— Magnez-vous un peu le train.

Le Blanc poussa Peter par la porte et se casa derrière lui dans la carlingue, avec sa mallette qui ballottait à sa chaîne.

Craig sauta à bord.

— Par là ! ordonna-t-il aux prisonniers en leur désignant la banquette. Bouclez vos harnais.

Puis, en se tournant vers Sarah :

— Dis à *Pendula* qu'on peut décoller.

L'hélicoptère se souleva, et s'éleva rapidement au-dessus du replat. Par la porte ouverte, Craig balança sa grenade. Une petite explosion supplémentaire ne pouvait qu'ajouter à la confusion générale.

Puis il se carra derrière les prisonniers, le mufle de son Uzi pressé sur la nuque de Peter Fungabera, et récupéra le Tokarev qui pendait à la hanche du Shona pour le fourrer dans sa ceinture. Après quoi il se recula, et se sangla dans les harnais de sécurité. Sarah descendait l'échelle du cockpit en s'accrochant aux longerons.

— Tiens-les en respect, ordonna-t-il, et il se pencha à la porte pour scruter les collines.

Il le vit presque immédiatement. Sous l'arête rocheuse, Tungata déboulait des fourrés en battant des bras, son AK 47 au poing.

— Accroche-toi. Je descends.

La voix de Sally-Ann nasillait dans le haut-parleur de l'interphone au-dessus de sa tête.

Le grand coléoptère piqua, et elle stabilisa l'appareil au-dessus de Tungata.

Un cyclone tourbillonnant plaquait l'herbe sur le sol. La tenue de camouflage du Noir frissonnait, fouettait son corps musclé. Il expédia son AK 47 dans les buissons et leva les yeux. L'hélicoptère descendit encore de quelques pieds. Pendu à la carlingue, Craig faisait un crochet de son bras. Tungata bondit, et leurs deux coudes se cadenassèrent dans une prise vigoureuse qui le souleva du sol, et le happa dans l'habitacle.

— OK ! hurla Craig dans l'interphone. On met les voiles !

Et ils s'enlevèrent à la verticale si brusquement que ses genoux plièrent.

A mille pieds, Sally-Ann se stabilisa pour mettre le cap sur l'ouest.

Tungata clouait sur la banquette arrière un regard interloqué. Encore sonné, Peter Fungabera était avachi sur le dossier.

— Où l'as-tu trouvé, *Pupho?*

— Un cadeau pour toi, Sam, fit Craig en lui tendant le P-M. Il est chargé et armé. Je peux te confier la garde de ces deux zèbres?

— Avec le plus grand plaisir.

— Je vais voir si tout va bien du côté de *Pendula.*

Il se détourna. Pourtant quelque chose dans l'allure du prisonnier blanc le poussa à se retourner immédiatement. Profitant de la confusion, l'homme avait déverrouillé la menotte de son poignet, et il balançait sa mallette noire à travers la soute en direction de la porte ouverte.

Craig se lança, comme un joueur de basket interceptant une passe, et dévia la course de l'attaché-case qui heurta bruyamment la tôle. Il le ramassa en claquant la langue d'un air désapprobateur.

— Voilà un objet qui semble diablement intéressant. Veille bien sur lui, Sam. Ce zèbre-là m'a tout l'air d'être malin comme un singe.

Sa mallette à la main, Craig grimpa à l'étage du cockpit. Il s'affala dans le siège du copilote et défit les sangles de son havresac pour caler soigneusement les diamants sur le côté.

— Alors, femme-oiseau? C'est vrai que tu peux piloter n'importe quoi finalement!

Elle glissa vers lui un sourire, éclair immaculé dans son visage noirci.

— J'ai mis le cap sur l'endroit où on a laissé la Land-Rover.

— Bonne idée. L'essence?

— Un réservoir plein et l'autre à moitié. On ne manquera de rien.

Craig posa l'attaché-case sur ses genoux et examina les verrous. C'étaient des serrures à combinaisons.

— Combien jusqu'à la frontière ?
— Si on maintient nos cent soixante-dix nœuds, moins de deux heures. Ça vaut toujours mieux que la marche à pied.
— Et comment !
Craig lui rendit son sourire. Avec son couteau, il s'employait à forcer les serrures. Le couvercle s'ouvrit finalement sur deux chemises soigneusement pliées et une paire de chaussettes, une bouteille de vodka à moitié pleine, un portefeuille qui contenait quatre passeports — Finlande, Suède, RDA et URSS — et des billets d'avion de l'Aeroflot.
— La panoplie du globe-trotter !
Il dévissa le bouchon de la vodka et s'accorda une gorgée.
— Mmh !... C'est de la bonne !
Il passa la bouteille à Sally-Ann et souleva les chemises, pour découvrir trois classeurs verts estampillés de lettres cyrilliques, d'un marteau et d'une faucille.
— Bon Dieu ! Un Rouge !
Il ouvrit le premier dossier et son intérêt se fit plus vif encore.
— C'est en anglais.
Captivé par sa lecture, il ne releva même pas les yeux quand Sally-Ann demanda :
— Ça raconte quoi ?
Il s'enfila le premier classeur du début à la fin, et enchaîna immédiatement sur les deux autres. Vingt-cinq minutes plus tard il leva enfin la tête pour fixer sur la verrière un regard hébété.
— Incroyable ! Ils étaient tellement sûrs de leur coup ! Ils ont même dactylographié un exemplaire en anglais pour Fungabera. Aucune précaution, rien. Même les noms ne sont pas codés.
— Qu'est-ce que c'est ?
Sally-Ann glissait vers lui un coup d'œil intrigué.
— Invraisemblable !
Il se servit une nouvelle lampée de vodka.
— Il faut que Sam lise ça.
En chaloupant dans le tangage et le roulis de l'hélicoptère, il dégringola dans la soute.

Tungata avait utilisé les harnais pour saucissonner ses deux otages, et se tenait maintenant assis au côté de Sarah devant la banquette. Fungabera paraissait sortir lentement de sa torpeur.

— Passe-moi le P-M et jette un coup d'œil là-dessus !

Craig balança l'attaché-case sur ses genoux.

— Ravi de vous rencontrer, colonel Bukharin. L'hiver moscovite ne vous manque pas trop, j'espère ?

— En tant que membre du corps diplomatique de l'Union soviétique...

— Je sais, colonel. J'ai lu votre carte de visite. Il n'y a rien là-dedans qui puisse impressionner un fugitif aux abois avec un Uzi dans les mains. Je suis tout à fait capable de vous descendre comme un lapin si vous ne la fermez pas immédiatement.

Puis il se tourna vers Peter Fungabera.

— J'espère que tu prends bien soin de King's Lynn. Est-ce que tu t'essuies correctement les pieds avant d'entrer au moins ?

Le général le foudroya d'un regard haineux qui, malgré la situation, fit courir un frisson le long de sa colonne vertébrale. Craig détourna les yeux pour regarder Tungata.

Le Noir compulsait fiévreusement les dossiers avec une expression qui virait peu à peu de l'incrédulité à l'indignation.

— Tu sais ce que c'est que ce truc-là, *Pupho ?*

— C'est un mode d'emploi pour coup d'Etat sanglant, une version en anglais manifestement destinée à Peter Fungabera.

— Tout, ils ont tout prévu. Regarde ça ! La liste de ceux qu'il faudra exécuter — avec les noms en toutes lettres — et ceux dont on peut escompter la collaboration. Le communiqué de presse qui doit annoncer le putsch est même déjà rédigé.

— Page vingt-cinq, suggéra Craig. Jette un coup d'œil.

Tungata tourna les feuilles.

— Moi...

Il observa un silence avant de continuer :

— Expédié dans une clinique psychiatrique pour y subir

un lavage de cerveau. Une marionnette décervelée, qui devait conduire les Matabélé dans les chaînes de l'esclavage...

— Eh oui, Sam ! Tu servais de pivot à toute l'opération. Et tu lui as filé entre les doigts. En dynamitant la grande galerie, il reconnaissait sa défaite. Regarde à quoi il ressemble maintenant.

Mais Tungata n'écoutait plus. Il avait transféré la mallette sur les genoux de Craig pour s'avancer lentement vers le général. Une rage animale voilait ses prunelles d'un rougeoiement sauvage.

En grommelant des rugissements incohérents, il attrapa Fungabera par la courroie qui le ficelait, déboucla son harnais et l'arracha de la banquette pour le balancer en travers de la soute vers la porte béante avec la force d'un buffle à l'agonie.

— Salopard !

Et avant que Craig puisse esquisser un geste, il l'avait basculé par l'ouverture.

Craig confia le P-M à Sarah et bondit. Tungata tenait le Shona au-dessus du vide en s'agrippant d'une main à la carlingue.

Les poignets ficelés dans le dos, le visage tordu dans une grimace épouvantée, le général rivait sur lui un regard implorant.

A deux mille pieds en contrebas, le paysage africain déroulait ses montagnes bardées de rochers noirs, comme une gueule ouverte sur des dents acérées.

— Attends ! Sam !

Craig devait hurler pour se faire entendre dans le grondement assourdissant des rotors.

Une terreur sans nom hantait le regard de Peter Fungabera. Sa bouche béait sur un cri inaudible. L'air le fouettait, plaquait sur ses lèvres des filets de bave qui s'effilochaient en gouttelettes argentées.

— Ne le tue pas, Sam ! C'est notre seule pièce à conviction. Si tu le supprimes, jamais plus tu ne pourras remettre les pieds au Zimbabwe.

Tungata tourna lentement la tête.

— Notre seul... espoir de réhabilitation, articula-t-il.

Il maîtrisa progressivement sa rage et tenta de remonter le prisonnier. Mais les muscles tordus de son bras fatiguaient, incapables de retenir le corps pesant du Shona contre le vent.

— Aide-moi ! fit-il d'une voix rauque.

Et Craig attrapa le harnais de sécurité pour le boucler à sa taille et s'allonger face contre terre en ancrant ses chevilles à l'armature de la banquette.

Il s'agrippa à la ceinture de nylon. A deux, ils hissèrent Fungabera dans l'encadrement de la porte, et le halèrent sur le plancher. La terreur faisait trembler ses membres, et il tenta vainement de se lever sur ses jambes flageolantes.

Tungata le balança contre la paroi de tôle. Il glissa lentement au sol et se recroquevilla en gémissant, le visage enfoui dans ses mains.

Craig remonta d'un pas incertain dans le cockpit.

— Qu'est-ce qui se passe ?

— Rien de grave. J'ai eu un mal fou à empêcher Sam de supprimer Fungabera, c'est tout.

— Pourquoi te donner tant de mal ?

Le vrombissement des rotors les forçait à hurler.

— Sally-Ann, est-ce qu'on peut joindre par radio l'ambassade des Etats-Unis à Harare ?

Elle réfléchit un instant.

— Pas de cet appareil, non.

— Donne-leur le code du Cessna. Je parie qu'ils n'ont pas encore enregistré sa disparition.

— Il faudrait que je passe par le contrôle de Johannesburg. C'est la seule station qui couvre un rayon suffisamment grand pour...

— Débrouille-toi comme tu veux. Je veux avoir Morgan Oxford en ligne.

Le contrôle de Johannesburg répondit immédiatement à l'appel de Sally-Ann, et accepta son indicatif sans broncher.

— Donnez votre position, Kilo Yankee Alpha.

Moins d'une minute plus tard la voix de Morgan Oxford perçait le brouillard des interférences.

— Morgan, c'est Craig. Craig Mellow.

— Bordel de Dieu ! Où diable êtes-vous passé ? Où est Sally-Ann ? Ici c'est la pagaille la plus complète.

— Ecoutez-moi bien, Morgan. Que diriez-vous d'interroger un colonel des services secrets russes en chair et en os, avec en prime distribution gratuite de dossier Top Secret sur un plan de déstabilisation de toute l'Afrique subsaharienne ?

On n'entendit rien d'autre qu'un silence peuplé de parasites et de bourdonnements, et tout d'un coup :

— Une seconde.

Puis la voix d'Oxford revint après une éternité.

— J'arrive. Donnez-moi un rendez-vous quelque part, et j'arrive.

Craig lut les coordonnées que Sally-Ann avait gribouillées pour lui sur un bout de papier.

— On a improvisé un terrain d'atterrissage. Je vous allumerai une balise. Quand ?

— Demain matin, à l'aube.

— Entendu. On vous attend. Terminé.

Il rendit le micro à Sally-Ann.

— La frontière dans quarante-trois minutes, annonça-t-elle. Ce masque de boue te va très bien, Craig. Tu devrais faire ça plus souvent.

— Et toi, mon amour, tu peux être sûre de faire la couverture de *Vogue* en rentrant.

Elle souffla sur la mèche qui tombait sur son nez et lui tira la langue.

La Land-Rover patientait toujours au même endroit, à la limite de la lagune. On distinguait deux silhouettes près du véhicule.

— Bon sang, les copains de Sarah sont toujours là ! Bel exemple de fidélité ! On ferait mieux de les avertir, ou ils vont nous tirer dessus en voyant l'immatriculation militaire.

Par le mégaphone extérieur, Sarah rassura ses compatriotes, et Craig les vit baisser leurs armes comme le Super

Frelon descendait. Un sourire extasié s'épanouissait sur leur visage.

Jonas avait tué un springbok ce matin et pour dîner ils eurent droit à un festin de venaison accompagné de galettes de maïs. Après quoi ils tirèrent au sort l'attribution des quarts de veille.

Le ciel se teintait à peine d'une aube laiteuse quand ils entendirent le bourdonnement lointain d'un moteur d'avion. Craig sauta dans la Land-Rover pour allumer ses balises. Le bruit arrivait plein sud, un énorme cargo de transport Lockheed aux couleurs de l'US Air Force. Sally-Ann le reconnut immédiatement.

— C'est l'appareil que la NASA a basé à Johannesburg pour le contrôle de la navette spatiale.

— On dirait qu'ils nous prennent au sérieux, murmura Craig.

Le Lockheed s'approchait du sol.

— Il a une distance de roulage incroyable, dit Sally-Ann. Tu vas voir.

La gigantesque machine se posa avec la même aisance que le Cessna. Le nez s'ouvrit comme le bec d'un pélican et cinq hommes descendirent la passerelle, Morgan Oxford en tête.

— Comme des sardines qui sortent de leur boîte, observa Craig en les regardant s'avancer.

Ils arboraient tous la même saharienne, la même chemise blanche au col déboutonné, et la même dégaine d'athlète.

— Sally-Ann. Craig.

Oxford leur serra brièvement la main, et salua Tungata :

— Je vous connais, bien sûr, monsieur le Ministre. Voici mes collègues.

Il ne les présenta pas, et continua :

— Il s'agit de ces deux individus ?

Les Matabélé poussaient les prisonniers au bout de leurs fusils.

— Nom d'un chien ! Le général Fungabera ! Mellow, vous êtes vraiment cinglé.

Craig lui tendit l'attaché-case.

— Lisez ce qu'il y a là-dedans avant de raconter des bêtises.

— Attendez ici, je vous prie.

Morgan Oxford prit la mallette et remonta dans l'appareil. Jonas et Aaron conduisirent les captifs vers l'avion, et les Américains s'avancèrent pour les recevoir.

Peter Fungabera paraissait brisé, amoindri. Il gardait obstinément les yeux baissés.

Au passage, Tungata Zebiwe l'attrapa sous le menton, enfonça les doigts dans ses joues, pour le forcer à tourner la tête et river dans ses yeux un regard méprisant avant de le repousser d'un geste écœuré.

— Tous les tyrans cachent un cœur de lopette, gronda-t-il. Emmenez-le, il me dégoûte.

Le général tituba, trébucha dans les bras d'un des Américains, et les deux prisonniers disparurent à l'intérieur du Lockheed.

Commença alors une attente interminable, à l'ombre de la Land-Rover. De temps en temps leur parvenait l'écho nasillard des transmissions radio.

— Ils ont contacté Washington, devina Craig. Par satellite.

Il était 10 heures passées quand Morgan Oxford réapparut enfin sur la passerelle, accompagné d'un de ses collègues.

— Voici le colonel Smith, dit-il d'un ton qui laissait supposer qu'il aurait tout aussi bien pu le présenter sous le nom de Wilson. Après examen des dossiers, il nous semble pouvoir conclure qu'il s'agit de pièces authentiques.

— Trop aimable.

— Monsieur le Ministre, nous vous serions reconnaissants de bien vouloir nous accompagner. Il y a des gens à Washington qui aimeraient beaucoup vous voir. Il y va de l'intérêt de nos deux pays, croyez-moi.

— J'aimerais que cette jeune fille soit aussi du voyage, dit-il en indiquant Sarah.

— Evidemment.

Morgan se tourna vers Craig et Sally-Ann :

— Quant à vous, ce n'est pas une invitation mais un ordre : je vous embarque.

— Qu'est-ce qu'on fait de l'hélicoptère et de la Land-Rover?

— Ne vous inquiétez pas pour ça. Nous nous arrangerons pour qu'ils soient rendus à leurs propriétaires.

Trois semaines plus tard, dans l'enceinte des Nations unies, la délégation du Zimbabwe recevait un mémoire. Il contenait des extraits des trois dossiers verts et le compte rendu partiel des déclarations du général Peter Fungabera. Le mémoire fut réexpédié en urgence à Harare, et le gouvernement du Zimbabwe fit aussitôt une demande de rapatriement de son ressortissant. Deux inspecteurs de la police spéciale débarquèrent à New York pour l'escorter.

Sur l'aéroport de Harare un camion blindé attendait son arrivée. Il descendit la passerelle du Boeing Pan Am enchaîné par une paire de menottes à l'un des policiers.

Aucun journal, aucun communiqué n'ébruita l'annonce de son retour.

Seize jours plus tard il mourait dans une cellule de la prison centrale de Harare. Quand on évacua discrètement son corps des quartiers de haute surveillance, son visage était méconnaissable.

La même nuit, une Mercedes noire gouvernementale quittait la route à tombeau ouvert, quelque part dans la campagne à proximité de la capitale, pour s'écraser dans le décor dans une gerbe de flammes. Il y avait un seul occupant. Au bridge de sa mâchoire supérieure on identifia le cadavre carbonisé comme étant celui du général Peter Fungabera, et cinq jours plus tard il était enterré avec les honneurs militaires à *Heroes'Acre,* le cimetière des combattants de la *Chimurenga,* dans les collines au-dessus de Harare.

Le jour de Noël à 10 heures du matin, le colonel Bukharin quittait son escorte de MP américains au poste frontière allié de Checkpoint Charlie pour traverser les quelques centaines de mètres qui le séparaient de Berlin-Est. Par-dessus sa saharienne, Bukharin portait un manteau de l'armée américaine, et un bonnet de laine couvrait son crâne rasé.

A mi-chemin, il croisa un petit bonhomme dans un costume minable qui venait de la direction opposée. L'inconnu avait dû être rondouillard à une certaine époque de sa vie : sa peau paraissait trop grande pour l'ossature de son visage et elle avait la couleur grise, morbide, que donne une trop longue captivité.

Ils s'accordèrent à peine un regard.

«Echange standard», pensa Bukharin, et il se sentit brusquement épuisé. Sur le goudron verglacé, sa démarche adoptait enfin le boitillement métronomique de la vieillesse.

De l'autre côté, une limousine noire l'attendait. Il y avait deux hommes sur la banquette arrière, et l'un d'eux sortit quand Bukharin approcha. Dans la grande tradition vestimentaire du KGB, il portait un long imperméable et un chapeau à large bord.

— Bukharin?

Le ton était neutre mais le regard glacial, implacable.

Quand le vieillard hocha la tête, il eut un mouvement bref du menton. Bukharin se glissa à l'arrière. L'autre le suivit et claqua la portière. Dans l'intérieur surchauffé, une odeur d'ail se mêlait à des relents de vodka filtrés par les pores des épidermes mal lavés.

La limousine s'ébranla. Bukharin se renversa sur le dossier et ferma les yeux. Ça allait être dur. Plus dur encore peut-être qu'il ne l'avait prévu.

Henry Pickering avait choisi pour ce déjeuner les salons privés de la Banque mondiale, au-dessus de Central Park.

Sally-Ann et Sarah, qui ne s'étaient pas vues depuis cinq mois, tombèrent dans les bras l'une de l'autre pour se retirer dans un coin et rattraper le temps perdu à grand renfort de bavardages et d'éclats de rire, comme si le reste du monde n'existait pas.

Pour leurs retrouvailles, Tungata et Craig se montraient plus discrets.

— Je me sens un peu coupable, *Pupho.* Cinq mois, c'est bien trop long.

— Je sais qu'on ne t'a pas laissé une minute de répit, fit Craig, conciliant. D'ailleurs, j'étais moi-même toujours sur la brèche. La dernière fois qu'on s'est vus, c'était à Washington...

— Près d'un mois d'entretiens avec le département d'Etat. Et ensuite à New York avec l'ambassadeur du Zimbabwe, et la Banque mondiale. J'ai tellement de choses à t'apprendre que je ne sais pas par où commencer.

— Parlez-lui de la réhabilitation que vous avez arrachée à Harare, suggéra Henry Pickering.

— On peut commencer par là, bonne idée. Tout d'abord, la condamnation prononcée contre moi par la Cour suprême a été annulée...

— J'espère bien !

— Mais ce n'est qu'un début.

Avec un sourire, Tungata lui prit le bras.

— Cette confession que tu as signée à Fungabera a été déclarée nulle et non avenue. King's Lynn et Zambezi Waters te reviennent.

Craig le fixait sans un mot, comme il continuait :

— Le Premier ministre accepte de considérer que tous les actes de violence qui nous étaient reprochés relèvent de la légitime défense.

Craig se contenta de secouer la tête.

— Ensuite, la 3e brigade s'est retirée du Matabeleland. Le régiment tout entier a été dissous, intégré à l'armée régulière ; la campagne de répression a cessé, et des observateurs étrangers ont été nommés en poste au Matabeleland pour superviser le bon déroulement du processus de pacification.

— C'est la plus belle de toutes les nouvelles, Sam.

— Attends, je n'ai pas fini. Je récupère mon passeport et ma citoyenneté zimbabwéenne. On m'autorise à rentrer au pays avec l'assurance de ne rien faire pour entraver mon activité politique. Le gouvernement doit bientôt étudier un projet de référendum pour instaurer une forme d'autonomie fédérale pour le peuple matabélé, et en retour, je promets d'utiliser toute mon influence pour convaincre les dissidents de quitter la clandestinité et de déposer les armes dans le cadre d'une amnistie générale.

— La solution que tu as toujours préconisée. Félicitations, Sam.

— C'est grâce à toi.

Il se tourna vers Pickering :

— Je peux lui dire, maintenant, pour le Feu de Lobengula ?

— Pas tout de suite.

Henry Pickering les prit tous deux par le bras et les entraîna vers la salle à manger.

— Passons d'abord à table.

Des panneaux de chêne habillaient la pièce — un cadre parfait pour la série des cinq toiles de Remington qui décoraient trois des murs. Le quatrième était une énorme baie vitrée qui découvrait la ville et Central Park.

Assis en bout de table, Henry gratifia Craig d'un sourire.

— J'ai décidé de jouer le grand jeu.

Et il lui montra l'étiquette des bouteilles.

— Et du 61, en plus !

— Eh oui ! Ce n'est pas tous les jours que je reçois l'auteur qui pulvérise tous les records de vente...

— Incroyable, n'est-ce pas ? coupa Sally-Ann. Dès la première semaine de publication, Craig se retrouve numéro un dans la liste du *New York Times.*

— Et ce contrat d'adaptation télévisée ? demanda Tungata.

— Pas encore signé.

— D'après mes informations, dit Pickering en remplissant les verres, ça ne saurait tarder. Mesdames et messieurs, à la santé du dernier-né de Craig Mellow !

Ils burent à son livre dans l'allégresse générale et Craig, qui n'osait pas toucher à son verre, protesta :

— Allez ! Proposez-moi un toast auquel je puisse me joindre.

— Le voilà !

Henry leva son verre de nouveau.

— Au Feu de Lobengula ! Maintenant vous pouvez lui annoncer.

— Si ces deux bavardes voulaient bien arrêter de jacasser...

— Pas de médisances ! s'indigna Sally-Ann. On ne jacasse pas, on s'entretient de problèmes très sérieux.

Tungata sourit en continuant :

— Comme vous le savez, Henry a fait expertiser les diamants. Après examen, les meilleurs spécialistes de Harry Winston sont arrivés à une estimation...

— Eh bien ? s'impatienta Sally-Ann. Combien ?

— Le marché du diamant connaît une crise très sérieuse en ce moment. Des pierres qui se vendaient 70 000 dollars il y a deux ans atteignent à peine...

— Ça suffit, Sam. Ne nous fais pas languir !

— D'accord. Winston a évalué le lot à 600 millions de dollars...

Ils se mirent à parler tous en même temps et Tungata dut élever la voix pour se faire entendre.

— Comme convenu, les diamants seront placés en trust, et je compte demander à Craig d'être un des administrateurs.

— J'accepte.

— Cependant, quatorze pierres ont déjà été vendues, sous ma responsabilité. Le profit de la vente s'élève à 5 millions de dollars. Il a été entièrement versé à la Banque mondiale en règlement du prêt consenti à Craig Mellow.

Il tira une enveloppe de la poche intérieure de sa veste.

— Et voici le reçu. *Pupho,* ta part. Tu es maintenant libre de toute dette. King's Lynn et Zambezi Waters t'appartiennent.

Bouche bée, Craig manipulait l'enveloppe entre ses doigts. Le sourire de Tungata s'évanouit comme il se penchait vers lui pour murmurer :

— En retour, j'ai une faveur à te demander, *Pupho.*

— Tout ce que tu voudras.

— Promets-moi de revenir en Afrique. Nous avons besoin d'hommes comme toi si nous ne voulons pas que la terre que nous aimons disparaisse à jamais dans les ténèbres d'une nouvelle barbarie.

A travers la table, Craig prit la main de Sally-Ann.

— Dis-lui, toi.

Dans leur vieille Land-Rover, Sally-Ann et Craig gravissaient les collines de King's Lynn. Le couchant habillait les prairies d'un manteau d'or, et les arbres des crêtes découpaient une dentelle arachnéenne sur le bleu serein du ciel africain.

Ils attendaient sous les jacarandas — tous les serviteurs, tous les ouvriers de King's Lynn. Quand Craig prit Shadrach dans ses bras, la manche vide du vieil homme flotta contre son thorax osseux.

— Ne t'inquiète pas, *Nkosi.* Je travaille encore mieux avec un seul bras que les autres avec deux.

— Je te propose un marché, suggéra Craig. Prête-moi une jambe, et je te prête un bras.

Shadrach riait si fort que les larmes inondaient son visage, et sa plus jeune femme dut l'attraper par la manche pour l'entraîner à l'écart.

Joseph, lui, se tenait en retrait sur la véranda, resplendissant dans un *kanza* immaculé, la tête coiffée d'une toque amidonnée.

— J'ai l'œil sur toi, *Nkosikazi,* dit-il gravement, les yeux brillants de plaisir.

— J'ai l'œil sur toi, Joseph, répondit Sally-Ann. Et j'ai décidé : nous aurons deux cents invités pour le mariage.

Elle avait répondu dans un ndébélé parfait, et le vieux cuisinier en oublia de refermer sa bouche. C'était la première fois qu'elle le voyait faillir au protocole.

— Hau! dit-il en se tournant vers ses aides. Maintenant la grande dame de King's Lynn comprend tous vos bavardages. Alors gare à vous si vous ne marchez pas droit!

Craig et sa «Grande Dame» étaient debout en haut des marches, main dans la main, tandis que la population du domaine entonnait le chant de bienvenue qui accueille le voyageur chez lui après un long et dangereux périple. Quand ils eurent terminé, Craig baissa les yeux vers Sally-Ann.

— Bienvenue à la maison, beauté.

Et devant les femmes qui dansaient en secouant les gamins ficelés sur leur dos comme des pantins, Craig planta sur sa bouche un baiser retentissant.

WILBUR SMITH

L'Œil du faucon

Fraîchement diplômée de la faculté de médecine, la jeune Robyn Ballantyne quitte l'Angleterre pour l'Afrique australe. Son but : retrouver son père, missionnaire et explorateur célèbre qui a mystérieusement disparu au cœur du continent noir.

La jeune fille a deux autres objectifs : faire bénéficier les indigènes de la parole du Christ et des progrès de la médecine occidentale. Enfin, et surtout, aider à mettre un terme à un trafic ignoble, le commerce des esclaves encore florissant en ce milieu du XIXe siècle.

Le trouble de Robyn est grand lorsqu'elle découvre que son frère Zouga, qui l'accompagne dans sa quête, ne rêve, lui, que de faire fortune. Et que le clipper américain qui cingle vers l'Afrique est un navire négrier dont le capitaine, le séduisant Mungo St John, n'est autre qu'un abominable trafiquant d'esclaves.

WILBUR SMITH

À la conquête du royaume

Avant de récupérer le trésor – une impressionnante quantité de défenses d'éléphants – qu'il a dissimulé dix ans plus tôt lors de l'expédition organisée avec sa sœur Robyn, Zouga Ballantyne doit reconstituer sa fortune. Or on vient de découvrir au cœur de l'Afrique australe de riches mines de diamant...

Ces gisements sont la propriété d'un homme singulier, un certain Cecil Rhodes, qui, après avoir fait fortune à l'âge de vingt ans, est retourné en Angleterre pour y étudier, avant de revenir sur les lieux de ses exploits, où il a bien l'intention de se tailler un empire.

Si, sur place, les relations entre les pionniers européens et les populations locales – les fiers Matabélé – sont cordiales au départ, elles se détériorent lorsque l'intention des nouveaux arrivants se précise : accaparer les meilleures terres et les richesses inouïes du sous-sol.

L'affrontement est inévitable. Il ne pourra être que sanglant...

WILBUR SMITH

La Troisième Prophétie

Les deux premières prédictions se sont réalisées : après l'invasion de sauterelles annoncée par l'oracle, une épidémie a décimé le bétail. L'accomplissement de la troisième prophétie donnera le signal du soulèvement...

Vaincus par les Blancs, les Matabélé ne sont pas soumis pour autant. Neveu de leur dernier roi, Bazo fomente la rébellion de son peuple tout en feignant d'accepter de travailler pour l'envahisseur.

Mais la révolte ne pourra être déclenchée que lorsque, éventualité bien lointaine, les soldats ennemis quitteront leurs terres. Et le miracle se produit ! Chargé d'aller mater les Boers sud-africains, le corps expéditionnaire anglais quitte le territoire de ce qui n'est pas encore la Rhodésie, marquant l'accomplissement de la troisième prophétie. Le bain de sang peut commencer.

Il emportera comme un torrent la famille Ballantyne tout entière...

Ce volume a été achevé d'imprimer
sur les presses de l'imprimerie Gagné
à Louiseville
en janvier 2000

Imprimé au Canada